Psychologia dziecka

Psychologia dziecka

H. Rudolph Schaffer

Przełożył
Aleksander Wojciechowski

Redakcja naukowa
Anna Brzezińska

WYDAWNICTWO NAUKOWE PWN

WARSZAWA 2009

Przetłumaczone z
H. Rudolph Schaffer, *Introducing Child Psychology*, wyd. I
© 2004 by H. Rudolph Schaffer

This edition is published by arrangement with Blackwell Publishing Ltd, Oxford. Translated by Polish Scientific Publishers PWN from the original English language version. Responsibility of the accuracy of the translation rests solely with the Polish Scientific Publishers PWN and is not responsibility of Blackwell Publishing Ltd.

Projekt graficzny okładki i stron tytułowych *Karolina Lijklema*

Ilustracja na okładce *Wiesław Wałkuski*

Redaktor *Małgorzata Kasprzewska*

Redaktorzy inicjujący *Katarzyna Kaczmarek, Joanna Marek*

Recenzenci
Prof. dr hab. Anna Brzezińska
Dr hab. Maria Kielar-Turska

Copyright © for the Polish edition by Wydawnictwo Naukowe PWN SA
Warszawa 2005

ISBN 978-83-01-14534-7

Wydawnictwo Naukowe PWN SA
02-676 Warszawa, ul. Postępu 18
tel. 022 69 54 321; faks 022 69 54 031
e-mail: pwn@pwn.com.pl; www.pwn.pl

Wydawnictwo Naukowe PWN SA
Wydanie I – 4 dodruk
Arkuszy drukarskich 25,25
Druk ukończono w kwietniu 2009 r.
Skład i łamanie: Studio Full Scan, Kielce
Druk i oprawa: ZPW „POZKAL"
88-100 Inowrocław, ul. Cegielna 10/12

Spis treści

Przedmowa do wydania polskiego (Anna Brzezińska) 9

Przedmowa 19

Rozdział 1
Odkrywanie natury dziecka 21
Czym jest psychologia dziecka? 22
    Istota i cele 22
    Metody 24
    Badania przekrojowe i podłużne 26
Do czego jest nam potrzebna psychologia dziecka? 27
    Odpowiadanie na pytania: sposób subiektywny 28
    Odpowiadanie na pytania: sposób obiektywny 31
    Rola teorii 35
Podsumowanie 36
Literatura dodatkowa 36
Literatura uzupełniająca w języku polskim 37

Rozdział 2
Istota dzieciństwa 38
Kim jest dziecko? 39
Perspektywa historyczna 40
    Dziecko jako miniaturowy dorosły 40
    Dziecko jako ofiara 42
    Dziecko dziś 43
Perspektywa kulturowa 45
    Zróżnicowanie praktyk wychowawczych 46
    Orientacja indywidualistyczna i kolektywistyczna 49
    Międzykulturowo spostrzegany rozwój osobowości 51
Dorosły sposób myślenia o dzieciach 52
    Istota systemów przekonań 53
    Związki z rozwojem dziecka 54
Podsumowanie 56
Literatura dodatkowa 56
Literatura uzupełniająca w języku polskim 57

Rozdział 3
Początek życia 58
O dziedziczeniu 59
    Przekaz genetyczny 59
    Zaburzenia genetyczne 61
    Natura a wychowanie 64
    Prawdy i mity na temat genów 70

Od poczęcia do narodzin 73
    Stadia rozwoju prenatalnego 74
    Wpływ środowiska na rozwój prenatalny 76
Przystosowanie noworodka do życia 81
    Poród i jego skutki psychologiczne 81
    Wcześniaki 83
    Świat w oczach nowo narodzonych dzieci 87
    Wzorce działania a mózg 94
    Dostosowanie rodziców 100
Podsumowanie 102
Literatura dodatkowa 103
Literatura uzupełniająca w języku polskim 104

Rozdział 4
Tworzenie związków 105
Istota związku 107
Rodzina 109
    Rodzina jako system 109
    Typy rodzin a rozwój dziecka 115
    Rozwód i jego skutki 119
Rozwój przywiązania 122
    Istota i funkcje przywiązania 123
    Droga rozwoju 124
    Przywiązanie bezpieczne i pozabezpieczne 128
    Wewnętrzne modele operacyjne 132
Relacje między rówieśnikami 135
    Relacje poziome i pionowe 136
    Wpływ relacji rówieśniczych na rozwój 138
    Status w grupie rówieśniczej 140
Podsumowanie 143
Literatura dodatkowa 144
Literatura uzupełniająca w języku polskim 144

Rozdział 5
Rozwój emocjonalny 146
Czym są emocje? 148
    Istota i funkcje 148
    Podstawy biologiczne 150
    Droga rozwoju 154
Pojmowanie emocji przez dzieci 156
    Początki języka emocji 156
    Rozmowy na temat emocji 157
    Myślenie na temat emocji 160
Socjalizowanie emocji 163
    Nabywanie reguł ekspresji emocji 165
    Wpływ rodziców 167
Kompetencje emocjonalne 170
    Czym są kompetencje emocjonalne? 171
    Od kontroli zewnętrznej do samokontroli 173
    Dlaczego dzieci różnią się pod względem kompetencji emocjonalnych? . . . 175
Podsumowanie 179
Literatura dodatkowa 179
Literatura uzupełniająca w języku polskim 180

Rozdział 6
Dziecko jako naukowiec: Piagetowska teoria rozwoju poznawczego 181
Przegląd 182
     Cele i metody 183
     Podstawowe cechy teorii 186
Stadia rozwoju poznawczego 189
     Stadium sensoryczno-motoryczne 190
     Stadium przedoperacyjne 196
     Stadium operacji konkretnych 200
     Stadium operacji formalnych 204
Za i przeciw teorii Piageta 205
     Korzyści 205
     Mankamenty 207
Podsumowanie 213
Literatura dodatkowa 214
Literatura uzupełniająca w języku polskim 214

Rozdział 7
Dziecko jako praktykant: Wygotskiego społeczno-poznawcza teoria rozwoju 216
Przegląd 217
     Postać Lwa Wygotskiego 217
     Teoria 218
Od cudzej pomocy do autopomocy 225
     Co dzieje się w strefie najbliższego rozwoju? 226
     W jaki sposób dorośli pomagają dziecku w rozwiązywaniu zadań? 227
     Co sprzyja efektywnej pomocy? 232
     Czy rówieśnicy mogą działać jako tutorzy? 233
     Jaką rolę w tutoringu dorosły–dziecko pełnią czynniki kulturowe? 234
     Czy wspólne rozwiązywanie problemów jest ważniejsze od pracy samodzielnej? 238
Ocena 240
     Korzyści 240
     Mankamenty 241
Podsumowanie 243
Literatura dodatkowa 244
Literatura uzupełniająca w języku polskim 244

Rozdział 8
Dzieci jako osoby przetwarzające informacje 246
Modelowanie czynności umysłowych 247
     Czy umysł to komputer? 247
Istota myśli 252
     Problem dostępu 253
     Reprezentacja symboliczna: język, zabawa, rysowanie 257
Organizacja umysłu 268
     Formowanie pojęć 269
     Tworzenie skryptów 273
Zapamiętywanie 274
     Istota pamięci 275
     Rozwój pamięci 276
     Pamięć autobiograficzna 281
     Dzieci jako naoczni świadkowie 284

Myślenie o ludziach 285
    Opisywanie innych ludzi 285
    Wyjaśnianie zachowań innych ludzi 287
Podsumowanie 291
Literatura dodatkowa 292
Literatura uzupełniająca w języku polskim 292

Rozdział 9
Posługiwanie się językiem 293
Czym jest język? 294
    Natura i funkcje języka 294
    Czy to wyłącznie ludzka zdolność? 298
Przebieg rozwoju języka 301
    Pierwsze słowa 302
    Powstawanie zdań 305
    Czy istnieją okresy krytyczne dla uczenia się języka? . . . 309
    Kompetencja komunikacyjna 313
    Kilka słów o umiejętności czytania i pisania 316
Wyjaśnienie procesu przyswajania sobie języka 319
    Podejście behawiorystyczne 319
    Podejście natywistyczne 320
    Podejście społeczno-interakcyjne 322
Podsumowanie 329
Literatura dodatkowa 330
Literatura uzupełniająca w języku polskim 331

Rozdział 10
Ku dojrzałości 332
Stawanie się człowiekiem dorosłym 333
    Biologiczne uwarunkowania indywidualności 333
    Tworzenie własnego Ja 335
    Samoocena: jej istota i rozwój 338
    Ja w okresie dorastania 342
    Czynniki wpływające na samorozwój 345
    Przyswajanie sobie poczucia przynależności do płci . . . 348
Ciągłość i zmiana 355
    Badanie ciągłości 356
    Przewidywanie na podstawie wczesnych zachowań 358
    Przewidywanie na podstawie wczesnych doświadczeń . . . 364
    Śledzenie trajektorii rozwojowych 368
Podsumowanie 370
Literatura dodatkowa 371
Literatura uzupełniająca w języku polskim 372

Słownik pojęć 373

Bibliografia 377

Indeks nazwisk 395

Indeks rzeczowy 402

Przedmowa
do wydania polskiego

Rozwój to wspólne przedsięwzięcie dziecka i dorosłego: kim jest H. Rudolph Schaffer w psychologii rozwoju człowieka?

H. Rudolph Schaffer (ur. 1926), obecnie emerytowany profesor Wydziału Psychologii Uniwersytetu Strathclyde w Glasgow, jest przedstawicielem ważnego współcześnie nurtu psychologii rozwojowej uprawianej w perspektywie społecznej i interakcyjnej, z mocnym zakorzenieniem w naukach biologicznych, szczególnie w etologii. Jest szeroko znanym i niezwykle cenionym badaczem. Jego studia nad wczesnymi interakcjami społecznymi w diadzie matka–niemowlę[1] to wzorzec rzetelnych i niezwykle pieczołowicie realizowanych badań eksperymentalnych, jakich w psychologii rozwojowej obecnie prawie już się nie spotyka. Był jednym z pierwszych, którzy do analiz rozwoju człowieka wprowadzili odniesienia do etologii, stosował mikroanalizę, nagrania wideo, analizował interakcje społeczne we wczesnych okresach życia nie tylko w diadach, ale przede wszystkim w szerszych układach społecznych (poliadach). Jest też autorem szeroko znanej koncepcji wzajemnej socjalizacji, co lokuje go pośród psychologów przyjmujących, i rzeczywiście realizujących w swych programach badawczych, założenie o interakcji czynników biologicznych i społecznych oraz o wzajemnym wpływie na siebie dziecka i dorosłego w toku rozwoju. Jest jednym z najbardziej znanych współczesnych psychologów rozwojowych, koncentrującym się na rozwoju społecznym dziecka w początkowych miesiącach życia, przyjmującym, iż nasz rozwój od samego początku jest społeczny – i co do treści, i co do formy. Jego prace badawcze dotyczyły m.in. takich kwestii, jak wczesna socjalizacja dziecka, techniki socjalizacji stosowane przez rodziców, związek między funkcjonowaniem poznawczym dziecka a kontekstem społecznym, rozwój komunikacji niewerbalnej w okresie niemowlęcym, interpersonalny kontekst uczenia się mowy.

Cała zgromadzona przez niego wiedza empiryczna oraz towarzysząca jej refleksja teoretyczna są właściwie u nas nieznane, a na całym świecie od lat kształtują oblicze badań i analiz nad rozwojem w okresie dzieciństwa. W Polsce opublikowano jedynie jego niewielką książkę pt. *Początki uspołecznienia dziecka*[2] oraz

---

[1] W: Schaffer, H. R. (red.). (1977). *Studies in mother-infant interaction*. London: Academic Press.
[2] Warszawa, 1981, PWN (tłum. Z. Skwirczyńska-Masny); wyd. oryg.: *The growth of sociability*, 1971.

sześć rozpraw w pracach zbiorowych: *Społeczny kontekst rozwoju psychobiologicznego*[3] (oryg. ang.: 1987), *Wczesny rozwój społeczny*[4] (oryg. ang.: 1989), *Wzajemność kontroli we wczesnym dzieciństwie*[5] (oryg. ang.: 1990), *Epizody wspólnego zaangażowania jako kontekst rozwoju poznawczego*[6] (oryg. ang.: 1992), *Przyswajanie zasad dialogu*[7] (oryg. ang.: 1979), *Rozwój języka w kontekście*[8] (oryg. ang.: 1990).

Wydanie w języku polskim tych kilku prac Schaffera w znaczącym stopniu przyczyniło się do upowszechnienia interakcyjnego i ekologicznego sposobu myślenia o rozwoju człowieka, co pozwoliło na przezwyciężenie ciążącego także nad polską psychologią ujmowania rozwoju jednostki w oderwaniu od kontekstu społecznego, w którym żyje. Owa nowa – u nas – społeczna i interakcyjna perspektywa ujmowania rozwoju owocuje także tym, że psychologia rozwojowa coraz częściej jest wykorzystywana jako podstawa działań praktycznych. Odnosi się to szczególnie do trzech obszarów, gdy mówimy o dzieciach: wczesnej interwencji, czyli opieki psychologicznej i wspomagania rozwoju dzieci od narodzin do 3. r. ż., edukacji przedszkolnej i edukacji elementarnej w klasach I–III szkoły podstawowej. Praktyczne zastosowanie i wykorzystanie osiągnięć psychologii rozwojowej odnosi się w każdym z tych trzech obszarów do dwóch typów działań. Po pierwsze, do d z i a ł a ń   d i a g n o s t y c z n y c h – to nowe interakcyjne ujęcie kładzie nacisk na potrzebę dokonywania jednocześnie diagnozy zasobów indywidualnych (tj. właściwości, kompetencji) obu partnerów interakcji (dziecka i osoby dorosłej lub rówieśnika), jakości łączącej ich relacji oraz zasobów środowiska, w którym żyją. Po drugie, do d z i a ł a ń   i n t e r w e n c y j n y c h – kierowanych zarówno na jednostki (dziecko i/lub osobę dorosłą bądź rówieśnika), jak i na grupy (np. rodzinę, grupę rówieśniczą, klasę szkolną), instytucje, organizacje i całe społeczności.

Na polskim rynku ciągle brak książek z psychologii rozwojowej, które nie tylko dawałyby rzetelną, opartą na współczesnych badaniach wiedzę o tym, co dzieje się w kolejnych okresach życia człowieka, ale i pokazywały psychologiczne mechanizmy zmian rozwojowych oraz wyjaśniały przebieg procesu rozwoju. Większość prac przekładanych z języków obcych (dominuje j. angielski) głównie p r e z e n t u j e   i   o p i s u j e osiągnięcia rozwojowe w kolejnych okresach życia. Rzadko kiedy jest to lektura ciekawa, a już z pewnością nie zachęcająca do „przekła-

---

[3] W: A. Brzezińska, G. Lutomski (red.). (1994). *Dziecko w świecie ludzi i przedmiotów* (tłum. A. Brzezińska, K. Warchoł). (s. 72–95). Poznań: Zysk i S-ka Wydawnictwo.

[4] W: *op. cit.* (s. 96–124).

[5] W: *op. cit.* (s. 125–149).

[6] W: *op. cit.* (s. 150–188).

[7] W: A. Brzezińska, T. Czub, G. Lutomski, B. Smykowski (red.) (1995). *Dziecko w zabawie i świecie języka* (tłum. A. Brzezińska, K. Warchoł). (s. 89–123). Poznań: Zysk i S-ka Wydawnictwo.

[8] W: *op. cit.* (s. 164–192).

dania" owej wiedzy na praktyczne procedury diagnostyczne, procedury wspomagania rozwoju, edukacji, działalności profilaktycznej czy terapeutycznej. A zapotrzebowanie na psychologię rozwojową jest ogromne i stale rośnie. Rzetelnej wiedzy poszukują nauczyciele i wychowawcy, osoby zajmujące się wczesną interwencją, profilaktyką i terapią dzieci, a także coraz częściej lekarze, pielęgniarki oraz rodzice. Sądzę, iż nadchodzi też wreszcie kres zapotrzebowania na książki proste, łatwe i „chwytliwe" (*vide* książki o toksycznych rodzinach, toksycznych rodzicach, toksycznych partnerach, toksycznych nauczycielach itp.). Osoby, które naprawdę chcą dzieciom pomóc, poszukują książek ambitnych, których autorzy opierają swoje wywody na uczciwie przeprowadzonych badaniach, ale też dysponują teorią pozwalającą wyjaśniać (a więc zrozumieć), a nie tylko opisywać jakieś zjawisko.

Dlaczego polecam książkę H. Rudolpha Schaffera? Jest to książka znakomita pod każdym względem. Jest starannie przemyślana co do zawartości, ma jasny i przejrzysty układ, autor odwołuje się do badań, wprowadza też w postaci ramek tematycznych nowe, dotąd raczej w psychologii rozwoju nieobecne wątki (np. rola TV, komputerów i internetu; porównania międzykulturowe). Najważniejsze jest jednak to, iż książka ta p r e z e n t u j e   n a j b a r d z i e j   k l u c z o w e   z j a w i s k a   r o z w o j o w e   c h a r a k t e r y s t y c z n e   d l a   o k r e s u   d z i e c i ń s t w a. Nie jest to żadna składanka, żadna kolekcja informacji, ale starannie przemyślana konstrukcja. W dziesięciu rozdziałach pomieścił autor bogatą i zróżnicowaną wiedzę o tym, co dzieje się w okresie dzieciństwa i jakie ma to znaczenie dla funkcjonowania w dalszym życiu. Czytelnik, nawet doświadczony i kompetentny w zakresie psychologii rozwoju, istotnie wzbogaci swoją wiedzę, ale też – co ważniejsze – zrozumie sens zmian rozwojowych dokonujących się w różnych obszarach funkcjonowania we wczesnym okresie życia człowieka.

Dwa początkowe rozdziały to zadziwiająco proste, ale celne wprowadzenie w obszar psychologii wieku dziecięcego. Dla czytelników-nowicjuszy rozdziały te będą ważnym źródłem informacji, a doświadczonym pokażą znaną im od lat dyscyplinę w ciekawszym, jak sądzę, świetle. Rozdział 3. ukazuje zmiany w najwcześniejszym okresie życia. Jego zaletą jest nie to, że dostarcza informacji (nasza wiedza o tym okresie życia jest – na poziomie opisowym – już dość spora), ale to, że ukazuje s e n s   t y c h   z m i a n, a więc to, czemu one służą. Kolejne rozdziały podejmują problemy, jak już wyżej pisałam, kluczowe, a mianowicie kolejno: rozdział 4. – tworzenie się związków z innymi ludźmi: w rodzinie i z rówieśnikami, powstawanie relacji przywiązania; rozdział 5. – rozwój emocjonalny, socjalizacja emocji, kształtowanie się kompetencji emocjonalnej; rozdział 6. – analiza procesu rozwoju poznawczego i jego osiągnięć czyniona z punktu widzenia koncepcji Jeana Piageta, ukazuje nam dziecko jako „małego naukowca". Co ważne – mamy tu bardzo ciekawą prezentację, zwykle w sposób nudny przedstawianej, koncepcji Jeana Piageta; rozdział 7. – tu analiza procesu rozwoju poznawczego w jego kontekście społecznym, dokonana na podstawie koncepcji Lwa S. Wygotskiego, ukazuje nam dziecko jako „małego praktyka" i „praktykanta". Wygotski został tu przedstawiony jako „rywal" Piageta, i choć jego koncepcja przeżywa swoisty boom w zachodniej psychologii, i to nie tylko – podkreślam – w psychologii rozwojowej, trudno uznać jej prezentację dokonaną przez Schaffera za rzetelną; w wielu miejscach jest ona niezwykle pobieżna i operująca nadmiernymi, z jednej strony uogólnieniami, a z drugiej uproszczeniami; rozdział 8. – przedstawia dziecko jako „operatora informacji", czyli pokazuje nam przebieg procesu rozwoju myślenia i innych kompetencji poznawczych dziecka, jak kształtowanie się pojęć czy rozwój pamięci; rozdział 9. – pokazuje, jak dziecko uczy się mówić. Autor omawia różne koncepcje nabywania mowy, analizuje kompetencję językową i komunikacyjną odwołując się m.in. do teorii Noama Chomsky'ego i pojęcia LAD[9] oraz do teorii Jerome Brunera i pojęcia LASS[10]; rozdział 10. – podejmuje trudny i wciąż budzący wiele wątpliwości natury teoretycznej i metodologicznej problem ciągłości–nieciągłości i stabilności–zmiany w rozwoju, oraz analizuje znaczenie osiągnięć dzieciństwa dla funkcjonowania w okresie dorastania i dorosłości. Pracę uzupełnia – dostarczając bardzo wielu dodatkowych i ciekawych informacji – 36 ramek tematycznych, 36 rysunków i 42 tabele oraz słownik podstawowych terminów, bogaty spis literatury przedmiotu, indeks nazwisk i indeks rzeczowy.

Całość rozważań Schaffera dotyczy tego, jak człowiek staje się istotą społeczną, jak poszerza krąg swych interakcji z innymi ludźmi, jak w tym poszerzającym się kontekście społecznym rozwija się jego obraz siebie i obraz świata, oraz pojawiają się stopniowo różne nowe kompetencje. Autor pieczołowicie analizuje biologiczne korzenie naszego rozwoju, odwołując się do ujęcia ewolucyjnego, do genetyki zachowania, wreszcie do psychologii różnic indywidualnych. Sporo miejsca poświęca pierwszym relacjom społecznym dziecka, w tym genezie przywiązania. Pojęcie przywiązania, znane od ponad 50 lat, w ostatnim czasie przeżywa swoisty renesans, jednak wielu badaczy traktuje je niezwykle powierzchownie – nie wychodząc poza prosty opis typów przywiązania i ich konsekwencji dla funkcjonowania w okresie dzieciństwa i później. Schaffer, odwołując się do klasycznej koncepcji przywiązania autorstwa Johna Bowlby'ego, dokonuje rzetelnej analizy tego zjawiska i wyjaśnia, dlaczego przywiązanie to matryca wszelkich dalszych kontaktów społecznych człowieka. Za ważne, bo często pomijane lub analizowane ogólnikowo, uznaje też analizy kontaktów pozarodzinnych, szczególnie kontaktów z rówieśnikami i podkreśla istnienie w rozwoju okresów krytycznych oraz okresów szczególnej wrażliwości i znaczenie traum wczesnodziecięcych dla dalszego funkcjonowania – nie tylko społecznego – dziecka.

Takie ujęcie doskonale wpisuje się w wizję Wygotskiego, iż „psychologia musi odrzucić obojętność i aktywnie uczestniczyć w życiu człowieka, pomagać w jego for-

---

[9] Skrót od ang. *language acquisition device*.
[10] Skrót od ang. *language acquisition system support*.

mowaniu". Jest to jednak możliwe tylko wtedy, gdy rozwój człowieka będziemy rozpatrywać w kontekście wszelkich wpływów społecznych, jakim podlega on od początku swego życia (czyli w kontekście socjalizacji), oraz na tle oddziaływań podejmowanych świadomie przez osoby znaczące (*significant others*) w jego otoczeniu (czyli w kontekście edukacji) – tj. procesów wychowania i nauczania naturalnego, realizowanego w rodzinie i grupie rówieśniczej oraz instytucjonalnego, sformalizowanego, np. w szkole. W każdym kolejnym okresie życia człowieka zmienia się sposób jego uczestniczenia w świecie. Jest to efekt kompetencji nabytych w okresach poprzednich, ale i tego, że otoczenie stawia mu nowe – coraz wyższe, bardziej złożone – wymagania. Zatem przebieg procesu rozwoju i osiągane efekty to rezultat dynamicznej interakcji między jednostką a otoczeniem. Oznacza to, iż każda zmiana oczekiwań tworzy całkowicie nową sytuację psychologiczną, wymagającą (by sobie z nimi poradzić) opanowania nowych kompetencji, a z kolei opanowanie nowych kompetencji zwrotnie powoduje spostrzeganie jednostki przez otoczenie jako bardziej kompetentnej niż wcześniej i kolejną zmianę wymagań i oczekiwań.

Ujmowanie człowieka w relacji wzajemnej i zwrotnej względem otoczenia, w którym żyje, tak wyraźne w pracach Schaffera, jest efektem wielu badań i odkryć oraz jego osobistego w tym udziału. Mam tu na myśli takie „milowe kroki" w rozwoju (*sic*!) psychologii rozwoju, jak:

- zastosowanie badań mikrogenetycznych z użyciem zapisu wideo, co umożiwiło dokładną rejestrację czasu oraz odkrycie współzmienności zachowania partnerów interakcji (zjawisko wzajemnego dostrajania do siebie zachowań, rytmiczności wymiany, koordynowania linii działania partnerów interakcji);
- odejście od obserwowania jedynie zmian w zachowaniu dziecka na rzecz analizy zachowań ekspresyjnych i komunikacyjnych w diadach niemowląt i rodziców, dostosowujących się do siebie wzajemnie – Margaret Bullowa mówiła wręcz o „interakcyjnym systemie komunikacyjnym"; w trakcie takiego złożonego procesu wymiany można dostrzec liczne dobrze ustrukturalizowane zachowania społeczne, poprzez które obie strony dokonują ważnych dla dalszego przebiegu interakcji odkryć, zarówno na temat swego partnera, jak i jakości łączącego ich związku;
- podjęcie badań nad zjawiskiem przywiązania (Bowlby[11], Ainsworth[12]) i *imprintingu*, nad rolą wczesnych doświadczeń w rozwoju, nad znaczeniem tzw.

---

[11] Bowlby, J. (1971). *Attachment*. Harmondsworth: Penguin.

[12] Ainsworth, M. D. S., Witting, B. A. (1969). Attachment and exploratory behaviour in a strange situation. W: B. M. Foss (red.), *Determinants of infant behaviour* (tom 4). London: Methuen; Ainsworth, M. D. S., Blehar, M. C., Waters, E., Wall, S. (1978). *Patterns of attachment: a psychological study of the strange situation*. Hillsdale, NJ: Lawrence Erlbaum; Ainsworth, M. D. S., Bowlby, J. (1991). An ethological approach to personality development. *American Psychologist, 46 (4)*, 313–314.

wewnętrznych modeli operacyjnych, nad wyjątkową rolą pierwszych opiekunów dziecka;

- rozwój badań porównawczych i międzykulturowych (Cole[13], Schaffer[14],
Schieffelin i Ochs[15]), co doprowadziło do rezygnacji z założenia, iż można badać dziecko i jego związki z innymi ludźmi poza kulturą, której są częścią i którą współtworzą;

- poszerzenie badań z diad na poliady – wg Schaffera w historii psychologii rozwoju człowieka można zauważyć dwa istotne przesunięcia w badaniach nad
rozwojem dziecka: (1) z badania samego dziecka na badanie jego zachowania
w diadzie, np. z matką, i (2) z badania diad na poliady, np. ojciec–matka–dziecko, albo matka–dziecko 1–dziecko 2;

- odkrycie roli osób znaczących (*significant others*) w rozwoju człowieka w każdym wieku, szczególnie jednak w okresie dzieciństwa i dorastania – dorosły
(ściślej: kontakt i interakcja oraz komunikacja z nim) jest traktowany jako
„kluczowy" czynnik rozwoju; zwracali na to uwagę i Wygotski, i Piaget, a także Feuerstein[16] i Klein[17] w swej koncepcji tzw. *MLE* (skrót od *mediating learning experience*, czyli doświadczenie upośrednionego przez dorosłego uczenia
się dziecka);

- podkreślanie roli rówieśników w rozwoju (np. Forman i Cazden[18], Tudge i Rogoff[19]) – różnica kompetencji między osobami w tym samym wieku to podstawa tzw. konfliktu poznawczo-społecznego, a ten traktowany jest jako czynnik
inicjujący rozwój;

---

[13] Cole, M. (1995). Strefa najbliższego rozwoju: tam, gdzie kultura i poznanie współtworzą się
wzajemnie. W: A. Brzezińska, G. Lutomski, B. Smykowski (red.), *Dziecko wśród rówieśników i dorosłych* (tłum. zbiorowe). (s. 15–38). Poznań: Zysk i S-ka Wydawnictwo.

[14] Schaffer, H. R. (1995). Rozwój języka w kontekście. W: A. Brzezińska, T. Czub, G. Lutomski,
B. Smykowski (red.), *Dziecko w zabawie i świecie języka* (tłum. A. Brzezińska, K. Warchoł).
(s. 164–192). Poznań: Zysk i S-ka Wydawnictwo.

[15] Schieffelin, B. B., Ochs, E. (1995). Socjalizacja języka. W: A. Brzezińska, T. Czub, G. Lutomski, B. Smykowski (red.), *Dziecko w zabawie i świecie języka* (tłum. A. Brzezińska, K. Warchoł).
(s. 124–163). Poznań: Zysk i S-ka Wydawnictwo.

[16] Feuerstein, R., Feuerstein, S. (1994). Mediated learning experience: a theoretical review.
W: R. Feuerstein, P. S. Klein, A. J. Tannenbaum, *Mediated learning experience (MLE). Theoretical,
psychosocial and learning implications* (s. 3–51). London: Freund Publishing House Ltd.

[17] Klein, P. S. (1984). Behavior of Israeli mothers toward infants in relation to infant's perceived
temperament. *Child Development*, 55, 1212–1218; Klein, P. (1994).Całościowa ocena i interwen-
cja w okresie niemowlęctwa i wczesnego dzieciństwa. W: A. Brzezińska, G. Lutomski, (red.), *Dziecko w świecie ludzi i przedmiotów* (s. 189–216). Poznań: Zysk i S-ka Wydawnictwo.

[18] Forman, E. A., Cazden, C. B. (1995). Myśl Wygotskiego a edukacja: wartości poznawcze
współpracy z rówieśnikami. W: A. Brzezińska, G. Lutomski, B. Smykowski (red.), *Dziecko wśród
rówieśników i dorosłych* (tłum. zbiorowe). (s. 147–179). Poznań: Zysk i S-ka Wydawnictwo.

[19] Tudge, J., Rogoff, B. (1995). Wpływ rówieśników na rozwój poznawczy – podejście Piageta
i Wygotskiego. W: A. Brzezińska, G. Lutomski, B. Smykowski (red.), *Dziecko wśród rówieśników
i dorosłych* (tłum. zbiorowe). (s. 180–213). Poznań: Zysk i S-ka Wydawnictwo.

- podkreślanie wagi „dobroci dopasowania" (*goodness of fit*) między jednostką a otoczeniem dla przebiegu procesu rozwoju i poziomu osiągnięć rozwojowych, odkrycie różnych konstelacji temperamentu ułatwiających i utrudniających osiągnięcie owego dopasowania[20].

Analizując związek między tym, w jakim kontekście przebiega rozwój dziecka, a efektami tego rozwoju, Schaffer (1994)[21] zwraca uwagę na to, iż wpływ otoczenia społecznego można ujmować dwojako. Pierwszy rodzaj wpływów określa jako n i e s p e c y f i c z n y i pisze, że: „interakcje społeczne prowadzą do stanu pobudzenia (rozwijającej się osoby), ten z kolei stymuluje rozwój mózgu i w rezultacie (jednostka) może przejść na następny poziom dojrzewania" (*op. cit.*, s. 92). Jednocześnie podkreśla, iż każdej osobie wystarczy jakieś minimum tego pobudzenia i prawdopodobnie jedynie w sytuacjach silnej deprywacji nie jest ono dostarczane przez otoczenie. Drugi rodzaj wpływów – s p e c y f i c z n y c h – wiąże z różnymi środowiskami wychowawczymi, w jakich przebiega rozwój człowieka i z treścią podejmowanych zadań. Własne badania Schaffera (1977, 1981) nad wczesnymi interakcjami matek i niemowląt potwierdziły istnienie wskazywanej też przez innych badaczy (np.: Durkin, 1988[22]) tendencji matek do przejawiania tzw. zachowań antycypujących, tj. traktowania dziecka, jakby było ono na bardziej zaawansowanym poziomie rozwojowym niż to jest w rzeczywistości. Takie zachowania, jak np. mówienie do dziecka zanim zacznie ono rozumieć mowę (wchodzenie w pseudodialog), wymaganie od niego podporządkowywania się poleceniom zanim będzie do tego zdolne, tworzą szczególny układ interakcyjny „doświadczeń istotnych dla roli, jaką (dziecko) podejmie, kiedy nabędzie do tego gotowości rozwojowej" (Schaffer, 1994, s. 93).

Schaffer pokazuje, iż dziecko nie jest jedynie przedmiotem oddziaływania swego opiekuna, nie jest bierne, nie jest mu poddane, nie jest „bryłką gliny". Od początku życia wchodzi w aktywne interakcje ze swym otoczeniem społecznym, od początku jednak także ujawnia specyficzny dla siebie, determinowany biologicznie wzorzec aktywności, niejako wymuszając na opiekujących się nim osobach odpowiednie – dogodne dla siebie – zachowania. Doprowadza to do tego, iż już w początkowych tygodniach i potem miesiącach życia powstaje szczególna więź łącząca je ze światem ludzi. Można ją scharakteryzować poprzez odwołanie się do pojęcia wymiany. Procesowi dopasowywania

[20] Thomas, A., Chess, S. (1977). *Temperament and development*. New York: Brunner and Mazel.

[21] Schaffer, H.R. (1994) Społeczny kontekst rozwoju psychobiologicznego. W: A. Brzezińska, G. Lutomski (red.), *Dziecko w świecie ludzi i przedmiotów*. Poznań: Zysk i S-ka Wydawnictwo.

[22] Durkin, K. (1988). The social nature of social development. W: M. Hewstone, W. Stroebe, J. P. Codol, G. M. Stephenson (red.), *Introduction to social psychology* (s. 39–59). New York: Basil Blackwell.

się dziecka do wzoru zachowania się opiekunów i ich oczekiwań, przekazywanych głównie drogą niewerbalną, towarzyszy stale inny proces – odczytywania sygnałów płynących od dziecka, odkrywania ich sensu i dopasowywania się opiekunów do wzorca aktywności i konkretnych widocznych zachowań dziecka. Zatem obie strony są stale aktywne, obie stale nawzajem formują swoje względem siebie zachowania, a także w dalszym planie – oczekiwania i wymagania.

Dziecku od najwcześniejszego okresu życia potrzebne są kontakty i z dorosłymi, i z rówieśnikami. Dorośli wchodząc w bezpośrednie interakcje z dzieckiem mogą modyfikować linię jego działania i wpływać nie tylko na to, co będzie ono robiło, ale i na to, ku czemu będzie dążyło i jakie będą jego osiągnięcia. Jednocześnie jednak dorośli tworzą kontekst do wchodzenia w kontakty z innymi ludźmi, także rówieśnikami, zachęcają dzieci lub nie do podejmowania wspólnych z nimi zadań, przez odpowiednią aranżację przestrzeni do działania promują kooperację lub rywalizację, kontrolując w jakiś sposób to, co robi dziecko, i albo tworzą warunki do kształtowania się jego poczucia autonomii i odpowiedzialności za własne działania, albo nie.

Najlepiej ów interakcyjny charakter swego podejścia charakteryzuje sam Schaffer pisząc: „w każdym przypadku (kontaktu z dorosłym bądź rówieśnikiem – przyp. mój A.B.) osoba-odbiorca, na którą się wpływa, oddziałuje na osobę-nadawcę i przez to sama staje się także nadawcą" (1994, s. 147).

* * *

Książka ta jest nieocenionym źródłem informacji dla wielu czytelników: dla osób, które dopiero rozpoczynają swe studia w obszarze psychologii rozwojowej i dla osób posiadających już wiedzę, ale często nie rozumiejących sensu zmian, a więc w konsekwencji nie umiejących wykorzystać tej wiedzy w działaniach praktycznych; dla studentów i dla zaawansowanych badaczy; dla prowadzących badania naukowe i dla praktyków; dla psychologów przede wszystkim, ale i dla pedagogów, socjologów, lekarzy, pracowników socjalnych. Jest to jednak książka dla czytelnika inteligentnego i ambitnego, tj. takiego, który chce nie tylko wiedzieć, czy dowiedzieć się, co się zmienia w okresie dzieciństwa, ale który przede wszystkim chce zrozumieć, *jak* to się dzieje, *dlaczego* tak się dzieje i *jaki jest sens* tych zmian. Książka ta może też stanowić wzór podręcznika akademickiego – główne wątki są wzbogacane dodatkowymi informacjami w ramkach tematycznych, tabelach i na rysunkach, ale nie są przez nie przytłaczane, nie giną pośród nich.

Na koniec refleksja osobista. Od bardzo wielu lat zajmuję się psychologią rozwoju, z konieczności czytam różne książki, artykuły i inne opracowania z tej dziedziny, rzadko kiedy jednak są to prace ciekawe, porywające, zmuszające do stawiania sobie pytań podstawowych. Czytam je z obowiązku, trudno mi też czasem polecać ciekawe lektury studentom, a ich zainteresowanie problemami rozwoju ludzi w różnym wieku jest z roku na rok większe. Swoją drogą, zastanawiające jest, dlaczego psychologia rozwojowa, podejmująca przecież kwestie o podstawowym znaczeniu dla zrozumienia biegu ludzkiego życia i wielkiej różnorodności ścieżek rozwojowych, tak często jest przedstawiana – i w publikacjach podręcznikowych, i na wykładach – w sposób tak mało ciekawy. Książka Schaffera poza wszystkimi walorami, o jakich wspomniałam, jest po prostu ciekawa. Tylko tyle i aż tyle.

Anna Brzezińska

Warszawa–Poznań, 10 czerwca 2005 r.

Przedmowa

Dzieci są dla nas jednocześnie niezwykle fascynujące i ważne – mamy więc dwa wystarczająco dobre powody, by chcieć dowiedzieć się o nich jak najwięcej. Fascynujące są między innymi dlatego, że przypominają dorosłych, a mimo to różnią się od nich. Z jednej strony bez wątpienia posiadają możliwość wykształcenia pełnego zakresu zdolności ludzkich, tak bardzo cenionych w życiu dorosłym; z drugiej jednak, posiadają, odpowiednie dla każdego przedziału wiekowego, właściwe sobie zdolności i potrzeby, które należy uznać, uszanować i zaspokoić. Fascynujące jest również to, że istotę dzieciństwa stanowi zmiana. Zaś obserwowanie jak noworodek przeobraża się w malucha, który następnie staje się najpierw przedszkolakiem, później uczniem i nastolatkiem, oraz wyjaśnianie mechanizmów tkwiących u podstaw tych zmian jest zarówno intrygujące pod względem intelektualnym, jak i satysfakcjonujące pod względem emocjonalnym. Czy doświadczenia z najwcześniejszych okresów rozwoju pozostawiają nieodwracalne zmiany w umyśle? W jakim stopniu kształtuje nas nasz zapis genetyczny? Dlaczego jedne dzieci szybciej od innych przyswajają sobie język? Jaki jest wpływ rozwodu rodziców na dzieci w różnym wieku? Czy istnieją optymalne sposoby pomagania dzieciom w nabywaniu umiejętności rozwiązywania problemów? W codziennym trudzie opiekowania się dziećmi i ich kształcenia rodzi się wiele tego typu pytań. I chcielibyśmy znać na nie odpowiedzi, chociażby po to, by zaspokoić własną ciekawość.

Dzieci są dla nas ważne również dlatego, że przyszłość społeczeństwa zależy od tego, jak wychowamy i wykształcimy następne pokolenia. I znów mamy do czynienia z mnóstwem pytań. Czy istnieją jakieś „właściwe" sposoby wychowywania dzieci i pomagania im w osiąganiu potencjalnej sprawności? Czy istnieją jakieś czynniki ryzyka, które powinniśmy znać i ich unikać? Czy agresja we wczesnym dzieciństwie jest oznaką niebezpieczeństwa i zapowiada przyszłe posługiwanie się przemocą lub zejście na drogę przestępstwa? Czy dzieci są w stanie nadrobić pozbawienie w stosownym czasie ważnego doświadczenia, na przykład tworzenia ścisłych więzi z rodzicami w niemowlęctwie lub kontaktu ze słowem pisanym na długo przed rozpoczęciem nauki szkolnej? Znalezienie odpowiedzi na te pytania jest istotne nie tylko dla osób zajmujących się wychowywaniem dzieci. Ważne jest także dla tych, którzy odpowiedzialni są za planowanie ogólnej polityki w dziedzinie edukacji, opieki społecznej czy zdrowotnej, umożliwia im bowiem nakreślenie polityki uwzględniającej dbałość o najlepiej pojęty interes dzieci.

Psychologia dziecka stawia sobie za cel znalezienie odpowiedzi na pytania podobne do przedstawionych powyżej. Ma zamiar czynić to poprzez zbudowanie bazy informacyjnej wynikającej z dociekań obiektywnych. Dzięki temu wykracza poza potoczne opinie i sprowadza się do opartych na faktach wniosków na temat istoty rozwoju dziecka. Mimo iż jest to bardzo młoda dyscyplina, to w ciągu mniej więcej ostatniego półwiecza rozwinęła się do tego stopnia, że właściwe przedstawienie wszystkich jej aspektów byłoby zdecydowanie niemożliwe, a nawet niepożądane w tym dość zwięzłym tekście wprowadzającym. Celem tej książki jest bowiem przegląd głównych dotychczasowych odkryć, skupienie się na tych kwestiach, które przyciągały największą uwagę w ostatnich latach, a przez to przedstawienie istoty psychologii dziecka i zdanie relacji z tego, co w tej dziedzinie osiągnięto. Książka skierowana jest do wszystkich, którzy chcą dowiedzieć się, co psychologia dziecka ma do zaoferowania – bez względu na to, czy rozpoczynają właśnie kurs psychologii w szkole lub na uniwersytecie, czy temat ten jest istotny z racji wykonywanego przez nich zawodu nauczyciela, pracownika społecznego, psychiatry lub prawnika albo z czystej ciekawości i chęci „wyczucia" dzieci. Jest ona napisana na poziomie nie wymagającym wcześniejszej znajomości tematu, chociaż mimo prób uniknięcia nadmiaru terminologii, w niektórych miejscach zastosowanie terminów specjalistycznych było nieodzowne: wypisano je drukiem wytłuszczonym i zdefiniowano na marginesie, gdy zostają przywołane po raz pierwszy, oraz w *Słowniczku* na końcu książki. Ponadto w różnych miejscach pojawiają się ramki dotyczące problemów poruszonych w tekście, mające na celu nieco bardziej szczegółowe ich omówienie. Na końcu każdego rozdziału dla każdego, kto chce dogłębniej poznać omawiane zagadnienia, zamieszczono listę literatury dodatkowej* – a miarą powodzenia tej książki niech będzie stopień odczuwalnego przez czytelników natchnienia, by sięgnąć po te pozycje i dalej zgłębiać dany temat.

Rudolph Schaffer

University of Strathclyde
Glasgow, Szkocja

---

* Oraz literaturę uzupełniającą w języku polskim (przyp. red. nauk.).

Rozdział 1

Odkrywanie natury dziecka

Czym jest psychologia dziecka? 22

  Istota i cele 22

  Metody 24

  Badania przekrojowe i podłużne 26

**Do czego jest nam potrzebna psychologia
dziecka?** 27

  Odpowiadanie na pytania: sposób
  subiektywny 28

  Odpowiadanie na pytania: sposób
  obiektywny 31

  Rola teorii 35

Podsumowanie 36

Literatura dodatkowa 36

Literatura uzupełniająca w języku polskim . . . 37

Czym jest psychologia dziecka? Do czego jest nam ona potrzebna? Spróbujmy najpierw odpowiedzieć na te podstawowe pytania, gdyż omawianie tematu bez precyzyjnego określenia, o czym mowa i dlaczego się tym zajmujemy, pozbawione jest większego sensu.

Czym jest psychologia dziecka?

Istota i cele

Psychologia dziecka stanowi *naukowe* podejście do badania zachowania i rozwoju dzieci. Zwróćmy uwagę na to, że wyróżniono słowo „naukowe", ponieważ to właśnie naukowość odróżnia psychologię dziecka od innych, bardziej subiektywnych sposobów przyglądania się dzieciom. Psycholodzy starają się opisać i wyjaśnić zachowanie dzieci oraz zmiany, jakim ulegają one wraz z wiekiem, przy czym robią to w sposób, który nie ma nic wspólnego z ogólnymi wrażeniami, spekulacjami lub teoriami snutymi w wygodnym fotelu, ale w sposób opierający się na skrupulatnie i systematycznie sporządzanych zbiorach danych empirycznych.

Obserwacje nad dziećmi nie muszą odbywać się w sformalizowanych warunkach, takich jak laboratoria, chociaż i one mogą okazać się przydatne w niektórych typach badań. Systematyczne dane można zbierać nawet w tak na pozór chaotycznych sytuacjach, jak: pobyt na placu zabaw, w dyskotece czy podczas rodzinnego obiadu przy stole. Jednak bez względu na okoliczności, celem psychologii jest opracowanie bazy danych, która umożliwi wgląd zarówno w ogólną istotę dzieciństwa, jak i w swoiste cechy poszczególnych dzieci.

W ten sposób powinniśmy stworzyć sobie możliwość odpowiedzi na trzy rodzaje pytań, tj. pytania o to: *kiedy*, *jak* i *dlaczego?*

- *Kiedy?* To chyba najoczywistsze z pytań. Odnosi się ono bowiem do procesu ciągłych zmian, które stanowią atrybut dzieciństwa, oraz sprawiają, że śledzenie rozwoju poszczególnych dzieci staje się tak fascynujące. *Kamienie milowe rozwoju* przybierają rozmaite formy: niektóre z nich są zupełnie oczywiste, jak na przykład moment, w którym dziecko zaczyna chodzić lub mówić. Inne są mniej wyraźne, ponieważ odnoszą się do bardziej subtelnych osiągnięć rozwojowych, jak wtedy, gdy dziecko staje się zdolne do zabaw na niby, przyjmowania perspektywy innych osób lub pojmowania znaczenia pisma. W każdym z tych przypadków celem jest ustalenie przedziału wiekowego, w którym większość dzieci po raz pierwszy powinna ujawnić nowe umiejętności. Stosując te normy możemy następnie śledzić postępy poszczególnych dzieci.
- *Jak?* Te pytania nie dotyczą określania czasu, lecz sposobu zachowania dziecka. W jaki sposób przedszkolaki tworzą grupy – kameralne dwu-, trzyosobowe lub większe? Czy zawsze spędzają czas w tym samym gronie, czy są otwarte na no-

wych członków? Czy ich grupy cechuje jednopłciowość, czy może mają one charakter koedukacyjny? Lub inny przykład: sposób rysowania postaci człowieka przez dziecko. Jak to się dzieje, że postaci te przechodzą rozwój od gryzmołów do klarownej reprezentacji? Czy etap „figur kreskowych" stanowi nieuniknione stadium rozwoju umiejętności rysowania? W jaki sposób dzieci przestrzennie rozplanowują rysowaną postać? I jeszcze jeden przykład: jak dzieci oceniają różne rodzaje złych uczynków? Czy mają już częściowo rozwinięte poczucie przyzwoitości, a jeśli tak, to jakiego typu? Czy są w stanie zauważyć niewielkie różnice pomiędzy przewinieniami ze względu na ich charakter lub następstwa? Czy biorą pod uwagę zamiary tego, kto dopuszcza się występku? By zająć się przedstawionymi powyżej trzema przykładami, potrzeba nam rzetelnych opisów, w jaki sposób dzieci w określonym wieku i w określonych okolicznościach radzą sobie z życiem codziennym oraz jak ich umiejętności zmieniają się wraz z wiekiem.

- *Dlaczego?* Tłumaczenie zachowań dzieci to oczywiście nie tylko kwestia systematycznych *opisów*; musi ono obejmować także *wyjaśnienia*. Dlaczego niektóre dzieci rozwijają się w wolniejszym tempie niż inne? Dlaczego dzieje się tak, że niektóre dzieci wykazują wyższy poziom rozwoju zdolności w konkretnych dziedzinach, a w pozostałych nie? Dlaczego chłopcy są bardziej agresywni fizycznie od dziewczynek? Dlaczego niektóre dzieci przyjmują postawę antyspołeczną? Dlaczego stosowanie kar przez rodziców wiąże się z występowaniem agresji u dzieci? Dlaczego...? Wygląda na to, że tego typu pytania można by mnożyć w nieskończoność. Dzieje się tak po części dlatego, że każdy aspekt rozwoju dziecka wymaga wyjaśnienia, a po części, trzeba przyznać, dlatego, że w wyjaśnianiu zjawisk nie jesteśmy jeszcze tak wprawieni, jak w ich opisywaniu. W końcu, sam opis sytuacji jest o wiele łatwiejszy niż jej uzasadnienie, a w związku z tym nasza znajomość terminów dotyczących pojawiania się określonych typów dziecięcych zachowań jest o wiele szersza niż zdolność zrozumienia ich przyczyn.

Teoretycznie, można zadać pytanie o każdy aspekt rozwoju dziecięcego. W praktyce jednak, w określonym momencie psycholog stara się zgłębić tylko stosunkowo niewielki zakres problemów. A to z dwóch zasadniczych powodów. Po pierwsze, odczuwa się nacisk ze strony społeczeństwa na to, by znaleźć odpowiedź tylko na te pytania, które w danym momencie są najistotniejsze. Na przykład gwałtowny wzrost liczby rozwodów na przestrzeni ostatnich kilku dziesięcioleci, zwrócił uwagę na potrzebę zbadania wpływu rozpadu rodziny na dzieci. Czy należy w takiej sytuacji spodziewać się u nich chociażby krótkotrwałych zaburzeń emocjonalnych? Czy takie doświadczenie znajdzie swoje odzwierciedlenie w nauce i zachowaniach szkolnych? Czy pojawią się odległe skutki takich przeżyć, które ujawnią się w dorosłości, na przykład w przyszłym pożyciu małżeńskim? Mamy zatem do czynienia z praktycznymi rozważaniami, biorącymi swój początek z obaw rodziców i osób zawodowo zajmujących się tymi problemami, ale także polityków i ekip rządzących. Niepokoje te określają kierunek badań i podpowiadają psychologom, jakie konkretne kroki badawcze powinni podejmować. Po drugie, psycholodzy obierają pewien problem za przedmiot badań ze względu na to, że właśnie nabrał on teoretycznego znaczenia. Stan wiedzy osiągnął określony poziom, który sugeruje pewne nowe poszukiwania. Ponieważ naturalną koleją rzeczy jest podniesienie tego poziomu, podejmuje się dodatkowe badania, by jeszcze bardziej rozciągnąć granice wiedzy w danej dziedzinie. Na przykład badania, które dowiodły, że nieśmiałość jest stabilnym i powszechnie znanym rysem osobowościowym w okresie środkowego dzieciństwa, dają podstawy wielu dalszym pytaniom. Kiedy najwcześniej można zauważyć oznaki nieśmiałości? Czy już w okresie niemowlęcym jest to cecha o stabilnym charakterze? Czy czynniki genetyczne odgrywają jakąś rolę w jej kształtowaniu? Czy wcześnie zauważone skrajne nasilenie tej cechy wskazuje na możliwość wystąpienia patologii w późniejszym okresie? Badania, jak z tego wynika, toczą się własną drogą, a pogoń za wiedzą staje się przedsięwzięciem samym w sobie.

Jednakże istnieją pewne ograniczenia puli pytań, z jakimi psychologowie mogą sobie poradzić. Po pierwsze, niektóre z nich zamiast opracowywania danych wymagają od badacza wyrażenia sądu wartościującego. Czy rodzice powinni mieć prawo stosowania kar cielesnych? Badania mogą przedstawić jedynie skutki stosowania tego typu kar; nie mogą natomiast decydować, jakie prawa należy nadać rodzicom, a co za tym idzie, jakie prawa powinny przysługiwać dzieciom. Rozwiązanie tego typu problemu leży w gestii społeczeństwa. Inne ograniczenia tkwią w dostępności stosowanych narzędzi metodologicznych. Istnieją bowiem takie aspekty ludzkiego zachowania, które jak na razie są zbyt subtelne, by móc je właściwie opisać, a tym bardziej zmierzyć. Postęp wiedzy, przynajmniej po części, zależny jest od stanu technik oceniania, a zatem skupienie się na intelektualnym rozwoju dziecka w początkowych etapach powstawania psychologii dziecka w dużym stopniu było wynikiem powszechnego stosowania testów poznawczych; aspekty społeczne i emocjonalne były w większości pomijane, gdyż wydawały się zbyt mało konkretne, by poddawać je obiektywnej analizie. Całkiem niedawno, dzięki coraz większej dostępności odpowiednich narzędzi, zaczęto się nimi interesować w stopniu, na jaki zasługują.

Metody

Psychologowie uzyskują dane z trzech głównych źródeł: obserwacji, wywiadu i eksperymentu.

- *Obserwacja* może sprawiać wrażenie techniki łatwej w stosowaniu; w rzeczywistości jej fachowe przeprowadzenie wymaga ogromnej cierpliwości i skrupulatnego zaplanowania. Należy zdecydować, co, kogo, kiedy i gdzie chce się obserwować oraz z których licznych technik obserwacyjnych skorzystać. Obserwacja może mieć charakter uczestniczący i nieuczestniczący, przyjmować formę ciągłego relacjonowania lub odnosić się tylko do pewnych epizodów; może dotyczyć doboru próbki czasowej lub doboru próbki jakiegoś wydarzenia, skupiać się na całym zbiorze różnych kategorii zachowania lub tylko na jednej z nich oraz ograniczać się do jednej osoby w danym czasie, albo do wzajemnych oddziaływań zachowań kilku osób. Ponieważ nie jest możliwe, by jakikolwiek obserwator podczas rejestrowania zachowań innych ludzi pozostawał całkowicie bezstronny, konieczne jest przeprowadzanie testów rzetelności, zwykle opartych na jednomyślności kilku obserwatorów (szczegóły dotyczące obserwacji, jak i innych wspomnianych poniżej technik gromadzenia danych – zob. Miller, 1998).

- *Wywiad.* Istnieją dwa podstawowe sposoby jego przeprowadzania: bezpośrednia rozmowa i wypełnianie kwestionariusza. Ich zastosowanie w przypadku badań nad dziećmi jest oczywiście ograniczone, a mimo to, kiedy pytania zostaną wplecione w swobodną rozmowę na konkretny temat, nawet od przedszkolaków można uzyskać bardzo użyteczne informacje (np. Bartsch, Wellman, 1995; Dunn, Hughes, 1998). Natomiast w przypadku dzieci starszych, rodziców lub nauczycieli zarówno rozmowa, jak i kwestionariusze mogą przyjmować rozmaite formy: usystematyzowane lub nieusystematyzowane, formalne lub nieformalne, pytania zamknięte lub otwarte. Wybór w dużym stopniu zależeć będzie od celu, dla którego zostały ułożone, a ich precyzyjność i warunki, w jakich zostaną zadane, prawdopodobnie będą miały znaczący wpływ na uzyskane informacje.

- *Eksperyment* w kontekście badań nad dziećmi może przywodzić na myśl coś przykrego lub niepożądanego. W rzeczywistości jednak w niewielkim stopniu odnosi się to do procedur, zgodnie z którymi dziecko postawione jest w maksymalnie kontrolowanej i wystandaryzowanej sytuacji. Trzeba więc po pierwsze zadbać o to, by warunki dla wszystkich dzieci uczestniczących w eksperymencie były jednakowe, a po drugie celowo zmieniać niektóre z tych warunków, by zaobserwować zmiany w zachowaniu dzieci. Pozwoli to na zweryfikowanie danej hipotezy i uzyskanie odpowiedzi na konkretne pytania. Rozważmy to na przykładzie: czy dzieci pracując w grupie łatwiej uczą się rozwiązywać problemy niż dzieci działające samotnie? By uzyskać wiarygodne dowody należy w sposób losowy umieścić dzieci w określonym wieku w dwóch różnych sytuacjach. Jedna zakłada, że będą one funkcjonowały w odpowiednio licznej grupie innych dzieci, druga zaś, że będą pracowały same. Obydwie grupy muszą mieć porównywalne właściwości pod wszelkimi względami, które mogłyby mieć jakikolwiek wpływ na wynik, takimi jak inteligencja i dotychczasowe osiągnięcia edukacyjne. Dzieciom należy postawić określone zadanie, którym miałyby się zająć, a także przeprowadzić *pretest*, by wykazać, że to zadanie początkowo rzeczywiście wykracza poza możliwości każdego z nich. Następnie obydwie grupy otrzymują polecenie wykonania zadania w warunkach dla wszystkich identycznych pod każdym względem oprócz liczby pracujących nad nim jednocześnie dzieci. Po tym przeprowadza się *posttest* (lub w określonym czasie serię *posttestów*). Można na tej podstawie określić, po pierwsze, jaki postęp został przez dzieci osiągnięty w porównaniu z wynikami *pretestu*, a po drugie, czy u dzieci pracujących zespołowo postęp ten był większy niż u dzieci pracujących samodzielnie. Można, zatem (przynajmniej w warunkach stworzonych w tym konkretnym eksperymencie) stwierdzić wyższość nauki zespołowej nad indywidualną. Uzyskując zaś takie wyniki w ściśle nadzorowanych warunkach, można ze sporą dozą pewności stwierdzić, że wszelkie zaobserwowane różnice w wykonaniu tego zadania są rzeczywiście wynikiem różnej liczby dzieci w grupie pracującej nad problemem. Metody eksperymentalne umożliwiają więc dochodzenie do wniosków przyczynowo-skutkowych, co rzadko udaje się w przypadku stosowania innych metod.

Badania przekrojowe i podłużne

Nasze pytania mogą odnosić się tylko do jednej specyficznej grupy wiekowej, na przykład: czy trzylatki są zdolne do odczuwania zawstydzenia? Lub: czy ośmiolatki potrafią pojmować abstrakcyjne zasady naukowe? Jednak obiektem naszych zainteresowań mogą być też zmiany rozwojowe: w jaki sposób wraz z wiekiem zmieniają się reakcje dzieci na rozstanie z rodziną? Czy dziesięciolatki mają bardziej rozbudowaną samowiedzę od sześciolatków? Pytania o zmiany zakładają śledzenie w czasie jakiejś funkcji psychicznej, umożliwiające badanie owej funkcji od momentu jej zaistnienia, przez dojrzałość, aż po jej kres. Dzięki temu możliwe będzie określenie, czy na przykład zmienia się jej reprezentacja gdy dziecko dorasta, czy jej droga rozwoju jest podatna na działanie tych samych czynników w każdym wieku, czy też nie, czy pomiędzy grupami różniącymi się pod pewnym względem, na przykład płcią, można zaobserwować podobieństwa cech rozwojowych itd. A zatem potrzebne jest porównanie różnych grup wiekowych.

Badania przekrojowe
Różne grupy dzieci w różnym wieku są porównywane pod względem określonej cechy w celu ocenienia, jak dana funkcja zmieniła się w wyniku rozwoju.

Badania podłużne
Te same grupy dzieci obserwowane są i badane w różnym wieku w celu prześledzenia zmian rozwojowych.

Istnieją dwa sposoby przeprowadzenia takiego typu porównania: można wykorzystać albo **przekrojowy**, albo **podłużny schemat badań**.

- *Schemat przekrojowy* zakłada badanie różnych grup dzieci w różnym wieku, lecz wszystkie muszą być oceniane w tych samych warunkach i przy użyciu tych samych technik. Badania te mają pewną praktyczną zaletę: można je szybko przeprowadzić, gdyż różne grupy wiekowe można przebadać w tym samym czasie. Posiadają jednak także wadę, która polega na tym, że nie można być do końca pewnym, czy grupy te nie różnią się niczym innym poza wiekiem, bowiem mimo że bardzo będziemy się starali dobierać badanych pod względem pochodzenia społecznego, inteligencji i poziomu zdrowia, nadal mogą występować rozmaite niekontrolowane czynniki osobowościowe lub środowiskowe, które wpłyną na otrzymane wyniki.

* W *schemacie podłużnym* obserwuje się i bada *te same* dzieci we wszystkich okresach rozwojowych. W ten sposób można wyeliminować zniekształcenia wynikające z indywidualności poszczególnych dzieci i być w dużym stopniu pewnym, że różnice pomiędzy grupami wiekowymi spowodowane są rzeczywiście wiekiem. Jednak wadą tych badań jest to, że trwają one bardzo długo. Wymagają, by prace badawcze ciągnęły się tyle czasu, ile liczy badany przedział wiekowy.* Rzeczywistym problemem staje się także zmniejszanie się liczby uczestników w tym okresie.

Jeśli chce się stawiać twierdzenia dotyczące przebiegu zmian rozwojowych, to preferowanym schematem są bez wątpienia badania podłużne. Niestety, z racji długości trwania są one bardzo kosztowne, a przez to o wiele rzadziej prowadzone niż badania przekrojowe. Większość wiedzy o zmianach zachodzących z wiekiem pochodzi z badań przekrojowych i dlatego musi być traktowana z pewną dozą ostrożności, dopóki nie zostanie potwierdzona badaniami podłużnymi.

Do czego jest nam potrzebna psychologia dziecka?

Zajmijmy się teraz drugim z postawionych na początku pytań i spróbujmy zareagować na często słyszane opinie krytyczne mówiące, że znamy już swoje dzieci i wiemy, jak je wychowywać bez tego całego naukowego „jazgotu", że tego typu wiedza istniała już na długo, zanim zrodziła się psychologia i że jest ona zakorzeniona w historii ludzkości oraz że bez niej przetrwanie naszego gatunku byłoby prawie niemożliwe. Psychologia dziecka, jak się często mawia, stanowi jedynie szereg długich słów opisujących to, co każdy już wie i, w razie potrzeby, potrafi swoją wiedzę zastosować.

Przyjrzyjmy się jednak stwierdzeniom często wyrażanym na temat dzieci i ich wychowywania:

„Jedynacy to dzieci samotne".
„Dziewczynki są bardziej wrażliwe od chłopców".

---

* Oznacza to, że jeżeli podejmujemy jednocześnie badanie dzieci w wieku 8, 12 i 16 lat i chcemy śledzić zachodzące zmiany, to badania powinny trwać 8 lat, aż najmłodsza grupa osiągnie wiek grupy najstarszej w momencie rozpoczynania badań (przyp. red. nauk.).

„Zbyt długie oglądanie telewizji opóźnia rozwój intelektualny".
„Rodziny niepełne są odpowiedzialne za zjawisko przestępczości nieletnich".
„Mężczyźni z natury są mniej wprawnymi rodzicami niż kobiety".
„U dzieci kobiet pracujących zawodowo występuje ryzyko trudności adaptacyjnych".

Wielu ludzi uznaje tego typu uogólnienia za tak logiczne i oczywiste, że nie wymagają one wg nich tłumaczenia ani weryfikacji. Można jednak upierać się, że to, co zostało uznane za rozumowanie zdroworozsądkowe nie zawsze jest wiarygodne i może okazać się, że stanowi raczej słabe fundamenty wniosków na temat ludzkiego zachowania i, w związku z tym, wymaga systematycznego potwierdzenia. Rozróżnijmy zatem dwa sposoby uzyskiwania odpowiedzi na pytania dotyczące dzieci: subiektywny i obiektywny.

Odpowiadanie na pytania: sposób subiektywny

W życiu codziennym w kontakcie z dziećmi i ich nagłymi potrzebami i wymaganiami, obierając „właściwy" kurs działania, w sposób nieunikniony najczęściej opieramy się na naszych własnych, osobistych odczuciach. Pochodzą one z różnych źródeł:

- Najczęściej są to *intuicje*: jak uspokoić płaczące dziecko, jak rozbawić dziecko znudzone lub poskromić agresywne. Intuicje mogą tu być doskonałymi przewodnikami własnego postępowania, odzwierciedlają bowiem wiedzę intuicyjną, pomagającą wielu ludziom pomyślnie wychowywać potomstwo bez konieczności sięgania do fachowej literatury. Mimo to, nawet na tym poziomie, mamy do czynienia ze sporą dozą wątpliwości, znajdującą swój wyraz w zakłopotaniu, a niekiedy desperacji, emanującej z listów słanych przez rodziców do redakcji magazynów kobiecych lub z rubryk porad osobistych dla czytelników, w których publikuje się wypowiedzi „specjalistów". Widać to także w popularności programów telewizyjnych kierowanych do ludzi odpowiedzialnych za opiekę nad dziećmi i ich edukację, które mają wyjaśnić zjawiska towarzyszące dzieciom w ich życiu codziennym; a także w działaniach rządów podejmowanych w celu stworzenia placówek dla rodziców, pomyślanych tak, by wspierać i udoskonalać poczynania, które mogą wydawać się naturalne, a tymczasem wprawiają większość z nas w zakłopotanie. Ponadto te niezgłębione jak dotąd intuicje mogą czasami wyrastać z głęboko zakorzenionych uprzedzeń i z góry przyjętych opinii: wątpliwości dotyczące zdolności par gejowskich lub lesbijskich do wychowywania dzieci mają więcej wspólnego z osobistymi kompleksami w sferze seksualności niż z wiedzą na temat wpływu takiego wychowania na dzieci.

- Innym źródłem są *osobiste doświadczenia*, zwłaszcza z własnego dzieciństwa. Takie wydarzenia niewątpliwie wpływają na naszą zdolność oceniania, zarówno w pozytywny sposób (chęć, by następne pokolenie odnosiło te same korzyści), jak i wręcz przeciwnie (pragnienie uchronienia dzieci za wszelką cenę przed tym, przez co sami przeszliśmy). Niemniej jednak bez względu na to, jak naturalne wydają się tego typu tendencje, nie zawsze możemy na nich polegać przy podejmowaniu decyzji dotyczących jednostek lub wszystkich dzieci. Z jednej strony, wspomnienie własnej przeszłości często daje początek uczuciom o bardzo wysokim ładunku emocjonalnym, które natychmiast zakłócają zdolność osądu; z drugiej, pojedynczy przykład, na którym opiera się osąd może równie dobrze okazać się nietypowy a przez to nieodpowiedni, by się na niego powoływać w innych przypadkach. Stwierdzenie: „To mi nigdy nie zaszkodziło", jako odpowiedź na zarzut stosowania kar cielesnych jest zdecydowanie niewłaściwe, jeżeli chodzi o decyzje programowe dotyczące stosowania tej zasady wobec wszystkich dzieci. Niewielkie ma to też znaczenie w określaniu sposobu dyscyplinowania każdego pojedynczego dziecka – nawet własnego. Być może nigdy do końca nie będziemy w stanie uciec od własnej przeszłości, ale nie możemy automatycznie uogólniać jej na dzieciństwo innych osób.
- Trzecie źródło jest nieco inne, stanowią je *porady ekspertów*, przez co jest ono bardziej wyraziste i zrozumiałe niż dwa pozostałe. Weźmy np. najsłynniejszego eksperta od wychowywania dzieci Beniamina Spocka, którego książka *Baby and Child Care* (1948; wyd. pol. *Dziecko: pielęgnowanie i wychowanie*) odegrała w latach 50. i 60. XX w. znaczącą rolę w określaniu sposobu, w jaki rodzice mają wychowywać dzieci. Bez wątpienia wiele z porad Spocka było mądrych, a zarazem pomocnych i wielu rodziców za jego sprawą mogło odetchnąć z ulgą. Kiedy jednak przyjrzymy się bliżej jego pracom, by określić, na czym opierał się udzielając tych wszelkich porad, od razu zorientujemy się, że podłoże większości jego wypowiedzi stanowiła mieszanina osobistych poglądów, przekonań potocznych i folkloru z doświadczeniami klinicznymi, a więc z przypadkami nietypowymi. To samo dotyczy wielu innych tak zwanych ekspertów. Nic więc dziwnego, że w takich okolicznościach ich stanowisko na temat tego, co dopuszczalne w procesie wychowywania dzieci, nie może mieć stabilnego charakteru i raz za razem ulega nagłym zmianom. Na przykład w latach 30. minionego stulecia silnie akcentowany był rygoryzm, w większości za sprawą Truby King (1924), pediatry, która radziła matkom karmienie z zegarkiem w ręku, wczesne rozpoczęcie treningu czystości i niereagowanie na płacz dzieci chcących zwrócić ich uwagę. W latach 50. w wyniku zalecanej przez Spocka pobłażliwości popadnięto w przeciwną skrajność. Jednak i to się zmieniło, a gdy następne pokolenia oskarżyły Spocka o bezpośrednie przyczynienie się do wystąpienia problemów studenckich i innych niepokojów w latach 60., wycofał się on ze swojego wcześniejszego

stanowiska. Sława i spore doświadczenie kliniczne takich postaci jak Spock i Truby King bez wątpienia odegrały znaczącą rolę przy nakłanianiu rodziców do skorzystania z ich porad, które miały się stać „słusznym" kierunkiem działania. Ich wiedza była z góry przyjęta i w związku z tym uznano ich za autorytety w tej dziedzinie. Dopiero, gdy możliwe jest dokładniejsze zbadanie, skąd biorą się ich zapewnienia, okazuje się, że głoszone przez nich porady opierają się na czysto subiektywnych rozważaniach. Zaś co do wniosków wynikających z doświadczenia klinicznego, bez wątpienia mogą one okazać się użyteczne. Mogą bowiem zwracać uwagę na pewne zjawiska o niebagatelnym znaczeniu dla życia dziecka, a także prowadzić do hipotez, co do przyczyn rozmaitych zachowań dziecięcych, które trzeba zbadać. Po pierwsze jednak, małych pacjentów potrzebujących opieki klinicystów nie można traktować jako reprezentacji ogółu dzieci, po drugie zaś dane pozyskane w warunkach klinicznych rzadko zbierane są w systematyczny i standaryzowany sposób, a na dodatek zwykle nie ma możliwości porównania ich z danymi zebranymi w sytuacjach pozaklinicznych. Wnioski, jakie nasuwają się podczas pracy klinicznej, mogą być pierwszym krokiem w kierunku istotnych spostrzeżeń, jednak same nie stanowią jeszcze żadnego dowodu. Potrzeba nam wskazówek bardziej udokumentowanych niż hipotezy bądź ogólne wrażenia (szczególny przykład kontrowersyjnych porad ekspertów przedstawiono w ramce 1.1).

RAMKA 1.1

Jak długo powinniśmy zezwalać naszym dzieciom oglądać telewizję?

W roku 1999 Amerykańska Akademia Pediatryczna, zrzeszająca 55 000 członków i stanowiąca główną organizację reprezentującą środowisko pediatrów w Stanach Zjednoczonych, opublikowała raport o wpływie telewizji na dzieci. Kończy się on następującymi wytycznymi:

1. Dzieciom poniżej 2. r. ż. w ogóle nie należy zezwalać na oglądanie telewizji. W zamian rodzice powinni się z nimi bawić, gdyż ten wiek to moment krytyczny, w którym dominująca jest potrzeba wzajemnych oddziaływań społecznych i jeżeli nie zostanie ona zaspokojona, będzie to upośledzać rozwój mózgu i tym samym zahamuje rozwój inteligencji.
2. Dzieciom powyżej 2. r. ż. należy ściśle ograniczyć oglądanie telewizji do maksimum 2 godzin dziennie, co powinien regulować wyłącznik czasowy. W pokojach dziecięcych nie powinno być żadnego typu odbiorników telewizyjnych, ponieważ (według rzecznika) pomieszczenia te powinny być „sanktuariami, miejscami, w których dzieci przeżywają to, co zdarzyło się danego dnia".

Raport, nie sposób się dziwić, został znacznie nagłośniony w mediach i spotkał się z licznymi komentarzami. Jednak nikt nie zapytał o dowody, na których oparto te wnioski, nikt nie podał w wątpliwość takich kwestii, jak miarodajność i powtarzalność wyników lub stopień, w jakim stwierdzenia dotyczące, na przykład, opóźnienia rozwoju mózgu mogły rzeczywiście zostać potwierdzone faktami. Przyjęto natomiast powszechnie, że jeśli takie autorytety jak członkowie Amerykańskiej Akademii Pediatrycznej wystosowały tego typu oświadczenie, to należy potraktować je poważnie. To, w jaki sposób specjaliści ci doszli do zaprezentowanych wniosków zdawało się nieistotne. Możliwość, że czynniki osobiste wpłynęły na stronniczość lub spowodowały błędną interpretację danych zebranych przez pediatrów nie była w ogóle brana pod uwagę.

Równie znacząca była powszechna reakcja, z jaką spotkał się ten raport, co ilustrują dwa listy wysłane do redakcji londyńskiego Times'a (10 sierpnia 1999); w jednym z nich czytelniczka zgadza się całkowicie z wszystkimi zaleceniami, ponieważ „wszystkie instynkty" podpowiadały jej i jej mężowi, że jest to właściwe rozwiązanie w kwestii wychowania dzieci. W drugim liście matka przeciwnie, z pogardą, odniosła się do raportu, gdyż „biorąc wszystko na zdrowy rozsądek" doszła do wniosku, że umożliwianie dzieciom oglądania telewizji nawet przed ukończeniem 2. r. ż. wspomagało, zamiast hamować, ich rozwój. Każda z matek była święcie przekonana, że jej postawa jest „właściwa", gdyż tak nakazywało im ich wewnętrzne przeczucie. A jednak doprowadziło to do diametralnie przeciwnych wniosków: jak się okazuje, pozornie zdrowy rozsądek nie musi wcale być aż tak zdrowy.

Oczywiście w takich sprawach, jak oglądanie telewizji rodzice zawsze postępują zgodnie ze swoimi odczuciami, chociaż jednocześnie szukają wskazówek ekspertów i dlatego wypadałoby, by ci eksperci opierali swoje zalecenia na konkretnych dowodach. Tak samo ważne jest, by media i wszyscy oczekujący porad zadawali specjalistom to najistotniejsze pytanie: „Skąd to wiecie?".

Odpowiadanie na pytania: sposób obiektywny

Celem psychologii dziecka jest stosowanie metod naukowych do badania rozwoju człowieka. Jest to próba znalezienia odpowiedzi na pytania dotyczące zachowania dzieci oraz zmian, jakim ono ulega wraz z wiekiem, w najbardziej systematyczny z możliwych sposobów, minimalizujący wpływ takich czynników zewnętrznych, jak: opinie, domysły i fotelowe rozważania. Stosowane w tym celu procedury badawcze pełne są różnego rodzaju zabezpieczeń, polegających na szczegółowym opisie wszystkich aspektów metod wykorzystywanych podczas pozyskiwania danych, ujawnianiu tych aspektów (co umożliwia ich szczegółowe przeanalizowanie przez innych badaczy), poddawaniu wyników analizie statystycznej w celu sprawdzenia ich rzetelności oraz naleganiu, by inni badacze powtórzyli te badania, nie zaś opierali wnioski tylko na jednej próbie. Właśnie zastosowanie takich środków odróżnia podejście obiektywne od subiektywnego.

By zilustrować tę różnicę w praktyce, rozważmy wpływ pracy matki na rozwój małych dzieci. Nie jest to kwestia, której rozstrzygnięcia pragnie jedynie ogromna rzesza ludzi, gdyż pomogłoby to im dokonać osobistego wyboru. Jest to też problem, w którego rozwiązaniu wiele rządów i organizacji politycznych wymaga pewnego ukierunkowania, potrzebnego do zgłaszania inicjatyw ustawodawczych w sprawie zatrudniania matek lub zapewnienia dostępności placówek dziennej opieki nad dziećmi. W jaki sposób psychologowie zabierają się do określania wpływu tego typu doświadczenia na rozwój dzieci i w jaki sposób ich podejście różni się od podejścia subiektywnego?

Badanie psychologiczne, jeśli ma prowadzić do uzasadnionych konkluzji, musi podlegać pewnym procedurom. Do najważniejszych należą:

- *Precyzyjny opis badanej grupy*, by było wiadomo, do jakiego typu dzieci i rodzin odnieść uzyskane wyniki. Znaczenie pracy zawodowej matki w rodzinach biednych, gdzie potrzeby materialne są olbrzymie i gdzie istnieją trudności z zapewnieniem opieki dziecku podczas nieobecności matki, może być całkowicie inne niż w rodzinach zamożnych, w których matka decyduje się na podjęcie pracy kierując się przede wszystkim własnymi aspiracjami zawodowymi, i w których do opieki nad dzieckiem podczas jej nieobecności zaangażowane zostaną profesjonalne opiekunki. Dane dotyczące jednej z tych grup mogą nie mieć zastosowania do innych i chociaż idealne próbki poddawane badaniom powinny być reprezentatywne dla każdej z warstw społecznych, a w związku z tym być bardzo liczne, to względy praktyczne nakazują ograniczenie badań do pewnych specyficznych i stosunkowo małych grup. Dlatego też wyszczególnienie cech danej próbki jest sprawą zasadniczą, tak by każdy mógł określić, w jakim zakresie można korzystać z danych uzyskanych w wyniku konkretnych badań, oraz co przyczynia się do występowania różnic w porównaniu z danymi pochodzącymi z innych badań. Podejście obiektywne rzadko uwzględnia specyficzną charakterystykę jednostek, których dotyczą wnioski i z reguły zakłada możliwość uogólnienia danych z jednej grupy na inne.

- *Ocena oparta na trafnych i rzetelnych metodach*. **Trafność** odnosi się do zakresu, w jakim dane narzędzie rzeczywiście mierzy cechy, do pomiaru których zostało stworzone. Natomiast **rzetelność** jest to stałość uzyskiwania za pomocą danego narzędzia takich samych wyników przy innych okazjach i przy stosowaniu go przez inne osoby. A zatem, jakiekolwiek wnioski dotyczące wpływu pracy zawodowej matki na, powiedzmy, przystosowanie emocjonalne dzieci, opierać się muszą na pomiarach, którym można ufać: muszą one wykraczać poza bliżej nieokreślone wrażenia, na których polegamy w życiu codziennym, i które tak często stanowią podstawę wniosków wysnuwanych w mniej obiektywnych podejściach.

Trafność zakres, w jakim narzędzie pomiarowe rzeczywiście odzwierciedla to, co ma mierzyć. Zwykle oceniana przez porównanie różnych wskaźników.

Rzetelność odnosi się do zaufania, jakie pokładamy w narzędziu pomiarowym. Zwykle oceniana poprzez porównanie wyników uzyskanych w różnym czasie lub przez różnych badających.

- *Precyzyjne opisy wszystkich aspektów metodologicznych.* Dane uzyskane w wyniku badań zależą od zastosowanych metod. Różne metody niekoniecznie dają identyczne wyniki: przystosowanie emocjonalne można oceniać na podstawie wywiadu z matką, wywiadu z opiekunką dziecka, wypełnianych przez nie kwestionariuszy lub obserwacji dokonanych przez badających. To, na co się zdecydujemy, musi w pewnym stopniu wpłynąć na wyniki; zatem istotne jest wyczerpujące informowanie o konkretnych zastosowanych metodach. Niemożność określenia, w jaki sposób sprecyzowano wnioski stanowi jeden z głównych problemów w przypadku, gdy oparto je na przeczuciach. Oznacza to, że dwie osoby, które doszły do diametralnie sprzecznych wniosków, nie mogą rozstrzygnąć, na czym polegają różnice poprzez analizę dróg, jakimi doszły do swoich stanowisk i ich dyskusja nie zakończy się niczym oprócz stwierdzeń dogmatycznych.

- *Wykorzystanie grup kontrolnych.* Odkrycie, że – powiedzmy – pewien procent dzieci matek pracujących zawodowo cierpi z powodu nieprzystosowania emocjonalnego samo w sobie ma niewielkie znaczenie. Należy jeszcze sprawdzić częstotliwość występowania tego typu niedostosowania wśród dzieci matek pozostających w domu; innymi słowy: ustalić układ odniesienia. Jednakże tego typu grupa kontrolna ma jakikolwiek sens dopiero wtedy, gdy zostanie precyzyjnie dopasowana do badanej grupy właściwej pod względem wszystkich cech, które mogłyby wpłynąć na uzyskane wyniki tj.: wieku dziecka, płci, klasy społecznej, struktury rodziny i panujących w niej relacji, rozmaitych ukształtowanych wcześniej cech osobowości itd. Dopiero wtedy porównanie przyniesie sensowne wyniki, które można poprawnie zinterpretować.

- *Środki ostrożności chroniące przed brakiem obiektywizmu.* Jeśli, dajmy na to, dzieci matek pracujących porównane zostaną z dziećmi matek niepracujących zawodowo na podstawie obserwacji, osoby zbierające takie dane muszą być niejako „ślepe" na to, do której grupy obserwowane dzieci należą; o ile to możliwe, nie powinny znać hipotez ani oczekiwań związanych z tymi badaniami. W badaniach psychologicznych istnieje wiele sposobów stosowania środków zapobiegających osobistemu zaangażowaniu badaczy. Sama świadomość roli, jaką odgrywa to zaangażowanie stanowi prawdopodobnie najistotniejszą różnicę pomiędzy podejściem obiektywnym i subiektywnym.

Stosowanie takich jak powyższe procedur wyróżnia badania psychologiczne spośród innych sposobów gromadzenia danych na temat dzieci. Przyznajmy jednak, że różnica pomiędzy podejściem subiektywnym a obiektywnym nie jest tak zasadnicza, jak dotąd przyjmowaliśmy na potrzeby powyższej prezentacji. Bez względu na to, jak usilnie będziemy się starać, wyeliminowanie wszystkich subiektywnych wpływów na badania może okazać się bardzo trudne, zwłaszcza dlatego, że tego typu odczucia funkcjonują na poziomie nieświadomości. Weźmy przykład wpływu rozwodu rodziców na rozwój dziecka. Pierwsze prace na ten temat prowadzono w czasach, gdy rozwody spotykały się jeszcze z powszechnym brakiem przyzwolenia społecznego. W związku z tym, nie do pomyślenia było, że takie doświadczenie mogło mieć dla dziecka inne niż szkodliwe skutki. Nic dziwnego, że w takiej atmosferze badacze zupełnie nieświadomie nie doszukiwali się w dzieciach niczego innego, jak tylko oznak patologii, a stosowane kwestionariusze zawierały pozycje ograniczające się tylko do takich symptomów, jak niepokój, agresja i zachowania regresyjne*. Nie brano w ogóle pod uwagę możliwości wystąpienia skutków pozytywnych. Dopiero teraz, gdy rozwody stały się o wiele bardziej powszechne i społecznie akceptowane, pojawili się badacze skłonni przyznać, że oprócz różnych niepożądanych efektów, u dzieci dostrzec można także pozytywne skutki rozwodu (spadek poziomu napięcia, większą samodzielność, podwyższenie odporności na stres itd.), o które należałoby zatem pytać w kwestionariuszach. Sądy wartościujące, jakie wygłaszamy nie będąc nawet tego świadomi, mogą zatem wpłynąć nawet na tak z pozoru prostą czynność, jak zawartość narzędzi badawczych i przez to zniekształcić uzyskane w badaniach wyniki.

Jeszcze jedno ostrzeżenie: nawet przy ograniczeniu wpływu czynników subiektywnych, nie wszyscy badacze są dobrymi badaczami. Gdy coś zostaje opublikowane, to jeszcze nie znaczy, że trzeba w to wierzyć. Byłoby to po prostu następnym wariantem ślepego zaufania do ekspertów, przy czym badacze przyjmują pozycję autorytetów tylko z racji tego, że są badaczami. Zawsze należy pytać o sposoby przeprowadzenia badań. Czy skład badanej grupy pozwala na uogólnienie wyników na innych ludzi? Czy procedury były właściwe i rzetelne? Czy istniała grupa kontrolna pozwalająca na wyeliminowanie innych interpretacji? I, co najważniejsze, czy wyniki udało się potwierdzić w innych badaniach? Teoretycznie, bez względu na to, jak niezawodne zdawać się mogą jakieś badania, akceptację wyników zawsze musi poprzedzić moment zawahania zanim nie zostaną one potwierdzone w innych badaniach. Rozwój wiedzy i działania społeczne, jakie mają z tego wynikać, wymagają solidniejszej bazy danych niż pojedyncze i niepotwierdzone badanie.

Zatem fundamenty badawcze, na których opiera się psychologia dziecka, nie są w żadnym wypadku tak stabilne, jakbyśmy sobie tego życzyli. Nie wszystkie badania są zaprojektowane i przeprowadzone w sposób doskonały i pomimo stosowania zwykle różnych zabezpieczeń, sądy wartościujące i oczekiwania osobiste niekiedy usiłują „wkraść" się do procesu badawczego i wpłynąć na jego wynik. Podsumowując, musimy przyznać, że podejście subiektywne i obiektywne nie są

---

* Są to zachowania typowe dla wcześniejszej fazy rozwojowej; często pojawiają się pod wpływem silnych emocji (przyp. red. nauk.).

od siebie całkowicie różne. Różnią się one raczej rangą. Niemniej jednak przewaga podejścia drugiego nad pierwszym polega na tym, że w trakcie badań istnieje przynajmniej świadomość niebezpieczeństw płynących z niesprawdzonych założeń, jak również świadomość tego, że należy podjąć wszelkie wysiłki, by się przed tymi niebezpieczeństwami bronić, gdyż na otrzymanych wynikach ma opierać się rozwój wiedzy i dalsze, wynikające z niego działania.

Rola teorii

W mowie potocznej do słowa „teoria" odnosimy się zazwyczaj pogardliwie, np.: „to tylko teoria" znaczy, że to tylko domysły i lepiej dać sobie z tym spokój. Jednak w pracy naukowej teorie znaczą o wiele więcej: służą zrozumieniu pojedynczych faktów poprzez odniesienie ich do ogólniejszych zasad, uporządkowaniu już uzyskanych danych oraz ukierunkowaniu procesu poszukiwania informacji, rodząc nowe kwestie wymagające rozwikłania. Stanowią więc zasadniczy element przedsięwzięć naukowych.

Na badania w obrębie psychologii dziecka wpływ miała ogromna liczba teorii: psychoanaliza, behawioryzm, teoria społecznego uczenia się, teoria Piageta, etologia. We właściwym czasie powrócimy do nich, a dotyczące ich szczegóły znaleźć można w innych pozycjach (np. Crain, 1999; Miller, 2002). Na razie wspomnimy tylko o dwóch sprawach. Po pierwsze, teorie w dużym stopniu różnią się od siebie obszarem zainteresowań, np. celem behawioryzmu było zrozumienie wszelkich aspektów jawnego zachowania, zarówno ludzkiego, jak i zwierzęcego, a Piaget zajmował się tylko rozwojem dziecięcych funkcji poznawczych; natomiast Freud skupiał się przede wszystkim na życiu emocjonalnym dorosłych i jego korzeniach we wcześniejszych okresach rozwoju. Dlatego powstał szereg mini-teorii, które odnoszą się tylko do ograniczonego zakresu zjawisk, takich jak np. powstawanie dziecięcych grup rówieśniczych lub przyswajanie nazw przedmiotów. Wynika z tego, że teorie nie muszą być sprzeczne: nie trzeba stawać się zagorzałym zwolennikiem psychoanalizy *lub* teorii Piageta, gdyż każda z nich dotyczy innych funkcji psychicznych – obydwie można jednocześnie uznać za użyteczne i ogólnie akceptowane.

Ponadto, należy podkreślić, że teorię należy pojmować tylko jako narzędzie – narzędzie, które ma pomóc w rozważaniach na temat tego, co znane i w szukaniu tego, co jeszcze pozostaje nieznane. Podobnie jak w przypadku innych narzędzi, teorie mogą być wykorzystane tylko w ograniczonym zakresie. Na przykład, pewne elementy psychoanalizy uznane są już za nieużyteczne, albo z racji tego, że opierają się na pojęciach, które są zbyt niejasne i niesprawdzalne (takie jak *libido* lub pragnienie śmierci), albo dlatego, że zostały poddane testom empirycznym i nie znalazły w nich potwierdzenia (tak jak teoria traumy dziecięcej jako przyczyny wszystkich późniejszych zaburzeń). W takich przypadkach jedna teoria musi być zastąpiona przez inną, bardziej udaną – nowe narzędzie, które będzie umożliwiać dogłębne zrozumienie zjawiska i wskazywać nowe kierunki do czasu, aż znów ustąpi miejsca innej, lepszej teorii.

Podsumowanie

Psychologia dziecka to nie tylko ogromny zbiór faktów, to także szczególny sposób ich gromadzenia. Nie można bowiem we właściwy sposób korzystać z tych informacji nie wiedząc, w jaki sposób zostały uzyskane. Dlatego też zaczynamy od przyjrzenia się sposobom, jakimi psychologowie zabierają się do zadania polegającego na znalezieniu odpowiedzi na pytania dotyczące dzieci i ich rozwoju.

Pytania, jakie zadają psychologowie zasadniczo nie różnią się od pytań zadawanych przez kogokolwiek innego. Są to pytania zaczynające się od słów: *kiedy*, *jak* i *dlaczego*, czyli dotyczące czasu, sposobu i przyczyn. Odpowiedzi na pytania, *kiedy* i *jak* wymagają przedstawienia opisu dziecięcego zachowania; natomiast w odpowiedzi na pytanie: *dlaczego*, oczekuje się wytłumaczenia tego zachowania.

W celu uzyskania danych potrzebnych do udzielenia powyższych odpowiedzi stosuje się rozmaite metody, które zasadniczo można podzielić na trzy kategorie: obserwacje, wywiad i eksperyment. Niektóre z zadawanych pytań dotyczą tylko określonej grupy wiekowej, podczas gdy inne dotyczą zmian, jakie następują wraz z wiekiem. By znaleźć odpowiedzi na pytania dotyczące zmian, można skorzystać z metod *przekrojowych* lub *podłużnych*: te drugie są bardziej pożądane, choć w praktyce bardziej kłopotliwe.

W reakcji na zarzut, iż psychologia dziecka nie jest właściwie potrzebna, ponieważ każdy intuicyjnie wie, jak opiekować się i jak wychowywać dzieci, porównaliśmy ze sobą dwa sposoby podejścia do uzyskiwania na ten temat informacji: podejście *subiektywne* i *obiektywne*. Pierwsze opiera się na intuicji, własnym doświadczeniu i radach „ekspertów". Chociaż można z nich korzystać, to nie na wiele się zdadzą, gdybyśmy chcieli na ich podstawie określić rzetelne wytyczne. Drugie podejście zakłada przeprowadzanie badań naukowych. Jego głównymi zaletami są przejrzystość, możliwość przeprowadzenia ich dokładnej analizy i środki ostrożności, jakie zostały w nich zastosowane, by ustrzec się wpływów subiektywnych, takich jak tendencyjność, czy sądy wartościujące. Oba podejścia nie różnią się jednak od siebie w stu procentach: na prace badawcze mogą też wpłynąć względy osobiste, mimo wysiłków, by się przed nimi zabezpieczyć.

Stworzenie *teorii* stanowi zasadniczy element każdego przedsięwzięcia naukowego. Ich rola polega na porządkowaniu rzeczowych informacji, które już zostały zgromadzone i ukierunkowaniu poszukiwań nowych faktów. Teorie są jednak wyłącznie narzędziami, które odkładamy na bok, gdy przestają być użyteczne.

Literatura dodatkowa

Miller, P. H. (2002). *Theories of Developmental Psychology* (wyd. 4). New York: W. H. Freeman. Obszerny opis różnych teorii wysuniętych w celu objaśnienia psychicznego rozwoju dziecka. Zawiera przystępne wytłumaczenie tego, czym jest teoria, do czego służy oraz jakie główne problemy napotyka psychologia rozwojowa.

Miller, S. A. (1998). *Developmental Research Method* (wyd. 2). Engelwood Cliff, NJ: Prentice-Hall. Pozycja dla czytelników pragnących zapoznać się ze szczegółowym i aktualnym opisem wszystkich aspektów badań w dziedzinie psychologii dziecka, poruszająca takie tematy, jak projektowanie badań, analiza statystyczna i rozważania natury etycznej.

Pettigrew, T. F (1996). *How To Think Like A Social Scientist*. New York: Harper Collins. Znakomite, świetnie napisane wprowadzenie do tego, jak specjaliści w dziedzinach społecznych (między innymi psychologowie dziecięcy!) zabierają się do realizacji swych zadań. Przedstawia ono charakterystyczny, odmienny od powszechnych analiz prezentowanych w mediach, sposób zapatrywania się socjologów na problemy wymagające rozwiązania.

Robson, C. (2002). *Real World Research*. Oxford: Blackwell. Niezupełnie z dziedziny psychologii dziecka, jednak bardzo użyteczne, gdyż umożliwia zgłębienie istoty badań dotyczących aspektów rzeczywistych problemów społecznych.

Literatura uzupełniająca w języku polskim

Bee, H. (2004). Przygotowanie do pracy: podstawowe pojęcia i metody. W: *Psychologia rozwoju człowieka* (s. 1–33). (tłum. A. Wojciechowski). Poznań: Zysk i S-ka Wydawnictwo.

Birch, A. (2005). Badania nad rozwojem. W: *Psychologia rozwojowa w zarysie. Wydanie nowe*. (tłum. J. Łuczyński, M. Olejnik). Warszawa: Wydawnictwo Naukowe PWN.

Brzezińska, A. (2004). Jak badać rozwój? W: *Społeczna psychologia rozwoju*. Warszawa: Wydawnictwo Naukowe Scholar.

Hall, C. S., Lindzey, G., Campbell, J. B. (2004). *Teorie osobowości. Wydanie nowe*. (tłum. J. Kowalczewska, J. Radzicki, M. Zagrodzki). Warszawa: Wydawnictwo Naukowe PWN.

Rozdział 2

Istota dzieciństwa

Kim jest dziecko? 39

Perspektywa historyczna 40

Dziecko jako miniaturowy dorosły 40

Dziecko jako ofiara 42

Dziecko dziś 43

Perspektywa kulturowa 45

Zróżnicowanie praktyk wychowawczych . . 46

Orientacja indywidualistyczna
i kolektywistyczna 49

Międzykulturowo spostrzegany rozwój
osobowości 51

Dorosły sposób myślenia o dzieciach 52

Istota systemów przekonań 53

Związki z rozwojem dziecka 54

Podsumowanie 56

Literatura dodatkowa 56

Literatura uzupełniająca w języku polskim . . . 57

Kim jest dziecko?

Na pierwszy rzut oka pytanie to może wydawać się niemądre, bo odpowiedź jest bez wątpienia oczywista i wszystkim doskonale znana. Najczęściej dziecko spostrzegane jest jako mniejsza i słabsza wersja dorosłego – bardziej zależna, mniej znająca się na rzeczy, mniej kompetentna oraz gorzej uspołeczniona i mniej opanowana emocjonalnie. Opis ten ma pewien mankament. Posługuje się określeniami negatywnymi i skupia się na tym, czego dziecku brakuje, a nie wspomina nawet o drzemiącym w nim ogromnym potencjale rozwojowym. Jednak tego typu obraz ma przynajmniej tę zaletę, że zwraca uwagę na rolę dorosłych ponoszących odpowiedzialność za dziecko. To ich zadaniem jest uzupełniać braki dziecka, czerpiąc ze źródła własnego charakteru, i jednocześnie pomagać dziecku w przyswajaniu brakujących przymiotów i przejmowaniu jako własnych cech osób dorosłych.

Gdy się jednak głębiej zastanowimy, scharakteryzowanie dzieciństwa okazać się może o wiele bardziej złożonym zadaniem. Problem polega na tym, że nie można go zwyczajnie zdefiniować używając pojęć bezosobowych; my wszyscy byliśmy kiedyś dziećmi i to, w jaki sposób patrzymy na dzieciństwo, mówi również coś o nas samych. Dla niektórych, tak jak dla Wordswortha, gdy pisał *Ode: Intimations of Immortality* (wyd. pol. 1963, *Oda: O przeczuciach nieśmiertelności ze wspomnień dzieciństwa*, tłum. S. Kryński), okres dzieciństwa z perspektywy czasu jawi się jako czas magiczny:

> Gdy łąki, strumyki i gaje
> Ziemia, widoki wszelkie pospolite
> (Jak mi się zdaje)
> Były w niebiański blask spowite,
> W świetności i świeżość, jakie sen nadaje (...).

Innym, którzy nie mieli tyle szczęścia, dzieciństwo przywołuje bardziej ponure wspomnienia – krzywdy, odrzucenia, głębokiego nieszczęścia, czasu przygnębienia, a nie złocistej poświaty. Na poziomie osobistym wyobrażenie dzieciństwa *konstruowane* jest w sposób następujący: widzimy je w świetle naszych własnych doświadczeń i interpretujemy zgodnie z wyznawanym przez nas światopoglądem.

Konstruowanie istoty dzieciństwa staje się jeszcze bardziej oczywiste, gdy porównamy jego koncepcje panujące w różnych okresach historycznych lub w różnych kulturach. Sposób spostrzegania dziecka zmienia się w zależności od wielu czynników gospodarczych, politycznych i religijnych oddziałujących w danym okresie i danym miejscu. Zatem na pytanie: „Kim jest dziecko?", nie można udzielić odpowiedzi jedynie w kategoriach zbioru nieodłącznych cech, które siłą rzeczy składają się na charakter dziecka. Odpowiedź zależeć będzie także od istoty danej społeczności oraz od przekonań i zwyczajów, wśród których dziecko dorasta.

Perspektywa historyczna

Na początek cofnijmy się w czasie i sprawdźmy, jak nasi przodkowie w kulturze zachodniej myśleli o okresie dzieciństwa. Oczywiście, im dalej wstecz, tym bardziej skąpe i mniej rzetelne informacje na ten temat, a historycy mniej jednomyślni w interpretacji materiałów, które ujrzały światło dzienne. Niemniej jednak dostrzec można wyraźnie pewne ogólne trendy: być może brakuje nam danych statystycznych, ale jesteśmy w stanie uchwycić pewne wyobrażenie o traktowaniu dzieci w dawnych czasach, a przez to pewne koncepty dzieciństwa tkwiące u podstaw takiego traktowania.

Dziecko jako miniaturowy dorosły

Zdaniem Philippe'a Arièsa, którego książka _Centuries of childhood_ (1962; wyd. pol. _Historia dzieciństwa_) stanowi najdokładniejszą analizę historii dzieci, dzieciństwo to stosunkowo nowe odkrycie. Autor przedstawia to w ten sposób:

> W społeczeństwie średniowiecznym, które jest dla nas punktem wyjścia, ludzie nie mieli żadnego poczucia specyfiki dzieciństwa. Nie znaczy to wcale, by zaniedbywali i porzucali dzieci bądź nimi gardzili. Świadomość dzieciństwa to nie to samo, co czułość dla dzieci; mieć świadomość dzieciństwa to zdawać sobie sprawę z odrębności dziecka, które w zasadniczy sposób różni się od młodego nawet dorosłego. Otóż takiej świadomości nie było*.

Znaczy to, że dzieci były uważane za dorosłych, chociaż za ich mniejszą wersję i na ile to możliwe, były traktowane jednakowo. Średniowieczne dzieła malarstwa, które przetrwały do naszych czasów, przedstawiają dzieci jako miniatury dorosłych, odróżnia je jedynie rozmiar ciała. Nie uwzględniano nawet różnic w proporcjach budowy, a stroje są po prostu mniejszymi kopiami tego, co nosili ówcześni mężczyźni i kobiety. Zacytujmy tu znów Philippe'a Arièsa:

---

* Przetłumaczyła Maryna Ochab.

Samo słowo dziecko nie miało wtedy tak wąskiego jak dziś znaczenia; mówiło się „dziecko", tak jak dziś w języku potocznym mówi się *gars* (chłopak, facet). Nieokreśloność wieku występowała wyraźnie w każdej aktywności społecznej; w zabawie, w pracy, w wojsku. Na wszystkich obrazach przedstawiających zbiorowiska ludzkie jest miejsce dla małych i starszych dzieci: jedno lub dwa niemowlęta skulone w torbie zwieszonej u szyi kobiety, chłopczyk sikający w kącie izby, dziecko odgrywające w święcie tradycyjną, przypisaną mu rolę, dziecko uczące się zawodu w warsztacie, obsługujące rycerzy itd., itp.*

Oznacza to, że dzieci nie tylko miały wyglądać jak dorośli, ale miały również brać udział w tych samych czynnościach, zarówno w pracy, jak i w zabawie. Wiek chronologiczny nie miał takiego znaczenia jak dziś: tak czy owak brak rejestrów narodzin i innych spisów komplikował sprawę. Natomiast tym, co liczyło się w czasach znacznych potrzeb materialnych, była siła i zdolności, które różnicowały poszczególne dzieci i pozwalały przyczynić się do utrzymania rodziny i przysparzania korzyści społeczeństwu.

Analizując historyczne sposoby patrzenia na dzieci należy mieć na uwadze utrzymujący się w średniowieczu wysoki współczynnik umieralności niemowląt. Dożycie do pierwszych urodzin było dla dziecka nie lada osiągnięciem. Na troje dzieci jedno lub dwoje umierało w ciągu pierwszego roku (McLaughlin, 1974). Aż do XVIII w. niewiele się zmieniło, a i wtedy nie zauważało się wielkiej poprawy, która nadeszła dopiero z początkiem XX w. Śmierć dziecka była zatem powszechnym i powracającym zjawiskiem, które normalnie siałoby zamęt wśród matek i wywierałoby wpływ na ich stosunek do żyjącego potomstwa. Zdaniem niektórych historyków środkiem samoobrony, często stosowanym w tych warunkach przez matki, była obojętność: matki nie pozwalały sobie na zbytnią uczuciowość względem dzieci do momentu, gdy miały pewność, że przetrwają one pierwsze lata życia. Dla nas, żyjących w czasach, gdy miłość matczyna uważana jest za absolutnie zasadniczy warunek rozwoju, ówczesne praktyki mogą wydać się niewiarygodne, a o bezpośrednie dowody niestety trudno. Jedno jest pewne, że przynajmniej wśród lepiej sytuowanych powszechne i całkowicie akceptowane było wysyłanie dzieci do mamek w okresie niemowlęctwa oraz, począwszy od średniego dzieciństwa, do korepetytorów i mistrzów rzemiosła. Jak się zdaje, bliskość emocjonalna i fizyczna nie były tak ważnymi elementami relacji rodzic-dziecko, jak to jest w dzisiejszych czasach.

Według Arièsa, dopiero w XVII i XVIII w. po raz pierwszy pojawiła się obecna koncepcja dzieciństwa. Zaczęto przedstawiać dzieci *jako* dzieci zarówno w ubiorze, jak i wyglądzie, chociaż początkowo dotyczyło to wyłącznie chłopców: Ariès stwierdza, że „chłopcy byli pierwszymi wyspecjalizowanymi dziećmi". Ogólnie

* Przetłumaczyła Maryna Ochab.

rzecz biorąc, zmiana ta była bardzo powolna. Widoczna była opieszałość w uznaniu, że potrzeba wykorzystywania dzieci przez dorosłych w charakterze robotników musi ustąpić dziecięcej potrzebie kształcenia się. Rewolucja przemysłowa pod koniec XVIII w. spowodowała ogromny wzrost zapotrzebowania na tanią siłę roboczą. Rodzice niejednokrotnie byli zależni od zarobków swych dzieci, a pozbawieni skrupułów pracodawcy bez wahania wysyłali nawet sześcioletnie dzieci na wiele godzin do pracy w fatalnych warunkach: w fabrykach, w kopalniach lub na wysokich kominach. Dopiero przyjmowane w XIX w. przez Parlament Brytyjski Ustawy Fabryczne powoli stwarzały dzieciom lepsze warunki, zbliżone do tych, z jakimi mamy do czynienia obecnie. Akt z roku 1833, na przykład, stanowił, że dzieci w wieku od 9 do 13 lat nie mogą pracować więcej niż 48 godzin tygodniowo, a w wieku od 13 do 18 lat nie więcej niż 68 godzin. Był to pewien postęp w porównaniu z poprzednią sytuacją, ale nadal nie pozostawało dzieciom zbyt wiele czasu na zabawę lub naukę. Nawet te zmiany napotkały silny sprzeciw pracodawców. Zdaniem pewnego właściciela kopalni, dla dzieci górników praktyka w kopalni węgla była o wiele ważniejsza od nauki z książek (Kessen, 1965). Zatrudnianie dzieci to do dziś w wielu krajach poważny problem. Gdy nastają ciężkie pod względem ekonomicznym czasy, trudno jest zaszczepić ideę dzieciństwa jako szczęśliwego, spokojnego okresu wypoczynku i zdobywania wiedzy.

Dziecko jako ofiara

> Historia dzieciństwa to koszmar, z którego dopiero, co się przebudziliśmy. Im dalej cofamy się w przeszłość, tym niższy obserwujemy poziom opieki nad dziećmi i tym większe prawdopodobieństwo mordowania, porzucania, terroryzowania i seksualnego wykorzystywania dzieci.

Takim stwierdzeniem otwiera swoją książkę zatytułowaną *The History of Childhood* (1974) Lloyd de Mause, podsumowując tym samym myśl potwierdzoną przez wiele źródeł. Z braku danych statystycznych nie możemy dokonać dokładnych analiz ilościowych, wydaje się jednak, że w starożytności i średniowieczu stopień znęcania się nad dziećmi był o wiele wyższy niż obecnie.

Pogląd, że dzieci mają swoje *prawa* jest stosunkowo nowy. Na przykład w starożytnym Rzymie dzieci stanowiły prawną własność ojca; to on sprawował nad nimi władzę absolutną i jeśli zdecydował o pozbawieniu ich życia, nikt inny nie miał nic do powiedzenia. Linia rozgraniczająca odpowiedzialność państwa i rodziców za dziecko była ściśle wytyczona: dzieci należały do ojca; ich wychowanie, karanie a nawet sprawy życia i śmierci były w jego rękach bez żadnej ingerencji z zewnątrz, co nieuchronnie prowadziło do dużych nadużyć. Zdaje się, że zarówno w Grecji, jak i w Rzymie, szczególnie często dochodziło do wykorzystywania seksualnego; kary cielesne charakteryzowały się takim okrucieństwem, jakie w dzisiejszych czasach byłoby nie do przyjęcia; dzieciobójstwo było powszechną praktyką i trwało z pewnymi ograniczeniami przez całe pierwsze tysiąclecie, najczęściej przyjmując formę porzucania noworodków – zwłaszcza płci żeńskiej lub dzieci z defektami okołoporodowymi. Tyber, jak się mówiło, był pełen niechcianych dzieci Rzymianek.

Oczywiście nie sugerujemy, że uczucia rodzicielskie nie należały do normy. To raczej w porównaniu z dzisiejszymi praktykami stopień znęcania się nad dziećmi uderza nas jako coś nienormalnego, podobnie zresztą jak przymykanie na to oczu przez resztę społeczeństwa. Ale to ogół społeczeństwa z całą surowością odnosił się do dzieci, jak ilustruje to przykład pewnego osiemnastowiecznego niemieckiego dyrektora szkoły, który otwarcie przechwalał się, że według własnych szacunków wymierzył swym uczniom 911 527 uderzeń kijem, 124 000 smagnięć batem, 136 751 uderzeń otwartą dłonią i 1 115 800 trzepnięć w ucho (de Mause, 1974). Życie dorosłych we wcześniejszych stuleciach również nie należało do łatwych, lecz niewiele było powszechnych prób uznania konieczności otoczenia dzieci specjalną opieką i osłaniania ich przez brutalnością świata.

Niekiedy, a zwłaszcza w XVII i XVIII w., surowe traktowanie dzieci uzasadniane było moralnością religijną. W myśl purytańskiej doktryny grzechu pierworodnego, wszyscy jesteśmy poczęci i urodzeni w duchu zła, a zadaniem rodziców i pedagogów jest poskromić zło tkwiące w dziecięcej duszy. Zatem dzieci, dalekie od nieskazitelności, przychodzą na świat jako małe dzikusy, które, jeśli nie zostaną poskromione, będą niosły ze sobą zagrożenie zepsuciem dla społeczeństwa. Podstawowym celem wychowania jest więc wykorzenienie zła i negatywnej natury, którą każde dziecko zostało obdarzone. Naczelnym tematem w poradnikach dla rodziców z tamtych czasów było „łamanie woli dziecka". W XVIII w. matka-założycielka Kościoła Metodystów, Pani Wesley, pisała:

> Nalegam by zawczasu przezwyciężać wolę dziecka, gdyż stanowi to jedyny fundament edukacji religijnej... Od tego tylko zależy [przyszłe] niebo lub piekło. A zatem rodzic, który stara się ujarzmić wolę swoich dzieci współpracuje z Bogiem w ratowaniu ich duszy: rodzic, który jej folguje czyni diabelską robotę... Bez względu na koszty, przezwyciężajcie ich upartość; łamcie ich wolę, jeśli nie chcecie skazać dzieci na potępienie (za: Newson, Newson, 1974).

Wrodzona zła natura dzieci usprawiedliwiała zatem surowe ich traktowanie, które miało być jedynym sposobem na ocalenie ich od wiecznego potępienia.

Dziecko dziś

Z dawnego podejścia do dzieciństwa wynika jedna ogólna myśl przewodnia: dzieci w dawnych czasach uznawane były za uzupełnienie świata dorosłych, a nie za istoty posiadające własne prawa. Znaczy to, że dzieci spostrzegane były przede wszystkim przez pryzmat potrzeb społeczeństwa i swych rodzin; ich traktowanie było uzasadnione przez dominujące czynniki ekonomiczne, moralne i religijne oparte na wymaganiach dorosłych, przy czym niewielkich starań dokładano, by określić potrzeby i charakterystykę samych dzieci. Idea, że dzieci mają swój własny status i że to dorośli powinni się do niego dostosować, a nie na odwrót, jest całkiem nowa.

Weźmy na początek ideę praw dziecka. Sama myśl, że dzieci mają swoje prawa była w ubiegłych stuleciach zupełnie obca. Dzieci były po to, by spełniać wymagania dorosłych. Nawet jeżeli przyjmowało to w pewnych przypadkach zwyrodniałe formy, społeczeństwo rzadko stawało w obronie ofiar. Pogląd, że bezsilność dzieci skłania do tego, by je chronić a nie wykorzystywać, powoli kształtował się od około 200 lat, ale tak naprawdę dopiero w drugiej połowie XX w. zaczęto je formalnie chronić poprzez ustawodawstwo i porozumienia międzynarodowe.

Jako przykład obecnie panującego stanowiska możemy wymienić *Konwencję Narodów Zjednoczonych o Prawach Dziecka*, uchwaloną w 1989 r. Konwencja ta ma wielkie znaczenie, ponieważ: po pierwsze, stwierdza, że dzieci mają prawa; po drugie, próbuje wymienić te prawa (zob. ramka 2.1); po trzecie, stwierdza obowiązek wszystkich rządów do pilnowania przestrzegania tych praw; a w końcu dlatego, że opiera się na określonym obrazie dzieciństwa funkcjonującym w umysłach tych, którzy sporządzili pierwszą wersję tej konwencji. Obraz ten przedstawiono w następującym cytacie z deklaracji przyjętej przez Światowy Kongres Dzieci, który odbył się po przyjęciu konwencji przez ONZ:

Wszystkie dzieci świata są niewinne, wrażliwe i zależne od dorosłych. Są również ciekawe, aktywne i pełne nadziei. Ich czas powinien być czasem radości i pokoju, zabawy, nauki i rozwoju. Ich przyszłość powinna być kształtowana w harmonii i współpracy. Ich życie powinno dojrzewać wraz z poszerzaniem perspektyw i zdobywaniem nowych doświadczeń.

RAMKA 2.1

Konwencja Narodów Zjednoczonych o Prawach Dziecka

Oto skrócona lista praw dziecka, nakreślonych w Konwencji NZ o Prawach Dziecka, przyjętej przez Zgromadzenie Ogólne Narodów Zjednoczonych w 1989 r.

- Dzieci mają prawo do życia: należy im zapewnić warunki przetrwania i rozwoju.
- Dzieci mają prawo do nazwiska i obywatelstwa oraz zachowania tożsamości.
- Każde dziecko odseparowane od jednego lub obojga rodziców ma prawo do utrzymywania z nimi osobistych stosunków.
- Każde dziecko, które jest zdolne do kształtowania swych własnych poglądów ma prawo do swobodnego wyrażania własnych poglądów we wszystkich sprawach dotyczących dziecka.

- Dzieci mają prawo do swobody wyrażania się.
- Dzieci mają prawo do swobody myśli, sumienia i wyznania.
- Dzieci mają prawo do swobodnego zrzeszania się.
- Dzieci mają prawo do prywatności.
- Dzieci mają prawo do jak najwyższego poziomu zdrowia.
- Dzieci niepełnosprawne mają prawo do specjalnej opieki.
- Każde dziecko ma prawo do poziomu życia adekwatnego do jego rozwoju fizycznego, umysłowego, duchowego moralnego i społecznego.
- Dzieci mają prawo do nauki.
- Dzieci mają prawo do czasu wolnego oraz zabawy i rekreacji właściwej dla wieku dziecka.
- Dziecko ma prawo do ochrony przed wyzyskiem gospodarczym i pracą, które mogłyby mieć niekorzystny wpływ na jego rozwój.

Tego typu stwierdzenia, jakkolwiek mogą wydawać się ogólnikowe i sentymentalne, mają tę nadrzędną zaletę, że wyrażają konkretną świadomość psychicznych potrzeb dzieci, jak również tego, że społeczeństwo ma zadanie je zaspokoić. Ponadto, wyraźnie przyznano, że potrzeby dzieci nie zawsze idą w parze z potrzebami ich dorosłych opiekunów: dzieci nie są jedynie dodatkiem do opiekunów; są odrębnymi jednostkami z własnymi prawami. Konwencja Narodów Zjednoczonych mówi ponadto:

> We wszystkich działaniach dotyczących dzieci, podejmowanych przez publiczne lub prywatne instytucje opieki społecznej, sądy, władze administracyjne lub ciała ustawodawcze, sprawą nadrzędną będzie najlepsze zabezpieczenie interesów dziecka.

Tego typu stwierdzenia nadal w większym stopniu dotyczą ideałów niż rzeczywistości. Niemniej jednak, przeszliśmy długą drogę od starożytności, gdy dziecko stanowiło własność ojca, nie miało żadnych praw jako jednostka i przez to bywało obiektem zaniedbania, okrucieństw i wykorzystania bez żadnej kontroli. Dzieci postrzegane były wówczas jako sługi w świecie dorosłych: dziś to świat dorosłych ma zobowiązania wobec dzieci, ma respektować ich odrębny, choć niesamodzielny status.

Perspektywa kulturowa

Różnice w sposobie postrzegania dzieciństwa można znaleźć nie tylko poprzez cofnięcie się w czasie, ale również podróżując po świecie i porównując różne istniejące dziś kultury. Przyznać trzeba, że świat staje się coraz mniejszy: udoskonalone środki transportu oraz nasilony wpływ środków przekazu spowodowały stopniowe upodabnianie się nawet najdalszych zakątków świata do Zachodu. Mimo to, dane antropologiczne wykazują, że na pytanie: „Kim jest dziecko?" nadal można znaleźć wiele różnych odpowiedzi. Takie międzykulturowe porównania są szczególnie pożyteczne, gdyż uświadamiają nam, że to, co w naszej części globu uznajemy za „normalne", gdzie indziej może takim nie być: każda społeczność ma własny zbiór wartości i przez ich pryzmat postrzega własne potomstwo.

Zróżnicowanie praktyk wychowawczych

Przyjrzyjmy się przykładom obrazującym to, że nasz pogląd na „właściwy" sposób wychowywania dzieci, wcale nie jest podzielany przez inne społeczności.

- Przypatrzmy się matce z kręgu kultury Zachodniej trzymającej dziecko na kolanach, a zauważymy jak bardzo oboje są sobą zajęci. Matka poprzez tulenie, uśmiech, kołysanie, śpiew i rozmowę, robi co w jej mocy, by utrzymywać bardzo intensywny wzajemny kontakt emocjonalny i upewnia się, że jest w centrum uwagi dziecka. Rozważmy teraz zachowanie matek kalulijskich i ich dzieci (Schieffelin, Ochs, 1983). Kaluli stanowią małą społeczność zamieszkującą lasy tropikalne Papui Nowej Gwinei i tam kontakt matki z dzieckiem przybiera zupełnie inną formę. Dzieci nie są traktowane jako partnerzy we wzajemnych kontaktach. Nie spędzają z matką zbyt wiele czasu na wpatrywaniu się sobie w twarz. Wręcz przeciwnie, matki trzymają dzieci tak, że patrzą one na zewnątrz, widzą więc innych, należących do własnej grupy społecznej i same są przez nich widziane. Ponadto matki rzadko mówią bezpośrednio do swoich dzieci, za to inni (zazwyczaj starsze dzieci) rozmawiają z dzieckiem, a następnie matka odpowiada wysokim tonem „w imieniu" dziecka. Od samego początku dziecko zaangażowane jest więc w wymianę wieloosobową. Powód takiego traktowania dzieci tkwi w warunkach mieszkaniowych Kaluli: społeczność tworzy tam od 60 do 90 osób, wszyscy mieszkają w jednym dużym i długim domu bez ścian działowych. Diada matka–dziecko oraz rodzina mają mniejsze znaczenie. Od najmłodszych lat dzieci przygotowywane są do tego, by uznawać wspólnotę społeczną za ważną całość – stąd też praktyka ustawiania dziecka twarzą na zewnątrz, a nie do matki, oraz pomniejszanie roli wzajemnej wymiany gestów. Coś innego uważane byłoby za „anormalne" i nie sprzyjające rozwojowi dziecka.
- Wśród ludności Gusii w Kenii wszystko, co matka robi z dzieckiem ma na celu unikanie lub tłumienie jakiegokolwiek pobudzenia, któremu dziecko normalnie mogłoby ulec we wzajemnym obcowaniu z nią – kontakty mają raczej uspokajać niż rozbawiać. Tutaj również obserwujemy niewiele kontaktów twarzą w twarz, a wszelkie działania są powolne i pozbawione emocji. Najczęstszą reakcją matki na spojrzenie lub głos dziecka jest odwrócenie wzroku, natomiast

spory nacisk kładzie się na trzymanie w ramionach i kontakt fizyczny, nawet podczas snu. Od razu gdy dziecko zapłacze, spotyka się z reakcją opiekuna, albo zostaje przystawione do piersi, albo jest kołysane i przytulane – znów wszystko po to, by uniknąć pobudzenia. Poprzez takie postępowanie matka działa zgodnie z pewnym porządkiem kulturowym. Jeszcze we wczesnym okresie życia dziecka musi ona powrócić do pracy na roli, a dziecko zostanie przekazane pod opiekę starszych dzieci, dlatego musi być spokojne i łatwe do uspokojenia, by mogły one dać sobie z nim radę. Zatem opisane traktowanie dzieci przez matki uznane jest za „właściwy" sposób uzyskania kulturowo określonego celu (LeVine i in., 1994)

- W społeczeństwach zachodnich przywiązuje się znaczną wagę do zabawy, a matki często przyłączają się do niej, by rozwijać u dzieci zdolności poznawcze i umiejętność uczenia się. Inaczej jest u mało zarabiających matek meksykańskich, które uznają, że zabawa nie ma większego znaczenia i nie odgrywa żadnej roli w rozwoju dziecka. Kiedy wyraźnie zaprosi się je do zabawy z dziećmi, twierdzą, że jest to dziwne i żenujące doświadczenie, a ich udział przybiera głównie formę otwartego instruowania, nie zaś działania, które miałoby sprawiać dziecku „radość". Biorąc po uwagę ich sytuację materialną, zdaje się, że matki te działają kierując się „modelem pracy": życie to rzecz poważna, zabawa jest luksusem i im prędzej dziecko to pojmie, tym lepiej (Farver, Howes, 1993).

Istnieje wiele tego typu wartych zacytowania porównań międzykulturowych; nieco bardziej szczegółowy opis dotyczący praktyk wychowawczych w tradycyjnym społeczeństwie japońskim przedstawiono w ramce 2.2. Wszystkie z tych opisów uświadamiają nam, jak bardzo ostrożni musimy być zakładając, że niektóre praktyki są uniwersalne i stanowią nieodłączny element natury ludzkiej tylko dlatego, że sami je stosujemy. Zachowania obserwowane w innych kulturach, takich jak opisane powyżej, mogą się nam wydawać nieludzkie: jednak na tle szczególnych uwarunkowań kulturowych mają swój sens, gdyż w ten sposób pełnią swą rolę adaptacyjną w danym społeczeństwie. Główny motyw stanowią tu różnice kulturowe i niedobory w aspektach pozakulturowych, określające rodzaj dziecka, jakiego dane kultury chciałyby się dochować.

RAMKA 2.2

Japonki i ich dzieci

W tradycyjnym społeczeństwie japońskim panuje inna niż na Zachodzie koncepcja dzieciństwa. W kulturach zachodnich matki przyjmują, że w okresie dzieciństwa muszą pomagać niesamodzielnym jeszcze dzieciom w uzyskiwaniu niezależności i od pierwszych dni podejmują działania mające na celu wspieranie ich autonomii fizycznej i psychicznej. Dzieci zachęca się do samodzielnego poznawania nowych sytuacji, ceni się ich asertywność i z niechęcią przyjmuje się uzależnienie emocjonalne od opiekuna. Matki japońskie spostrzegają natomiast dzieciństwo jako proces przebiegający w przeciwnym kierunku – od niezależności do uzależnienia. Noworodek jest zatem w ich opinii odrębną autonomiczną jednostką, którą matka musi tak socjalizować, by stała się zależna od innych członków grupy. Stosuje w tym celu techniki wychowawcze zacieśniające więź dziecka z nią samą, a następnie z innymi.

Opisy działań matek japońskich ukazują, w jaki sposób jest to realizowane (np. Bornstein, Tal, Tamis-LeMonda, 1991; Shimizu, LeVine, 2001). Przede wszystkim w o wiele większym stopniu niż w rodzinach zachodnich podtrzymuje się bliskość fizyczną. Na przykład dzieci śpią z rodzicami, a w ciągu dnia, aż do końca okresu przedszkolnego, matki częściej pozostają w kontakcie fizycznym z dziećmi – co sprawia, że relacje w japońskiej rodzinie określone zostały (oczywiście w kulturach zachodnich) mianem układu „powinowactwa skórnego"*. Uważa się bowiem, że dzieci do 6. lub 7. r. ż. mają ograniczoną możliwość samodzielnego funkcjonowania, gdyż dopiero w tym wieku osiągają odpowiedni poziom „pojmowania". We wcześniejszym okresie matki nie stawiają im zbyt wielu wymagań i starają się być pobłażliwe i wyrozumiałe, okazując na każdym kroku zaangażowanie emocjonalne.

Obserwacje zabaw matki z dzieckiem pozwoliły zauważyć pewien rodzaj strategii stosowanych przez matki japońskie w celu zacieśniania więzi społecznych (Fernald, Morikawa, 1993). O ile matka z zachodniego kręgu kulturowego sięga po zabawki, by zwrócić uwagę dziecka na ich właściwości i funkcje, przez co orientuje dziecko na świat przedmiotów, o tyle matka japońska częściej wprowadza do zabawy własną osobę i akcentuje zachowania wiążące dziecko z nią samą. Na przykład obdarowując dziecko samochodzikiem-zabawką, matka reprezentująca kulturę zachodnią powiedziałaby: „To jest samochód. Widzisz samochodzik? Podoba ci się? Ma fajne kółka". Natomiast Japonka prawdopodobnie powiedziałaby: „Patrz brum-brrrum. Daję ci go. A teraz ty daj go mi. Tak! Dziękuję". Uczenie dziecka nazwy przedmiotu lub demonstrowanie jego cech ma tu niewielkie znaczenie. O wiele ważniejsze jest nauczenie go norm kulturowych właściwych grzecznej mowie, a zabawka jest zaledwie środkiem wprowadzania dziecka w rytuały społeczne, które ściślej zwiążą je z matką. W pierwszym przypadku celem matki jest skupienie uwagi dziecka na zabawce, w drugim na aspektach interpersonalnych.

Oczywiście tak odmienne sposoby traktowania rodzą różne skutki, jeżeli chodzi o rozwój osobowości dziecka. Na przykład dzieci japońskie od samego początku są bardziej zależne od rodziców i w przypadku odseparowania od nich reagują bardzo silnym zaniepokojeniem. Ponadto wydaje się, że ich wczesne doświadczenia pociągają za sobą długofalowe skutki, co zauważyć można w obserwowanej przez całe życie potrzebie bycia podporządkowanym członkiem jakiejś grupy. A zatem potrzeba bliskich relacji, która zrodziła się w kontekście rodzinnym, w późniejszym okresie życia rozszerza się na kontakty z rówieśnikami i współpracownikami.

---

* Autor użył neologizmu *skinship* będącego połączeniem słów *skin* – skóra i *kinship* – pokrewieństwo (przyp. tłum.).

Orientacja indywidualistyczna i kolektywistyczna

Kultury przybierają najrozmaitsze formy i różnią się wszelkiego rodzaju subtelnymi aspektami. Niemniej jednak słuszne okazało się pewne zasadnicze rozróżnienie, mianowicie, podział na kultury **indywidualistyczne** i **kolektywistyczne** (Triandis, 1995).

- *Kultury indywidualistyczne* to takie, które stawiają na niezależność jednostki. W społecznościach tych dzieci uczone są stawać na własnych nogach, mają być asertywne społecznie i dążyć do osobistych osiągnięć i samodzielności. Każdy, kto nie jest samowystarczalny, uważany jest za nieudacznika.
- *Kultury kolektywistyczne* natomiast akcentują wzajemną zależność. W myśl tej orientacji, dzieci powinny nauczyć się cenić lojalność, zaufanie i współpracę oraz przedkładać podporządkowanie normom społecznym ponad indywidualne cele. Celem socjalizacji jest zatem wpajanie posłuszeństwa, poczucia obowiązku i przynależności do grupy.

Kultury indywidualistyczne to takie wspólnoty, w których liczy się przede wszystkim niezależność od innych i dlatego dzieci wychowywane są tak, by były samowystarczalne i pewne siebie.

Kultury kolektywistyczne to takie wspólnoty, które akcentują wzajemne zależności między swymi przedstawicielami, i które wychowują dzieci tak, by ceniły konformizm społeczny bardziej niż własne cele.

Rozróżnienie to nie jest bezwzględne: ślady obydwu orientacji można dostrzec w każdej kulturze. Niemniej jednak, niektóre w większym od innych stopniu akcentują poczucie indywidualizmu: przykładem mogą być kultury zachodnie, a zwłaszcza Stany Zjednoczone. Natomiast w wielu krajach azjatyckich i niektórych społecznościach afrykańskich poczucie łączności pozostaje sprawą nadrzędną: grupa ma pierwszeństwo przed jednostką i taką orientację dostrzec można we wszystkich aspektach życia, a najwyraźniej w sposobie socjalizacji dzieci.

Dla przykładu przyjrzyjmy się określeniom, jakimi posługują się rodzice pochodzący z dwóch różnych grup kulturowych, opisujący własne dzieci – rodzice z amerykańskiej społeczności wielkomiejskiej i ci z wiejskiej wspólnoty w Kenii (Harkness, Super, 1992). Matki amerykańskie, poproszone o opis własnych dzieci, zazwyczaj skupiały się na zdolnościach poznawczych, najczęściej używając słów „inteligentny", „bystry" i „pomysłowy", a także zwrotów określających niezależność i samodzielność dziecka, takich jak: „potrafi dokonywać wyboru", „potrafi zająć się sobą", a także: „nieposłuszny" lub „przekorny" – czyli przymioty wyróżniane i uznawane za pożądane, podobnie jak cechy społeczne „pewny siebie" i „swobodny w kontaktach z innymi". Zaś matki afrykańskie większą wagę przywiązywały do cech odzwierciedlających posłuszeństwo i gotowość do pomocy, najczęściej używając określeń: „poczciwy", „pełen szacunku", „godny zaufania" i „uczciwy". Wyraźnie widać, że wyznawały one inne wartości niż ich amerykańskie odpowiedniczki: ich pojęcie właściwego dostosowania podkreślało znaczenie wpasowania w grupę i wkładu w zaspokajanie wspólnych potrzeb, a nie posiadania dziecka, którego cechy służyłyby rywalizacji z innymi.

Różnice te nabierają głębszego sensu po rozważeniu socjoekonomicznych warunków obu grup. W konkurencyjnych kulturach zachodnich liczy się „parcie naprzód". Od samego początku dzieci uczone są przeciwstawiać się innym i walczyć o pochwały i nagrody. W biednej afrykańskiej społeczności rolniczej najważniejsza jest współpraca z innymi: jednostki nie mogą same wiele osiągnąć i tym, co się liczy, jest zdolność przyczyniania się do dobra wspólnego. To potrzeby społeczne kształtują sposób traktowania dzieci przez rodziców, co z kolei kształtuje zachowanie dzieci. Jak widzimy w tab. 2.1, ilość czasu poświęcanego przez dzieci tych dwóch społeczności na różnego rodzaju czynności jest diametralnie różna. Widać, że w Ameryce zabawa, zdaniem rodziców, pełni zasadniczą i coraz istotniejszą rolę, ponieważ spostrzegana jest jako przygotowanie do rozwoju intelektualnego; natomiast pełnienie obowiązków domowych przez tak małe dzieci uważane jest za niestosowne. Za to w Kenii ograniczenie czasu na zabawę i drastyczne rozszerzenie obowiązków domowych począwszy od 2. r. ż. wskazują na presję socjalizacyjną ze strony rodziców w kierunku nauki odpowiedzialności i uczestnictwa w życiu grupy. Nic więc dziwnego, że obie grupy dzieci różniły się pod względem obserwowanych osiągnięć rozwojowych: dzieci amerykańskie były bardziej kompetentne pod względem językowym i bardziej sprawne w zabawach twórczych niż dzieci kenijskie; te z kolei już w wieku 5 lat potrafiły przypilnować niemowlę a w wieku 8 lat ugotować obiad dla całej rodziny.

Różnice kulturowe stają się bardzo wyraźne, kiedy dzieci z różnych krajów można obserwować w jednakowym otoczeniu, na przykład w żłobku. Porównując zwyczaje w żłobkach amerykańskich, japońskich i chińskich, Tobin, Wu i Davidson (1989) dokładnie określili stopień, w jakim te trzy kultury różniły się pod względem dominującej orientacji społecznej, przy czym standard amerykań-

TABELA 2.1

Zajęcia dzieci w dwóch różnych społecznościach (% ogółu czasu)

	Ameryka		Kenia	
	2 lata	4 lata	2 lata	4 lata
Jedzenie	23	18	14	9
Pobyt poza domem	14	16	1	2
Zabawa	36	42	42	28
Obowiązki domowe	0	0	15	35

Źródło: Harkness, Super (1992).

ski znalazł się na jednym krańcu osi indywidualizm–kolektywizm, zaś zasady chińskie na drugim. W żłobkach chińskich dzieci prawie wszystko robiły w grupach: na przykład zabawa nie była zajęciem indywidualnym, jak w żłobkach amerykańskich, lecz szansą nauczenia się robienia czegoś wespół z innymi. Głównym wyróżnikiem tej orientacji był „grupizm": od najmłodszych lat wpajano małym Chińczykom jednakowość działania i znaczenie podporządkowywania własnych potrzeb potrzebom grupy. Kiedy amerykańskim nauczycielom pokazano filmy nakręcone w żłobkach chińskich, nie kryli oni przerażenia, że do głosu nie dopuszcza się indywidualizmu dzieci. Podobnie ubolewali chińscy nauczyciele obserwując zasady amerykańskie, lecz tym razem chodziło o to, że aktywnie propagowano postawy samolubne, co bez wątpienia prowadzi do poczucia osamotnienia. Żaden z zespołów nie wątpił jednak w to, że to jego zachowanie było właściwe.

Międzykulturowo spostrzegany rozwój osobowości

Normy kulturowe nie pozostają bez wpływu na praktyki socjalizacyjne, a te z kolei wpływają na rozwój osobowości dziecka. W związku z tym cechy cenione u członków danej społeczności są przenoszone na dzieci w procesie ich wychowania. Jak już zdołaliśmy się przekonać podczas porównania dzieci amerykańskich i kenijskich, rodzaje kompetencji, jakie rozwijają u siebie te dwie grupy – w pierwszym przypadku zdolności poznawcze, a odpowiedzialność za gospodarstwo domowe w drugim – są tymi umiejętnościami, których wymaga charakter danej społeczności i których rozwój rodzice starają się wspierać.

Związki pomiędzy kulturą, socjalizacją i rozwojem osobowości stają się szczególnie widoczne, gdy przyjrzymy się bliżej społeczeństwom diametralnie odmiennym od naszego. Weźmy na przykład sporządzony przez Margaret Mead (1935) opis ludu Mundugumor – plemienia zamieszkującego Nową Gwineę, które niegdyś stale angażowało się w walkę z sąsiednimi plemionami, wychwalało zabijanie innych, a przy tym stanowiło społeczność kanibali i łowców głów. W takim społeczeństwie nie może być miejsca dla ludzi o łagodnym usposobieniu. Ponad wszystko ceniona jest agresja, a dzieci wychowywane są tak, by były waleczne, wojowniczo nastawione i pozbawione uczuć. Doświadczają one niewielu oznak miłości macierzyńskiej, gdyż począwszy od dnia narodzin funkcjonują w społeczności, która zdaje się okazywać głęboką niechęć do dzieci. Jest ona widoczna we wszelkich postawach i praktykach wychowawczych, z jakimi dzieci mają do czynienia. Do piersi są przystawiane na krótko i w sposób stanowczy. Każdą chorobę lub wypadek, jakie im się przydarzą, matki witają niezbyt szczerym rozżaleniem, a w sytuacji strachu i braku bezpieczeństwa, matki odmawiają dzieciom możliwości przytulenia się. Wszystkie oznaki uczuć są natychmiast tłumione, a wrogie metody wychowawcze prowadzą do wykształcenia

wojowniczego nastawienia, które doskonale pasuje do stylu życia całej tej społeczności.

Być może plemię Mundugumor to przykład skrajny, lecz zależność kultura–wychowanie–osobowość dostrzec można w wielu innych porównaniach
międzykulturowych. Zastanówmy się nad nieśmiałością – jest to cecha osobowości w pewnym stopniu uwarunkowana genetycznie, chociaż sposób wychowywania nie jest bez znaczenia w jej kształtowaniu. W kulturach zachodnich
ceni się raczej otwartość. Natomiast nieśmiałość uważana jest wręcz za swego
rodzaju upośledzenie i coś niepożądanego, a w skrajnym nasileniu za oznakę
nieprzystosowania psychicznego i, jak wykazały badania, takie dzieci częściej
zostają odrzucone przez grupy rówieśnicze, czują się osamotnione, przygnębio-
ne i wykształcają negatywny obraz Ja (Rubin, 1998). Natomiast w krajach Dalekiego Wschodu, jak Chiny, Tajlandia, Indonezja i Korea, panuje zupełnie
odmienny pogląd. Nieśmiałość jest oceniana pozytywnie. Postawy ekstrawer-
tywna i asertywna uznawane są za destrukcyjne, dlatego dzieci uczone są zacho-
wywania powściągliwości i małomówności. Rodzice i nauczyciele chwalą je
więc i zachęcają do przyjmowania takich postaw, uznając dzieci nieśmiałe za
kompetentne społecznie. Jest to stanowisko diametralnie różne od wyznawane-
go przez opiekunów zachodnich. Co więcej, nieśmiałe dzieci na Dalekim
Wschodzie wywołują pozytywne reakcje wśród rówieśników i częściej tworzą
korzystny obraz własnej osoby, niż dzieci otwarte i pozbawione zahamowań
(Chen i in., 1998).

Widzimy więc, że ten sam rys osobowości zyskuje w różnych kręgach kulturowych inne znaczenie. Na Dalekim Wschodzie, gdzie mamy do czynienia raczej
z orientacją kolektywistyczną niż indywidualistyczną, i gdzie konfucjańska dok-
tryna synowskiej pobożności wzywa do uległej postawy wobec starszych, nieśmiałość postrzegana jest jako cecha przyczyniająca się do utrzymania porządku społecznego i dlatego spotyka się z przychylnością otoczenia. Nic więc dziwnego, że
częstotliwość jej występowania u dzieci Dalekiego Wschodu jest o wiele wyższa
niż u dzieci Zachodu, gdzie cecha ta postrzegana jest jako niepożądana i niespój-
na ze społecznymi normami asertywności i niezależności.

Dorosły sposób myślenia o dzieciach

Nawet w obrębie jednej kultury istnieją różnice w sposobie patrzenia na dzieciństwo. Podkreślmy, że rodzice *rzeczywiście* zastanawiają się nad własnym
rodzicielstwem. Posiadają pewne z góry przyjęte koncepcje, często nie do końca sformułowane i zwerbalizowane, na temat dzieci i roli odgrywanej przez
rodziców w ich rozwoju. Koncepcje te mogą wykazywać dość interesujące zróżnicowanie. Kiedyś psychologowie badali relacje rodzic-dziecko jedynie w kategoriach *działań* rodziców. Obecnie uważa się, że jeśli chcemy zgłębić rozwój

dziecka, pod uwagę należy wziąć również *przekonania* rodziców (zob. Sigel, McGillicuddy-DeLisi, 2002).

Istota systemów przekonań

Każdy odpowiedzialny za dziecko wnosi w pełnienie swej roli pewne własne założenia – „psychologię naiwną", która kształtuje sposób interpretacji rozwoju dziecka i zachowanie względem niego. Jak już zdołaliśmy się o tym przekonać, istnieją historyczne i kulturowe wyznaczniki tych teorii, ale mimo nich ludzie potrafią istotnie różnić się poglądami na temat wielu spraw. Zastanówmy się nad sposobami odpowiedzi na następujące pytania:

* Dlaczego niektóre dzieci są inteligentniejsze od innych?
* Co jest przyczyną nieprzystosowania emocjonalnego?
* Czy dzieci rodzą się nieśmiałe, czy takie się stają?
* Czy powinny istnieć różnice pomiędzy sposobami wychowywania chłopców i dziewczynek?
* Czy rodzice mają swój udział w osiągnięciach edukacyjnych dziecka?

Gdy zapytamy dorosłych o tego typu sprawy, okaże się, że mają oni różne poglądy na temat natury dziecka i przyczyn, dla których dzieci rozwijają się tak, a nie inaczej. Okaże się również jednak, że konsekwentnie będą prezentować te same poglądy na różne tematy tzn. nie będą do każdej z kwestii podchodzić na nowo, lecz będą je rozpatrywać na podstawie mniej lub bardziej spójnego systemu własnych przekonań.

Do oceny tych systemów opracowano pewne skale. Weźmy jako przykład jedną z nich – skala ta składa się z 30 pozycji, zawierających odpowiednie pytania oraz możliwe odpowiedzi do wyboru (Martin, Johnson, 1992), np.:

PYTANIE: Dlaczego dzieci potrafią wymyślać niestworzone historie?
* Fantazjowanie to naturalny element dzieciństwa.
* Nauczyciele i rodzice zachęcają do tego i rozwijają wyobraźnię dziecka.
* Zabawy z innymi i rozmyślanie dziecka o różnych przedmiotach rozwija jego wyobraźnię.

Pierwsza z możliwych odpowiedzi odzwierciedla wiarę w znaczenie dojrzewania. Dzieci mają rozwijać takie umiejętności, gdyż są do tego stworzone. Druga możliwość przenosi ciężar na dorosłych: rozwój jest zależny od tego, jak dziecko jest traktowane. Trzecia opcja akcentuje rolę dziecka. Jego udział w odpowiednich czynnościach powoduje pojawianie się nowych umiejętności. Każda z osób wybiera odpowiedź, która wydaje się jej najbardziej przekonująca. W sposobie dobierania odpowiedzi na różne pytania można zaobserwować pewną konsekwencję i na tej podstawie wyciągnąć wnioski dotyczące założeń, na jakich opiera się dany dorosły w kwestii ujmowania rozwoju dziecka.

Jednym z głównych aspektów zróżnicowania systemów przekonań jest oś natura–wychowanie. Oznacza to, że na jednym końcu będziemy mieli tych, którzy stale zakreślaliby pierwszą odpowiedź, gdyż twierdzą, że dzieci od urodzenia zaprogramowane są do wykształcania pewnych cech w określonym czasie, i że rola dorosłych w tym procesie jest ograniczona. Własne zadanie będą więc rozumieli jako stwarzanie dziecku okazji do rozwijania wrodzonego potencjału. Poza tym jednak uważają, że nie biorą czynnego udziału w tym procesie i są zupełnie bezradni, jeśli coś idzie nie tak, jak należy. Na drugim końcu znajdą się ludzie przekonani, że dziecko na starcie jest jedynie bryłką gliny, która musi być ukształtowana poprzez działanie dorosłych. Zaznaczą oni drugie w kolejności odpowiedzi, twierdząc, że cechy, jakie dziecko posiada, odzwierciedlają sposób wychowania i nabyte doświadczenia. Za niepowodzenia należy zatem winić rodziców, nauczycieli, rówieśników, telewizję i inne wpływy zewnętrzne, którym trzeba też przypisywać zasługi w przypadku pomyślnego rozwoju. W rzeczywistości niewiele osób znajdzie się na tych przeciwległych krańcach osi natura–wychowanie, większość uplasuje się gdzieś pomiędzy. Niemniej jednak należy spodziewać się, że praktyki wychowawcze będą się różniły w zależności od przekonań rodziców, co do tego, czy przyczyn rozwoju dziecka należy upatrywać w jego naturze, czy w działaniu czynników zewnętrznych.

Związki z rozwojem dziecka

Systemy przekonań funkcjonują w ludzkich umysłach: stanowią one struktury pojęciowe i jako takie nie mają bezpośredniego wpływu na dzieci. Wpływają natomiast na *zachowania* dorosłych wobec dzieci. Wpływ przekonań ma zatem charakter pośredni, gdyż realizuje się poprzez praktyki wychowawcze. To one oddziałują na zachowanie dzieci i tym samym na system przekonań, który one same wykształcą (zob. ryc. 2.1).

Dla przykładu rozważmy wpływ rozwodu na dzieci (Holloway, Machida, 1992). Istnieją ogromne różnice w sposobie reagowania przez dzieci na tego typu doświadczenie. Nie ma wątpliwości, że te różnice wynikają z wielu czynników, ale jednym z nich są warunki, jakie stworzy rodzic opiekujący się dzieckiem po rozwodzie. Najprawdopodobniej będą one funkcją przekonania rodzica o swej zdolności panowania nad biegiem zdarzeń, a nie o byciu im podporządkowanym. Zostało to potwierdzone w badaniach. Niektóre matki wierzyły, że zachowanie dziecka w dużym stopniu zależy od ich odpowiedzialności i to do nich należy ochrona dziecka przed zagrożeniami i pokierowanie nim ku dojrzałości. Przekonania te przełożyły się następnie na praktyczne dziania. Matki te egzekwowały

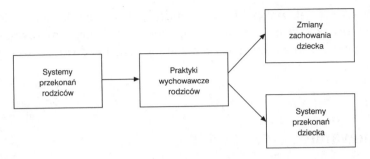

Związek pomiędzy systemem przekonań rodziców a ich praktykami wychowawczymi i rozwojem dziecka

przestrzeganie reguł domowych, ograniczyły zakres zachowań dzieci i ściśle określiły porządek zajęć. Dzieci tych matek okazały się lepiej przystosowane: miały mniej problemów psychicznych i zdrowotnych oraz niezłą samoocenę. Jednak inne matki nie widziały możliwości zapanowania nad sytuacją, w której się znalazły. Czuły się bezradne, odsunięte na bok, a przez to niezdolne do chronienia dzieci przed negatywnymi skutkami rozwodu. W ich domach panował chaos, a życie codzienne było zdezorganizowane. Nic więc dziwnego, że dzieci miały dużo trudności z przystosowaniem do nowego życia, jakie przyszło im wieść po rozejściu się rodziców. A zatem to sposób patrzenia matki na siebie jako rodzica skłania ją do stosowania pewnych praktyk w organizowaniu życia dziecka. To natomiast skutkuje zdolnością dziecka do radzenia sobie z trudnościami życiowymi lub brakiem takiej zdolności.

Jednak związek pomiędzy poszczególnymi etapami tej sekwencji nie jest wcale taki prosty. Na przykład wyznawane przez ludzi przekonania na temat dzieci stanowią tylko jeden z wyznaczników ich rzeczywistego zachowania wobec nich. Pewną rolę odgrywać mogą również liczne chwilowe względy dotyczące sytuacji, w której znaleźli się rodzic i dziecko, takie jak: nagłe trudności, zachowanie dziecka, obecność innych osób itd. Istotnie, wyrażane przez nich poglądy mogą stanowić uzasadnienie ich działań *post hoc*. Zatem kierunek od przekonań do praktyk wychowawczych może zostać również odwrócony. Ponadto fakt, iż przekonania wyrażają określone nadrzędne orientacje, może oznaczać, że na ich podstawie lepiej można przewidzieć rozwój dziecka, niż na podstawie konkretnych działań rodziców. Jeśli na przykład filozofia wyznawana przez rodzica mówi, że to przede wszystkim do rodziców należy budzenie dziecięcej ciekawości wobec otaczającego świata, to nie można tego osiągnąć poprzez pojedyncze działanie, a jedynie przez szereg kumulujących się i wzajemnych oddziaływań. Jeśli natomiast rodzic wierzy, że dzieci mają wrodzoną chęć poznawania lub że to fachowcy, tacy jak nauczyciele, rozbudzają w dzieciach zainteresowania, przyjmą stanowisko, które przyniesie zupełnie inne efekty i to równomiernie rozłożone w czasie. To właśnie na tym poziomie najlepiej dostrzec działanie systemów przekonań.

Podsumowanie

Jak się okazuje, odpowiedź na pytanie: „Kim jest dziecko?" nie jest wcale jednoznaczna. O tym, w jaki sposób myślimy o dzieciństwie decyduje cały szereg czynników historycznych, kulturowych i osobistych. Z historycznego punktu widzenia obserwuje się stopniowe przejście od skupionego na dorosłym do skupionego na dziecku sposobu zapatrywania się na dzieciństwo. W dawnych czasach dziecko spostrzegano jako miniaturę dorosłego, nie posiadającą specyficznych potrzeb ani własnych cech. Niewiele uwagi poświęcano poglądowi, że dziecko zasługuje na ochronę i specjalne traktowanie. Uważano je natomiast za własność dorosłych i jako takie częściej było ono przedmiotem niewłaściwego traktowania. Idee, iż dziecko posiada prawa, które muszą być przez dorosłych respektowane są dość nowe i to dlatego obecnie panujące poglądy pod wieloma względami różnią się tak drastycznie od tych, które funkcjonowały w czasach zamierzchłych.

Nawet dziś, gdy porównamy panujące w różnych rejonach świata tradycje kulturowe, zauważymy spore zróżnicowanie poglądów na temat dzieciństwa. To, co jedna wspólnota uważa za normalne, może okazać się przez inną społecz-

ność nieakceptowane, a różnice te widać wyraźnie nawet w tak rutynowych czynnościach wychowawczych, jak sposób mówienia do dziecka, trzymania go lub zabawy. W ten sposób każda społeczność dąży do wychowania dzieci o cechach osobowościowych spójnych z wartościami przez nią wyznawanymi. Szczególnie dobrze zaobserwować to można podczas porównania społeczeństw o orientacji indywidualistycznej i kolektywistycznej, tj. takich, w których dzieci uczone są odpowiednio samowystarczalności lub wzajemnej zależności.

Różnice poglądów na temat dzieciństwa zaobserwować można w każdym społeczeństwie, nawet w takim, które wywodzi się z zachodniego kręgu kulturowego. Większość dorosłych ma mniej lub bardziej ukształtowany system przekonań na temat istoty dzieciństwa i swej własnej roli w rozwoju dziecka. Dlatego też niektórzy większy nacisk będą kładli na własny potencjał dziecka, inni zaś na skutki oddziaływań wychowawczych i nauczania przez dorosłych. Poglądy te kształtują również sposób zachowania dorosłych względem dzieci, a to z kolei określa kierunek rozwoju dziecka.

Literatura dodatkowa

Ariès, Ph. (1962). *Centuries of Childhood*. Harmondsworth: Penguin [wyd. pol. *Historia dzieciństwa. Dziecko i rodzina w dawnych czasach*, tłum. M. Ochab (1995)]. Fascynujący i naukowy, choć kontrowersyjny opis sposobów postrzegania dzieciństwa w różnych okresach historii. Wysuwa dość prowokujący pogląd, że dzieciństwo, jako specjalny, rządzący się własnymi prawami okres, to stosunkowo nowe odkrycie.

DeLoache J., Gottlieb A. (2000). *A World of Babies: Imagined Childcare Guides for Seven societies*. Cambridge: Cambridge University Press. Zachwycający opis praktyk wychowawczych siedmiu kultur świata, sporządzony jakby przez „eksperta" od każdej z tych kultur w formie poradnika dla świeżo upieczonych rodziców. Uwypuklający ogromne zróżnicowanie założeń dotyczących natury dzieci i zadań stojących przed rodzicami.

Harkness S., Super C. M. (red.) (1996). *Parents' Cultural Belief Systems*. New York: Guilford Press. Szeroko zakrojony zbiór esejów badających istotę, pochodzenie, objawy i skutki poglądów wyznawanych przez rodziców na temat natury dzieciństwa.

Kessen W. (1965). *The Child*. New York: Wiley. Najprzyjemniejszy w lekturze opis rozwoju naszych poglądów na temat dzieci, od XVII w. po dzień dzisiejszy. Oparty przede wszystkim na fragmentach wybranych z tekstów napisanych w tym okresie, opatrzonych komentarzami łączącymi je ze współczesnymi poglądami.

de Mause L. (red.) (1974). *The History of Childhood*. New York: Psychohistory Press. Zawiera rozdziały napisane przez różnych autorów, z czego każdy obejmuje pewien okres od czasów panowania rzymskiego do XIX w. Interesujące zwłaszcza ze względu na opisy niewłaściwego traktowania dzieci w dawnych czasach.

Literatura uzupełniająca
w języku polskim

Ariès, Ph. (1995). *Historia dzieciństwa*. (tłum. M. Ochab). Gdańsk: Wydawnictwo Marabut.

Bornstein, M. H. (1995). Międzykulturowe porównania w badaniach nad rozwojem: aktywność i interakcje japońskich i amerykańskich niemowląt oraz ich matek. Co wiemy, co chcemy wiedzieć i dlaczego chcemy wiedzieć. W: A. Brzezińska, G. Lutomski, B. Smykowski (red.), *Dziecko w świecie ludzi i przedmiotów* (tłum. A. Brzezińska, K. Warchoł). (s. 64–106). Poznań: Zysk i S-ka Wydawnictwo.

Bradley, B. S. (1995). Dzieciństwo jako raj. W: A. Brzezińska, G. Lutomski, T. Czub, B. Smykowski (red.), *Dziecko w zabawie i w świecie języka* (tłum. A. Brzezińska, K. Warchoł). (s. 295–327). Poznań: Zysk i S-ka Wydawnictwo.

Mead, M. (2000) *Kultura i tożsamość: studium dystansu międzypokoleniowego*. (tłum. J. Hołówka). Warszawa: Wydawnictwo Naukowe PWN.

Rozdział 3

Początek życia

O dziedziczeniu 59

Przekaz genetyczny 59

Zaburzenia genetyczne 61

Natura a wychowanie 64

Prawdy i mity na temat genów 70

Od poczęcia do narodzin 73

Stadia rozwoju prenatalnego 74

Wpływ środowiska na rozwój prenatalny .. 76

Przystosowanie noworodka do życia 81

Poród i jego skutki psychologiczne 81

Wcześniaki 83

Świat w oczach nowo narodzonych dzieci .. 87

Wzorce działania a mózg 94

Dostosowanie rodziców 100

Podsumowanie 102

Literatura dodatkowa 103

Literatura uzupełniająca w języku polskim ... 104

Historia rozwoju dziecka nie zaczyna się wcale z nadejściem porodu, lecz jeszcze wcześniej – w momencie zapłodnienia. W chwili narodzin dziecko liczy sobie już 9 miesięcy życia, i do tego czasu zdarzyło się wiele rzeczy istotnych do zrozumienia tego, kim się stanie. Z punktu widzenia rodziców poród może wydawać się początkiem, jednakże z punktu widzenia dziecka istotna jest *ciągłość* istnienia w życiu pre- i postnatalnym. W momencie zapłodnienia dzieci otrzymują genetyczny spadek, który jest jednym z ważniejszych czynników wpływających na ich rozwój. Potem, w łonie matki, zaistnieje jeszcze wiele okoliczności również kształtujących ich dalszy rozwój. Następne strony dotyczyć więc będą analizy wpływu czynników genetycznych i prenatalnych na rozwój dziecka.

O dziedziczeniu

Połączenie komórki jajowej kobiety i komórki nasiennej mężczyzny oznacza pojawienie się nowej, jedynej w swoim rodzaju jednostki. W tej właśnie chwili matka i ojciec przekazują potomstwu konkretną mieszankę materiału genetycznego, który każda jednostka zachowa przez resztę życia, i który stanowić będzie fundament budowania jej osobowości. Dopiero niedawno zaczęliśmy pojmować naturę genów i rolę, jaką odgrywają w kształtowaniu zachowania. Całkiem niedawno uznano też, że sporo poglądów dotyczących wpływu natury i wychowania jest w zasadzie mylnych.

Przekaz genetyczny

Ogrom złożoności procesów rozwojowych zachodzących od momentu zapłodnienia naprawdę budzi respekt. Rozpoczynamy życie jako maleńka komórka, a mimo to, w tej komóreczce mieści się całe dziedzictwo genetyczne powstającej jednostki. Kończymy zaś jako dorośli, których ciało składa się z trylionów komórek, a w każdej z nich odkryć można ten sam zestaw materiału genetycznego, zorganizowanego w **chromosomy** i **geny**. Komórki posiadają własną siłę napędową warunkującą rozwój. Jeśli wzrost lub naprawa uszkodzonej tkanki wymaga pojawienia się nowych komórek, komórki już istniejące dzielą się i w ten sposób powstają kopie zawierające ten sam materiał genetyczny. We wczesnych stadiach rozwoju zaraz po zapłodnieniu proces ten ma bardzo gwałtowny charakter. Liczba komórek ulega podwojeniu co kilka godzin. Z czasem komórki te tworzą odrębne grupy, z których każda ma w przyszłości pełnić inną funkcję. Niektóre mają stanowić część układu nerwowego, inne mięśniowego, jeszcze inne kostnego itd. W końcu, w ten sposób powstanie w pełni ukształtowana istota ludzka.

Chromosomy są to maleńkie pręcikowate struktury mieszczące się w jądrze każdej komórki organizmu, zawierające DNA, z którego zbudowane są geny.

Geny to jednostki dziedziczenia. Zbudowane z DNA i mieszczące się w określonych miejscach chromosomów.

Jądro każdej komórki, za wyjątkiem **komórek płciowych**, zawiera identyczny zestaw 46 chromosomów – przecinkowatych struktur, połączonych w pary. Jeden chromosom z pary został przekazany przez matkę, drugi przez ojca (ryc. 3.1). Komórki płciowe (jajo i plemnik) różnią się od innych tym, że posiadają zestaw tylko 23 chromosomów. Jednak w momencie poczęcia łączą się, dając początek nowemu istnieniu z pełnym kompletem 46 chromosomów. Na chromosomach, jak koraliki na naszyjniku, nawleczone są geny. Są to związki chemiczne złożone z kwasu dezoksyrybonukleinowego (DNA), którego nitkowate cząsteczki przyjmują kształt podwójnej spirali. Geny, których w ludzkim organizmie, według najnowszych szacunków, jest od 30 000 do 40 000, stanowią podstawowe jednostki przekazu genetycznego zawierające kod każdego człowieka. Każdy gen odpowiada za pewien określony aspekt cechy człowieka lub procesu rozwojowego – za wzrost, wagę, kolor oczu, poziom inteligencji, schizofrenię, ekstrawersję itd. Jednak zależność pomiędzy genem a konkretną cechą może okazać się ogromnie złożona. Na przykład dziedziczenie takich cech fizycznych, jak kolor oczu, kontrolowane jest przez pojedynczy gen. Natomiast predyspozycje psychiczne kształtowane są przy udziale kilku, a często bardzo wielu genów, jak w przypadku inteligencji, która, jak się szacuje, zależy od przynajmniej 150 genów. Ponadto

Komórki płciowe (również znane jako gamety) to komórki jajowe osobników żeńskich i plemniki osobników męskich, łączące się w momencie zapłodnienia. W przeciwieństwie do pozostałych komórek, zamiast 46 posiadają 23 chromosomy.

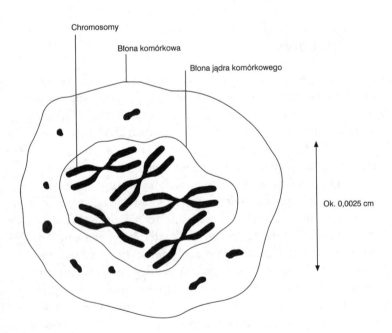

Chromosomy

Błona komórkowa

Błona jądra komórkowego

Ok. 0,0025 cm

RYCINA 3.1

Komórka zawierająca pary chromosomów (ogólny rozmiar ok. 0,0025 cm)

znaczenie genów nie ogranicza się jedynie do stałych cech wyglądu lub osobowości jednostki, ale przejawia się również w wyznaczonym kierunku zmian rozwojowych. A zatem pojawianie się określonych umiejętności lub zdolności, takich jak pierwsze kroki, pierwsze słowa lub osiągnięcie dojrzałości płciowej, jest również wynikiem planu genetycznego, w który wyposażony jest każdy, kto przychodzi na świat. Ponieważ każdy gen można znaleźć w tym samym fragmencie konkretnego chromosomu u wszystkich reprezentantów danego gatunku, realne stało się zlokalizowanie genów odpowiedzialnych za daną cechę. I rzeczywiście, niezwykle ambitny międzynarodowy projekt Poszukiwania Ludzkiego Genomu poświęcony został określeniu lokalizacji i funkcji wszystkich genów ludzkich. W przyszłości zaowocować ma on ogromnym postępem w diagnozowaniu defektów genetycznych na drodze przesiewowych badań prenatalnych. Pozwoli to następnie na zastosowanie technik modyfikacji genetycznej, na przykład wymiany uszkodzonych genów jeszcze w łonie matki, a przez to wyeliminowanie wielu chorób dziedzicznych, między innymi niektórych form upośledzenia umysłowego – da nam więc w przyszłości szansę, jakiej dotąd nie mieliśmy.

Niektóre z naszych genów odnoszą się do cech ogólnoludzkich: określają na przykład, że każdy z nas będzie posiadał dwie nogi i dwie ręce, wyposażony zostanie w określonego rodzaju układ nerwowy i w określonym wieku osiągnie dojrzałość płciową. Powodują one ponadto, że rozwój przebiega w określonym porządku. Na przykład rozwój sprawności ruchowych u niemowląt, tak skrupulatnie śledzony przez pediatrów i psychologów na początku XX w., jest naznaczony szeregiem ściśle uporządkowanych kamieni milowych rozwoju, określających pojawianie się kolejnych umiejętności. Są to: zdolność poruszania głową, siadanie, raczkowanie, chodzenie itd. (zob. ryc. 3.2). Porządek tej sekwencji określony został przez program genetyczny, któremu podlegą wszyscy prawidłowo rozwijający się przedstawiciele gatunku ludzkiego. Jednakże inne przekazy genetyczne odnoszą się do tych aspektów rozwoju, które nas wyróżniają i czynią jednostkami niepowtarzalnymi. Należą do nich: wygląd fizyczny i rysy psychiczne, jak również takie cechy jak tempo osiągania przez dziecko kolejnych „powszechnych kamieni milowych" w rozwoju motorycznym. Owa unikatowość wynika z niewyobrażalnej liczby możliwości różnego połączenia się 23 chromosomów ojca i matki, wraz ze wszystkimi swoimi genami, co daje w efekcie ogromny zakres potencjalnych układów cech charakterystycznych. To, w jaki sposób geny rzeczywiście się połączą, jest dziełem zupełnego przypadku, swego rodzaju *loterią genetyczną*, a my jesteśmy efektami końcowymi tej loterii.

Zaburzenia genetyczne

Przy całej złożoności przekazu genetycznego raczej trudno się dziwić, jeśli w procesie formowania się materiału genetycznego dojdzie do nieszczęśliwego wypad-

0 miesięcy
pozycja embrionalna

2 miesiące
unosi klatkę
piersiową

3 miesiące
wyciąga i opuszcza
rączki

5 miesięcy
siedzi na kolanach;
chwyta przedmioty

7 miesięcy
siedzi samodzielnie

9 miesięcy
staje przy meblach

10 miesięcy
raczkuje

13 miesięcy
wspina się po schodach

14 miesięcy
stoi samodzielnie

15 miesięcy
chodzi samodzielnie

RYCINA 3.2

Kolejność kamieni milowych rozwoju ruchowego (Oates, 1994, s. 217, za: Shirley, 1933)

ku. Na dodatek pewne zaburzenia dziedziczone są bezpośrednio: uszkodzone geny mogą być przekazane dzieciom przez rodziców, mimo iż wcześniej nie można było zaobserwować wyraźnych oznak choroby. Zakres występowania tego typu problemów trudno określić, chociaż według pewnych szacunków aż dwa z trzech przypadków zapłodnienia obumierają samoczynnie w pierwszych tygodniach ciąży. Głównym powodem tego zjawiska są nieprawidłowości genetyczne i chromosomowe. Zaburzenia genetyczne przybierają rozmaite formy; dotychczas wyróżniono ich około 3000. Jednak część z nich występuje tylko u niektórych ras, podczas gdy inne pozostają sprzężone z płcią. Poniżej znajdziemy przykłady niektórych częściej spotykanych zaburzeń:

- *Zespół Downa*. Jest to jedno z lepiej poznanych zaburzeń wrodzonych, niegdyś określane mongolizmem z powodu wyglądu fizycznego osób nim dotkniętych. Dzieci cierpiące na tę chorobę miewają różnego stopnia trudności edukacyjne, jak również zaobserwować można u nich problemy ze wzrokiem, słuchem i pracą serca. Zespół Downa jest przykładem aberracji chromosomowych. Po zapłodnieniu, podczas tworzenia się chromosomów, w wyniku niefortunnego zrządzenia losu, para chromosomowa nr 21 zyskuje trzeciego członka.
- *Zespół Klinefeltera*. To zaburzenie również wynika z obecności dodatkowego chromosomu. Jednak tym razem chodzi o parę chromosomów płciowych, do której przypadkowo dołącza się trzeci chromosom. Występuje tylko u męż-

czyzn i ujawnia się dopiero po okresie dojrzewania, kiedy to zamiast rozwoju męskich cech płciowych obserwuje się rozwój cech żeńskich takich jak: powiększanie się piersi i rozszerzanie bioder. Ponadto obserwuje się upośledzenie w zakresie inteligencji werbalnej.

- *Zespół Turnera*. Jest to również nieprawidłowość w obrębie chromosomów płciowych, ale tym razem dotyczy ona kobiet i wynika z braku jednego chromosomu. W rezultacie obserwuje się brak drugorzędnych cech płciowych i bezpłodność. Podobnie jak w wypadku zespołu Klinefeltera, podawanie odpowiednich hormonów płciowych w okresie dojrzewania pozwala na wykształcenie bardziej kobiecego wyglądu.

- *Fenyloketonuria* (lub *PKU*). Zaburzenie metabolizmu, charakteryzujące się tym, że już od urodzenia dziecko nie może przetwarzać aminokwasu fenyloanaliny stanowiącego składnik mleka i innych produktów spożywczych. W przypadku zaniechania leczenia doprowadza to do upośledzenia umysłowego. Badania przesiewowe obejmujące wszystkie noworodki oraz wprowadzenie diety wykluczającej fenyloanalinę zapobiega niepożądanym skutkom. PKU jest przykładem **zaburzenia wywołanego genem recesywnym** – dochodzi do niego, gdy oboje rodzice są nosicielami uszkodzonego genu, uniemożliwiającego normalne przetwarzanie określonych produktów.

> **Zaburzenie wywołane genem recesywnym** występuje wtedy, gdy oboje rodzice przekazują gen recesywny i brak jest genu dominującego, który może złagodzić jego skutki.

- *Choroba Taya-Sachsa*. Choroba wyniszczająca układ nerwowy, prowadząca do stopniowej utraty funkcji ruchowych i umysłowych, a w konsekwencji do zgonu przed ukończeniem 5. r. ż. Dotyczy niemalże wyłącznie dzieci żydowskich pochodzących z Europy Wschodniej. Jest to również zaburzenie wywołane **genem recesywnym**, i charakteryzuje się brakiem genu rozkładającego substancje toksyczne na związki nietoksyczne dla komórek nerwowych.

- *Mukowiscydoza*. Również wywołane **genem recesywnym** zaburzenie, w którym dziecku brak enzymu zapobiegającego osadzaniu się śluzu w płucach i układzie pokarmowym. W przeszłości, niewielu z tych, którzy odziedziczyli tę chorobę żyło dłużej niż do okresu dorastania. Dziś, dzięki wczesnemu wykrywaniu i lepszym metodom leczenia, średnia długość życia tych osób znacznie się wydłużyła.

- *Daltonizm*. Charakteryzuje się niezdolnością odróżniania barwy czerwonej i zielonej. W większości dotyczy mężczyzn. Jego przyczyną jest gen recesywny znajdujący się wyłącznie na **chromosomie X**. Ponieważ para chromosomów kobiety składa się tylko z chromosomów typu X, wadliwość genu na jednym chromosomie zostanie zrekompensowana przez właściwie działający gen na drugim z nich. Daltonizm wystąpić może tylko w przypadku, gdy na obydwu chromosomach X znajdą się uszkodzone geny. Natomiast mężczyźni, posiadający tylko jeden chromosom X i jeden **chromosom Y,** są bardziej podatni na tę cho-

> **Chromosomy X i Y** jest to wiązka nitek DNA decydująca o płci.

robę. Brak odpowiedniego genu na chromosomie Y uniemożliwa zneutralizowanie działania wadliwego genu z chromosomu X.

- *Hemofilia*. Znana jako „choroba krwotoczna", ponieważ dziecku brak substancji powodującej krzepnięcie krwi. W wyniku tego każde skaleczenie lub siniak może skończyć się wykrwawieniem na śmierć. Jest ona również sprzężona z płcią, gdyż występuje prawie wyłącznie u mężczyzn, a jej genetyczny mechanizm przypomina mechanizm powstawania daltonizmu. Najsłynniejszy przykład tego zaburzenia zaobserwowano w kręgach niektórych rodzin królewskich XIX-wiecznej Europy. Zjawisko to bierze swój początek od królowej Wiktorii i wadliwego genu, który najprawdopodobniej otrzymała od jednego ze swoich rodziców. Jednakże ani ona sama, ani żadna z jej potomkiń nie ujawniała oznak choroby, chociaż niektóre z nich były jej nosicielkami. Zagrożenie hemofilią dotyczyło jedynie potomków męskich.

Od momentu poznania mechanizmów transmisji genów, wiele dokonało się w zakresie zapobiegania i leczenia zaburzeń genetycznych, jak te przedstawione powyżej. Stało się tak po części dzięki doradztwu genetycznemu dla rodziców w kwestii ryzyka urodzenia dziecka z chorobą dziedziczną; po części również dzięki usprawnionym metodom wykrywania nosicieli poprzez analizę DNA. Nie bez znaczenia było też wypracowanie skutecznych metod leczenia, jak w przypadku fenyloketonurii. Jednakże największy postęp poczyniony zostanie dopiero wtedy, gdy poznamy lokalizację i znaczenie wszystkich genów i gdy metody terapii genowej pozwolą na wyeliminowanie wszystkich tego typu zaburzeń.

Natura a wychowanie

Wszelkie próby objaśniania zachowania człowieka krążą przede wszystkim wokół kwestii: natura czy wychowanie? Czy jesteśmy tworami dziedziczenia, których przeznaczeniem jest zachowywać się tak, jak to zostało określone w planie zapisanym w naszej strukturze genetycznej? A może jesteśmy kształtowani przez wszelkie doświadczenia, jakie były naszym udziałem po urodzeniu? W przeszłości można było zaobserwować pewne trendy mniej lub bardziej akcentujące jedną z tych idei. Na początku XX w. teoriami psychologicznymi zawładnął *natywizm*, na początku zaś lat 20., popularność zyskało podejście *enwironmentalistyczne**, w myśl którego rozwój dziecka jest przede wszystkim, a nawet wyłącznie funkcją praktyk wychowawczych i przekonań rodziców. Istnieje mnóstwo przykładów na to, że określeni rodzice mają określone dzieci. Dajmy na to, surowi rodzice do-

---

* Enwironmentalizm: „ogólne określenie klasy szkół teoretycznych i filozoficznych, kładących nacisk na rolę środowiska w determinowaniu zachowania" (za: A. S. Reber, *Słownik psychologii*, Warszawa, 2000, Wydawnictwo Naukowe Scholar, s. 196) (przyp. red. nauk.).

chowają się dzieci agresywnych, a córki matek popadających w depresję również ulegać będą przygnębieniu, natomiast wrażliwe rodzicielstwo wiąże się z rozwojem różnych typów osobowości tzw. bezpiecznych. Nie brano jednak pod uwagę tego, że rodzice nie stanowią jedynie otoczenia, w którym dziecko się rozwija, są również źródłem jego genów. W każdym razie spór dotyczył kwestii: natura albo wychowanie; jedno *albo* drugie.

Dopiero niedawno porzuciliśmy wszelkie spekulacje i mody, skłaniając się ku rzetelnym badaniom i wynikom prac empirycznych. W dużej mierze zawdzięczamy to rozwojowi nauki zwanej genetyką zachowania. Jej celem jest badanie czynników genetycznych i środowiskowych oraz tego, w jaki sposób owe czynniki wzajemnie na siebie oddziałują (szczegóły, zob. Plomin i in., 1997). Zaznaczmy jednak, że genetyka zachowania wykorzystywana jest jedynie do wyjaśniania *różnic* pomiędzy jednostkami, np. dlaczego ktoś jest inteligentniejszy niż inni, dlaczego jest bardziej towarzyski lub dlaczego bardziej obarczony ryzykiem wystąpienia schizofrenii. Nie potrafi natomiast odpowiedzieć na pytania dotyczące korzeni, dajmy na to, inteligencji całego gatunku ludzkiego. Nie wyjaśni, w jakim stopniu inteligencja jest wynikiem dziedziczenia lub doświadczeń środowiskowych. Nie odpowie nawet na to samo pytanie postawione w przypadku konkretnej osoby. Genetyka zachowania skupia się więc jedynie na różnicach indywidualnych i źródłach unikatowości poszczególnych jednostek.

Genetyka zachowania jest to nauka zajmująca się dziedzicznymi podstawami zachowania ludzi i zwierząt.

Do głównych metod genetyki zachowania należą badania nad bliźniętami i badania dzieci adoptowanych:

- *Badania bliźniąt* polegają na porównaniu bliźniąt jedno- i dwujajowych. Jednojajowe nazywa się niekiedy bliźniętami monozygotycznymi (MZ), ponieważ ich organizmy powstały z pojedynczego zapłodnionego jaja, czyli z zygoty, i w rezultacie posiadają wszystkie geny jednakowe. Natomiast pary dwujajowe (dizygotyczne, DZ) rozwijają się z dwóch niezależnych zygot i przez to nie są do siebie bardziej podobne niż zwykła para rodzeństwa, podzielając średnio 50% genów. Mamy więc do czynienia ze swoistym eksperymentem natury. Z jednej strony, jedno- i dwujajowe bliźnięta różnią się stopniem pokrewieństwa genetycznego; z drugiej zaś, w przypadku obydwu par, już od momentu poczęcia zamieszkują one to samo środowisko (tę samą macicę), przechodzą przez ten sam proces porodu i żyją w tej samej rodzinie. Zatem, jeżeli cechy psychiczne ukształtowane są przez dziedziczenie, podobieństwo bliźniąt jednojajowych powinno być większe niż dwujajowych. Jeśli jednak dziedziczność nie odgrywa żadnej roli, to bliźnięta jednojajowe nie powinny być bardziej podobne do siebie niż dwujajowe. Jeśli istnieje możliwość śledzenia rozwoju bliźniąt jedno- i dwujajowych rozdzielonych po urodzeniu i wychowywanych w różnych rodzinach, to jeszcze precyzyjniej można określić rolę odgrywaną przez czynniki genetyczne i środowiskowe. Pewne istotne wyniki przedstawiono

TABELA 3.1

Korelacja współczynników inteligencji i ekstrawersji dla bliźniąt jedno- (MZ) i dwujajowych (DZ) wychowujących się razem i osobno

	Bliźnięta jednojajowe (razem)	Bliźnięta jednojajowe (osobno)	Bliźnięta dwujajowe (razem)	Bliźnięta dwujajowe (osobno)
Inteligencja	0,80	0,78	0,32	0,23
Ekstrawersja	0,55	0,38	0,11	–

Korelacja to miara siły związku dwóch zmiennych, w tym wypadku chodzi o wyniki bliźniąt. Im współczynnik bliższy 1, tym silniejszy związek. Zatem przedstawione powyżej wyniki bliźniąt jednojajowych, bez względu na to czy wychowywały się razem, czy osobno, są bardziej spójne niż w przypadku wyników bliźniąt dwujajowych.
Źródło: Pederson i in. (1992) i Rowe (1993).

w tab. 3.1. Wskazują one, że nawet jeśli bliźnięta jednojajowe wychowują się w różnych rodzinach, ich podobieństwo pod względem cech psychicznych jest większe niż u bliźniąt dwujajowych wychowywanych w tej samej rodzinie. Widać więc wyraźnie siłę dziedziczenia.

• *Badania dzieci adoptowanych* wykorzystują inny naturalny eksperyment do rozwikłania zagadki wpływu dziedziczności i czynników środowiskowych. W tym wypadku porównaniu podlega dziecko względem rodziców adopcyjnych i biologicznych. Jeśli dziecko adoptowane zaraz po urodzeniu bardziej przypomina rodziców przybranych niż biologicznych, wynika z tego, że na jego rozwój większy wpływ miało środowisko. Jeśli natomiast silniejsze jest podobieństwo do rodziców biologicznych, mimo iż praktycznie nie mieli oni kontaktu z dzieckiem, potwierdza się siła oddziaływań genetycznych. Jak widzimy w tab. 3.2, przedstawiającej zastosowanie tej metody do zgłębiania dwóch cech osobowości, ekstrawersji i neurotyzmu, silniejsze podobieństwo zaobserwować można pomiędzy

TABELA 3.2

Korelacja współczynników ekstrawersji i neurotyzmu par dzieci oraz ich rodziców biologicznych i przybranych

	Dzieci i rodzice biologiczni	Dzieci i rodzice przybrani
Ekstrawersja	0,16	0,01
Neurotyzm	0,13	0,05

Źródło: Rowe (1993).

dzieckiem a rodzicem biologicznym. Siła działania materiału genetycznego
w przypadku poszczególnych cech bywa różna. Wyniki badań nad dziećmi adoptowanymi potwierdzają jednak, że podobieństwo pomiędzy rodzicem a dzieckiem, w przeszłości przypisywane działaniom socjalizacyjnym, jest w dużym
stopniu odzwierciedleniem wpływu dziedziczenia.

Z wyników uzyskanych tymi dwiema metodami wyciągnąć można dwa podstawowe wnioski. Po pierwsze, niemal wszystkie poddane badaniu cechy psychiczne wykazały pewne uwarunkowanie genetyczne (więcej szczegółów w tab.
3.3). Zakres tych uwarunkowań różni się w zależności od cechy. Otóż zdolności
poznawcze, takie jak ogólna inteligencja, orientacja przestrzenna, zdolność czytania i pisania a ponadto dysleksja są w większym stopniu zależne od genów niż
cechy osobowości, takie jak ekstrawersja czy neurotyzm. Ponadto, pojawiło się
pewne nieoczekiwane zróżnicowanie płciowe. Na przykład alkoholizm jest cechą wykazującą umiarkowane uwarunkowania genetyczne u mężczyzn, za to
u kobiet dziedziczenie w tej kwestii nie odgrywa niemalże żadnej roli. Jeszcze
jedno ograniczenie: nie wszystkie badania przynoszą jednakowe rezultaty. Pewną niezgodność zauważyć można zwłaszcza pomiędzy badaniami bliźniąt a badaniami nad dziećmi adoptowanymi. Wskazuje to na fakt, iż czynnik metodolo-
giczny może mieć wpływ na wynik badań. Niemniej jednak, jasny jest wniosek
ogólny. Jeśli mamy zrozumieć kierunek rozwoju dziecka i przyczyny, dla których

TABELA 3.3

Cechy psychiczne badane pod względem uwarunkowań genetycznych

Zdolności poznawcze	Zachowania antyspołeczne
Ogólna inteligencja	Niedostosowanie społeczne
Zdolności językowe	Przestępczość
Umiejętność czytania i pisania	Antyspołeczne zaburzenia osobowości
Dysleksja	
Orientacja przestrzenna	
(Omówienie zob. Plomin, 1990)	(Omówienie zob. Rutter, Giller, Hagel, 1999)
Osobowość	**Zaburzenia psychiczne**
Ekstrawersja	Schizofrenia
Neurotyzm	Autyzm
Agresja	Nadpobudliwość
Podejmowanie ryzyka	
Konserwatyzm	
Poczucie własnej wartości	
(Omówienie zob. Lochlin, 1992)	(Omówienie zob. Rutter i in., 1999)

poszczególne osoby stają się tym, kim się stają, musimy uwzględnić ich rys genetyczny oraz zakres, w jakim czynniki genetyczne kształtują zachowanie.

Jest jednak jeszcze jeden wniosek, którego nie należy lekceważyć. W każdym przypadku, w którym zauważono wpływ dziedziczenia, nigdy nie odpowiada ono za ogół indywidualnych zróżnicowań, a jedynie za ich część. Nawet w przypadku ogólnej inteligencji i schizofrenii, w których kształtowaniu dziedziczność odgrywa znaczącą rolę, wyraźnie można dostrzec również wpływy środowiskowe. Jest to zatem sprawa natury *i* wychowania, nie zaś natury *lub* wychowania. Obydwa zakresy wpływów nie wykluczają się nawzajem i nie działają w odosobnieniu – wręcz przeciwnie, obydwa niemal nieprzerwanie oddziałują wzajemnie i dają wspólny efekt.

Omówmy kilka sposobów wspólnego działania natury i wpływów środowiskowych. Jeden przykład polega na tym, że niekiedy dziedzictwo genetyczne zwiększa prawdopodobieństwo, że ludzie w określonym środowisku będą traktować jednostkę w sposób szczególny. Otwarte i towarzyskie dziecko wywoła u innych o wiele bardziej pozytywne reakcje niż dziecko ciche i poważne. Nawet w początkowych miesiącach życia dzieci uśmiechnięte prędzej przyciągną uwagę innych niż dzieci bierne. W związku z tym te pierwsze będą czuły się zachęcane, a drugie zniechęcane do szukania dalszych kontaktów społecznych. Jak z tego wynika, pierwotna tendencja uległa wzmocnieniu poprzez reakcje, jakie wywołała u innych. Pogląd, że dzieci są całkowicie ukształtowane przez działania swoich rodziców jest wyraźnym uproszczeniem. W pewnym stopniu dzieci z racji swojej natury wymuszają to, w jaki sposób są traktowane. Jak już wielu rodziców posiadających więcej niż jedno dziecko zdołało się przekonać, zabiegi, które przynosiły pożądany skutek w kontaktach z jednym dzieckiem, niekoniecznie musiały okazać się skuteczne względem kolejnych dzieci. Każde z nich stanowi bowiem odrębną istotę i dlatego wymaga innego traktowania. Zupełnie nieświadomie dzieci narzucają innym stosowanie względem siebie takich praktyk wychowawczych, które pozostają w zgodzie z ich własną naturą.

Inny przykład stanowi tendencja do dobierania sobie takiego otoczenia, jakie pasuje do konkretnego wyposażenia genetycznego. Dlatego dzieci o temperamencie, który usposabia je do nadmiernej ruchliwości i agresji, poszukiwać będą towarzystwa o podobnych właściwościach. Da im ono szansę udziału we wspólnych działaniach i wyrażenia własnych genetycznych skłonności. Podobnie będzie w przypadku dzieci, które z natury są nieśmiałe i wyciszone. Będą one poszukiwać środowiska i towarzyszy pasujących do tych cech charakteru i jednocześnie wzmacniających ich pierwotne predyspozycje. Z łatwością zauważamy, że także dorośli podejmują usilne starania, by znaleźć dla siebie przychylne środowisko – przyjaciół, małżonka, pracę itd. Ale już nawet małe dzieci aktywnie angażują się w coś, co zostało określone jako **poszukiwanie niszy**. Ma to na celu funkcjonowanie w otoczeniu harmonizującym z własnymi wrodzo-

Poszukiwanie niszy jest to proces, w którym jednostki aktywnie poszukują środowiska odpowiadającego ich predyspozycjom genetycznym.

nymi cechami w zakresie motywacji, intelektu i osobowości. Ani geny, ani środowiska nie funkcjonują w odosobnieniu. Działają one wspólnie, by kształtować rozwój. Jak pokazuje przykład z ramki 3.1, znajduje to również odzwierciedlenie w rozwoju tożsamości płciowej.

RAMKA 3.1

Płeć męska, czy żeńska? Rozwój tożsamości płciowej

Nasza płeć genetyczna ustalona zostaje już w momencie poczęcia i zależy od tego, czy plemnik zawiera chromosom X, czy Y. Jeśli X, to dziecko będzie pod względem genetycznym dziewczynką, jeśli Y, to chłopcem. Chromosomem zawartym w żeńskiej komórce jajowej jest zawsze X, dlatego płeć żeńska charakteryzuje się parą chromosomów płciowych XX, a męska XY. Zróżnicowanie płciowe rozpoczyna się po sześciu tygodniach od poczęcia, gdy przekaz zapisany w chromosomach XY uruchamia rozwój jąder. Po następnych sześciu tygodniach para XX determinuje powstanie jajników. A zatem, to czy jesteśmy kobietą, czy mężczyzną określone zostaje przez bardzo wczesne procesy biologiczne.

Jednak tożsamość płciowa, jaką wykształcamy, może również stanowić wynik doświadczeń życiowych, a zwłaszcza sposobu traktowania przez rodziców. Wydaje się to oczywiste, gdy przyjrzymy się pewnym przypadkom patologicznym, w których niewłaściwy kierunek rozwoju płciowego przyniósł tragiczne skutki. Owe nieprawidłowości i ich następstwa szczegółowo opisali Money i Ehrhardt (1972). Szczególnie wstrząsający jest przypadek chłopca (jednego z dwojga bliźniąt jednojajowych). W wyniku niezręcznie przeprowadzonego zabiegu obrzezania, wykonywanego techniką przyżegania elektrycznego, dziecko w wieku 7 miesięcy utraciło penisa. Pod dłuższym okresie niepokoju i niepewności, rodzice zdecydowali się wychowywać je jako dziewczynkę. Od 17. miesiąca zmienili mu imię (z John na Joan), ubranka i fryzurę na dziewczęce. Potem nastąpiła seria zmian chirurgicznych, a w okresie dojrzewania włączono terapię hormonalną w celu wywołania żeńskich cech płciowych.

U Joan wkrótce pojawiły się cechy żeńskie i dziecko pod wieloma względami zaczęło różnić się od swojego brata bliźniaka. Money i Ehrhardt twierdzą, że stało się to szczególnie za sprawą sposobu traktowania przez rodziców. To oni w pewnym momencie zdecydowali o ubieraniu dziecka w sukienki z falbankami i bransoletki, o wiązaniu kokardek i zachęcaniu do pomocy w pracach domowych. W przeciwieństwie do brata, dziewczynka była schludna i zadbana. Interesowała się modą. Była dumna ze swych długich włosów i delikatności wyglądu. O ile brat preferował zdecydowanie „męskie" zabawki, jak samochody lub pistolety, o tyle ona bawiła się lalkami i innymi „kobiecymi" zabawkami. A mimo to feminizacja dziecka nie była jeszcze całkowita. Dziewczynkę określano mianem chłopczycy, wykazującej w zabawie z innymi nadmierną energię i zdradzającej skłonności do dominacji. Takie zachowanie zazwyczaj kojarzy się z dziećmi płci męskiej, a u niej był to prawdopodobnie skutek działania hormonów męskich w okresie rozwoju prenatalnego. Coraz częściej odrzucała darowane jej ubrania i zabawki. Począwszy od 9. lub 10. r. ż. zaczęła doświadczać poważnych problemów tożsamościowych, szczególnie na tle swego nieco chłopięcego wglądu i skłonności do zajęć uważanych za typowo męskie. W świetle późniejszych doniesień (Diamond, Sigmundson, 1997), problemy te tak się nasiliły, że w końcu zdecydowano się poddać ją operacji zmiany płci. Za pomocą zabiegów chirurgicznych i środków hormonalnych dziewczynka na nowo stała się chłopcem i powróciła do imienia John. Działania te sprawiły, że John stał się szczęśliwy i czuł, że pozostaje w zgodzie z sobą. Wyrósł na atrakcyjnego, dobrze zbudowanego mężczyznę, a w wieku 25 lat poślubił nieco starszą od siebie kobietę i adoptował jej dzieci.

Istnieją również inne przypadki, kiedy tożsamość płciowa została narzucona arbitralnie lub wbrew płci genetycznej dziecka (zob. Golombok, Fivush, 1994). Należą do nich tak zwani pseudo-hemafrodyci, innymi słowy osoby urodzone z niejednoznacznie wykształconymi narządami płciowymi. Osoby takie mogą potem być wychowywane jak chłopcy lub dziewczynki, wedle kaprysu rodziców. Chociaż w większości przypadków dzieci przyjmują tożsamość psychiczną, która pozostaje w zgodzie z przypisaną im płcią, trudno czynić jakiekolwiek uogólnienia, jeżeli chodzi o szczególną rolę natury lub wychowania. Po pierwsze, przypisanie do tożsamości płciowej musi się dokonać do 3. r. ż., po tym okresie jest to coraz trudniejsze. Po drugie, model wychowawczy rodziców rzadko jest jedynym czynnikiem kształtującym tożsamość płciową dziecka. Zwykle jest on wspomagany terapią hormonalną, co utrudnia odizolowanie konkretnego udziału wpływów psychologicznych i biologicznych. Jedyny wniosek, jaki można wysnuć to to, że zarówno natura, jak i wychowanie odgrywają określoną rolę, oraz że w normalnych okolicznościach obydwa rodzaje czynników współdziałają ze sobą w celu wykształcenia określonej tożsamości płciowej.

Jeszcze jedno należy mieć na uwadze. Nawet cechy silnie kształtowane przez czynniki genetyczne, nie opierają się wpływom zmiennych warunków środowiska. Na przykład wzrost, będący jedną z cech najsilniej uwarunkowanych genetycznie, dzięki poprawie warunków żywieniowych w ciągu ostatnich stu lat w znacznym stopniu się zwiększył. To samo dotyczy wieku rozpoczęcia dojrzewania płciowego. Jest on również bardzo silnie uwarunkowany przez geny. Jednak, prawdopodobnie znów dzięki lepszym warunkom żywieniowym, dziś dzieci osiągają ten moment wcześniej niż w przeszłości. Można dojść do wniosku, że czynniki genetyczne w żadnym wypadku nie eliminują wpływów środowiskowych.

Prawdy i mity na temat genów

W ostatnich latach postęp naukowy w dziedzinie poznawania zestawu naszych genów jest niezwykle imponujący i wszystko wskazuje na to, że ten trend się utrzyma (Rutter, 2002). Jednakże poza kręgiem specjalistów nadal panuje swoisty brak wiedzy na temat natury i działania genów oraz znaczenia rozwoju wiedzy w tej dziedzinie dla zrozumienia rozwoju człowieka. Mogliśmy już to zaobserwować na przykładzie poglądu zakładającego, że natura i wychowanie stanowią odrębne zbiory czynników, podczas gdy w rzeczywistości zawsze działają wspólnie. Istnieje jednak wiele innych błędnych poglądów. Przyjrzyjmy się niektórym z najczęściej słyszanych mitów i odpowiednim faktom, które wychodzą na światło dzienne.

- *Mit*: Geny kształtują zachowanie.
- *Fakt*: Wpływ genów na zachowanie nigdy nie jest tak bezpośredni, jak zakładałoby to stwierdzenie. Geny stanowią struktury chemiczne, które drogą chemiczną wpływają na organizm i jego zachowanie, kształtując reakcje organizmu na bodźce środowiskowe. Nie ma zatem genów *warunkujących*, na przykład, neurotyzm, mimo iż wiele dowodów świadczy o tym, że jest to cecha uwarunkowana genetycznie. Genetyczny wpływ na neurotyczne zachowanie dotyczyć będzie raczej układu nerwowego, który jest szczególnie wrażliwy na stres. Podobnie też nie ma genów *warunkujących* alkoholizm: mogą to być natomiast czynniki genetyczne kształtujące wrażliwość na alkohol. Zatem wszystkie związki genów z zachowaniem nie mają charakteru bezpośredniego, lecz jedynie pośredni.

- *Mit*: Każda cecha psychiczna wiąże się z działaniem określonego genu.
- *Fakt*: W przeciwieństwie do pewnych jednogenowych zaburzeń, takich jak wspomniana już fenyloketonuria, nieznane są żadne cechy psychiczne, które ujawniałyby się tylko dzięki działaniu jednego genu. Wręcz przeciwnie, tego typu cechy są prawdopodobnie tak złożone, że zależą od działania o wiele większej liczby genów współpracujących w obrębie jakiejś grupy. Ponadto pojedynczy gen wpływać może na więcej niż jeden aspekt psychiczny. A zatem zależność gen-zachowanie wcale nie jest taka prosta.

- *Mit*: Programy genetyczne „dbają" o to, by kamienie milowe rozwoju pojawiały się w określonej kolejności i w określonym wieku.
- *Fakt*: Jest to tylko po części prawda. Na przykład kamienie milowe rozwoju ruchowego (podnoszenie głowy, siadanie, raczkowanie, stawanie, chodzenie itd.) pojawiają się jako skutek działania zegara biologicznego. Jednakże na ustawienia tego zegara wpływać mogą różne zdarzenia środowiskowe. Na przykład, gdy dziecko wychowywane jest w warunkach rażącego niedostatku, kamienie milowe rozwoju pojawią się u niego z wielkim opóźnieniem. Porządek, w jakim się one pojawiają też nie jest rzeczą niezmienną i może zostać zakłócony przez brak odpowiednich sposobności do ich ujawnienia.

- *Mit*: Genetycznie uwarunkowanych schorzeń nie można złagodzić.
- *Fakt*: Jest to błędna koncepcja zakładająca, że wszystko, co odziedziczone jest już pewne i niepodatne na zmiany, podczas gdy wszystkie cechy nabyte można

modyfikować. Obydwa elementy tej opozycji mijają się z prawdą. Jak ukazuje przykład fenyloketonurii, dziedziczne zaburzenie można leczyć, a nawet wyleczyć. Natomiast przypadki fobii pokazują, że zachowania nabyte we wcześniejszych etapach życia są nadzwyczaj odporne na wykorzenienie. Zatem tego fatalistycznego poglądu, że dziedziczność jest czymś, z czym nie można nic zrobić (jak głosi pewne popularne powiedzenie – „geny to przeznaczenie") nie sposób podtrzymać.

- *Mit*: Cechy uwarunkowane genetycznie przejawiają się w podobny sposób w następnych pokoleniach.
- *Fakt*: Takie schorzenia jak np. hemofilia, powtarzają się w różnych pokoleniach w tej samej rodzinie, lecz nie oznacza to, że każde z tych pokoleń na nią choruje. Rodzice mogą być nosicielami i przekazywać tę chorobę dzieciom, choć sami na nią nie cierpią. Podobnie z autyzmem, który również jest zaburzeniem uwarunkowanym genetycznie. Jednak rodzice dzieci autystycznych rzadko zdradzają jakiekolwiek nieprawidłowości psychiczne. Przez długi czas zakładano więc, że źródeł autyzmu szukać trzeba w otoczeniu, na przykład w podejściu rodziców do dziecka. Wiadomo już, że to założenie było błędne.

- *Mit*: Wpływ czynników genetycznych słabnie wraz z wiekiem.
- *Fakt*: Koncepcja, że czynniki dziedziczne najsilniejszy wpływ wywierają na początku rozwoju, a następnie zostają zagłuszone przez rosnący wpływ czynników środowiskowych, jest dość szeroko rozpowszechniona. Niestety, pozbawiona jest podstaw. Być może w przypadku pewnych cech tak jest, ale w przypadku innych nie. Istnieją bowiem dowody na to, że czynniki genetyczne wraz z wiekiem *zyskują* na znaczeniu, jeżeli chodzi o objaśnianie różnic w poziomie inteligencji pomiędzy dziećmi. W każdym razie, niektóre genetycznie uwarunkowane cechy ujawniają się w stosunkowo późnych etapach cyklu rozwojowego. Najlepszym przykładem jest wiek rozpoczęcia okresu dojrzewania. Podobnie z pewnymi zaburzeniami genetycznymi, które nie ujawniają się wcześniej niż pod koniec dzieciństwa lub w życiu dorosłym.

- *Mit*: Genetyka zajmuje się tylko dziedziczeniem i nie wnosi nic do badań nad środowiskiem.
- *Fakt*: Genetyka zachowania jest w stanie wnieść wiele do wiedzy na temat wpływów środowiskowych. Z jednej strony wykazuje ona bliskie związki pomiędzy naturą a wychowaniem. Z drugiej, pozwala oszacować proporcjonalny wkład obu tych typów oddziaływań w rozwój. Ponadto umożliwia rozłożenie wpływu środowiskowego na poszczególne elementy składowe i właśnie to cieszy się największym zainteresowaniem. Genetycy zachowania stwiedzili, że należy rozróżnić dwa rodzaje wpływów środowiskowych: *wspólne* (podzielane) i *indywidualne* (niepodzielane). Pierwsze są jednakowe dla wszystkich dzieci w danej rodzinie: klasa społeczna, sąsiedztwo, liczba książek w rodzinnej bi-

blioteczce itd. Drugie są unikatowe dla każdego dziecka w rodzinie: kolejność urodzeń, faworyzowanie przez rodziców jednego dziecka względem drugiego, choroby i wypadki itd. Rozróżnienie to ma na celu ukazanie, że czynniki indywidualne (niepodzielane z innymi) są podobnie ważne w kształtowaniu rozwoju, jak czynniki wspólne (podzielane z innymi), którym w przeszłości poświęcano zdecydowanie więcej uwagi. Paradoksalnie, wygląda na to, że genetyka ma tak samo dużo do powiedzenia na temat środowiska, jak na temat dziedziczenia.

Od poczęcia do narodzin

W dawnych czasach w Japonii i Chinach uważało się, że dziecko w momencie narodzin liczy sobie już jeden rok życia. Pod pewnym względem pogląd ten był bliższy stanowi faktycznemu niż nasz współczesny sposób obliczania wieku dziecka, bowiem czas spędzony w ciele matki, to czas, gdy tak wiele się dzieje dla ukształtowania drogi rozwoju dziecka. Pod względem fizycznym zakres zmian jest zdecydowanie większy niż w jakimkolwiek innym okresie życia. Ale i z psychologicznego punktu widzenia jest podobnie; okres prenatalny jest ogromnie ważny dla zrozumienia późniejszych osiągnięć rozwoju.

To, co dzieje się w łonie matki i jaki ma to wpływ na nie narodzone dziecko zawsze było tematem przekazów ludowych. Układ planet, stosowanie magii, działania demonów – były to siły uważane za mające wpływ na rozwój prenatalny. W dzisiejszych czasach w celu uzyskania bardziej obiektywnych danych skorzystać można z bardziej zaawansowanych technik. Dzięki nim możemy uzyskać zdjęcia, a nawet filmy przedstawiające płód. Pozwalają one na obserwację zakresu dość zaawansowanych układów ruchów, do jakich zdolne jest nie narodzone dziecko w późniejszych stadiach ciąży. Ruchy te to: ssanie palca, tupanie, okazywanie emocji itd. Nowoczesne badania mogą również wykazać, w jaki sposób zewnętrzne czynniki środowiskowe wpływają na płód, ponieważ w tej kwestii powstało wiele rozmaitych poglądów nienaukowych, jak choćby ten, że matki w czasie ciąży często słuchające muzyki urodzą małych geniuszy muzycznych. Uważa się dziś, że sposób żywienia, używki, leki i narkotyki, palenie tytoniu, alkohol i (co dość kontrowersyjne) stres doświadczany przez spodziewającą się dziecka kobietę wpływają na rozwój płodu, w niektórych przypadkach wywołując długotrwałe, a niekiedy nawet trwałe niepożądane skutki, czego dobitnym przykładem jest talidomid i jego tragiczne konsekwencje.

Zdarzenia te pokazują, że macica nie jest wcale tak całkiem bezpiecznym środowiskiem – twierdzą broniącą dziecko przed wpływami czynników zewnętrznych. Oczywiście czynniki te działają pośrednio przez organizm matki. Świadczy to jednocześnie o tym, że jeszcze przed urodzeniem matka odgrywa zasadniczą rolę w określaniu, jakiego rodzaju człowiekiem stanie się jej dziecko. Pamiętajmy jednak o tym, że tego rodzaju wpływ ma charakter wzajemny: matka wpływa na płód, ale i płód oddziałuje na matkę. Hytten (1976) opisuje to bardzo obrazowo:

> Płód zachowuje się egoistycznie, i na pewno nie jest małą ujmującą bezradną osóbką, jak w swej naiwności postrzega go matka. Gdy tylko uczepi się ścianki macicy zaczyna dbać o to, by jego potrzeby były zaspokajane, nie zważając na to, że może to być dla matki uciążliwe. Czyni to majstrując w mechanizmach kontroli i powodując niemal całkowitą zmianę jej fizjologii.

Wygląda na to, że wzajemność oddziaływania pomiędzy dzieckiem a opiekunem jest tak samo godna uwagi w okresie prenatalnym, jak i w późniejszych etapach życia.

Stadia rozwoju prenatalnego

Dla celów opisowych dziewięciomiesięczny okres ciąży często dzielony jest po prostu na trzy równe części lub *trymestry*. Jednakże z rozwojowego punktu widzenia wygodniejszy jest podział na trzy odrębne etapy o różnej długości, noszące nazwę stadium zarodkowego, embrionalnego i płodowego.

1. Stadium tworzenia listków zarodkowych

Trwa ono około 2 tygodni, tzn. od zapłodnienia do momentu zagnieżdżenia się jaja w ściance macicy. W tym okresie pojedyncza komórka, która już stanowi nowe życie, dzieli się na dwie, później każda z tych dwóch znów dzieli się na dwie, itd. Ten proces pomnażania odbywa się z niezwykłą szybkością, by w ten sposób przekształcić pierwotnie jedną komórkę w złożony żywy organizm. Początkowo komórki nie są zróżnicowane, lecz pod koniec tego okresu grupy komórek zaczynają przyjmować role, które później pełnić będą jako części ciała, formując się w narządy, kończyny i układy fizjologiczne.

2. Stadium embrionalne

Trwa ono około 6 tygodni, podczas których tworzy się coraz więcej komórek. Każda z nich pełni określoną funkcję. Okres ten prowadzi do powstania rdzenia kręgowego, głównych narządów zmysłów, kończyn górnych i dolnych oraz zaczątków takich narządów, jak serce i mózg. Pojawiają się nawet palce rąk i stóp, jak również usta, język i powieki. Pod koniec tego okresu embrion ma zaledwie około 2,5 cm długości, ale z wyglądu staje się już powoli rozpoznawalnym organizmem ludzkim. Tylko proporcje ciała znacznie odbiegają od proporcji człowieka, którym się kiedyś stanie. W szczególności głowa stanowi o wiele większą część

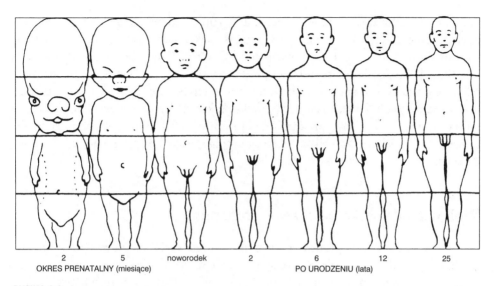

2   5   noworodek   2   6   12   25
OKRES PRENATALNY (miesiące)   PO URODZENIU (lata)

RYCINA 3.3

Proporcje wzrostu ludzkiego ciała od okresu prenatalnego po osiągnięcie dorosłości

niż w późniejszym okresie (ryc. 3.3). Poza tym, narządy przyjęły już rozmaite funkcje: serce potrafi bić, żołądek produkuje soki trawienne, a nerki filtrują krew. Niestety, w czasie tego okresu szybkiego formowania się narządów życiowych i części ciała, organizm staje się bardzo podatny na uszkodzenia mogące wyniknąć z działania czynników zewnętrznych. Jest to niebezpieczny okres, jeżeli chodzi o zakażenie różyczką, która może spowodować nieodwracalne uszkodzenia mózgu i oczu, skutkujące opóźnieniem umysłowym i ślepotą. Właśnie w tym okresie podawanie leku o nazwie talidomid, łagodzącego mdłości poranne, powodowało zniekształcenia rozwijających się kończyn, a w efekcie dzieci rodziły się bez rąk i nóg.

3. Stadium płodowe

Trwa ono 7 miesięcy i charakteryzuje się ogromnym przyrostem długości (od około 2,5 cm do około 55 cm) i wagi (od około 100 g do około 3,5 kg). Rozwój w tym okresie zasadniczo polega na rozroście i usprawnianiu części ciała i organów, które powstały w 2 początkowych miesiącach życia. Zaczynają zatem powstawać kości, pojawiają się włosy; oczy, uszy i kubki smakowe osiągają stan pełnej funkcjonalności, a około 28. tygodnia życia płodowego układy nerwowy, krążenia i oddechowy są w pełni gotowe do podtrzymania samodzielnie życia, w razie gdyby dziecko musiało przedwcześnie wyjść na świat. Jeszcze na długo przed narodzeniem dziecko daje odczuć swoją obecność. Już od około 16. tygodnia matka może czuć wewnątrz jego ruchy, a wkrótce będzie ono zdolne do dość silnych kopnięć. Dziecko „trenuje" wówczas swoje kończyny, ponieważ już od wczesnych miesięcy życia płodowego potrafi obracać się tyłem i przodem, a nawet fikać koziołki. Dopiero później płód staje się mniej aktywny, ponieważ rozrasta się do takich rozmiarów, że brakuje mu miejsca na ruchy, gdyż przylega niemal szczelnie do ścianek macicy. Wszystkie takie ruchy, które obserwować można na zapisie USG mają charakter spontaniczny. Świadczy to o szybkim rozwoju mózgu, który w coraz większym stopniu przejmuje kontrolę nad działaniami dziecka.

Wpływ środowiska na rozwój prenatalny

Początkowy okres życia płodowego jest okresem najszybszego rozwoju mózgu. To właśnie wtedy dziecko jest najbardziej wrażliwe na działanie czynników zewnętrznych przenikających przez organizm matki. Jest to widoczne, często ku rozpaczy rodziców, na przykładzie działania **teratogenów**. Są to substancje spożywane przez matkę, przenikające przez łożysko i niekorzystnie wpływające na rozwój płodu. Powodują one komplikacje okołoporodowe oraz trwałe problemy psychiczne i fizyczne (*tera* po grecku oznacza „potwór"; nie jest to najszczęśliwsze skojarzenie, ale odzwierciedla ono przerażenie, z jakim odbierano te defekty w czasach, gdy były one jeszcze dość powszechne i trudno było im zapobiec. Często też stawały się przedmiotem różnego rodzaju przesądów).

Teratogeny to substancje, takie jak np. alkohol i kokaina, które przenikają przez łożysko i zakłócają rozwój płodu.

Najczęściej występujące teratogeny można podzielić na trzy kategorie (trzy „D"): używki, leki i narkotyki (ang. *drugs*), choroby (ang. *diseases*) i dieta (ang. *diet*).

1. Używki, leki i narkotyki

- *Alkohol*. Na szkodliwość działania alkoholu w okresie prenatalnym zwrócono uwagę w latach 70. XX w. Wówczas to grupa amerykańskich badaczy określiła zbiór objawów fizycznych i umysłowych, charakterystycznych dla dzieci urodzonych przez matki-alkoholiczki, który nazwano *płodowym syndromem alkoholowym* (FAS, ang. *foetal alcohol syndrome*). Jeśli chodzi o aspekt fizyczny, to dzieci urodzone z tym syndromem mają małe wąskie główki i wyraz twarzy charakteryzujący się szeroko rozstawionymi oczyma, krótkim nosem i nie w pełni wykształconą żuchwą. Dzieci te są zwykle mniejsze niż przewidują to normy wiekowe. Pod względem psychicznym, do najwyraźniejszych objawów należy opóźnienie umysłowe. Choć zwykle nie jest ono zbyt silne, płodowy zespół alkoholowy uznaje się za jedną z najczęstszych przyczyn opóźnienia. Często obserwuje się także różne inne oznaki dysfunkcji ośrodkowego układu nerwowego. Należą do nich: nadpobudliwość, krótki czas koncentracji, zaburzenia snu oraz nieprawidłowości odruchów. Nie ma zatem wątpliwości, że alkohol spożywany podczas ciąży w dużych ilościach może przenikać przez barierę łożyska i wywierać niekorzystny i trwały wpływ na rozwijający się płód. Płodowy syndrom alkoholowy zaobserwowano u dzieci matek z grupy 5 do 10% najwyższego stopnia spożycia alkoholu. Skutki niższego poziomu spożycia („picia towarzyskiego") budzą jednak większe kontrowersje. Nawet jednak w takich przypadkach istnieją dowody, że dziecko pozostaje pod wpływem pitego przez matkę alkoholu, i że skutki, choć nie należą do najpoważniejszych, można obserwować nawet w późniejszych okresach dzieciństwa (zob. ramka 3.2).

RAMKA 3.2

Czy „picie towarzyskie" podczas ciąży wywołuje jakieś niepożądane skutki?

Skutki nadmiernego picia dla nie narodzonego dziecka zostały już ściśle określone, jednak przekonanie, że przypadkowy drink wypity w towarzystwie również może być szkodliwy, spotkało się z pewnym oporem. *The Seattle Longitudinal Prospective Study on Alcohol and Pregnancy*, zakrojone na szeroką skalę imponujące badania przeprowadzone na terenie Stanów Zjednoczonych, umożliwiły zebranie przekonujących dowodów, by wreszcie to ustalić (np. Olson, i in.,1997; Streissguth, Barr, Sampson, 1990).

Przeprowadzono wywiad z grupą 500 kobiet w zaawansowanej ciąży. Rozmowy dotyczyły ich zwyczajowego spożycia alkoholu przed i w trakcie ciąży. Okazało się, że nie więcej niż 1% z nich miało poważne problemy z piciem, choć aż 80% od razu przyznało się do spożywania alkoholu w czasie ciąży. Zapytano również o zażywanie nikotyny, kofeiny, leków i narkotyków. Po narodzinach dzieci poddano badaniom w następujących okresach: po 2 dniach, później po 8 i 18 miesiącach, następnie w 4., 7. i 14. r. ż. Za każdym razem dzieci poddawano ocenie przy użyciu szeregu odpowiednich dla wieku testów neurologicznych i psychologicznych.

Od samego początku u większości kobiet zaobserwowano niekorzystny wpływ spożywania w czasie ciąży alkoholu, nawet w niewielkich ilościach. U dzieci poddawanych w okresie życia prenatalnego działaniu alkoholu częściej dało się zaobserwować w momencie porodu zespół zaburzeń oddechowych i mniejszą stabilność pracy serca. W ciągu kolejnych dwóch dni obserwowano u nich ospałość, słabsze ssanie i rozmaite oznaki dysfunkcji ośrodkowego układu nerwowego. Następnie, w okresie niemowlęctwa, zarówno rozwój ruchowy, jak i umysłowy były nieco opóźnione. Od 4. r. ż. widać wyraźnie, że dzieci poddawane w czasie ciąży działaniu ponad 30 ml alkoholu dziennie osiągały nieco niższe wyniki w testach na inteligencję niż dzieci abstynentek. Różnica ta nie była wielka, około 7 punktów II, ale miała ona charakter trwały i jej wysokość zależała od dawki alkoholu. Znaczy to, że zakres deficytu intelektualnego był proporcjonalny do ilości alkoholu spożywanego przez matkę. Począwszy od 7. r. ż.

łatwo było zaobserwować problemy w uczeniu się. Początkowo dotyczyły one niskich osiągnięć w czytaniu i arytmetyce i wynikały najczęściej z „nadmiernego", w ilości ponad pięciu drinków przy jednej okazji, picia przez matkę w początkowych stadiach ciąży. Prawdopodobnie rozmaite problemy poznawcze u dzieci wynikały z trudności koncentracji uwagi. Testy czujności uwagi wykazały bowiem związane z alkoholem ograniczenia zdolności skupiania się i właściwych reakcji na sygnały. Problemy te można zaobserwować zaraz po urodzeniu, w zakresie reakcji dziecka na światło, dźwięki oraz czasu, jaki zajmuje mu przyssanie się do piersi. Prawdopodobnie rozmaite trudności obserwowane w wieku szkolnym wynikają z organicznych uszkodzeń centralnego układu nerwowego.

Szczególne znaczenie ma to, że u dzieci, które w łonie matki poddawane były działaniu stosunkowo niewielkich dawek alkoholu, nawet w okresie dorastania można było zauważyć szereg problemów. Niektóre związane były ze spowolnionym przebiegiem i nieskutecznością procedur przetwarzania informacji i dlatego ujawniły się one w osiągnięciach szkolnych. Inne problemy dotyczyły bardziej pośrednich skutków, jak niska ocena własnego wizerunku lub zachowania antyspołeczne. Oczywiście, nie u każdego dziecka poddawanego działaniu alkoholu można było zauważyć wspomniane deficyty. Niemniej jednak badanie to wykazuje wyraźnie, że działanie alkoholu, nawet w ilościach mieszczących się w granicach tzw. picia społecznego, stanowi zagrożenie dla normalnego adaptacyjnego funkcjonowania dziecka.

- *Tytoń*. Dzieci urodzone przez matki palące są znacznie niższe. Nikotyna ogranicza dopływ krwi do łożyska, a przez to zmniejsza dostarczanie substancji odżywczych do płodu. Ponadto, im więcej matka pali, tym większe prawdopodobieństwo, że dziecko urodzi się przedwcześnie, a przedwczesny poród (jak się później przekonamy) może prowadzić do szeregu komplikacji fizycznych i behawioralnych. W porównaniu z alkoholem, nikotyna nie wywołuje tak drastycznych i długotrwałych skutków. Jednakże, niektóre badania wskazują na nieco większy wskaźnik problemów behawioralnych i trudności w uczeniu się u dzieci, których matki paliły w czasie ciąży. Nasilenie tych powikłań wzrasta wraz z ilością wypalanej nikotyny.
- *Kokaina*. Dzieci kobiet zażywających w czasie ciąży kokainę narażone są na szereg problemów. Należą do nich narodziny martwego płodu, przedwczesny poród, niska waga urodzeniowa, śmierć łóżeczkowa i rozmaite nieprawidłowości neurologiczne, prowadzące do późniejszych problemów z koncentracją i trudności w uczeniu się. Opieka nad takimi dziećmi nierzadko od samego początku jest utrudniona. Mogą one być nadwrażliwe i łatwo ulegać pobudzeniu. Trudno je uspokoić. Niełatwo im wypracować regularny cykl snu i czuwania oraz zdają się unikać kontaktu społecznego. Opieka nad takim dzieckiem to dla matki trudne zadanie. Zamykanie przez dziecko oczu lub odwracanie

wzroku w reakcji na czułość z jej strony raczej nie zachęca do dalszych kontaktów, a niezdolność do dłuższej koncentracji na zabawie jeszcze bardziej wzmaga jej frustrację. Nie dające matce zadowolenia relacje z dzieckiem stanowią zatem skutek uboczny, przewyższający swą wagą pozostałe niekorzystne następstwa zażywania narkotyków w czasie ciąży.

2. Choroby

- *Różyczka.* Jak już zdołaliśmy się przekonać, różyczka jest najniebezpieczniejsza w początkowych tygodniach ciąży. Może ona spowodować ślepotę, głuchotę, upośledzenie umysłowe, uszkodzenia serca i inne poważne problemy. Stanowi zatem jeden z najgroźniejszych czynników, z jakimi nie narodzone dziecko może się zetknąć. Na szczęście świadomość tego zagrożenia jest duża i za pomocą przeprowadzanych w dzieciństwie szczepień możliwa jest ochrona przed tą chorobą.
- *AIDS.* Kobiety będące nosicielkami wirusa AIDS mogą zakazić nim dziecko, które będą nosić we własnym łonie. Wskaźnik zakażeń tą drogą waha się od 12 do 30%, choć nie wiadomo, dlaczego niektórym z dzieci udaje się go uniknąć, a innym nie. Obecność u matki wirusa AIDS zwiększa ryzyko wystąpienia przedwczesnego porodu i niskiej wagi urodzeniowej dziecka, ponadto, u takich dzieci istnieje większe zagrożenie zarażeniem się w okresie niemowlęcym poważnymi chorobami zakaźnymi, jak na przykład zapalenie płuc. Według statystyk amerykańskich, AIDS jest w tej chwili siódmym w kolejności czynnikiem powodującym zgon dzieci przed ukończeniem 4. r. ż.

3. Dieta

- *Niewłaściwe odżywianie.* Płód, jeśli chodzi o odżywianie jest w całości zależny od matki. Przyjmowane przez nią pokarmy mają zasadniczy wpływ na jego wzrost i rozwój. W przypadku niedostatecznych ilości niektórych ważnych składników odżywczych, będzie on starał się pozyskać je bezpośrednio z ciała matki. Na przykład w przypadku, gdy pokarm przyjmowany przez matkę jest ubogi w wapń, płód zacznie pozyskiwać go z kości matki. W przypadku chronicznego niedożywienia, zapasy pokarmowe zmagazynowane w organizmie matki zostają wyczerpane, co stanowi nie lada trudność dla rozwijającego się płodu. Szczególnie wyraźnie można było to zaobserwować w „naturalnym eksperymencie", jakiego w 1944 r. podczas drugiej wojny światowej dokonali Niemcy, obcinając racje żywieniowe mieszkańcom Holandii, skazując ich tym samym na cierpienie głodu. Zapanowało powszechne niedożywienie, skutkujące niemalże zagłodzeniem objętej nim społeczności. Później zbadano efekty takiego działania i okazało się, że nie bez znaczenia był etap ciąży, w jakim nastąpiło niedożywienie. Jeśli najgorszy czas przypadł na pierwszy trymestr, czyli okres krytyczny dla rozwoju mózgu, u urodzonych dzieci dwukrotnie częściej niż u innych można było zaobserwować uszkodzenia ośrodkowego układu nerwowego, takie jak rozszczep kręgosłupa lub wodogłowie. Dzieci te również dwukrotnie częściej rodziły się martwe. Jeśli natomiast okres najsilniejszego głodu przypadł na koniec drugiego, a zwłaszcza na trzeci trymestr, wzrastało prawdopodobieństwo urodzenia dziecka z niską wagą urodzeniową. Jednak gdy wyzwolenie pociągnęło za sobą zwiększenie zapasów żywności, dzieci zdołały nadrobić brakujące kilogramy, a ich rozwój fizyczny i umysłowy potoczył się właściwym torem. Synowie kobiet, które będąc z nimi w ciąży narażone były na niedobór treści odżywczych, poddani zostali, w 19. r. ż., badaniom przedporobowym związanym z obowiązkiem odbycia służby wojskowej. Okazało się, że są oni sprawni fizycznie i rozwijają się normalnie. Nie odnotowano żadnych oznak długotrwałych następstw ich doświadczeń z okresu prenatalnego. Później jednak zaobserwowano coś ciekawego i nieoczekiwanego. Mianowicie, skutki niedożywienia ciężarnych kobiet z okresu wojny widoczne były w *trzecim* pokoleniu. Dzieci kobiet, które w tym tragicznym okresie same przebywały jeszcze w łonie matki będącej w trzecim trymestrze ciąży, w momencie urodzenia osiągały rozmiary ciała i wagę o wiele niższą od średniej (szczegóły zob. Diamond, 1990). Mechanizmy odpowiedzialne za taki efekt trzypokoleniowy nie zostały jeszcze poznane. Możemy jednak sądzić, że gatunek ludzki charakteryzuje się sporą odpornością i zdolnością odzyskiwania sprawności. Jednak, jak się okazało na przykładzie niedożywienia i innych wspomnianych niekorzystnych czynników, niektóre nabyte w danym okresie uszkodzenia pociągają za sobą poważne skutki, które niełatwo jest później wyeliminować.

Istnieje wiele innych czynników środowiskowych, które stanowią zagrożenie dla zdrowia nie narodzonych dzieci. Są to takie teratogeny, jak promieniowanie, ołów, rtęć, amfetamina, opryszczka lub ospa. Wszystkie z nich są w stanie przeniknąć przez łożysko i spowodować fizyczne, a w konsekwencji psychiczne nieprawidłowości. Warto jeszcze wspomnieć o jednym czynniku, choćby dlatego, że jest on przedmiotem wielu spekulacji. Jest to stres matki. To oczywiste, że matki doświadczające w czasie ciąży chronicznego lub nagłego silnego stresu, powinny liczyć się z tym, że będzie on miał wpływ na dziecko. Trudno jednak znaleźć na to rzetelne dowody, niełatwo bowiem prowadzić eksperymenty nad wpływem stresu kobiety na rozwój płodu. Przeprowadzono kilka badań nad ciężarnymi kobietami w okresie bolesnych doświadczeń, takich jak: wojna, katastrofy, na przykład trzęsienia ziemi i cyklony, uwięzienie w obozach koncentracyjnych itd. Jednak ich wyniki nie były jednoznaczne. Niektóre nie wykazały żadnego wzrostu częstotliwości występowania nieprawidłowości u dzieci tych kobiet, w innych taki wzrost równie dobrze mógł być przypisany towarzyszącym im czynnikom fizycznym, takim jak tortury, niedożywienie lub choroba. Stan emocjonalny matki *po* urodzeniu dziecka również należy wziąć pod uwagę. Prawdą jest, że doświadczenie silnego stresu skutkuje wzmożonym wydzielaniem hormonów kory nadnerczy, które mogą przenikać przez łożysko i wpływać na rozwój płodu. Jednak charakteru i trwałości tego efektu nie udało się jeszcze określić.

Przystosowanie noworodka do życia

Wiodąc dotychczas niemalże wodny i prawie całkowicie zależny od matki żywot w jej łonie, dziecko dość nagle, pod koniec ciąży zostaje z niego wypchnięte i trafia do zupełnie innego środowiska. Środowisko to wymaga od noworodka, by oddychał powietrzem, by regulował temperaturę własnego ciała i pobierał pokarm całkiem nowymi sposobami. Nic dziwnego, że zastanawiano się nad długotrwałymi skutkami tej, jak się zdaje, traumatycznej i nagłej zmiany.

Poród i jego skutki psychologiczne

Poród to nie tylko fizjologiczny epizod, który można zamknąć w ramach zmian zachodzących w obrębie organizmu matki i dziecka. Jest to wydarzenie o ogromnym znaczeniu społecznym, które w zależności od kultury może mieć różny wymiar. Margaret Mead (Mead, Newton, 1967) określiła to w sposób następujący:

> Narodziny dziecka można uważać, w zależności od tego, jakich sformułowań używa dana kultura, za doświadczenie niebezpieczne i bolesne, ciekawe i zajmujące, zwyczajne i umiarkowanie ryzykowne lub takie, któremu towarzyszą ogromne nadprzyrodzone niebezpieczeństwa.

W związku z tym poszczególne społeczności różnią się sposobem, w jaki pojmują moment narodzin. Jest to kwestia miejsca, w jakim poród się odbywa, obecnych przy nim osób, pomocy udzielanej matce, obchodzenia się z dzieckiem zaraz po porodzie oraz stopnia, w jakim poród może przeszkodzić matce w innych aspektach jej życia, takich jak praca w biurze lub w gospodarstwie rolnym. W naszej własnej kulturze dokonały się znaczne zmiany w sposobie pojmowania tego zjawiska. Widać je w tendencji do wybierania na miejsce porodu raczej szpitala niż domu, w zachęcaniu ojców do towarzyszenia rodzącej w całym procesie rodzenia i w podawaniu środków znieczulających w momencie porodu. Zmiany te, tak samo jak debaty na temat przeprowadzania cesarskiego cięcia zamiast porodu „drogami natury" lub stosowania technik obchodzenia się z matką i dzieckiem, jakie proponują Dick-Read (*Chilbirth without fear* – „poród bez lęku") lub Leboyer (*Birth without violence* – „poród bez przemocy") wskazują na to, że to wydarzenie życiowe nie należy do najłatwiejszych i może przybierać różne formy. Czy jednak owe różnice mają jakiekolwiek znaczenie, jeśli chodzi o dalszy rozwój dziecka?

Zgodnie z powszechnym przekonaniem, iż poród to zdecydowanie pierwszy krok, jakiego dziecko dokonuje w samodzielnym życiu, powinien mieć on duże znaczenie dla jego przyszłości. Stopień trudności i naturalności porodu, zachowanie matki, a nawet jej myśli i odczucia w jego trakcie, ułożenie dziecka tuż przed porodem – te i wiele innych aspektów całego procesu od dawien dawna stanowią podstawy wielu poglądów i przypuszczeń. I choć nie znajdujemy zbyt wielu potwierdzających je dowodów, są one przesłankami, na których opiera się szereg ugruntowanych opinii na temat przyszłości dziecka. Tego typu nieracjonalne przekonania często krążą też wśród profesjonalistów. Na przykład psychoanalityk Otto Rank (1929) uważał poród za niezwykle traumatyczne przeżycie i upatrywał w nim przyczyn późniejszych problemów psychicznych. Wypchnięciu z w pełni bezpiecznego środowiska, jakim było łono matki, do świata, w którym mamy do czynienia z ciągłymi napięciami, i który jest pełen niepewności, towarzyszą nieprzyjemne uczucia. Zdaniem Ranka, co jakiś czas powracają one w formie lęków separacyjnych i innych lęków neurotycznych, zwłaszcza, jeśli poród trwał długo, towarzyszyły mu powikłania i był szczególnie traumatycznym doświadczeniem. Przyznać należy, że teorii tej nie udało się nigdy potwierdzić. Sam Freud uznał ją za mało prawdopodobną i odciął się od niej.

Oczywiście istnieją różne powikłania okołoporodowe, które pociągają za sobą rozmaite skutki psychiczne, jednak tylko wtedy, gdy dochodzi do rzeczywistych urazów, zwłaszcza uszkodzeń mózgu. Komórki mózgowe, by normalnie funkcjonować potrzebują stałego dostępu tlenu. W przypadkach **niedotlenienia**, kiedy to mózg pozbawiony jest stałych dostaw tlenu z powodu przedłużania się procesu porodowego, komórki mogą ulec trwałemu uszkodzeniu. Doprowadzi to do upośledzenia, takiego jak porażenie mózgowe, opóźnienie umysłowe lub padaczka albo inne deficyty poznawcze. W ostatnich czasach wskaźniki śmiertelności i zapadalności na choroby wśród noworodków znacznie spadły dzięki rozwojowi położnictwa. Niemniej jednak w obliczu trudności związanych z pokonaniem wąskiego kanału rodnego w trakcie porodu i nagłej konieczności przyswojenia sobie nowych sposobów funkcjonowania zaraz potem, proces porodu stanowi trudny moment w życiu dziecka, mimo iż zaledwie niewielki odsetek noworodków (jak się szacuje około 1%) doświadcza poważnych powikłań. Dlatego zaraz po zakończeniu akcji porodowej stan dziecka standardowo już zostaje poddany wnikliwej kontroli i badaniu podstawowych oznak życia: pracy serca, napięcia mięśni i czynności oddechowych. Najczęściej stosowanym w tym celu testem jest **skala Apgar** (zob. tab. 3.4), umożliwiająca ocenę dziecka pod względem pięciu kryteriów. Maksymalny wynik w tej skali wynosi 10. Wynik poniżej 7 oznacza niebezpieczeństwo. Mniej niż 4 oznacza, że dziecko jest w stanie krytycznym.

Niedotlenienie to stan, w którym mózg pozbawiony jest niezbędnych ilości tlenu. W poważnych przypadkach powoduje upośledzenie zarówno fizyczne, jak i umysłowe.

Wynik w skali Apgar to miara kondycji noworodka; uzyskuje się ją ze skal szacunkowych do oceny różnych podstawowych funkcji życiowych.

TABELA 3.4

Skala Apgar

Oceniane funkcje	Wynik		
	0	1	2
Tętno	Brak	Poniżej 100	Powyżej 100
Oddychanie	Brak	Wolne, nieregularne	Regularne, silny płacz
Napięcie mięśniowe	Zwiotczałe	Słabe	Silnie napięte
Kolor skóry	Siny, blady	Ciało różowe, kończyny sine	Różowy
Wrażliwość na bodźce	Brak odruchów	Grymas	Pełna reakcja

Bardzo niski wynik Apgar wiąże się ograniczeniem dostarczania tlenu do mózgu i jeśli noworodek przeżyje, najprawdopodobniej będzie trwale upośledzony w stopniu znacznym. Z drugiej jednak strony, wyniki w średnim przedziale (około 5–8) nie pozwalają o niczym przesądzać – a przynajmniej nie one same – dlatego, że rezultaty rozwoju tych dzieci nie zależą tylko i wyłącznie od ich początkowego stanu, ale również od rodzaju otoczenia społecznego i fizycznego, w którym będą się rozwijać. Jeśli będzie ono sprzyjać rozwojowi, początkowe trudności zostaną zredukowane, a w końcu w całości zniwelowane. Jeśli jednak nie będzie ono dostatecznie sprzyjające, istnieje prawdopodobieństwo trwałej niepełnosprawności.

Wcześniaki

Sposób, w jaki czynniki fizyczne i środowiskowe współdziałają ze sobą, by przynieść określony efekt rozwojowy można również zaobserwować na podstawie innej grupy dzieci, które od samego początku muszą przezwyciężać niesprzyjające warunki. Są to dzieci urodzone przedwcześnie lub z niską wagą urodzeniową.

Na początek kilka faktów:

- Przedwczesny poród to taki, który ma miejsce przed 37. tygodniem ciąży. Najniższy wiek ciążowy uznawany za pozwalający na przeżycie określa się zwykle na 20 tygodni.
- Dzieci urodzone przedwcześnie mają zwykle niską wagę urodzeniową, aczkolwiek dzieci z niską wagą urodzeniową stanowią odrębną kategorię, do której zalicza się noworodki urodzone w terminie, ale ważące mniej niż określone w definicji 2500 gramów.
- Około 5% wszystkich rodzących się dzieci to wcześniaki, choć zależy to w dużym stopniu od sektora społeczeństwa. Szczególne różnice można zauważyć porównując klasy społeczne: im niższy status społeczno-ekonomiczny tym wyższe

prawdopodobieństwo przedwczesnego porodu. Nieproporcjonalnie dużo przedwczesnych porodów można też zauważyć wśród matek nastoletnich.

- Przyczyny przedwczesnego porodu są rozmaite; zalicza się do nich palenie tytoniu i picie alkoholu podczas ciąży, zażywanie narkotyków, choroby takie jak cukrzyca, stan przedrzucawkowy, nieprawidłowości układu rodnego matki. Nie bez znaczenia są warunki społeczne, mogące mieć wpływ na ogólny stan zdrowia kobiety, takie jak ubóstwo, niedożywienie, niewłaściwa opieka medyczna nad ciężarną.

- U wcześniaków częściej występują różnego rodzaju trudności po porodzie. Należą do nich: żółtaczka, problemy z oddychaniem i kontrolą temperatury oraz trudności w ssaniu i połykaniu pokarmu. Stopień tych trudności zależy w dużej mierze od wieku ciążowego i wagi urodzeniowej. U dzieci urodzonych niewiele przed terminem powikłania te raczej nie występują. Natomiast dzieci urodzone na długo przed terminem wymagają długotrwałej pomocy w podtrzymywaniu czynności życiowych na noworodkowych oddziałach intensywnej opieki medycznej.

Jeśli chodzi o krótkoterminowe skutki przedwczesnego porodu, to wcześniaki mają wyraźne trudności z funkcjonowaniem w nowym środowisku. A co ze skutkami długofalowymi? Istnieje wiele badań, które śledziły rozwój takich dzieci przez wiele lat, niektóre do okresu dojrzewania, a niektóre jeszcze dłużej, nawet do osiągnięcia dorosłości. Jednakże wyniki tych projektów nie były spójne, przynajmniej, jeśli chodzi o badania, które koncentrowały się wyłącznie na wcześniactwie (lub niskiej wadze urodzeniowej) jako czynniku rozwojowym (przegląd zob. Lukeman, Melvin, 1993). Dzieci urodzone przedwcześnie są obciążone ryzykiem pozostawania w początkowych latach rozwoju w tyle za innymi dziećmi pod względem zdolności spostrzegania i ruchu, przyswajania języka i złożoności zabawy. Odnotowano ponadto, że częściej wykazują one zniecierpliwienie, większy brak koncentracji oraz większe trudności w panowaniu nad emocjami. W kolejnych latach ich II pozostaje niższy i występują większe trudności w nauce. Pewne badania wskazują także na pojawianie się różnego rodzaju problemów z przystosowaniem społecznym. Jednak ogólne wyniki nie oddają w pełni zróżnicowania indywidualnego wewnątrz tej grupy dzieci. Niektóre z nich, zwłaszcza jeśli zaraz po urodzeniu rozwijać się będą w skrajnie niekorzystnych warunkach, w następnych latach nadal będą wykazywać opóźnienie względem innych dzieci, natomiast inne wcześniaki mogą dogonić swych rówieśników zarówno w zakresie funkcjonowania fizycznego, jak i psychicznego. To, czy zdołają dogonić w rozwoju inne dzieci, zakres, w jakim im się to uda i czas, jaki im to zajmie zależy od wielu warunków. Istotna jest ich kondycja zaraz po porodzie, ważna jest też opieka medyczna, jaką zostaną otoczone, a także nie bez znaczenia jest zakres wsparcia psychicznego, jakiego doświadczać będą w życiu rodzinnym. Na tę trzecią kwestię przekonująco wskazywali Sameroff i Chandler

(1975), omawiając skutki rozmaitych powikłań przed- i okołoporodowych, między innymi wcześniactwa.

Sameroff i Chandler potwierdzają przekonanie, że wcześniactwo jest czynnikiem ryzyka, chociaż *per se* nie pozwala przesądzać o pomyślności przebiegu rozwoju poznawczego i społecznego w następnych latach. Na takie prognozy można się odważyć dopiero po dokonaniu oceny środowiska, w jakim przyjdzie dziecku dorastać. Jeśli rodzice mogą dostarczyć dziecku doświadczeń, które zrekompensują potencjalne niedobory dziecka przedwcześnie urodzonego, to prognozy będą korzystne. Jeśli jednak nie będą w stanie udzielić mu odpowiedniego wsparcia, a tym bardziej, jeśli będą odnosić się do niego z wrogością, nieprawidłowości ujawnią się w maksymalnym zakresie. A zatem, jeśli chce się w pełni zrozumieć przebieg rozwoju, należy uwzględnić zarówno początkowy stan dziecka, jak i środowisko, w którym będzie ono funkcjonować. Oczywiście istnieje cały szereg aspektów środowiskowych mogących wpływać na przyszły rozwój dziecka, jednak Sameroff i Chandler zidentyfikowali jedną zmienną, która wyjaśnia go w sposób najpełniejszy. Jest nią klasa społeczna. W rodzinach o wyższym statusie społecznym, u dzieci, które w pierwszym okresie rozwoju cierpiały z powodu różnego rodzaju powikłań, rzadko obserwuje się długotrwałe następstwa tych problemów. Z drugiej strony, u dzieci z takimi samymi problemami, wychowujących się w rodzinach o niższym statusie, niekorzystne skutki są o wiele wyraźniejsze. Klasa społeczna to oczywiście obszerna kategoria, obejmująca wiele specyficznych warunków kształtujących konkretne doświadczenia. Są to: liczba zabawek i książeczek dostępnych w domu, doświadczenia językowe, zachęta do nauki, zagęszczenie, odżywianie, adekwatność nauczania itd. Chodzi o to, że to właśnie te trwałe doświadczenia oddziałują wzajemnie z jednorazowymi problemami okołoporodowymi i wspólnie określają w dłuższej perspektywie osiągnięcia rozwojowe dziecka.

Jakość opieki, którą otaczane jest dziecko zależy przede wszystkim od odpowiedzialności rodziców. To właśnie oni dostarczają potomstwu doświadczeń takich, jak stymulacja językowa lub zachęta do nauki. Jeśli ktoś chce pojąć kompensacyjny efekt działania środowiska na dziecko obarczone na samym starcie swego rodzaju kalectwem, wynikającym na przykład ze wcześniactwa, musi koniecznie dogłębnie przyjrzeć się istocie wzajemnych kontaktów między dzieckiem a jego rodzicami. Nie ulega wątpliwości, że urodzenie malutkiego i narażonego na choroby dziecka stanowi dla rodziców bardzo trudne doświadczenie. Ponadto, im bardziej przedwczesny poród, tym bardziej utrudnione tworzenie pierwotnych więzi. Na przykład umieszczenie dziecka w inkubatorze uniemożliwia bezpośredni z nim kontakt, daje poczucie bezradności, gdy to personel medyczny i pielęgniarski, a nie rodzice, odpowiada za opiekę nad dzieckiem. Sytuacja taka rodzi niepewność, co do losu dziecka, której rozwiać nie potrafią nawet doświadczeni specjaliści. Do tego dochodzi jeszcze wpływ na rodziców niekorzystnych, typowych dla wcześniaków cech zachowania (zob. ramka 3.3). Przyznać trzeba, że w tych okolicznościach nawiązanie dających satysfakcję kontaktów z dzieckiem nie jest wcale rzeczą łatwą.

RAMKA 3.3

Kontakt z dzieckiem urodzonym przedwcześnie

Noworodki wcześniacze określa się jako zdezorganizowane behawioralnie, mniej przewidywalne w zachowaniu, mniej zdolne do przystosowania w przypadku zmiany rutynowych procedur, nadmiernie reagujące na jedne i niedostatecznie na inne formy stymulacji, a ponadto mniej atrakcyjne z wyglądu. Wszystkie te cechy wywierają głęboki wpływ na opiekunów i na formy wzajemnych kontaktów społecznych, jakie tworzą się pomiędzy rodzicem a dzieckiem.

Okoliczności, w których rozpoczyna się rozwój społeczny tych dzieci są odmienne pod czterema względami (Eckerman, Oehler, 1992):

1. Kontakty społeczne rozpoczynają się na względnie wcześniejszym etapie rozwoju. Dziecko może w związku z tym nie być jeszcze gotowe do właściwej interpretacji widoków i dźwięków pochodzących od rodziców.
2. Wcześniaki, zwłaszcza z bardzo niską wagą urodzeniową, mogą nie tylko być przedwcześnie urodzone, ale i chore. W szczególności może im grozić powstanie zaburzeń neurologicznych, które spowodują w przyszłości nieprawidłowości zachowania.
3. Okresowi zaraz po porodzie może towarzyszyć silny stres, dlatego zachowania rodziców również mogą być odmienione.
4. Na kontakty społeczne nałożone są pewne ograniczenia fizyczne, wynikające z faktu przebywania dziecka na oddziale intensywnej opieki medycznej, na którym spędza ono pierwszy okres swojego życia. Rodzice mają z nim tylko ograniczony kontakt. Są niekiedy przerażeni obecnością sprzętu, stanowiącego nieodzowny element tego otoczenia, a niekiedy mogą mieć poczucie, że odgrywają tylko poślednią rolę i są mniej ważni od lekarzy i pielęgniarek.

Nic więc dziwnego, że pierwsze kontakty na osi rodzic–dziecko, jak na przykład wpatrywanie się „twarzą w twarz", przybierają inną formę niż obserwowane w przypadku dzieci urodzonych o czasie i ich rodziców. Synchronizacja między rodzicami a dzieckiem jest trudniejsza do osiągnięcia z powodu nienaturalnie zawyżonych lub zaniżonych progów stymulacji. Trudno jest przyciągnąć i utrzymać uwagę dziecka, a podejmowane próby większego zaangażowania się poprzez mówienie i dotykanie go mogą niekiedy skutkować jeszcze większym rozdrażnieniem. W takich warunkach niektórzy rodzice mogą poczuć się odrzuceni i wycofać się z interakcji; czasem konieczne może być specjalne przeszkolenie rodziców.

Lecz nawet w pierwszych tygodniach dziecko potrafi reagować na różne formy stymulacji. Na przykład mowa pozwala na utrzymanie go w stanie czuwania i adekwatnych reakcji wzrokowych, co prawdopodobnie sprzyja kontaktom społecznym. A zatem bez względu na trudności, dzieci te mają potencjał bycia satysfakcjonującymi partnerami społecznymi i rzeczywiście większość z nich nadrabia zaległości w ciągu 3 do 6 miesięcy od narodzin.

Świat w oczach nowo narodzonych dzieci

„Wielki zamęt kolorystyczny i dźwiękowy" – w ten właśnie sposób, publikujący pod koniec XIX w., filozof i psycholog w jednej osobie, William James określił stan umysłowy noworodków. To niezapomniane określenie stało się jednym z najczęściej cytowanych opisów najwcześniejszego okresu dzieciństwa. Szkoda, że tak się stało, gdyż obraz ten jest nieco mylący. Sugeruje on bowiem, że w pierwszych etapach życia psychicznego panuje chaos i nieład, akcentuje brak kompetencji niemowlęcia i zakłada, że porządek w rozwijającym się umyśle może zapanować dopiero pod wpływem dojrzewania i doświadczenia.

Na potwierdzenie tego przekonania możemy przytoczyć panujący jeszcze do niedawna pogląd, że narządy wzroku dziecka są początkowo niezdolne do działania, i że przez kilka początkowych tygodni dzieci są praktycznie rzecz biorąc ślepe. Problem polega głównie na tym, że dzieci nie mogą powiedzieć nam, co widzą. Wielkiej pomysłowości wymaga więc znalezienie sposobu na to, by wejść w ich umysł. Dopiero z nadejściem lat 50. XX w. zaczęło pojawiać się wiele pozwalających na to technik i to wtedy spekulacje ustąpiły miejsca danym empirycznym. Do podstawowych stosowanych dziś metod zalicza się następujące techniki:

- *Technika preferencji.* Jak zauważył to po raz pierwszy Robert Fantz (1956), być może niemowlęta są pod względem ruchowym i językowym niedojrzałe, ale potrafią już badać swoje otoczenie za pomocą wzroku i dzięki temu „powiedzieć" nam co nieco o swych procesach umysłowych. Śledzenie ich uwagi wzrokowej w kontrolowanych warunkach (zob. ryc. 3.4) umożliwia ustalenie nie tylko tego, na *co* dziecko patrzy, ale także na co *woli* patrzeć. Tym sposobem niejednokrotnie już wykazano, że od samego początku dzieci mają określone preferencje wzrokowe. Są to raczej wzorzyste niż gładkie powierzchnie, konkretne przedmioty, a nie dwuwymiarowe obrazy, przedmioty ruchome, a nie statyczne, kontury silnie, a nie słabo skontrastowane, linie załamujące się łagodnie, a nie pod kątem prostym oraz raczej obrazy symetryczne niż asymetryczne.
- *Technika przyzwyczajania.* Kiedy dziecku kilkakrotnie prezentuje się określony obraz, za każdym razem będzie ono zwracało na niego coraz mniejszą uwagę (tzn. przyzwyczai się do niego, czyli nastąpi tzw. habituacja). Wówczas pokazanie innego bodźca wzrokowego, różniącego się od poprzedniego poszczególnymi aspektami, pozwala ocenić, czy w dziecku na nowo rozbudza się zainteresowanie (tj. czy się ono odzwyczaja). A to pozwala określić, czy dziecko widzi różnicę pomiędzy tymi dwoma obrazami, czy nie.
- *Technika ssania nie odżywczego.* Dzieci można szybko nauczyć tego, że potrafią wywołać interesujący je obraz lub dźwięk poprzez sposób, w jaki będą ssać wrażliwy na nacisk sztuczny sutek. To jak silnie i jak długo ssą, wskazuje zakres, w jakim potrafią rozróżnić bodźce, i które z tych bodźców odpowiadają ich preferencjom.

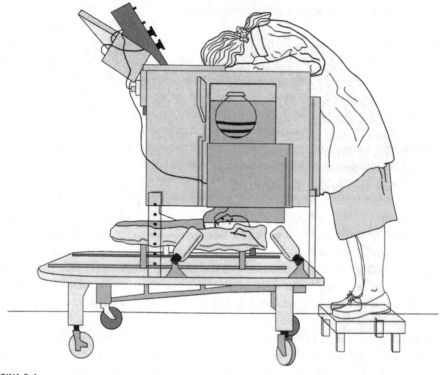

RYCINA 3.4

Aparat rejestrujący uwagę wzrokową dziecka (za: Oates, 1994, s. 98, ryc. 6)

- *Pomiar tętna i oddechu.* Te dwa pomiary zmieniają się w zależności od zainteresowania okazywanego określonym cechom otoczenia, a zatem mogą być stosowane do badania zdolności percepcyjnych nawet bardzo małych dzieci.

Techniki takie jak te wykazały, że noworodek wcale nie jest ślepy, a funkcjonowanie jego wzroku zdezorganizowane. Jest istotą o wiele bardziej kompetentną w tym względzie niż niegdyś uważano. Prawdą jest, że w porównaniu z dorosłymi zmysł wzroku w początkowych miesiącach życia jest pod wieloma względami prymitywniejszy. Ostrość widzenia jest o wiele słabsza niż u dorosłych, podobnie zresztą jak widzenie kolorów i zdolność koordynacji obu oczu. Ponadto, przez pierwsze tygodnie dzieci widzą wyraźnie tylko przedmioty z odległości około 20 cm, te bliżej i dalej będą raczej zamazane. Jednak w realnym świecie noworodków nie jest to żadną wadą, gdyż żaden z tych wyraźnych defektów nie zakłóca ich rozwoju ani nie utrudnia wykonania zadań stojących przed tak małym dzieckiem. Na przykład odległość 20 cm to akurat tyle, ile dzieli twarz dziecka od twarzy matki podczas większości zabiegów pielęgnacyjnych i innych rutynowych kontaktów społecznych. Daje to dziecku wiele okazji do poznania matki i odróżnienia jej od innych ludzi. Malutkie dzieci nie widzą tak dobrze jak dorośli, ale widzą na tyle dobrze, by skutecznie funkcjonować w *roli noworodka* (Hainline, 1998)

Tak czy inaczej, wszystkie niedobory w systemie widzenia, jakie początkowo istnieją, zostają dzięki doświadczeniom wzrokowym szybko przezwyciężone. Znaczy to, że patrzenie ulega poprawie pod wpływem patrzenia. Po części doświadczenie to jest kształtowane przez innych ludzi – przez zabawki, jakich dostarczą, przez śmieszne miny, jakie robią, przez obrazki na ścianach, jakie pokazują itd. Jednak niewybaczalnym błędem byłoby uważać, że dzieci są jedynie biernymi odbiorcami bodźców. Już od najwcześniejszych dni zauważyć można, jak w sposób aktywny badają swoje otoczenie za pomocą wzroku. Szukają interesujących widoków, a tym samym zwiększają własną stymulację. Ruchy gałek ocznych u dziecka zauważyć można jeszcze w łonie matki; występują one nawet w ciemności, co oznacza, że nie są tylko reakcją na bodziec, ale oznaką, że dzieci rodzą się przygotowane do badania otaczających je widoków. Ponadto taka eksploracja nie jest działaniem na chybił trafił. Wygląda na to, że jest prowadzona zgodnie z czterema następującymi „zasadami" (Haith, 1980):

1. W stanie czuwania, pobudzenia i jeśli światło nie jest zbyt ostre, otwórz oczy.
2. W ciemności nie zaprzestawaj systematycznych i szczegółowych obserwacji otoczenia.
3. W świetle, jeśli coś jest pozbawione formy, poszukuj krawędzi poprzez stosunkowo duże poszerzanie i gwałtowne zmienianie pola widzenia.
4. W przypadku znalezienia krawędzi, zaprzestań takiego szerokiego poszukiwania i pozostań w polu wokół tej krawędzi.

Wygląda więc na to, że dzieci przychodzą na świat wyposażone w określone strategie zdobywania wiedzy o nim. Jak się przekonaliśmy, mają specyficzne preferencje, jeśli chodzi o uwagę. Dlatego też dokonują przeglądu otoczenia nie w sposób przypadkowy, lecz aktywnie poszukując tych cech, które w ich ocenie są najważniejsze. A w tym względzie nie ma lepszego przykładu niż zainteresowanie dziecka ludzką twarzą.

Jak już niejednokrotnie wykazano, zwłaszcza za pomocą techniki preferencji, noworodki większą uwagą darzą obrazy przypominające twarz niż jakikolwiek inny obraz. Nie ma w tym nic dziwnego, gdyż twarz jako bodziec wzrokowy posiada prawie wszystkie cechy, które noworodki w sposób wrodzony uważają za godne uwagi. Obraz twarzy to układ złożony, posiadający pewne wzory, jest symetryczny, trójwymiarowy, ruchomy i z reguły pojawia się w odległości optymalnej dla ostrości widzenia. Jak gdyby natura sama zadbała o to, by dzieci reagowały szczególnie na te elementy otoczenia, które są najistotniejsze dla ich przeżycia i dobra, to znaczy na innych ludzi. Na przykład w jednym z eksperymentów dzieciom zaraz po urodzeniu pokazano trzy obrazy przedstawione na

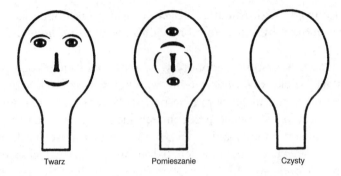

Twarz   Pomieszanie   Czysty

RYCINA 3.5

Bodziec używany w eksperymentach na spostrzeganie twarzy (za: Johnson, Morton, 1991)

ryc. 3.5 i badano zdolność obserwowania ich przez noworodki. Zauważono, że znacznie chętniej badały one obraz nazwany „twarz" niż którykolwiek z pozostałych obrazów. Podsunęło to badaczom myśl, że istnieje wrodzony układ identyfikacji twarzy kierujący uwagą wzrokową noworodków (Johnson, Morton, 1991). Niewykluczone, że układ ten jest tak ustawiony, by identyfikować położenie tylko trzech punktów, tj. w miejscu oczu i ust. Ale i to wymaga, by dziecko weszło w kontakt z opiekunami i tym samym zrobiło jeden krok na drodze ku stworzeniu więzi społecznych.

Jednak dla bardzo małych dzieci jest to jeszcze zupełnie początkowa faza w nabywaniu zdolności skutecznego przetwarzania obrazu twarzy. Jedną z przyczyn jest tak zwany *efekt zewnętrzności*. Dotyczy on tendencji dzieci w początkowych tygodniach życia do zwracania uwagi głównie na obrzeża obiektów, przy jednoczesnym lekceważeniu tego, co się mieści w ich obrębie. Wyjątek stanowią tak znaczące elementy, jak linia włosów i okolice oczu. Zupełnie jak gdyby zdolność do odbierania informacji wzrokowych u tych dzieci była początkowo ograniczona, a umiejętność zwracania uwagi na coraz większą liczbę cech twarzy przychodziła wraz z dojrzewaniem i doświadczeniem (zob. ryc. 3.6). A zatem, początkowo dziecko nie jest świadome tych cech, które odróżniają jedną osobę od drugiej. Pod względem wyglądu, dla takich małych dzieci, wszyscy są do siebie podobni. Johnson i Morton (1991) wyróżniają dwa etapy rozwoju zdolności percepcji twarzy:

1. Obecna od urodzenia tendencja odruchowa, by chętniej niż na inne patrzeć na układy przypominające twarz. Choć nie pozwala ona na ich rozróżnianie, warunkuje u dzieci maksymalne zaznajomienie się z obrazami twarzy ludzkich, a tym samym daje szansę, by z biegiem czasu nauczyć się je rozróżniać.
2. Po kilku tygodniach takiego działania rodzi się u dzieci zdolność rozpoznawania poszczególnych twarzy, przede wszystkim dzięki coraz częstszemu

zwracaniu uwagi na cechy wewnątrz konturu. A zatem na podstawie prostych, wrodzonych preferencji percepcyjnych niemowlęta po kilkakrotnym obejrzeniu stopniowo tworzą reprezentację konkretnych twarzy. Być może pierwszy etap znajduje podstawy w działaniu niższych, prymitywniejszych obszarów mózgu. Drugi natomiast wymaga wyższych funkcji kory mózgowej, które uruchamiają się począwszy od 2. lub 3. miesiąca i stopniowo przejmują kontrolę nad orientacją wzrokową dziecka.

Gdy zajmiemy się zdolnością dzieci do odczytywania bodźców świata *dźwiękowego*, to też okaże się, że nawet bardzo małe dzieci są znacznie bardziej kompetentne niż wcześniej uważano (Aslin, Jusczyk, Pisconi, 1998). Również tu posiadamy dowody na istnienie wrodzonej organizacji zawiadującej aktywnym kierowaniem uwagi na określone cechy środowiska. I w tym przypadku odnoszą się one przede wszystkim do innych ludzi. W momencie urodzenia układ słuchowy w porównaniu ze wzrokowym jest pod wieloma względami bardziej zaawansowany w rozwoju. W gruncie rzeczy działa on już począwszy od 7. miesiąca życia płodowego, gdy dziecko przebywa jeszcze w łonie matki. Jednakże warto zuważyć, że w momencie porodu i zaraz po nim dobrze rozwinięte są preferencje wobec pewnych rodzajów dźwięków. Można to rozpatrywać na trzech poziomach:

1. Na poziomie ogólnym typem dźwięku, który przyciąga uwagę noworodka jest ludzki głos. Testowanie preferencji słuchowych dokonuje się głównie poprzez badanie reakcji orientacyjnych, takich jak odwracanie główki, lub reakcji fizjologicznych, takich jak pomiar tętna. Z reakcji tych wiadomo po-

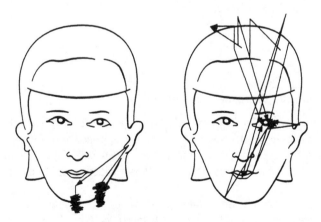

RYCINA 3.6

Linie ruchu gałek ocznych podczas oglądania twarzy ludzkiej przez dziecko jedno- i dwumiesięczne (za: Fogel, Melson, 1988)

nad wszelką wątpliwość, że nawet wcześniaki o wiele żywiej reagują na dźwięki mowy niż na dźwięki innego typu. Pewien zakres selektywnego dostrojenia do głosu ludzkiego jest, jak się zdaje, wynikiem organizacji neuronalnej, z jaką noworodek przychodzi na świat, analogicznie do tego, co widzimy w przypadku układu wzrokowego i preferencji twarzy ludzkich.

2. W obszarze głosów ludzkich noworodki preferują głos dorosłych kobiet. Małe dzieci reagują na mężczyzn, którzy podwyższą ton swojego głosu, jednak wyraźna preferencja wobec kobiet może być wynikiem oddziaływania głosu matki w okresie prenatalnym. Możliwość uczenia się w okresie prenatalnym oraz późniejsza, bardzo wcześnie ujawniająca się zdolność rozpoznawania głosu matki, a nawet odróżniania go od głosu innych kobiet, jest jednym z najbardziej fascynujących odkryć dokonanych w ostatnich latach. Zostało to w sposób bardziej szczegółowy opisane w ramce 3.4.

3. Jeszcze ściślej rzecz biorąc, **mowa udziecinniona** jest sposobem mówienia matki, którego dzieci lubią słuchać najbardziej. Jest to sposób mówienia, który dorośli często przyjmują w sposób niemalże automatyczny w momencie, w którym zaczynają mówić do dzieci. Charakteryzuje się on przesadną intonacją, wyższym tonem oraz częstszym podnoszeniem i obniżaniem głosu. Na przykład kiedy w pewnym eksperymencie nauczono dzieci by obracały główkę na jedną stronę, gdy słyszą normalną mowę, a na drugą, gdy słyszą mowę udziecinnioną, wszystkie z nich częściej obracały główkę w tym drugim kierunku. Istnieje przypuszczenie, że mowa udziecinniona ułatwia dzieciom przyswajanie języka. A jeśli to prawda, to mamy do czynienia z jeszcze jednym przykładem wyposażenia dziecka od samego początku w mechanizmy, które są przydatne w wypełnianiu jego wczesnych zadań rozwojowych.

Mowa udziecinniona to szczególny sposób mówienia dorosłego do dziecka, polegający na tym, że dorosły modyfikuje swój zwykły sposób mówienia, tak by stał się bardziej zrozumiały i przyciągał uwagę dziecka, do którego się zwraca.

RAMKA 3.4

Noworodki potrafią rozpoznać głos matki

Zdolność rozpoznawania konkretnych osób po wyglądzie lub po głosie jest dość skomplikowanym procesem psychicznym i do niedawna sądzono, że niemowlęta w początkowych tygodniach życia nie są w stanie tego dokonać. Dziś już jednak wiemy, że – przynajmniej jeśli chodzi o głos – zdolność ta jest widoczna już w okresie noworodkowym.

W jednym z klasycznych badań, które przeprowadzili DeCasper i Fifer (1980), skorzystano z techniki ssania nie odżywczego. Chciano ocenić, czy dzieci w początkowych trzech dniach życia potrafią odróżnić głos matki od głosu innej kobiety, kiedy czytają one tę samą historyjkę. Dzieci z łatwością nauczyły się, że ssąc sztuczny sutek na dwa różne sposoby powodują włączenie jednego lub drugiego nagrania. Gdy już się tego nauczyły, wyraźnie można było zauważyć preferencje względem głosu matki, objawiające się ssaniem, które sprawiało, że słyszany był głos matki, a nie głos obcej kobiety. Niewątpliwie dzieci te bez problemów potrafiły odróżnić te dwie kobiety.

Istnieją dwa różne możliwe wyjaśnienia tego zjawiska. Jedno zakłada, że dziecko uczy się rozpoznawać głos matki, będąc pod wpływem jego działania po urodzeniu. Lecz wiązałoby się to z niebywale szybkim procesem uczenia się, gdyż dzieci przebywały w swoich pokojach dziecięcych i ich kontakty z matką ograniczone były do zaledwie kilku godzin dziennie. Drugie wyjaśnienie zakłada istnienie zjawiska uczenia się w okresie prenatalnym. Jak już wiemy, w ostatnim trymestrze ciąży dzieci posiadają zdolność słyszenia, a jednym z najczęściej słyszanych dźwięków jest głos matki. Łatwiej jest zatem przyjąć, że wczesne pojawienie się zdolności rozróżniania głosów jest wynikiem dość długiego okresu uczenia się, który w większości przypada na okres przed porodem.

To, co odkryli DeCasper i Fifer zostało poddane weryfikacji w licznych innych badaniach, które przyniosły następujące rezultaty:

* Jedno-, dwudniowe noworodki wyraźne wolały słuchać opowiadania czytanego już przez matkę na głos w okresie sześciu tygodni przed porodem, niż opowiadań, których nigdy wcześniej nie słyszały. Różnicę te zauważyć można było zarówno, kiedy podczas badań czytała je matka, jak i kiedy czytała je inna kobieta (DeCasper, Spence, 1986).
* Noworodki zdecydowanie wolały słuchać melodii nuconej niejednokrotnie przez matkę w czasie ciąży niż innych melodii. Kiedy noworodki, które w czasie ciąży słuchały fragmentów muzyki klasycznej lub jazzu (w zależności od upodobań matki), usłyszały je po urodzeniu, zdecydowanie wolały urywki, które były im już znane (Lecanuet, 1998).
* Dwudniowe dzieci, urodzone przez matki angielskojęzyczne i hiszpańskojęzyczne, kiedy słyszały próbki obu języków wolały słuchać swego „ojczystego" języka (Moon, Panneton-Cooper, Fifer, 1993).
* Noworodki *nie* wolały słuchać głosu ojca niż innego mężczyzny, nawet po 4 do 10 godzin kontaktu z nim po porodzie. Najprawdopodobniej różnica pomiędzy tym odkryciem a doniesieniami dotyczącymi głosu matki wynika z bardziej ograniczonego działania głosu ojca w okresie prenatalnym (DeCasper, Prescott, 1984).
* Noworodkom odtworzono dwie wersje mowy matki: jedna wersja powietrzna (normalna), druga specjalnie przetworzona tak, by symulowała dźwięk słyszany wewnątrz macicy. Dzieci zdecydowanie wolały tę drugą wersję (Moon, Fifer, 1990).

Te różne badania nie tylko ukazują nadzwyczajne zdolności dzieci do subtelnego rozróżniania głosów zaraz po urodzeniu. Sugerują one również, że najbardziej prawdopodobne wyjaśnienia tych wczesnych zdolności zakładają zdolność uczenia się jeszcze w łonie matki. Przynajmniej w tym względzie jesteśmy świadkami pewnej ciągłości życia przed- i poporodowego.

Wzorce działania a mózg

Dzieci to bardzo zapracowane stworzenia. Wcale nie spędzają czasu tylko na jedzeniu, spaniu i płakaniu. Prezentują bowiem także cały szereg zachowań zarówno w reakcji na bodźce zewnętrzne, jak i zupełnie spontanicznych. Wiele z nich przybiera dość prymitywne formy, choć takie odruchy jak oddychanie, ssanie, mruganie oczyma i siusianie wskazują na to, że pod pewnymi względami dziecko może funkcjonować niezależnie. Inne odruchy, jak chwyt dłoniowy i odruch toniczno-szyjny (obracanie główki) przekształcą się w bardziej złożone świadome działania, które można zaobserwować później. Nawet ogólne wiercenie się, któremu dzieci oddają się przez większość czasu, przy bardziej wnikliwej analizie okazuje się nie być przypadkowe. Składają się na nie bowiem rytmiczne, stereotypowe wzorce ruchowe służące jakże ważnej autostymulacji. Ponadto ukazują one, że od samego początku dziecko jest w stanie *inicjować* zachowania, a nie pozostawać jedynie na łasce bodźców zewnętrznych.

Podwaliny wszystkich tych działań położone zostały już w okresie życia płodowego. Jak potwierdzają to zapisy USG, od 36. tygodnia ciąży zaobserwować można zachowania przybierające formę ssania, oddychania i płaczu. Pomimo iż zachowania te do czasu porodu nie pełnią jeszcze swoich funkcji, to wskazują, że ruchowe komponenty zachowań adaptacyjnych dziecka są już obecne. Od 26. tygodnia ciąży wyodrębnić można wyraźne stany snu i czuwania – cykl, który początkowo powtarza się co 40 minut, a w następnych tygodniach ulega coraz to większemu skomplikowaniu. W 32. tygodniu życia można zaobserwować zarówno fazę **snu REM** (ang. *rapid eye movement*, snu aktywnego), jak i fazę **snu typu nie-REM** (snu wyciszonego), a w następnych tygodniach wyróżnić rozmaite

Faza REM ta faza snu, w której mózg znajduje się w stanie czynnym; charakteryzuje się różnymi ruchami ciała, między innymi gwałtownymi ruchami gałek ocznych (ang. *rapid eye movement*, REM).

Faza nie-REM to cichy i najgłębszy okres snu, w którym czynności mózgu są najsłabsze.

TABELA 3.5

Stany snu i czuwania u noworodków

Stan	Opis
Sen spokojny (nie-REM)	Oczy zamknięte i nieruchome, regularny oddech, pełny wypoczynek
Sen aktywny (REM)	Nagłe gwałtowne ruchy gałek ocznych, nieregularny oddech, spontaniczne ruchy takie jak grymasy, oznaki wystraszenia
Sen periodyczny	Powolny oddech naprzemiennie z napadami gwałtownego, płytkiego oddechu
Senność	Oczy otwarte lub zamknięte, oddech zmienny, podwyższona aktywność
Pobudzenie nieaktywne	Spojrzenie jasne i skupione, oddech regularny, ciało spokojne
Pobudzenie aktywne	Częste ruchy we wszystkich kierunkach, wokalizacja, nieregularny oddech, mniejsze skupienie na otoczeniu
Niepokój	Płacz, ruchy ciała we wszystkich kierunkach

stany, jak senność lub stan cichego i aktywnego pobudzenia. Widać więc, że do czasu porodu dzieci potrafią już dzielić swój czas na stany odpoczynku i aktywności, w zakresie od wielkiego pobudzenia do głębokiego snu (zob. tab. 3.5).

Stany te, i ich cykliczne zmiany, stanowią ramy rozkładu dnia zarówno dla dzieci, jak i dla ich opiekunów. A zatem, stan nieaktywnego pobudzenia jest czasem, w którym dziecko kieruje swoją uwagę na otoczenie, a tym samym okresem optymalnym dla oddziaływań społecznych i poznawania świata. Jednakże dla rodziców najważniejsze jest to, jak długo i kiedy dziecko śpi. Noworodki śpią średnio 16 do 17 godzin na dobę, chociaż niektóre mogą spać 11, a inne 21 godzin. W początkowych tygodniach wyróżnić można wiele krótkich okresów snu, przerywanych i przeplatanych w ciągu dnia okresami przebudzenia, które są krótsze od okresów snu. Bardzo szybko jednak okresy zarówno snu, jak i czuwania stają się dłuższe i mniej przypadkowo rozrzucone w ciągu doby. Stopniowo wyłania się regularny wzorzec dobowy i z biegiem czasu dziecko staje się bardziej znośną istotą dla zmęczonych już rodziców (zob. ryc. 3.7).

Powyższe zmiany następują w wyniku różnego rodzajów nacisków środowiskowych na dziecko, w szczególności pochodzących od rodziców chcących podporządkować wszystko swoim preferencjom. W ten sam sposób rytm karmienia

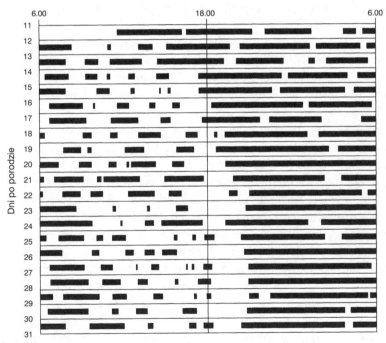

RYCINA 3.7

Okresy snu i czuwania pewnego dziecka, dla każdego dnia pomiędzy 11. a 31. dobą życia; czarne linie oznaczają sen (za: Sander i in., 1979)

dziecka zmienia się z takiego, który jest „naturalny" na taki, który jest społecznie preferowany zdaniem danej matki lub „właściwy" w pojęciu danej kultury. Dzieci przychodzą na świat z pewnymi wrodzonymi cechami – rytmem karmienia, cyklem snu–czuwania itd., jednakże muszą się one dostosować do potrzeb zewnętrznego świata. Na szczęście cechy te są stosunkowo elastyczne i pierwsze kroki socjalizacyjne względem dziecka mogą zostać podjęte już krótko po urodzeniu.

To, do czego dziecko jest zdolne, zależy od stopnia rozwoju jego mózgu. Z kolei rozwój mózgu zależy w znacznej mierze od tego, co i jak często dziecko robi. A zatem, z jednej strony rozwój mózgu w okresie płodowym i wczesnym niemowlęctwie przebiega z niebywałą prędkością, umożliwiając dziecku prezentowanie coraz to większej liczby działań. Natomiast z drugiej strony stymulacja zwrotna doświadczana w wyniku angażowania się w poszczególne czynności odgrywa istotną rolę pobudzającą do dalszego rozwoju mózgu. Dzieci chowane w warunkach znacznie ograniczonej stymulacji będą zatem opóźnione w rozwoju, gdyż samo dojrzewanie nie jest wystarczającym czynnikiem warunkującym zmiany zachowania. Brak możliwości trenowania zdolności sprawia, że rozwój psychomotoryczny jest spowolniony i będzie postępował w złym kierunku. Mózg, doświadczenie i zachowanie pozostają więc ze sobą w ścisłym związku od początku życia dziecka.

Podsumujmy zatem kilka znanych faktów na temat rozwoju mózgu w początkowym okresie życia (więcej szczegółów zob.: van der Molen, Ridderinkoff, 1998):

- Jeszcze w okresie życia płodowego rozwój mózgu wyprzedza rozwój pozostałych części ciała. Na przykład pomiędzy 4. a 6. miesiącem życia płodowego waga mózgu zwiększa się czterokrotnie. W wyniku tego głowa dziecka w momencie urodzenia jest nieproporcjonalnie duża względem reszty ciała (zob. ryc. 3.3, s. 75).

- Wzrost wagi i objętości mózgu w okresie płodowym wynika ze wzrostu liczby neuronów (komórek mózgu). Uważa się, że dziennie powstaje około 250 000 neuronów, dając na koniec ogólną liczbę setek bilionów.

- Wzrost ten trwa jeszcze przez kilka początkowych lat życia (zob. ryc. 3.8). Dlatego w momencie narodzin mózg dziecka stanowi około 25% wagi mózgu dorosłego człowieka, a po trzech miesiącach osiąga już 40% tej wagi. Po pół roku osiąga połowę wagi docelowej (jeżeli chodzi o całe ciało, to osiągnie ono połowę wagi dorosłego dopiero około 10 r. ż.).

- Wzrost wagi i objętości po porodzie nie jest wynikiem dalszego przyrostu liczby neuronów, lecz w całości wynika ze wzrostu liczby połączeń (synaps) między neuronami. W wieku 2 lat pojedynczy neuron może mieć do 10 000 różnych połączeń z innymi komórkami. Tworzy się w ten sposób dość skomplikowana sieć odzwierciedlająca zdolność wykonywania coraz bardziej wyszukanych czynności umysłowych przez małe dziecko.

- Jednakże liczba synaps nie zwiększa się wprost proporcjonalnie do wieku. Około 2. r. ż. rozpoczyna się proces „przycinania" i dochodzi do wyelimino-

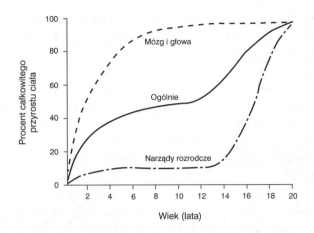

RYCINA 3.8

Względne wskaźniki rozrostu mózgu, narządów rozrodczych i ogólnych rozmiarów ciała (za: Tanner, 1962)

wania połączeń synaptycznych niepotrzebnych jednostce oraz do reorganizacji dróg łączności z mózgiem, by dostosować je do wzorców życia dziecka.

- Rozwój mózgu nie postępuje równomiernie we wszystkich jego obszarach, lecz rozpoczyna się od dołu i postępuje ku górze. Struktury podkorowe, „stare" części, które dzielimy z innymi ssakami, rozwijają się jako pierwsze, natomiast kora mózgowa, która kontroluje wyższe funkcje psychiczne, rozwija się na końcu, a na dobrą sprawę rozwija się jeszcze przez całe dzieciństwo.
- Rozwój nie jest równomierny nawet w obrębie kory mózgowej. Na przykład obszar potyliczny, odpowiedzialny za widzenie, dojrzewa dużo wcześniej niż obszar przedczołowy, który odpowiada za poszczególne funkcje wykonawcze, takie jak uwaga lub planowanie.

Rozwojowi strukturalnemu towarzyszy rozwój funkcjonalny, co oznacza, że komórki stają się coraz bardziej wyspecjalizowane w tym, co robią. By to zrozumieć, trzeba zwrócić uwagę na różnice pomiędzy dwoma różnymi systemami nerwowymi mózgu noworodków (Greenough, Black, Wallace, 1987):

1. *System oczekiwania doświadczenia* odnosi się do tych ścieżek nerwowych, które zostały ustanowione już w momencie porodu i dotyczą tych doświadczeń i czynności, które są powszechne dla całego gatunku ludzkiego. Odnoszą się one głównie do odruchów i funkcji mających zasadnicze znaczenie dla przeżycia, takich jak ssanie, oddychanie, regulacja ciepłoty ciała. Dziecko potrzebuje ich natychmiast. Są one zatem „uprzednio zainstalowane" i mimo iż niektóre z nich mogą wymagać pewnego doświadczenia, po to by działać skutecznie, istnieją zasadniczo jako skutek genetycznego zaprogramowania, typowego dla wszystkich przedstawicieli gatunku i same od początku „wiedzą", co robić.

2. *System zależności od doświadczenia* obejmuje ścieżki nerwowe, które w momencie porodu nie mają ściśle określonych funkcji. To, czym się będą zajmować zależy w całości od doświadczeń sensorycznych, pod których wpływem pozostaje jednostka. W wyniku doświadczania określonych bodźców tworzą się lub wzmacniają specyficzne połączenia nerwowe. Dzieci uzyskują te połączenia powoli, w wyniku uczenia się i doświadczania. O ile system oczekiwania doświadczenia dość wcześnie musi być gotowy do działania, o tyle ten system będzie się rozwijał przez całe życie. Skoro zatem różne jednostki mają różne doświadczenia, system ten będzie odzwierciedlał osobisty styl życia każdego człowieka.

A zatem niektóre aspekty budowy mózgu są określone genetycznie, zaś rozwój innych jest szyty na miarę doświadczeń konkretnej jednostki. Przykładem na to może być dwustopniowy rozwój postrzegania twarzy wspomniany na s. 90–91. Prawdę mówiąc, rozróżnienie między tymi dwoma systemami nie jest jednoznaczne i odzwierciedla raczej tendencje niż ścisłe rozgraniczenie w trybie działania. Uczenie się i doświadczenie istotnie odgrywają pewną rolę w ustalaniu systemu oczekiwania doświadczenia, jednakże niektóre sposoby spostrzegania lub działania zostaną przyswojone bardzo szybko, gdyż układ nerwowy jest już na nie przygotowany. Jeśli zaś chodzi o system zależny od doświadczenia, tworzenie połączeń komórek jest procesem stosunkowo powolnym i wymaga wielokrotnego działania tych samych bodźców wzrokowych i słuchowych. Wszystkie połączenia komórek, które nie zostaną w ten sposób wykorzystane lub umocnione, najprawdopodobniej zostaną odrzucone.

Chociaż mózg jest coraz lepiej zorganizowany w zakresie strukturalno-funkcjonalnym, nadal zaobserwować można jego pewną *plastyczność*. Różne partie mózgu mogą przejąć konkretne funkcje, które uprzednio obsługiwane były przez inne jego obszary. Jest to szczególnie istotne, kiedy niektóre regiony mózgu ulegają uszkodzeniu w wyniku urazu lub z jakichś innych powodów nie mogą spełniać swych normalnych funkcji. Jednakże plastyczność jest w znacznym stopniu zależna od wieku. Dowody (opisane w ramce 3.5) świadczą o tym, że im młodsze dziecko, tym większe szanse na to, że inne partie mózgu zrekompensują uszkodzenia, do jakich doszło w określonym obszarze. Tak czy inaczej, młody mózg nie ma jeszcze ostatecznie określonego sposobu funkcjonowania, jak gdyby nie został od razu zaprogramowany w całości.

RAMKA 3.5
Uszkodzenia mózgu a jego plastyczność

Uszkodzenia mózgu mogą nastąpić w każdym czasie: w okresie prenatalnym, w wyniku działania szkodliwych substancji, które przedostają się do organizmu matki, w okresie okołoporodowym, podczas porodu, który nie przebiega jak należy, w każdym momencie dzieciństwa w wyniku wypadku, choroby lub złego traktowania. Uszkodzenie tak ważnego narządu należy traktować poważnie. Tkanki mózgu nie mogą się odnawiać – cała nadzieja więc w tym, że inne części mózgu przejmą funkcje części uszkodzonych. Jaki jest możliwy zakres plastyczności mózgu?

To, czy poszczególne partie mózgu odpowiadają za konkretne aspekty funkcjonowania psychicznego od dawna pozostawało źródłem kontrowersji, które do tej pory nie zostały rozwiane. Bez wątpienia w pewnym stopniu mamy do czynienia z lokalizacją. Na przykład język zasadniczo zlokalizowany jest w lewej półkuli kory mózgowej, zdolności przestrzenne w prawej. Co zatem dzieje się z tymi funkcjami, jeśli przypisane im obszary kory zostają uszkodzone? Odpowiedź zależy, jak się wydaje w dużej mierze, choć nie w 100%, od wieku dziecka, gdyż powrót do pełni sprawności po uszkodzeniu mózgu lepiej udaje się u dzieci młodszych niż u starszych. Zależy też jednak od tego, czy uszkodzenie jest dwu- czy jednostronne oraz od tego, jakie aspekty psychicznego funkcjonowania zostały upośledzone.

Zasadne wydaje się wyróżnienie trzech okresów rozwojowych (Goodman, 1991):

1. *Okres życia prenatalnego i wczesnego niemowlęctwa*. W tym czasie odzyskanie sprawności funkcjonowania nawet w przypadku obustronnego uszkodzenia może okazać się nadzwyczaj pomyślne, jeżeli chodzi o konkretne zdolności. Nie uszkodzone części mózgu są w stanie przejąć funkcje, których normalnie by nie obsługiwały. Plastyczność w tym okresie jest olbrzymia i ciągle możliwa jest nawet największa reorganizacja neuronów.

2. *Dzieciństwo aż do osiągnięcia dojrzałości*. Jeżeli chodzi o jednostronne uszkodzenia, to prognozy co do uzyskania pełnej sprawności są nadal dość dobre, lecz nie dotyczy to już uszkodzeń obustronnych. Nadal możliwe jest przeniesienie funkcji z jednej półkuli do drugiej. Na przykład funkcje językowe po uszkodzeniu lewej półkuli mogą zostać „odtworzone" w półkuli prawej.

3. *Dorosłość*. O wiele większe prawdopodobieństwo, że zarówno uszkodzenia jedno-, jak i dwustronne wywołają skutki o charakterze trwałym. Organizacja neuronalna nie jest już tak elastyczna, jak to było w latach wcześniejszych. Na przykład po uszkodzeniu lewej półkuli dorośli nigdy nie odzyskają pełni funkcji językowych. Prawdopodobnie prawa półkula jest już w zbyt znacznym stopniu wyspecjalizowana, by przejąć funkcje, do których wcześniej nie była przewidziana. Mimo to, w pewnym stopniu odzyskanie niektórych funkcji jest jeszcze możliwe. Nawet po zakończeniu okresu dojrzewania mózg nie jest w pełni ustrukturalizowany i dopuszcza pewien zakres reorganizacji (Nelson, Bloom, 1997).

Ogólnie rzecz biorąc, wiek jest najistotniejszym czynnikiem, jeśli chodzi o prognozy. Jednakże, wiele zależy również od tego, czy upośledzenie dotyczy takich zdolności, jak język i orientacja wzrokowo-przestrzenna, czy też ogólnej inteligencji. O ile wczesne uszkodzenie mózgu *rzadziej* prowadzi do konkretnych deficytów, takich jak afazja, o tyle w przypadku wpływu uszkodzenia na ogólne zdolności intelektualne jest odwrotnie. Wczesne uszkodzenie o wiele *częściej* jest powodem ogólnego obniżenia inteligencji, a to prawdopodobnie z powodu potencjalnie większego prawdopodobieństwa powstania niewłaściwych połączeń i nieprzydatnych ścieżek przekazu informacji podczas reorganizacji neuronalnej (Rutter, Rutter, 1993).

A zatem rozwijający się mózg jest jednocześnie bardziej odporny, jak i bardziej wrażliwy na uszkodzenia niż mózg dorosłego. Stopień odzyskania sprawności zależy od trzech czynników: od wieku, w którym nastąpiło uszkodzenie, od tego, czy obie półkule uległy uszkodzeniu oraz od rodzaju skutków, jakie ono wywołało (konkretne zdolności czy ogólna inteligencja).

Dostosowanie rodziców

Noworodki muszą dostosować się do wszystkiego, z czym przyjdzie im spotykać się w świecie zewnętrznym, również do rodziców. Ale z drugiej strony rodzice również muszą się przystosować do pojawienia się nowego członka rodziny. W większości przypadków jest to okres wielkiej radości. Jednak bywa też, że dla niektórych małżeństw wiąże się to z różnego rodzaju stresem, zwłaszcza, gdy rodzi się pierwsze dziecko. Stres ten może przybierać następujące formy (Sollie, Miller, 1980):

1. *Obciążenia natury fizycznej.* Szczególnie uciążliwy jest przerywany sen, ale wszystkie aspekty opieki nad w pełni zależną istotą mogą być przyczyną zmęczenia. Zwłaszcza, gdy opiekę nad dzieckiem trzeba wpleść w rozkład pozostałych obowiązków domowych, z których rodzice nie mogą zrezygnować.
2. *Koszty emocjonalne.* Być może radość i szczęście wynikające z pojawienia się dziecka w całości wypełniają umysły rodziców. Jednak świadomość tego, że dobro, a nawet życie dziecka zależą od nich, może być źródłem napięcia bardziej wyczerpującego niż obciążenia fizyczne.
3. *Ograniczenie innych możliwości.* Zależność dziecka od rodziców w sposób nieunikniony narzuca im nowy styl życia, ograniczając zarówno możliwości pracy, jak i wypoczynku. Matka musi niekiedy porzucić pracę zawodową, a to pociąga za sobą finansowe konsekwencje dla całej rodziny. Oboje rodzice rzadziej mogą angażować się w zajęcia poza domem i ogólnie rzecz biorąc liczba zajęć w życiu, które od tego momentu będą wieść, będzie mniejsza niż dotychczas.
4. *Ograniczenia dla pożycia małżeńskiego.* Podczas gdy w wielu przypadkach dziecko zbliża do siebie rodziców, to w innych pogarsza (przynajmniej na jakiś czas) ich wzajemne stosunki. Para w tym momencie staje się trójką i odtąd zazdrość, zakłócenie kontaktów seksualnych oraz stres wynikający z trzech powyższych czynników przyczyniać się mogą do ograniczenia bliskości, którą mąż i żona cieszyli się wcześniej.
5. Pary różnią się znacznie między sobą pod względem pomyślnego wchodzenia w stan rodzicielstwa (Heinicke, 2002). Różnice te wynikają z wielu czyn-

ników. Zalicza się do nich wiek i dojrzałość rodziców, ich relacje z własnymi rodzicami, zakres wsparcia społecznego, na jakie mogą liczyć, poziom zadowolenia z pożycia małżeńskiego przed pojawieniem się dziecka oraz stopień depresji poporodowej, jakiej może doświadczać matka (zob. ramka 3.6). W procesie adaptacji rodziców nie należy zapominać o jeszcze jednym czynniku, mianowicie o samym dziecku. Jeśli, z racji wrodzonego temperamentu, wcześniactwa, choroby lub upośledzenia, noworodek zalicza się do dzieci „trudnych", rodzice nie tylko doświadczają silniejszych stresów związanych z wejściem w nową rolę, ale w przypadku bardziej kruchych związków grozi to dalszym oddalaniem się partnerów. (Putnam, Sanson, Rothbart, 2002).

RAMKA 3.6

Depresja poporodowa i jej wpływ na dzieci

Miejsce wielkiej radości, jaką sprawia matce urodzenie dziecka, bardzo często zajmuje depresja poporodowa (tzw. *baby blues*). Ponad połowa świeżo upieczonych matek w początkowych dniach po urodzeniu doświadcza uczucia obniżenia nastroju i dochodzi u nich do głosu postawa „mam to w nosie". Jednak dla większości symptomy te mają charakter krótkotrwały i najprawdopodobniej wynikają ze zmęczenia fizycznego. Z drugiej jednak strony, dla grupy ok. 10 do 15% depresja poporodowa jest długotrwała i przybiera silniejsze formy.

U kobiet tych można zaobserwować wszystkie oznaki depresji klinicznej: uczucie bezradności i rozpaczy, nieracjonalny lęk, utrzymujące się obniżenie nastroju, osłabienie koncentracji i zaburzenia snu. W większości przypadków objawy te stopniowo ustępują po okresie od 6 do 8 tygodni po porodzie. U innych kobiet (szacunki mówią o 1 do 2%), symptomy te widoczne są nawet po roku i dłużej, i przyjmują formę pełnoobjawowego zaburzenia psychicznego. Ogólnie rzecz biorąc, zaburzenie to częściej dotyczy kobiet, które nie planowały ciąży, nie mają wsparcia ze strony partnera albo w których życiu niedawno nastąpiły jakieś drastyczne zmiany, takie jak utrata pracy lub śmierć kogoś bliskiego. Choć czynniki te nie są bez znaczenia, to prawdziwe przyczyny depresji poporodowej nadal pozostają nieznane. Często wskazuje się na zmiany hormonalne związane z powrotem organizmu matki po porodzie do stanu normalnego funkcjonowania.

Jaki jest wpływ depresji poporodowej na dzieci? Biorąc pod uwagę wspomniane symptomy depresji, nie będzie dla nikogo zaskoczeniem, że w takich warunkach relacje pomiędzy dzieckiem a matką nierzadko ulegają zaburzeniu (omówienie zob. Cummings, Davies, 1994a; Radke-Yarrow, 1998). Jak wskazują obserwacje prowadzone w okresie niemowlęctwa, matki wydają się być obecne tylko ciałem, zaś zupełnie oddalone od dziecka pod względem psychicznym. Zauważyć można u nich objawy wycofania. Są niewrażliwe na stan dziecka. Nie reagują na jego sygnały. Brak im emocjonalnego ciepła, a niekiedy mogą nawet okazywać wrogie nastawienie. Dzieci reagują na to kopiując objawy depresji matki. Rzadziej się uśmiechają, za to częściej płaczą. Często można u nich zaobserwować oznaki wycofania i braku energii. Wykazują mniejsze zainteresowanie otoczeniem i zabawą. Pod względem emocjonalnym zazwyczaj obserwuje się u nich bardziej negatywne niż pozytywne zachowania. Zamiast radości i zainteresowania – smutek i gniew. Tego typu reakcje widać nawet wtedy, gdy przebywają z innymi niż matka osobami, co pokazuje, że istnieje pewne ryzyko wykształcenia u nich spaczonego modelu kontaktów społecznych.

Długotrwałe obserwacje tych dzieci, jakich podjęła się wraz z zespołem Lynn Murray (np. Murray i in., 1996; Murray i in., 1999: Sinclair, Murray, 1998) wykazały, że pewne sytuacje nie pozostają bez echa i można zaobserwować długotrwałe skutki depresji poporodowej, nawet gdy choroba matki trwała zaledwie kilka miesięcy. Następstwa te częściej obserwuje się u chłopców (którzy w początkowych latach życia są na ogół bardziej podatni na stres fizyczny i psychiczny niż dziewczynki), i dotyczą one raczej aspektów społeczno-emocjonalnych rozwoju niż funkcji poznawczych. A zatem dzieci obserwowane przez Murray w 2. r. ż. częściej niż dzieci, których matki nie cierpiały na depresję, wykazywały szereg problemów w zachowaniu i prezentowały pozabezpieczny model przywiązania do rodzica. Potem, w wieku 5 lat słabiej reagowały na matki, większe było prawdopodobieństwo wystąpienia u nich różnych zaburzeń emocjonalnych oraz wykazywały raczej tendencję do zabaw wymagających niskiego zaangażowania fizycznego niż do czynności twórczych. Podobnie, zdaniem ich nauczycieli, były one nieco mniej dojrzałe, a jednocześnie bardziej nadpobudliwe i roztargnione. Jednak pod innymi względami nie różniły się niczym od dzieci z grupy kontrolnej. Kontakty z rówieśnikami i nauczycielami były typowe dla pięciolatków. Chociaż inni badacze zaobserwowali u takich dzieci pewne deficyty poznawcze, w tej grupie badanej nie udało się ich potwierdzić.

Wyniki tych badań wykazały, że depresja poporodowa matki, nawet jeśli trwa tylko przez kilka początkowych miesięcy życia dziecka, może wywoływać długotrwałe skutki. Częściej obserwuje się je u chłopców niż u dziewczynek i dotyczą one tylko niektórych aspektów zachowania. Świadczy to o tym, że dzieci te stanowią grupę ryzyka, która jeszcze długo po powrocie matki do zdrowia wymagać będzie opieki.

Podsumowanie

Życie dziecka rozpoczyna się w momencie zapłodnienia, nie porodu. Rozwój w okresie prenatalnym i po porodzie to jeden i ten sam proces. To, co wydarzy się przed urodzeniem się dziecka może mieć ogromny wpływ na jego późniejsze osiągnięcia.

Dotyczy to przede wszystkim indywidualnego dziedzictwa genetycznego, które ma wpływ na wszelkie aspekty funkcjonowania psychicznego.

Jednakże poza paroma chorobami genetycznymi, zależność ta jest o wiele bardziej złożona. Nieznany jest bowiem przypadek, by jakaś szczególna cecha psychiczna określona była tylko przez jeden gen. Ponadto, prawie we wszystkich przypadkach dziedzictwo genetyczne jest zaledwie jednym z ważnych czynników. Jak wykazały badania z zakresu genetyki zachowania, przebieg rozwoju jest wynikiem połączenia wpływów natury *i* wychowania.

Okres prenatalny dzielimy na stadium zarodkowe, stadium embrionalne i stadium płodowe, w trakcie których dokonują się kolejne zmiany rozwojowe, a dziecko narażone jest na różnego rodzaju niebezpieczeństwa. Szczególnie widoczne jest to we wczesnym okresie życia płodowego, gdy następuje najszybszy rozwój mózgu. Wtedy dziecko jest najbardziej podatne na działanie różnych *teratogenów*, tj. szkodliwych czynników wynikających ze stosowania używek, z nieodpowiedniej diety lub wystąpienia chorób, które mogą przeniknąć przez łożysko i spowodować długotrwałe nieprawidłowości fizyczne i psychiczne. Zatem łono matki nie jest środowiskiem stuprocentowo bezpiecznym. Już nawet nie narodzone dziecko pozostaje pod wpływem czynników zewnętrznych, chociaż zwykle muszą one najpierw przeniknąć przez organizm matki.

Poród dziecka może mieć różny przebieg. Nie istnieją jednak dowody świadczące o tym, że ten przebieg mógłby mieć jakiekolwiek długotrwałe skutki psychologiczne, za wyjątkiem przypadków, w których mózg noworodka ulega uszkodzeniu. Z drugiej jednak strony rozwój wcześniaków w początkowych miesiącach po porodzie może nie być prawidłowy. Jeśli dojdzie do tego jeszcze niewłaściwe środowisko społeczne, to wcześniactwo może okazać się czynnikiem ryzyka wystąpienia problemów obserwowanych nawet w późniejszym okresie dzieciństwa.

Wbrew temu, że kiedyś uważano noworodki za istoty pozbawione wszelkich umiejętności i „puste" pod względem psychicznym, najnowsze badania wykazały, że przychodzą one na świat wyposażone już w całkiem pokaźny zasób zdolności. Na przykład wzrok i słuch są rozwinięte w stopniu pozwalającym kierować się w stronę innych osób. Wzorce ruchowe, obejmujące ssanie, oddychanie i płacz, można zaobserwować już pod koniec okresu płodowego, co wskazuje na to, że mózg noworodka jest w tym czasie rozwinięty wystarczająco, by regulować cały zakres podstawowych funkcji koniecznych do życia w świecie zewnętrznym. Zatem nie jest on jedynie pustą skrzynką czekającą na wypełnienie doświadczeniami i funkcjonującą tylko na zasadzie reakcji na bodźce zewnętrzne. Rozwój mózgu jest raczej procesem uzależnionym od działania: noworodki aktywnie poszukują doświadczeń współgrających z naturą ich mózgu, a z kolei gromadzenie takich doświadczeń popycha naprzód dalszy jego rozwój.

Dla rodziców wejście w fazę rodzicielstwa to zasadniczy krok wymagający reorganizacji relacji wewnątrzrodzinnych i czasem drastycznych zmian stylu życia. Większość rodziców nie ma poważnych trudności z wprowadzeniem koniecznych zmian. U niektórych jednak pojawiają się pewne napięcia, a skutki depresji poporodowej zarówno dla matki, jak i dla dziecka mogą być bardzo dotkliwe.

Literatura dodatkowa

Bateson, P., Martin, P. (1999). *Design for a Life: How Behaviour Develops*. London: Vintage. Bardzo przyjemne w czytaniu opracowanie na temat sposobu, jakimi różne aspekty natury i wychowania współdziałają prowadząc do powstania jedynej w swoim rodzaju jednostki – opis tego procesu autorzy oparli na dowodach naukowych, przy obszernym odwołaniu się do literatury.

Ceci, S. J., Williams W. M. (red.) (1999). *The Nature-Nurture Debate: The Essential Reading*. Oxford: Blackwell. Zbiór artykułów poruszających rozmaite istotne problemy związane z dyskusją na temat natury i wychowania, wskazujący na to, jak różnorodne konsekwencje może ona mieć dla poznania przebiegu rozwoju psychicznego.

Kellman, P. J., Arterberry, M. E. (1998). *The Cradle of Knowledge: Development of Perception in Infancy*. Boston: MIT Press. Raport z tego, czego udało się nam dowiedzieć na temat sposobów, jakimi dzieci zaczynają postrzegać świat i jak ich perspektywa zmienia się z czasem oraz tego, jak rodzi się wiedza.

Plomin, R. i in. (1997). *Behavioral Genetics* (wyd. trzecie). New York: W. H. Freeman [wyd. pol. *Genetyka zachowania* (tłum. E. Czerniawska, K. Duniec). (2001)]. Prezentuje to, co wiemy na temat roli genetyki w psychologii, z zamiarem przedstawienia czytelnikowi metod i odkryć z dziedziny genetyki zachowania. Dla początkujących nie jest to lektura łatwa, ale daje satysfakcję.

van der Molen, M. W. Ridderinkoff, K. R. (1998). *The growing and aging brain: Life-span changes in brain and cognitive functioning.* W: A. Demetriou, W. Doise, C. F. M. van Lieshout (red.) *Life--span Developmental Psychology,* Chichester: Willey. Zwięzłe omówienie rozwoju mózgu na przestrzeni życia, przedstawiające zarys struktur ośrodkowego układu nerwowego oraz takich aspektów funkcjonalnych, jak plastyczność mózgu, wzajemne oddziaływania między neuronami oraz skutki starzenia się tego organu począwszy od życia prenatalnego do dojrzałości.

Literatura uzupełniająca w języku polskim

Bee, H. (2004). Rozwój prenatalny i narodziny. W: *Psychologia rozwoju człowieka* (tłum. A. Wojciechowski). (s. 65–103). Poznań: Zysk i S-ka Wydawnictwo.

Oniszczenko, W. (red.) (2002). *Geny, środowisko a zachowanie* (tłum. K. Duniec). Warszawa: Wydawnictwo Naukowe PWN.

Schaffer, H. R. (1981). *Początki uspołecznienia dziecka* (tłum. Z. Skwirczyńska-Masny). Warszawa: PWN.

Schaffer, H. R. (1994). Społeczny kontekst rozwoju psychobiologicznego. W: A. Brzezińska, G. Lutomski (red.). *Dziecko w świecie ludzi i przedmiotów* (tłum. A. Brzezińska, K. Warchoł). (s. 72–95). Poznań: Zysk i S-ka Wydawnictwo.

Strelau, J. (1990). *Rola temperamentu w rozwoju psychicznym.* Warszawa: WSiP.

Rozdział 4

Tworzenie związków

Istota związku 106

Rodzina 109
    Rodzina jako system 109
    Typy rodzin a rozwój dziecka 115
    Rozwód i jego skutki 119

Rozwój przywiązania 122
    Istota i funkcje przywiązania 123
    Droga rozwoju 124
    Przywiązanie bezpieczne i pozabezpieczne . . . 128
    Wewnętrzne modele operacyjne 132

Relacje między rówieśnikami 135
    Relacje poziome i pionowe 136
    Wpływ relacji rówieśniczych na rozwój . . . 138
    Status w grupie rówieśniczej 140

Podsumowanie 143

Literatura dodatkowa 144

Literatura uzupełniająca w języku polskim . . . 144

Dorastanie można uznać za proces składający się z szeregu zadań rozwojowych, które stają przed człowiekiem w określonej kolejności i w określonym wieku, i z którymi dzieci, z pomocą opiekunów, muszą się zmierzyć. Zadania te zawarte są na wielu listach. Lista przedstawiona w tab. 4.1 jest jedną z tych, które koncentrują się na wczesnym dzieciństwie. Jest to okres, kiedy zadania rozwojowe pojawiają się nagle i następują po sobie o wiele szybciej niż w jakimkolwiek innym czasie (Sroufe, 1979). Ich pojawianie się zależy głównie od zaprogramowania genetycznego, jednak przebieg realizacji zależy już w dużej mierze od dorosłych odpowiedzialnych za opiekę nad dzieckiem. Wszystkie funkcje psychiczne rozwijają się w kontekście społecznym. Bez względu na to, jak silne uwarunkowania genetyczne leżą u podstaw pojawiania się nowych właściwości i w jakim stopniu odpowiadają za przejście na wyższy poziom funkcjonowania, żadne zdolności nie będą mogły się rozwijać, jeśli opiekun nie będzie wspierał, utwierdzał i zachęcał dziecka do wysiłków.

A zatem nawiązanie kontaktów z innymi ludźmi jest jednym z głównych zadań życiowych dziecka i, jak widzimy w tab. 4.1, także jednym z najwcześniejszych. W ostatnich latach wiele dowiedzieliśmy się o sposobach tworzenia i manifestowania przez dzieci pierwotnego przywiązania. Dotyczy ono zazwyczaj rodziców. Sporną kwestią pozostaje to, czy – tak, jak przed wieloma laty uważał Freud – istota pierwszych związków rzutuje w znacznym stopniu na wszystkie późniejsze bliskie relacje. Bez względu na to, jaka byłaby odpowiedź, tworzenie związków pozostaje jedną z najważniejszych życiowych kwestii. Weźmy pod uwagę wszystkie relacje, w jakich znajdzie się dziecko – z rodzicami, rodzeństwem, dziadkami i dalszymi krewnymi, innymi opiekunami w domu i poza nim, z przyjaciółmi i innymi rówieśnikami, z nauczycielami na wszystkich poziomach edukacji, a także z przedstawicielami płci odmiennej, począwszy od okresu dojrzewania. Każdy z tych związków jest tak pełny, złożony, a zarazem subtelny, że nierzadko brak nam odpowiednich słów by go opisać. Ale jedno jest pewne, związki te tworzą

TABELA 4.1

Zadania w okresie wczesnego rozwoju

Faza	Wiek w miesiącach	Zadania	Rola opiekuna
1	0–3	Regulacja potrzeb fizjologicznych	Uspokajanie
2	3–6	Opanowanie napięcia	Czułość i współdziałanie
3	6–12	Stworzenie skutecznego przywiązania	Dostępność i otwartość
4	12–18	Eksploracja i biegłość	Bezpieczna baza
5	18–30	Autonomia	Niezawodne wsparcie
6	30–54	Opanowanie impulsów, utożsamianie się z rolą płciową, nawiązanie kontaktów z rówieśnikami	Wyraźnie określone role i wartości, elastyczna samokontrola

Źródło: Sroufe (1979).

kontekst, w którym rozwijają się wszystkie funkcje psychiczne. To poprzez te związki dzieci spotykają się ze światem zewnętrznym, dowiadują się, co ważne i warte uwagi, uczą się nazw i środków porozumiewania się, a w dalszej kolejności wyrabiają w sobie sposób spostrzegania własnej osoby w stosunku do świata. Pewne jest również to, że różnice w sposobie spostrzegania przez dzieci własnych związków z innymi ludźmi mogą mieć głęboki wpływ na konkretne ścieżki rozwojowe, którymi będą kroczyć. A zatem zrozumienie procesu tworzenia się związków jest kluczem do zrozumienia przebiegu rozwoju dziecka.

Istota związku

Wszyscy z własnego doświadczenia posiadamy wiedzę na temat związków międzyludzkich i poświęcamy sporo czasu na zastanawianie się nad nimi. Niepowodzenie w nawiązaniu bliższych kontaktów, nieporozumienia, konflikty i rozstania są przyczyną wielkich dramatów. Natomiast szczęśliwe i pomyślne relacje stanowią podstawę naszego poczucia komfortu i bezpieczeństwa. Specjaliści, tacy jak pracownicy socjalni, psychiatrzy i psychologowie społeczni, podejmując jakiekolwiek działania w kierunku pomocy lub wsparcia, skupiają się głównie na związkach swych podopiecznych z innymi ludźmi. Dopiero niedawno pojawiły się zaczątki nauki zajmującej się związkami międzyludzkimi. Ma ona na celu przede wszystkim umożliwienie nam obiektywnej analizy tego, co dzieje się między ludźmi (Hinde, 1997). Podsumujmy, zatem to, co już wiemy na ten temat:

- Relacji nie można obserwować w sposób bezpośredni, można co najwyżej wysnuwać na ich temat różne wnioski na podstawie obserwacji. To, co możemy obserwować, to *interakcje* między ludźmi: dotykanie się, całowanie, rozmawianie, krzyczenie, bicie i inne widoczne i słyszalne przejawy. Dopiero utrzymujące się przez dłuższy czas jakiegoś typu relacje dają podstawy do wnioskowania o charakterze istniejącego związku. Zatem, jeśli mamy do czynienia z rodzicem, który często w czasie wielu kontaktów bije dziecko, to taki związek określamy mianem agresywnego. To całokształt zachowań, a nie pojedyncze epizody pozwalają wnioskować na temat rodzaju związku. Kontakty są więc zjawiskiem zachodzącym „tu i teraz", podczas gdy charakter relacji zakłada istnienie stałości zachowań w ciągu określonego czasu. To zasadnicza różnica, a te dwa terminy (tj. związek i kontakt) często są mylone i używane zamiennie.
- Nawet jeśli rodzaj związku określamy na podstawie zachowań, to związek jest czymś więcej niż tylko sumą kontaktów stanowiących podstawę tych wniosków. Każdy z nich ma unikatowe cechy charakterystyczne, których nie znajdziemy w innych związkach (Hinde, 1997). Zastanówmy się nad takimi cechami związku, jak wierność i intymność lub oddanie. Żadne z tych określeń nie nadaje się do opisu konkretnego, pojedynczego zachowania. Podobnie też,

cechy wzajemnych kontaktów takie jak częstotliwość, wzajemność lub energia nie nadają się do ogólnej charakterystyki związku. Zatem dla celów opisowych konieczne jest rozróżnienie obu poziomów analizy.

- Poziom wzajemnych stosunków nie jest jedyną istotną rzeczą przy próbie zrozumienia związku. Rycina 4.1 przedstawia, sporządzony przez Hindego (1992), schemat ukazujący różne pod względem złożoności poziomy związków, od indywidualnych procesów fizjologicznych do funkcjonowania społecznego. Zatem, chcąc w pełni zrozumieć istotę związku, najlepiej byłoby, gdybyśmy uwzględnili też wszystkie pozostałe poziomy, tj.: grupę lub rodzinę, która stanowi najbliższy kontekst związku, indywidualność każdej osoby pozostającej w związku, społeczeństwo, do którego ona należy, a także środowisko fizyczne i otoczenie kulturowe stanowiące tło związku. W praktyce jednak wszystko to jest zbyt skomplikowane do ogarnięcia, więc staramy się ograniczyć do bardziej bezpośrednich aspektów. Ważne jest uznanie, że są to odrębne poziomy. Dlatego, na przykład, interakcje nie powinny być ujmowane jako suma indywidualnych cech ich uczestników. Powinny być natomiast uznawane za element składowy związku.

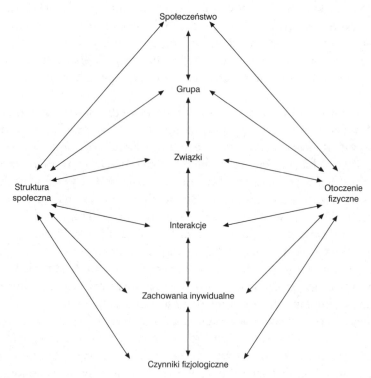

RYCINA 4.1

Relacje pomiędzy kolejnymi poziomami struktury społecznej (za: Hinde, 1992)

- Związek to zjawisko obustronne. Być może wyda się to oczywiste, ale pisząc o relacjach rodzic-dziecko psychologowie długo pomijali ten aspekt. Socjalizację dziecka przedstawiali raczej jako proces w jednym kierunku – od rodzica do dziecka. Miało to być jakby rzeźbienie w glinie – rodzice kształtowali poddające się im biernie dziecko, nadając mu taki kształt, o jakim sami w sposób autorytarny zdecydowali. Dziś już wiadomo, że każdy związek lub kontakt nawet z maleńkim dzieckiem ma charakter obustronny, a wpływ dziecka na rodzica jest ogromny, choć inny od tego, jaki ma rodzic na dziecko. Socjalizację natomiast można pojąć pod warunkiem, że uznamy, iż to proces dwu- a nie jednostronny. Skupienie się na cechach tylko jednego partnera (starszego lub silniejszego) nie pozwoli na pełne objaśnienie przebiegu rozwoju dziecka.
- Związki nie funkcjonują w izolacji od pozostałych relacji. Każdy związek łączy się z innym związkiem. Omówimy to szerzej w następnym podrozdziale, poświęconym rodzinie. Tymczasem zaznaczmy jedynie, że pojedyncze związki funkcjonują w sieci innych powiązań. To, co dzieje się pomiędzy małżonkami, rzutuje na ich indywidualne kontakty z dziećmi, a to, co zachodzi pomiędzy rodzeństwem odbija się na kontaktach dzieci z matką itd. Podobnie, badania nad konfliktami małżeńskimi wykazały wyraźnie, że w takich sytuacjach cierpią też relacje rodzic-dziecko. To, co zachodzi w jednym punkcie sieci, odbija się zatem szerokim echem w innych jej fragmentach.

Rodzina

Pierwsze relacje dziecka w znakomitej większości zawiązują się w obrębie rodziny. Ta mała intymna grupa stanowi podstawowy układ i scenerię wprowadzania dziecka w życie społeczne. Tutaj uczy się ono reguł zachowań międzyludzkich i to rodzina będzie później służyć mu jako bezpieczna baza, do której można powrócić, gdy dziecko będzie zbyt zmęczone światem zewnętrznym. Z punktu widzenia licznych zmian społecznych, jakie dokonały się w ciągu ostatnich 50 lat – rozwody, samotne rodzicielstwo, odwrócenie ról męża i żony, związki homoseksualne, rodzicielstwo zastępcze i rodziny mieszane – okazało się, że definicja rodziny musi ulec poszerzeniu, a wpływ różnych odmian rodziny na rozwój dziecka musiał stać się jednym z głównych obszarów badań. Problemem tym zajmiemy się później, a tymczasem zastanówmy się, w jaki sposób możemy rozważać problemy współczesnej rodziny bez względu na jej formę.

Rodzina jako system

Zastanówmy się nad przykładem rodziny składającej się z dwojga rodziców i jednego dziecka, tak jak to przedstawiono na ryc. 4.2. Mamy tu do czynienia z trze-

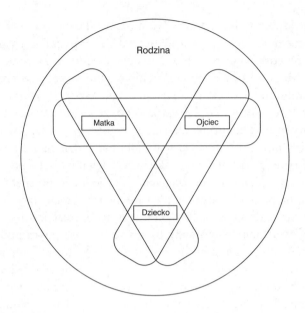

RYCINA 4.2

Rodzina i jej podsystemy

ma aspektami: indywidualnymi członkami, relacjami pomiędzy nimi, i rodziną jako całością. Jednakże rodzina nie jest jedynie sumą poszczególnych części; jest również dynamicznym tworem rządzącym się swymi prawami. By właściwie scharakteryzować taki organizm, warto w rozważaniach nad rodzinami zastosować pojęcia **teorii systemowej.**

Teoria systemowa to szczególny rodzaj opisu takich instytucji, jak rodziny. Są one postrzegane zarówno jako całość, jak również jako zbiór podsystemów, które w razie potrzeby można potraktować jako odrębne jednostki.

Teorię systemową można odnieść do wszelkiego rodzaju złożonych organizacji, ale okazała się ona szczególnie trafna w przypadku rodzin (Minushin, 1988). Teoria ta opiera się na trzech zasadach:

- *Całościowość.* System to zorganizowana całość, większa niż jej poszczególne części. Nie można zatem poznać jej właściwości badając jedynie poszczególne komponenty. Jeśli chodzi o rodzinę, oznacza to, że nie można jej uważać za sumę ani poszczególnych jej członków, ani ich wzajemnych relacji. Posiada ona swoje własne właściwości, takie jak spójność lub atmosfera emocjonalna, które nie odnoszą się do żadnego z pozostałych poziomów. Poznanie wszystkiego, co dotyczy wszystkich członków i relacji pomiędzy nimi nie mówi nam niczego o grupie jako takiej.

- *Integralność podsystemów.* Złożone systemy składają się z podsystemów, które są ze sobą powiązane. Każdy taki związek również może być uważany za podsystem i sam w sobie poddany badaniu. Jeśli chodzi o rodzinę, to okazuje się, że za systemy mogą być uważane nie tylko relacje między członkami,

ale także relacje pomiędzy ich relacjami. Zatem wzajemne powiązania związku męża i żony ze związkiem matki i dziecka mogą stanowić odrębny problem
badań.

● *Cyrkularność wpływów*. Wszystkie komponenty w obrębie systemu są wzajemnie od siebie zależne. Zmiany dotyczące jednego z nich pociągają za sobą
zmiany pozostałych składowych. Stwierdzenia typu „A powoduje B" nie są
więc właściwe, gdyż wpływy jednego komponentu na inny charakteryzują się
pełną wzajemnością. W przypadku rodziny stało się to jednym z najważniejszych, choć jednocześnie najtrudniejszych do uchwycenia wniosków. Proste
stwierdzenia przyczynowe, zwłaszcza dotyczące zależności rodzic–dziecko, stały
się niemalże stwierdzeniami zdroworozsądkowymi. Jednakże w świetle niejednokrotnie wykazywanej *wzajemności* wpływów w relacjach społecznych, nawet pomiędzy dzieckiem a dorosłym, konieczne się staje zastąpienie takiego
myślenia linearnego ujęciem cyrkularnym. Rycina 4.3 ilustruje wzajemność jeżeli chodzi o pewne aspekty funkcjonowania rodzinnego. Zachowanie dziecka
pozostaje pod różnymi wpływami, ale jednocześnie oddziałuje na zachowanie
obojga rodziców. Ponadto, oddziałuje na i pozostaje pod wpływem relacji pomiędzy ojcem a matką, a to z kolei pozostaje pod wpływem i oddziałuje na
istotę działań rodzicielskich. Tak więc, każdy aspekt systemu jest we wzajemnej
relacji z każdym innym aspektem. Natomiast mówienie, dajmy na to, tylko
o wpływie sposobu wychowania na zachowanie dziecka daje obraz niepełny.

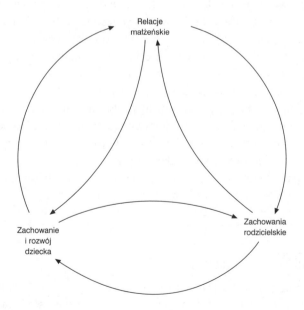

RYCINA 4.3

Wzajemność wpływów w rodzinie (za: Belsky, 1981)

- *Stabilność i zmiana.* Systemy takie, jak rodziny i związki mają charakter otwarty, tj. mogą pozostawać pod wpływem czynników zewnętrznych. Zmiany w obrębie jednego komponentu pociągają za sobą zmiany w pozostałych komponentach i zależnościach między nimi. Nagłe pojawienie się czynnika stresującego, spowodowanego na przykład utratą pracy przez ojca lub wypadkiem dziecka, nie pozostanie bez wpływu na resztę członków rodziny i ich wzajemne relacje, a nawet może zachwiać równowagą panującą w całej rodzinie.

By zilustrować sposób traktowania rodziny jako systemu zajmiemy się dwoma kwestiami. Pierwsza odnosi się do wzajemności relacji: co dzieje się, gdy jeden podsystem wpływa na pozostałe podsystemy rodziny. Najwięcej uwagi poświęcono dotąd wpływom jakości związku rodziców na zdolności przystosowawcze dziecka, przy założeniu, że dobre pożycie małżeńskie przekłada się na dobre relacje rodzic–dziecko, a te z kolei prowadzą do optymalnego rozwoju dziecka. Kiedy natomiast rodzicom nie układa się razem, spodziewać się można, że relacje z dzieckiem też zaczną ulegać pogorszeniu. Dowody potwierdzają tego typu przypuszczenia (zob. Cummings, Davies, 1994). Pożycie małżeńskie ma wpływ na tak rozmaite aspekty rozwoju dziecka, jak jakość przywiązania, skuteczne strategie uczenia się, kontrola pobudzenia czy dojrzałość emocjonalna. Dysponując takimi wynikami oczywiście trudno się oprzeć konkluzji, że dziecko rozwija się dobrze, *ponieważ* między jego rodzicami dobrze się układa. Innymi słowy, zachowane rodziców jest przyczyną, a rozwój dziecka skutkiem. Jest to jednak zbyt prosty sposób rozumowania, przed którym teoria systemowa nas przestrzega, gdyż zależność wpływów może mieć też kierunek odwrotny albo nawet oddziaływać w sposób cyrkularny (zwrotny). A zatem cechy charakteru dziecka, które ujawniają się zaraz po urodzeniu mają wpływ na sposób, w jaki rodzice się nim zajmują, a także na ich pożycie małżeńskie. Szczególnie łatwo to zauważyć, gdy dziecko stwarza „trudności" z powodu upośledzania. Napięcie, jakie towarzyszy opiece nad takim dzieckiem, może niekiedy wpływać negatywnie na wzajemne relacje między małżonkami, co w konsekwencji przyczynia się do powstawania warunków niekorzystnych dla prawidłowego rozwoju dziecka. Proste stwierdzenia przyczynowo-skutkowe, jak widać, nie są w stanie oddać złożoności procesów zachodzących w takich szczególnych sytuacjach rodzinnych (więcej szczegółów zob. ramka 4.1).

RAMKA 4.1

Rodziny z dziećmi upośledzonymi

Dawniej badania psychologiczne nad dziećmi upośledzonymi skupiały się prawie wyłącznie na ich cechach indywidualnych: inteligencji, przystosowaniu, opanowaniu emocji itd. Później zaczęto także zawracać uwagę na wzajemne stosunki i relacje z tymi dziećmi, ze szczególnym uwzględnieniem relacji matka–dziecko i tego, czym różnią się one od kontaktów matek z dziećmi zdrowymi (Marfo, 1988). Dopiero niedawno przyjęto jeszcze jeden sposób podejścia, w którym badacze wykorzystują ramę pojęciową rodziny jako systemu by zrozumieć zgromadzone wyniki i rzucić nieco światła na rozwój dzieci upośledzonych (przegląd zob. Hoddap, 2002).

Co do tego, że każdego rodzaju upośledzenie dziecka wywiera wpływ na pozostałych członków rodziny nie ma wątpliwości. Szczególnie dotyczy to matek: na przykład wskaźnik depresji jest wśród nich znacznie wyższy niż wśród matek dzieci zdrowych. To samo dotyczy ojców, u których wskaźnik depresji, jak również takich symptomów, jak brak poczucia własnej wartości i obniżenie chęci dominacji przewyższają wskaźniki odnotowane dla grupy kontrolnej. Pozostałe dzieci w rodzinie również nie są obojętne na wpływ tej sytuacji. Ryzyko wystąpienia zaburzeń emocjonalnych i zachowania zarówno u starszego, jak i u młodszego rodzeństwa jest wyższe niż norma dla porównywalnej grupy wiekowej.

Odnotowano również skutki dla relacji wewnątrzrodzinnych i ról pełnionych w gospodarstwie domowym. Według niektórych badań wskaźnik rozwodów w takich rodzinach jest wyższy i istnieje powszechna zgodność co do tego, że prawdopodobne jest wystąpienie kłopotów małżeńskich. Dzieje się tak zwłaszcza, gdy rodzice w różny sposób reagują na to upośledzenie, na przykład matka prezentuje nadmierne zaangażowanie, a ojciec wycofanie. Jednakże niektórzy ojcowie wykazują większe zaangażowanie w opiekę, zwłaszcza, gdy dziecko upośledzone pozostaje długo lub stale niesamodzielne. Z tego powodu rola rodzeństwa też może ulec zmianie, gdyż może ono być proszone o wykonywanie niektórych zadań za upośledzone dziecko. Zwłaszcza w przypadku starszych sióstr wiąże się to z przejęciem części obowiązków matki. A zatem charakter i podział ról w całej rodzinie ulega zmianie, zwłaszcza, gdy stan dziecka wymaga drastycznych zmian w rozkładzie codziennych zajęć, ograniczenia zewnętrznych kontaktów społecznych i możliwości odpoczynku lub wyjazdów.

Upośledzenie dziecka jest więc sprawą całej rodziny, a z kolei to, jak zareaguje rodzina wpłynie na jego rozwój. Weźmy jednak pod uwagę jeszcze dwie sprawy. Po pierwsze sposób radzenia sobie z tym problemem przez rodziny jest bardzo zróżnicowany: nie zawsze jest to wpływ niekorzystny, a to zróżnicowanie reakcji tylko po części można wyjaśnić stopniem upośledzenia. Ważne są też inne czynniki, takie jak wsparcie, na jakie mogą liczyć rodzice, a także pierwotna spójność rodziny. Dlatego też jedną z obecnie badanych kwestii jest to, w jaki sposób rodziny są w stanie skutecznie stawiać czoła wyzwaniu, jakim jest upośledzenie dziecka. Należy podkreślić, że rodziny dalekie są od biernych reakcji. Wręcz przeciwnie, rodzice aktywnie poszukują sensu przedstawienia upośledzonego dziecka światu i to, jaki sens znajdą, będzie kształtować ich dalsze zachowania. Jeśli więc dominować u nich będzie poczucie winy i odpowiedzialności, spodziewać się można, że ich styl życia zmieni się w większym stopniu, niż gdy upośledzenie będzie odbierane w sposób obiektywny i bezosobowy. Jednak w niektórych przypadkach członkowie rodziny różnią się między sobą pod względem sensu, jaki znaleźli, i jeśli te różnice są znaczne, może to spowodować trudności w funkcjonowaniu rodziny jako całości (Gallimore i in., 1989).

Wykazano także istnienie innych zależności pomiędzy rozmaitymi aspektami funkcjonowania rodziny. Jednym z przykładów jest zależność pomiędzy relacjami małżeńskimi a tymi, jakie obserwuje się pomiędzy rodzeństwem. Jak już niejednokrotnie wykazano (np. Dunn i in., 1999), im bardziej wrogie wzajemne nastawienie małżonków do siebie, tym mniejsze ich zadowolenie ze wspólnego pożycia i tym większe prawdopodobieństwo współzawodnictwa i konfliktów między dziećmi z takiego małżeństwa. Jak widać, jakość jednego związku jest ściśle związana z jakością innych relacji. I znów nie sposób powstrzymać się od rozumowania przyczynowo-skutkowego, że wrogość małżonków można uznać za czynnik odpowiedzialny za podwyższone ryzyko wystąpienia wrogości pomiędzy rodzeństwem. Może to wynikać z pójścia za przykładem rodziców lub z tworzenia w rodzinie atmosfery napięcia i braku zadowolenia, albo w sposób pośredni ze zmiany podejścia do dzieci, zaniedbania lub złego traktowania. Niewykluczone, że mamy do czynienia z takim wpływem, ale pod uwagę należy wziąć też fakt, że zależność ta może działać w przeciwnym kierunku. To znaczy, że konflikt pomiędzy rodzeństwem jest źródłem napięcia w związku rodziców z powodu różnic, co do sposobów poradzenia sobie z sytuacją lub ogólnej atmosfery sporu spowodowanej zachowaniem rodzeństwa. Nie zapominajmy także o innej możliwości, mianowicie, pewną rolę odgrywać tu będą także czynniki genetyczne, wspólne dla poszczególnych członków rodziny. Podobne predyspozycje wywołują podobne zachowania, bez względu na czynniki środowiskowe. Bez wątpienia rozdzielenie tych wszystkich czynników stanowi nie lada wyzwanie i dopóki nie będziemy w stanie tego zrobić, bezpieczniej pewnie będzie uznać, że wszystkie wspomniane czynniki mogą pomóc wyjaśnić zaobserwowane zależności.

Podejście do rodziny jako do systemu ilustrują jeszcze inne sytuacje. Wpływ na całą rodzinę wywrzeć może także sytuacja, która początkowo dotyczy tylko jednego z jej członków. Weźmy pod uwagę utratę pracy przez ojca, doświadczenie, które nie dotyczy tylko jednej osoby, lecz uderza także w resztę rodziny. Widać to w zmianie wzajemnych stosunków i zachwianiu równowagi w całej rodzinie. Te zmiany zaś muszą kiedyś wpłynąć na zachowania ojca. Wyraźnie widać to w jednym z klasycznych badań przeprowadzonych przez Glen Elder (Elder, 1974; Elder, Caspi, 1988) nad skutkami Wielkiego Kryzysu – kryzysu gospodarki amerykańskiej na początku lat 30. XX w., który spowodował gwałtowne zwiększenie bezrobocia i pogorszenie sytuacji materialnej. Analizując reakcje grup rodzinnych, na które składało się dwoje rodziców i dorastające dzieci, Elder próbowała prześledzić przesunięcia w zakresie ról ekonomicznych i pełnionych w domu, jakie zaszły w rodzinach w wyniku utraty możliwości zarobkowania przez ojca. Sami ojcowie, nie będąc już dłużej żywicielami rodziny, nie wiedząc, jaką rolę przyjąć i cierpiąc z powodu obniżającego się morale, usuwali się na plan dalszy. Obowiązek utrzymania rodziny spadał na kobiety, zwłaszcza w tych rodzinach, w których matka mogła podjąć pracę i stać się główną żywicielką. W miarę pogarszania się warunków materialnych tych rodzin nową wartość zyskiwały nastoletnie dzieci.

Potrzebne były, by zarabiać i wykonywać prace domowe. Zatem niektórzy synowie zdołali zdobyć pracę, chociaż nie w pełnym wymiarze i bez kwalifikacji, podczas gdy córki pod nieobecność pracującej matki brały na siebie obowiązek prowadzenia domu. W wyniku przyjęcia na siebie dodatkowych obowiązków, dla tych młodych ludzi dzieciństwo skończyło się szybciej. Stali się oni bardziej niezależni i w przeciwieństwie do swoich rówieśników bardziej odpowiadały im wartości świata dorosłych. Krótko mówiąc, rodzina jako całość stała się zupełnie innym organizmem, a zmiany, jakie w niej zaszły – zwrotnie – wpływały na emocjonalne reakcje ojca wobec jego traumatycznych doświadczeń.

Przyjęło się, że próbując wyjaśnić zachowanie jednostki lub rozwój jakiegoś związku, skupiamy się na tym jednym problemie zaniedbując wszystkie inne aspekty. Teoria systemowa natomiast pokazuje, iż wszystkie te aspekty są ze sobą nierozerwalnie połączone i, jeśli celem jest pełne zrozumienie problemu, muszą one być brane pod uwagę. Ułatwia to spojrzenie na rodzinę jako na jednostkę dynamiczną, stale dążącą do stanu równowagi. Jakakolwiek zmiana – narodziny, zgon, choroba, bezrobocie, wyjazd na studia lub do pracy za granicę – powoduje zachwianie równowagi systemu i skłania do przyjęcia nowych ról, form wzajemnych relacji i wewnętrznych wzorców. System w końcu się dostosuje i osiągnie nowy stan równowagi. Zmiany zachodzą równolegle na wszystkich poziomach: poziomie indywidualnym, poziomie relacji i poziomie całej rodziny. Dlatego dopiero ich łączne ujęcie pozwala na wgląd w sposób przystosowania konkretnej rodziny.

Typy rodzin a rozwój dziecka

Czym jest rodzina? Kiedyś odpowiedź była prosta. Rodzina to grupa ludzi składająca się z mężczyzny (żywiciela) i kobiety (gospodyni domowej, opiekunki), którzy są ze sobą na stałe związani małżeństwem, oraz z dzieci, jakie ta para wydała na świat. Taka tradycyjna rodzina uważana była za podłoże stabilności społeczeństwa, a ponadto uznawana za zasadniczy kontekst wychowania dobrze przystosowanych dzieci.

Znaczne zmiany społeczne, jakie nastąpiły w połowie XX w. w całym zachodnim świecie, zburzyły ten tradycyjny ideał. Małżeństwo nie jest już uważane za konieczny warunek życia rodzinnego; gwałtownie wzrósł współczynnik rozwodów; powszechne stało się samotne rodzicielstwo. Wiele dzieci jest świadkami kolejnych małżeństw swych rodziców i mieszka z ojczymami lub macochami. Spory odsetek matek pracuje poza domem, a przez to w życiu rodzinnym występuje wiele różnych układów, jeśli chodzi o dzielenie się opieką nad dziećmi. W dzisiejszych czasach dziećmi zajmują się również ojcowie, a niekiedy to oni stają się głównymi opiekunami dziecka. Pary tej samej płci, męskie lub żeńskie, też coraz częściej uważane są za właściwy układ. Zmiany te miały duży rozmach i następowały zadziwiająco szybko, będąc jednocześnie źródłem poważnych wątpliwości co do skutków dla rozwoju psychicznego dziecka wychowywanego w tak niekonwencjonalnych warunkach.

Wiele z dziś dostępnych wyników badań rzuca nieco światła na ten problem. Podsumujmy główne spostrzeżenia (więcej szczegółów zob.: Golombok, 2000):

- *Praca zawodowa matki* jest, statystycznie rzecz biorąc, najczęstszym przypadkiem odchylenia od tradycyjnych norm i źródłem wielu kontrowersji, zwłaszcza, jeśli chodzi o bardzo małe dzieci. Jednakże dostępne dziś wyniki wielu badań wykazują, że wnioski na temat skutków takiej sytuacji nie są jednoznaczne, ponieważ istnieje wiele czynników łagodzących jej wpływ, nie sposób udzielić odpowiedzi w kategoriach „dobre lub złe". Zalicza się do nich zdolność matki do radzenia sobie z obciążeniami tą nową rolą, wsparcie ze strony ojca lub krewnych, jakość motywacji matki do pracy i wpływ tej pracy na jej morale, jakość i skutki zastępczej opieki zorganizowanej dla dziecka. Zatem zastosowanie prostego modelu przyczynowo-skutkowego, gdzie praca matki będzie przyczyną, a rozwój dziecka skutkiem, nie jest trafne. Praca zawodowa matki wpleciona jest w kontekst wielu innych zmiennych, które należy wziąć pod uwagę, i które również wywierają pewien wpływ – niebezpośredni, ale poprzez zmianę wzorców zachowań. Bez większego ryzyka możemy więc wnioskować, że przy sprzyjających warunkach, dzieci matek pracujących mogą mieć korzystniejszą sytuację niż dzieci matek niepracujących. W dużym stopniu dzieje się to za sprawą szerszych kontaktów z dorosłymi i rówieśnikami w placówkach opieki dziennej; nie bez znaczenia jest też to, iż nawet w przypadku bardzo małych dzieci, dwudziestoczterogodzinna opieka matczyna nie jest wcale warunkiem koniecznym do prawidłowego rozwoju dziecka (Gottfried, Gottfried, Bathurst, 2002).
- *Samotne rodzicielstwo* znacznie rozpowszechniło się w ciągu ostatnich dziesięcioleci. Główną przyczyną tego stanu rzeczy stała się rosnąca liczba rozwodów, ale również to, że małżeństwo nie stanowi już dla wielu kobiet *przymusu*. Czy dzieci wychowujące się z jednym rodzicem są przez to w jakiś sposób poszkodowane? Bezpośrednie porównanie takich dzieci z rówieśnikami posiadającymi oboje rodziców wskazują, że tak. Gorzej wypadają pod wieloma względami, między innymi przystosowania emocjonalnego, kompetencji społecznych, samowiedzy i osiągnięć edukacyjnych. Lecz czy wynika to jedynie z faktu posiadania jednego rodzica? Domów z jednym rodzicem wcale nie wyróżnia tylko brak jednego z małżonków; są one też w gorszej sytuacji finansowej, a dzieci częściej od swych rówieśników żyją w niedostatku materialnym. Jeśli pominiemy skutki niskich dochodów i towarzyszący im wysoki poziom stresu u matki, to rzeczywiście domy samotnych rodziców niczym nie różnią się od domów rodzin pełnych. Tak, jak w przypadku pracy zawodowej matki, pod uwagę należy wziąć tu cały szereg innych zmiennych. Oprócz dochodu rodziny, znaczenie

ma też powód samotnego rodzicielstwa (dzieci wdów radzą sobie lepiej niż dzieci rozwódek), wiek matki (nastolatki są raczej mniej kompetentne jako matki i napotykają więcej problemów), ilość czasu spędzonego z niemieszkającym razem ojcem lub inną osobą pełniącą funkcje ojca, wsparcie społeczne, na jakie może liczyć matka oraz jej osobiste zdolności radzenia sobie ze stresem. Samotne rodzicielstwo jest zatem wplecione w sieć innych uwarunkowań społecznych i osobistych. Dlatego też fakt, że dzieci samotnych rodziców rzeczywiście stanowią grupę podwyższonego ryzyka wystąpienia jakiegoś rodzaju trudności rozwojowych, w większości jest skutkiem działania innych czynników niż jedynie samotne rodzicielstwo (Weinraub, Horvath, Gringlas, 2002).

- *Mężczyźni jako główni rodzice*, choć jest to nadal rzadkie zjawisko, nie są tak jak dawniej uważani za coś niezwykłego. Uczestnictwo ojców w wychowaniu dzieci stało się bardziej powszechne i coraz więcej dzieci wzrasta w rodzinach, w których głównym opiekunem jest ojciec. Ponieważ matki – jako odpowiednio przygotowane fizycznie i jakoby mające wrodzony instynkt macierzyński – od dawna uważane były za „naturalnych" rodziców, to każde odchylenie od tradycyjnego podziału obowiązków budziło wiele podejrzeń spowodowanych przekonaniem, że mężczyźni w opiece nad potomstwem nigdy nie dorównają kobietom. Istnieje spory zakres różnic kulturowych, jeśli chodzi o zaangażowanie ojców w wychowanie dzieci, co świadczy o tym, że istniejące różnice płciowe są w tej sprawie raczej skutkiem przyjętych konwencji społecznych, niż nierozerwalnym elementem bycia kobietą lub mężczyzną. Co do skutków wychowywania dzieci przez mężczyzn, wyniki nielicznych badań w tej kwestii nie wskazują na to, by dzieci te różniły się w jakiś sposób pod względem rozwoju od innych. Ponadto, bezpośrednie obserwacje mężczyzn w roli głównego opiekuna wykazały, że są oni tak samo zdolni do okazywania ciepła i wrażliwości, jak kobiety. Krótko mówiąc, osiągnięcia rozwojowe nie zależą wcale od płci głównego opiekuna, a tylko od rodzaju relacji w każdym konkretnym związku rodzic–dziecko (Parke, 2002).

- *Pary homoseksualne jako rodzice* budzą prawdopodobnie więcej kontrowersji niż każda inna forma odbiegającego od tradycyjnego układu rodzinnego. Między innymi pojawiły się obawy, że tak „nienaturalny" kontekst musi niekorzystnie wpłynąć na rozwój dziecka, wprowadzając zamęt, zwłaszcza co do tożsamości seksualnej. Mimo iż jest to ciągle stosunkowo nowy przedmiot badań, wyniki dotąd opublikowane są zdecydowanie zgodne. Porównania dzieci wychowywanych przez pary lesbijskie lub gejowskie z dziećmi wzrastającymi w rodzinach heteroseksualnych, nie wykazały żadnych różnic w jakimkolwiek aspekcie ich społecznego, emocjonalnego lub intelektualnego funkcjonowania. Także śledzenie ich losów aż po okres dorosłości nie wykazało, by ich tożsamość lub orientacja płciowa były zaburzone przez sam fakt posiadania dwojga rodziców tej samej płci. Ponadto, badania nad umiejętnościami rodzicielskimi zarówno par gejowskich, jak i lesbijskich wskazują, że są one tak

samo zdolne do rodzicielstwa, ciepłe i zorientowane na dziecko jak pary hete-
roseksualne, a w świetle niektórych badań, robią to nawet lepiej niż pary tra-
dycyjne. Prawdopodobnie spowodowane jest to większą motywacją w obliczu
sceptycznie nastawionego otoczenia. Zatem opinia, że dziecko dla zdrowego
rozwoju potrzebuje rodziców obu płci, nie znajduje potwierdzenia w tych wynikach (Golombok, 2000)

Badano również inne formy nietradycyjnych rodzin (ramka 4.2 opisuje szczegółowo jedno z najnowszych zjawisk – kiedy dzieci przychodzą na świat w wyniku zastosowania „sztucznych" środków, przy użyciu dostępnych dziś najnowszych
technik reprodukcji). Po przeanalizowaniu wszystkich badań nad wpływem charakteru rodziny na rozwój dziecka, nasuwa się jeden wniosek, mianowicie, że:
struktura rodziny odgrywa o wiele mniej ważną rolę niż jej funkcjonowanie
(Schaffer, 1998). Niejednokrotnie wykazano, że zmienne strukturalne, takie jak
liczba rodziców, ich płeć, biologiczne pokrewieństwo z dzieckiem i role, jakie
przyjmują mają niewielki wpływ na rozwój psychiczny dziecka. Natura ludzka jest
tak elastyczna, że pozwala dziecku właściwie się rozwijać bez względu na układ
rodzinny. O wiele ważniejsza jest jakość relacji panujących pomiędzy jednostkami
zamieszkującymi jedno gospodarstwo domowe. Istotne są takie cechy jak ciepło,
zaangażowanie, wzajemne zrozumienie i harmonia, tj. wszystkie te, które wskazują na to, jak rodzina funkcjonuje jako grupa (w celu bezpośredniego porównania zmiennych dotyczących funkcji i struktury rodziny – zob. Chan, Raboy, Patterson, 1998 i McFarlane, Bellissimo, Norman, 1995). Dlatego wszelkie próby
poprawienia życia rodzin, czy to na poziomie ogólnej polityki, czy w odniesieniu
do konkretnych przypadków, powinny skupiać się na aspektach funkcjonalnych,
a nie na narzucaniu jednego konkretnego typu struktury, do którego wszystkie rodziny miałyby się dostosowywać.

RAMKA 4.2

Dzieci przychodzące na świat na skutek zastosowania nowych technik reprodukcyjnych

W wyniku rozwoju technologii reprodukcyjnych możliwe stało się „sztuczne" poczęcie
i narodzenie dzieci przez rodziców, którzy w innym wypadku pozostaliby bezdzietni.
Dzieje się to przy wykorzystaniu rozmaitych technik: mianowicie: zapłodnienie *in vitro*
(IVF, ang. *in vitro fertilization*), gdy plemniki i komórki jajowe pochodzą od rodziców,
ale do ich połączenia dochodzi sztucznie w laboratorium; zapłodnienie przez dawcę
(AID, ang. *artificial insemination by donor*), w którym kobieta zostaje zapłodniona nasieniem innego niż mąż mężczyzny i dziecko jest genetycznie spokrewnione tylko z matką (w przypadku pochodzącej od dawczyni komórki jajowej, zostaje ona zapłodniona
przez nasienie ojca i dziecko jest spokrewnione genetycznie tylko z nim). Ponadto, sama

ciąża w niektórych przypadkach noszona jest przez zastępczą matkę, to ona wydaje na świat dziecko, które jest przekazywane następnie parze pełniącej później rolę rodziców. Jaki wpływ mają te „nienaturalne" metody na poczęte z ich wykorzystaniem dzieci? Istnieje cały szereg różnych problemów, z jakimi rodzicom i dzieciom przyjdzie się zmierzyć. Są to: stres związany z rozmaitymi sposobami długotrwałego leczenia bezpłodności, utrzymanie w tajemnicy szczegółów zapłodnienia, napięcia między małżonkami spowodowane bezpłodnością jednego z nich, jak również poczucie niedoskonałości lub winy występujące u rodziców, uświadomienie sobie przez dzieci, że są nieco inne, brak związku genetycznego z jednym lub obojgiem rodziców, w zależności od zastosowanej techniki. Jak dotąd niewiele badań śledziło losy tych dzieci i starało się ocenić ich rozwój, jednak te, które przeprowadziła Susan Golombok i jej zespół (Golombok i in., 1995; Golombok i in., 1999; Golombok, MacCallum, Goodman, 2001) dostarczają szczególnie przydatnych i wyczerpujących informacji.

Badania Golombok polegały na śledzeniu losów kilku grup, mianowicie: rodzin z dziećmi z zapłodnienia *in vitro*, rodzin, gdzie dziecko zostało poczęte z komórki jajowej pochodzącej od dawczyni lub takich, gdzie zapłodnienie dokonane było nasieniem dawcy. Porównano je z dwiema grupami kontrolnymi: jedną z dziećmi z naturalnego poczęcia i drugą z dziećmi adoptowanymi zaraz po urodzeniu. Wszystkie dzieci w momencie badania były w wieku od 4 do 12 lat. By ocenić ich rozwój społeczno-emocjonalny i zdolności poznawcze, dokonano pomiaru całego zakresu cech. Ponadto rodziców poddano ocenie pod względem ciepła, zaangażowania emocjonalnego i poziomu stresu doświadczanego w trakcie sprawowania opieki nad dzieckiem.

Żadne z badań nie potwierdziło obaw, że nowe techniki reprodukcyjne będą miały negatywny wpływ zarówno na rodziców, jak i na dzieci – co wynikało z innych badań nad takimi rodzinami. Rodzice byli tak samo kompetentni, a dzieci tak samo przystosowane, jak w grupach kontrolnych; ani brak genetycznych związków, ani sposób poczęcia nie miały zatem wpływu na szczęście tych rodzin. Zwłaszcza porównanie z badaniami nad dziećmi adoptowanymi wykazało, że „związki krwi" nie są warunkiem koniecznym do powstania zdrowych relacji. Można to dostrzec nawet wtedy, gdy rola rodzica rozbita jest na rodzica biologicznego i psychologicznego. Prawdą jest, że techniki te są tak nowe, iż jeszcze niemożliwe było prześledzenie rozwoju dzieci do osiągnięcia pełni dojrzałości. Niemniej jednak, w zgromadzonych dotychczas wynikach nie ma nic, co wskazywać by mogło, że dziecko, które przychodzi na świat w efekcie zastosowania nadzwyczajnych środków pomocniczych, będzie w jakiś sposób psychicznie upośledzone.

Rozwód i jego skutki

Rodziny stale się zmieniają, lecz nie ma większej zmiany niż separacja lub rozwód rodziców. Jednakże matka pozostawiona sama z dziećmi nadal stanowią rodzinę, a doświadczenie to może okazać się tylko jedną z szeregu dotykających rodzinę reorganizacji. Jeśli matka ponownie wyjdzie za mąż, pojawi się ojczym, urodzą się nowe dzieci, zmienione zostanie miejsce zamieszkania i rozdzielone nowe role. Brak równowagi prowokuje próby jej odzyskania, a dla dobra dzieci szczególnie ważne jest poszukiwanie możliwości przystosowania się do zmian.

Jaki wpływ ma rozwód na dzieci? Wiele znanych dziś badań wskazuje na następujące wnioski (szczegóły zob. Hetherington, 1999):

- Rozwód nie stanowi specyficznego wydarzenia, do którego dochodzi w określonym czasie. Jest to przewlekły proces, który będzie rzutował na dzieci przez wiele lat. Zaczyna się od kłótni pomiędzy rodzicami, ale wcale nie kończy się wraz z odejściem jednego z nich i ogłoszeniem oficjalnej separacji. To, w jaki sposób dzieci reagują na to wydarzenie zmienia się w czasie. Ważne więc, by nie uogólniać wyników uzyskanych w jakimś jednym momencie tego długiego procesu.
- W miesiącach następujących bezpośrednio po rozwodzie u większości dzieci pojawiają się problemy. Mogą one przybierać różne formy, w dużej mierze zależy to od wieku dziecka. Żaden z okresów nie charakteryzuje się szczególnie podwyższoną wrażliwością. Różnice reakcji mają raczej charakter jakościowy, a nie ilościowy.
- U dzieci rozwiedzionych rodziców dwu- lub trzykrotnie częściej niż u dzieci rodziców pozostających w związku dochodzi do wyraźnych problemów z przystosowaniem. Dotyczy to jednak tylko mniejszości: u 70 do 80% nie obserwuje się poważnych lub długotrwałych problemów.
- Na dłuższą metę u większości dzieci obserwuje się znaczną odporność. Wykazują one zdolność ponownego przystosowania do sporego zakresu nowych okoliczności rodzinnych. Niestety, w niektórych przypadkach problemy, które zanikły powracają, zwłaszcza w okresie dorastania, lub pojawiają się w nowej formie takiej, jak zachowania przestępcze.
- Na proces dostosowania ma wpływ wiele czynników: wiek dziecka, jego płeć, poprzednie kontakty z każdym z rodziców, podział obowiązków związanych z opieką nad dziećmi po rozwodzie, jakość życia z jednym rodzicem, ponowny związek rodzica itd. Nic więc dziwnego, że mamy do czynienia z tak dużym zróżnicowaniem reakcji!
- Inne badania (np. Chase-Lonsdale, Cherlin, Kiernan, 1995; O'Connor i in., 1999) wykazały, że w okresie dorosłości dzieci rozwiedzionych rodziców częściej niż inne doświadczają problemów psychicznych, jak depresja, i same częściej się rozwodzą. Jednak ryzyko takich skutków nie jest zbyt duże, dotyczy mniejszości przypadków. Zatem lęk, że dzieci zostaną na całe życie napiętnowane przez rozwód rodziców, jest zupełnie nieuzasadniony.

Cóż więc w rozwodzie jest takiego, co wywołuje tak niekorzystne skutki? Rozwód jako taki jest zbyt ogólnym terminem, obejmuje bowiem rozmaite aspekty, wśród których można wyróżnić trzy najważniejsze: nieobecność jednego z rodziców (zwykle ojca); społeczne i ekonomiczne skutki życia z jednym rodzicem; konflikt pomiędzy rodzicami, którego dziecko jest świadkiem przed rozwodem i niekiedy po nim.

Wiele wskazuje na to, że każdy z tych trzech czynników odgrywa pewną rolę w wywoływaniu problemów psychicznych (Amato, Keith, 1991), jednak okazało się, że największy wpływ wywiera *konflikt*. Po pierwsze, u dzieci, które tracą ojca w wyniku śmierci obserwuje się znacznie mniej zaburzeń niż u tych, które tracą go z powodu rozwodu. A zatem to nie sama absencja, ale okoliczności nieobecności rodzica wpływają na reakcje dziecka. Po drugie, jeśli poprzez statystyczną kontrolę tego wpływu albo poprzez badanie tylko takich rodzin, w których rodzic opiekujący się dziećmi mimo wszystko pozostaje dobrze sytuowany, wyeliminuje się wpływ niższego statusu materialnego wynikającego z rozwodu, niekorzystne następstwa nadal są zauważalne. A przede wszystkim, kilka długofalowych badań wykazało, że dzieci, których rodzice się rozwodzą, zdradzały oznaki zachwiania psychicznego już na 8 do 12 lat przed rozwodem (np. Amato, Booth, 1996). Uważa się, że jest to skutek pogarszającego się pożycia małżeńskiego i panującej w domu atmosfery konfliktu.

Konflikty małżeńskie to prawdopodobnie jeden z najsilniej wpływających na rozwój psychiczny dziecka czynników patogennych, z jakimi może mieć ono do czynienia (Cummings, 1994). Mają one dwa tryby oddziaływania, bezpośredni i pośredni:

- Wpływ *bezpośredni* zakłada, że dziecko osobiście jest świadkiem scen agresji werbalnej i/lub fizycznej albo braku porozumienia. Dzieci od samego początku pozostają bardzo wrażliwe na emocje innych ludzi. Emocje negatywne, takie jak oznaki gniewu, mogą wywrzeć na dziecku niekorzystne skutki, zwłaszcza, gdy są stałym elementem klimatu psychicznego rodziny. W czasie, gdy zdolność samego dziecka do panowania nad emocjami dopiero się rozwija i wymaga wsparcia ze strony dorosłych, utrata tej kontroli przez rodziców może okazać się szczególnie dotkliwym doświadczeniem. Brak prawidłowego modelu uniemożliwia rozwój tej zdolności.
- Wpływ *pośredni* polega na tym, że konflikt małżonków wpływa niekorzystnie na realizowanie obowiązków rodzicielskich przez każdego z nich. To z kolei rodzi niekorzystne konsekwencje dla zdolności przystosowawczych dziecka. Po przeanalizowaniu wyników 68 badań dotyczących związku relacji mąż–żona i relacji rodzic–dziecko, Erel i Burman (1995) mogli wykazać, że zależność ta ma raczej charakter „eskalacyjny" niż „kompensacyjny". Znaczy to, że im więcej trudności w pożyciu między partnerami, tym większe trudności w dopełnieniu przez nich obowiązku właściwej opieki nad dzieckiem. Nie jest natomiast tak, że rodzic kompensuje sobie nieudane pożycie małżeńskie będąc bardziej wrażliwym i pełnym miłości wobec dziecka. Emocjonalny aspekt relacji

rodzic–dziecko cierpi z tego powodu nawet wtedy, gdy dziecko nie jest narażone na działania bezpośrednie.

Jeszcze raz musimy podkreślić, że za przystosowanie dziecka w większym stopniu odpowiada funkcjonowanie rodziny, niż jej struktura. Zachodzące po rozwodzie drastyczne zmiany mogą wywołać pewne krótkotrwałe problemy, jednak to jakość otoczenia i opieki rodzicielskiej ma decydujące i trwałe znacznie. Tłumaczy to na przykład, dlaczego dzieci będące świadkami konfliktu rodziców, nawet jeśli nie dojdzie do rozwodu, częściej schodzą na drogę przestępstwa niż inne dzieci. Natomiast dzieci, które przeżyły separację lub rozwód rodziców, którym nie towarzyszył otwarty konflikt, nie stanowią grupy ryzyka wystąpienia takich zachowań (Ferguson, Horwood, Lynskey, 1992). Podobnie, śmierć rodzica nie stanowi czynnika ryzyka wystąpienia patologii w okresie dorosłości, a rozwód tak, mimo iż obydwie sytuacje powodują utratę rodzica (Rodgers, Power, Hope, 1997). Rozwód rodziców należy więc postrzegać w szerszym kontekście odbioru przez dziecko relacji rodzinnych, ponieważ ich jakość może osłabić lub wzmocnić skutki tego wydarzenia.

Rozwój przywiązania

Pierwsze relacje, jakie nawiązuje dziecko (zwłaszcza z matką) są pod wieloma względami szczególnie istotne. Z jednej strony są one o wiele ważniejsze dla dobra jednostki niż jakiekolwiek późniejsze związki, gdyż zapewniają ochronę, miłość i bezpieczeństwo, które rzutują na wszystkie funkcje fizyczne i psychiczne dziecka. Z drugiej strony jest to na ogół związek długotrwały, który będzie odgrywał najistotniejszą rolę przez całe dzieciństwo i będzie źródłem wsparcia w okresie dorastania, a nawet później. Ponadto, wielu badaczy traktuje go jako prototyp wszystkich późniejszych bliskich związków, jakie stworzy jednostka, nawet w życiu dorosłym.

To, że już małe dziecko jest zdolne do stworzenia czegoś tak skomplikowanego, jak związek z inną osobą, jest niebywałym osiągnięciem. Związki to zjawiska bardzo złożone; zależą one od cech obydwu zaangażowanych osób, wymagają przez to dopasowania do siebie tych cech w jeden strumień zachowania oraz wymiany i wzajemnego kierowania niekiedy bardzo intensywnymi emocjami wywołanymi przez wzajemne relacje. Każdy związek, między innymi podstawowy związek pomiędzy rodzicem a dzieckiem, jest zjawiskiem wielowymiarowym. Jednak to wymiar przywiązania skupiał zdecydowanie największą uwagę i na jego temat wiemy najwięcej. Przede wszystkim dzięki publikacjom Johna Bowlby'ego (1969/1982, 1973, 1980), którego teoria przywiązania stała się dominującym sposobem podejścia do analizy wczesnego rozwoju społecznego i przyczyniła się do przeprowadzenia ogromnej liczby badań empirycznych nad tworzeniem przez dzieci bliskich relacji.

Istota i funkcje przywiązania

Przywiązanie zdefiniować można jako *długotrwały, emocjonalny związek z konkretną osobą*. Więź ta charakteryzuje się następującymi cechami:

- *Selektywność*, tj. skupianie się na konkretnej osobie, która wywołuje zachowania przywiązania w sposób i w zakresie nie spotykanym w relacjach z inną osobą.
- *Poszukiwanie fizycznej bliskości*, co polega na staraniu się o utrzymanie bliskości z obiektem przywiązania.
- *Komfort i bezpieczeństwo*, wynikające z osiągnięcia bliskości.
- *Lęk separacyjny*, pojawiający się, gdy więź zostaje zerwana i niemożliwe jest uzyskanie bliskości.

Zdaniem Bowlby'ego więzi te mają swoje źródło w ewolucji i pełnią pewną ważną biologiczną funkcję. Wywodzą się z zamierzchłych czasów, gdy drapieżniki stanowiły realne zagrożenie; musiał działać jakiś mechanizm, by potomstwo trzymało się blisko opiekunów i mogło liczyć na ochronę, zwiększając swoje szanse na przeżycie. W wyniku działania doboru naturalnego, maleńkie dzieci wyposażone zostały w środki służące przyciąganiu uwagi rodziców (np. płacz), utrzymywaniu tej uwagi (uśmiech i wokalizacje) oraz umożliwiające uzyskanie i utrzymanie bliskości (podążanie za rodzicem i czepianie się jego ciała). Dzieci są genetycznie tak „zaprogramowane", by pozostawać w pobliżu osób mogących je chronić, ostrzegać i pomagać im w chwilach cierpienia. Służą temu rozmaite gesty przywiązania, które od najwcześniejszych miesięcy życia należą do repertuaru zachowań dziecka. Z początku działają one w sposób automatyczny, stereotypowy i są reakcją na wielu dorosłych, jednak w ciągu 1. r. ż. zaczynają dotyczyć tylko jednej lub dwóch osób i ulegają przekształceniu w bardziej elastyczne i złożone systemy zachowań podlegające celowemu planowaniu. *Biologiczną* funkcją przywiązania jest więc zwiększenie szansy na przeżycie, funkcją *psychologiczną* zaś jest zapewnienie sobie bezpieczeństwa. Oczywiście dochodzi do tego tylko wówczas, gdy rodzic odwzajemni uwagę dziecka, co jest wynikiem rozwoju rodzicielskiego systemu przywiązania, który zrodził się w komplementarny sposób na drodze ewolucji i powoduje, że rodzice są gotowi, by reagować na sygnały płynące ze strony dziecka.

Przywiązanie, zdaniem Bowlby'ego, działa jak system kontroli, mniej więcej tak, jak termostat. Ma za zadanie utrzymać pewien stabilny stan, mianowicie stan bliskości z rodzicem. W chwili odzyskania równowagi gesty przywiązania ulegają wyciszeniu. Dziecko nie musi płakać, czepiać się i może poświęcić się innym zadaniom, takim jak zabawa lub eksploracja otoczenia. Kiedy stan ten jest zagrożony, na przykład przez zniknięcie matki z pola widzenia lub przez zbliżenie się kogoś obcego, następuje mobilizacja gestów przywiązania i dziecko podejmuje wysiłek odzyskania *status quo*. Sposób, w jaki to czyni, zmienia się wraz z wiekiem i wzrostem jego kompetencji poznawczych i behawioralnych. Podczas gdy sześciomiesięczne dziecko przede wszystkim płacze, trzylatek już zawoła matkę, będzie chodził i szukał jej w różnych miejscach. Gesty te zależą również od kondycji dziecka. W przypadku choroby lub zmęczenia pojawiają się one szybciej, a potrzeba bliskości jest o wiele większa. Nie bez znaczenia jest również sytuacja zewnętrzna. W znanym otoczeniu tolerancja dziecka na nieobecność matki jest większa niż w obcym środowisku. Mówi się jednak, że przywiązanie to sieć połączonych ze sobą działań, zdolności poznawczych i emocji, której celem jest wspieranie najbardziej podstawowej potrzeby ludzkiej, a mianowicie, potrzeby przeżycia.

Droga rozwoju

Ustanowienie relacji z innym człowiekiem to bardzo złożona umiejętność, nic więc dziwnego, że stworzenie przywiązania zajmuje dziecku większość 1. r. ż. Selektywność w reagowaniu na ludzkie twarze i głosy, zdolność rozpoznawania znanych osób, uśmiechanie się na widok innych lub płacz aż do czasu uspokojenia poprzez karmienie lub utulenie, to jedynie cegiełki, z których zbudowane jest przywiązanie i nie można ich uważać za samo przywiązanie. Nawet jeśli się ono już pojawia, to przyjmuje całkiem niewyszukane formy i minie wiele czasu zanim osiągnie swą dojrzałość. Bowlby wyróżnił cztery etapy rozwoju przywiązania, które ilustrują, jak zmienia się jego istota, gdy zachowania dzieci stają się coraz bardziej zorganizowane, elastyczne i celowe. Etapy te (podsumowane w tab. 4.2) przedstawiają się następująco.

W fazie 1., *przed-przywiązaniowej*, dzieci dostarczają oczywistych dowodów, że pod wieloma względami przychodzą na świat przygotowane do nawiązywania kontaktów z innymi ludźmi. Dwie formy przyjmowane przez te społeczne predyspozycje to:

- *Selektywność percepcyjna*, odnosząca się do tendencyjności reakcji wzrokowych i słuchowych, które od urodzenia przygotowują dzieci do zwracania uwagi na innych ludzi.
- *Zachowania sygnałowe*, czyli takie środki, jak płacz i śmiech, z pomocą których dzieci przyciągają i utrzymują uwagę innych ludzi.

Choć w początkowych tygodniach życia są to mechanizmy mało wyrafinowane i niezbyt wyszukane, pozwalają dziecku w okresie znacznego ograniczenia samodzielności wejść w kontakt z innymi ludźmi i zwiększyć swoje szanse na przeżycie.

W fazie 2., *przywiązania w trakcie tworzenia*, trwającej od 2. do 7. miesiąca, dzieci zapoznają się z podstawowymi zasadami kontaktów z innymi ludźmi. Obejmują one przede wszystkim wzajemną regulację uwagi i wrażliwości, koniecznych zwłaszcza w kontaktach twarzą w twarz, które sprawiają matkom wiele radości, tak samo zresztą jak dzieciom. By kontakty przebiegały „gładko" zachowania

TABELA 4.2

Fazy rozwoju przywiązania

Faza	Przedział wiekowy (miesiące)	Główne cechy
Przed-przywiązanie	0–2	Niezróżnicowane reakcje społeczne
Przywiązanie w trakcie tworzenia	2–7	Nauka podstawowych zasad wzajemnych kontaktów
Wyraźnie ukształtowane przywiązanie	7–24	Sprzeciw w sytuacji separacji; nieufność względem obcych; komunikacja zamierzona
Związek ustanowiony ze względu na cel	od 24	Relacje bardziej dwustronne; dzieci rozumieją potrzeby rodziców

partnerów muszą być zsynchronizowane, a polega to na zgraniu własnych zachowań z zachowaniami drugiego człowieka, co małe dziecko musi opanować. Weźmy na przykład czekanie na swoją kolej, warunek istotny w niektórych rodzajach kontaktów, jak na przykład konwersacja, którą zaobserwować można nawet w okresie przedwerbalnym. Z początku czeka niemal wyłącznie matka – to ona wysłuchuje wokalizacji dziecka, a potem umiejętnie włącza się do rozmowy w pauzach pomiędzy jego reakcjami. To ona bierze odpowiedzialność za utrwalanie wzorca naprzemiennych reakcji i daje dziecku szanse na poznanie zasad przebiegu takich kontaktów. Jednak z czasem dziecko uczy się, że jest pora na to, żeby mówić i pora, żeby milczeć, umożliwiając wzajemną wymianę zdań, za którą *wspólnie* odpowiada oboje partnerów.

W fazie 3., *wyraźnie ukształtowanego przywiązania*, trwającej do około 2. r. ż., obserwujemy wyraźne oznaki tego, że kontakty dziecka przekształciły się w określony i trwały związek. Przede wszystkim już począwszy od 7. lub 8. miesiąca życia dzieci zdolne są do okazywania tęsknoty za matką, podczas gdy wcześniej nie za bardzo orientowały się, że jej nie ma i chętnie akceptowały to, że zamiast niej inne osoby poświęcały im uwagę. W tym wieku rozstrój spowodowany rozstaniem z matką oraz niechęć do kontaktów z obcymi świadczy wyraźnie o powstałej więzi, która nie opiera się już na faktycznej obecności matki, ale ma bardziej *trwały* charakter. Dziecku nie jest obojętne na kogo skieruje swą uwagę – odrzuca obcych, ponieważ pozostaje zorientowane na matkę, nawet podczas jej nieobecności. Istnieje już przywiązanie skupiające się na konkretnej osobie. Jest to niezmiernie istotny kamień milowy rozwoju i, co ważne, w różnych kręgach kulturowych następuje mniej więcej w tym samym czasie, bez względu na stosowane praktyki wychowawcze. Czy przywiązanie musi wykształcić się w tym czasie? Czy można opóźnić ten proces, a jeśli tak, to o ile? Są to jedne z najistotniejszych problemów w odniesieniu do dzieci rozwijających się w warunkach dalekich od optymalnych i przez to nie mających szans na stworzenie w stosownym czasie przywiązania do osoby rodzica. Możliwy jest już dostęp do badań nad dziećmi adoptowanymi w późniejszym okresie życia. Wskazują one na sporą elastyczność w tym zakresie (więcej szczegółów zob. ramka 4.3).

W fazie 4., *związku celowego*, począwszy od 2. r. ż. przywiązanie przechodzi szereg głębokich przemian. W szczególności zachowanie dziecka względem innych osób przyjmuje bardziej celowy charakter. Weźmy na przykład płacz: kiedy trzymiesięczny niemowlak odczuwa ból i zaczyna płakać, jest to jego reakcja na ten właśnie bodziec. Natomiast dwulatek płacze po to, by przyciągnąć uwagę matki i by ona pomogła mu poradzić sobie z tym bólem. Młodsze dziecko nie ma zdolności przewidywania skutków własnego zachowania. Starsze dziecko już to potrafi i bez wątpienia będzie płakało po to, by uzyskać pomoc. Ponadto dziecko starsze potrafi również dostosować swój płacz do konkretnych sytuacji, na przykład im dalej jest od matki tym głośniej płacze. Jeśli sam płacz nie zadziała, to by uzyskać zamierzony cel, można skorzystać z innych reakcji przywiązania, takich jak nawoływanie lub podążanie za rodzicem. Mniej więcej w tym samym czasie dzieci zaczynają rozumieć cele działania i odczucia innych osób i próbują uwzględnić je w planowaniu własnych zachowań. Krótko mówiąc, dzieci są coraz bardziej zdolne do planowania własnych działań pod kątem celów, własnych lub osób postronnych. Tym samym mają swój udział w tym, co Bowlby zwykł określać mianem **związku celowego**, czyli ustanowionego ze względu na cel działania. A zatem, o ile w pierwszych stadiach przywiązanie sprowadzało się przede wszystkim do uruchamiania i wygaszania zewnętrznych reakcji poprzez określone okoliczności, o tyle później coraz bardziej zaczyna ono podlegać wewnętrznym uczuciom i oczekiwaniom – co Bowlby przypisywał powstawaniu **wewnętrznych modeli operacyjnych**. Są to struktury poznawcze reprezentujące wzajemne relacje i emocje doświadczane dzień po dniu w kontaktach z głównymi postaciami przywiązania. Gdy zostaną już ustanowione, zaczynają kierować zachowaniem dziecka we wszystkich kolejnych bliskich relacjach. Za chwilę omówimy to w szczegółach.

Związki ustanowione ze względu na cel to termin użyty w teorii przywiązania przez Johna Bowlby'ego do określenia związków dojrzałych. Charakteryzują się one zdolnością obu partnerów do planowania swych działań pod kątem własnych celów przy jednoczesnym uwzględnieniu celów drugiej osoby.

Wewnętrzne modele operacyjne to struktury umysłowe, których istnienie zakładał John Bowlby. Miały one przenosić w okres dorosłości doświadczenia związane z przywiązaniem nabyte we wczesnym dzieciństwie.

RAMKA 4.3

Czy możliwe jest opóźnienie powstawania pierwotnego przywiązania?

Dzieci swoje pierwsze trwałe i znaczące pod względem emocjonalnym związki tworzą zazwyczaj w 2. połowie 1. r. ż. Co jednak z tymi, które nie mogą tego uczynić z powodu braku sprzyjającej okazji, jak to jest w przypadku dzieci przebywających w odindywidualizowanych placówkach opiekuńczych, gdzie brak jest stałej, osobiście zaangażowanej postaci rodzica? Czy istnieje okres krytyczny, po zakończeniu którego zdolność ta zanika, sprawiając, że już nigdy nie będzie możliwe nawiązanie przez dziecko trwałych relacji? Tego zdania był John Bowlby, stwierdzając, że: „nawet najlepsza opieka matczyna jest niemalże bezużyteczna, jeśli zaczyna oddziaływać z opóźnieniem, gdy dziecko ukończyło dwa i pół roku życia". Jeśli takie opóźnienie nastąpi, dziecko skazane jest na ukształtowanie w sobie czegoś, co Bowlby określał mianem *charakteru bezuczuciowego*, cechującego się niezdolnością tworzenia przywiązania do nikogo.

Dwa projekty badawcze podjęły tę kwestię. Oba sprawdzały zdolności przywiązania u dzieci będących ofiarami deprywacji społecznej w początkowych latach życia i adoptowanych po wyznaczonej granicy $2^1/_2$ lat. Jedno z badań, którym kierował Tizard (1977; Hodges, Tizard, 1989), dotyczy grupy dzieci, które od początkowych tygodni życia wychowywały się w rozmaitych domach dziecka, gdzie traktowane były bezosobowo przez stale zmieniający się personel, przez co, rzecz jasna, nie miały szans na wykształcenie przywiązania do jakiejkolwiek osoby opiekuna. Następnie zostały adoptowane w wieku znacznie wykraczającym poza okres niemowlęctwa, niektóre dopiero w wieku 7 lat. Następnie poddano je ocenie w wieku 8 i 16 lat. Pod pewnymi względami można było u nich zauważyć pewnie niepożądane cechy. Na przykład były nadmiernie przyjaźnie nastawione do obcych, natomiast w szkole zdradzały zachowania agresywne i nie były zbytnio lubiane przez inne dzieci. Niemniej jednak w większości przypadków miały dobre relacje z członkami swych rodzin. Dzieci te szybko zaczęły okazywać prawdziwe uczucia swoim nowym rodzicom, co przerodziło się w bliskie więzi emocjonalne. Nawet w okresie dorastania żadne z tych dzieci nie nosiło znamion stereotypowego byłego wychowanka placówek opiekuńczych, jak opisywał to Bowlby. U żadnego też nie dało się zauważyć, by kilkuletnie opóźnienie powodowało całkowitą niezdolność stworzenia bliskiego przywiązania.

Drugie doniesienie (Chisholm i in., 1995; Chisholm, 1998) dotyczy grupy sierot rumuńskich, które również początkowe lata życia spędziły w placówkach poważnie uniemożliwiających rozwój społeczny, a następnie zostały adoptowane w wieku od 8 miesięcy do $5^1/_2$ roku. W tym wypadku również nic nie wskazywało na to, by ich wczesne doświadczenia powodowały całkowitą niezdolność stworzenia relacji przywiązania z przybranymi rodzicami. Nawet te dzieci, które aż do 4. czy 5. r. ż. nie miały możliwości żyć w normalnych rodzinach, nadal były zdolne do stworzenia więzi emocjonalnych. Z drugiej jednak strony, charakter tych więzi budził pewne obawy – brak było w nich poczucia bezpieczeństwa, jakie typowe dziecko okazuje wobec swoich rodziców; w przypadku silnego zaniepokojenia trudniej było też te dzieci uspokoić. Podobnie jak u Tizarda, okazywały one nadmierną życzliwość względem obcych.

Obydwa badania wskazują na to, że brak jest swoistego „okresu krytycznego" kończącego się ok. 2.–3. r. ż., w którym, o ile warunki na to pozwolą, dziecko *musiałoby* stworzyć przywiązanie. Wygląda więc na to, że możliwe jest stworzenie pierwotnego przywiązania niekiedy nawet kilka lat później niż dzieje się to zwykle. Dzieci te nie są jednak całkowicie wolne od wpływu swych wczesnych doświadczeń. Stosunki z rówieśnikami, zachowania wobec obcych lub nawet samych przybranych rodziców mogą mieć niepokojące cechy. Niemniej jednak, badania nie zdołały potwierdzić poglądu, że rozwój musi postępować według wytyczonego rozkładu, i że jeśli dziecko opuści jeden z jego punktów, nie uda mu się już tego nadrobić.

Przywiązanie bezpieczne i pozabezpieczne

Skoro najwcześniejsze doświadczenia interpersonalne dziecka rzutują na jego późniejszy rozwój psychiczny, należy określić, w jaki sposób różne przeżycia wywołać mogą różne skutki. Przywiązanie to zjawisko wieloaspektowe i w sposób różnoraki może wpływać na życie dziecka. Jednakże jeden z tych aspektów został wyróżniony spośród innych – a mianowicie, poziom poczucia bezpieczeństwa czerpanego z tego związku. Jest to głównie zasługą Mary Ainsworth i jej zespołu (1978), z którym opracowała zarówno sposób oceniania bezpieczeństwa przywiązania, jak i schemat klasyfikacyjny do opisu różnych wzorców owego bezpieczeństwa.

Ocena opiera się na procedurze zwanej **sytuacją obcości**, na którą składa się szereg krótkich, znormalizowanych sytuacji mających miejsce w pokoju laboratoryjnym, z którym dziecko nie jest obeznane i przebywa tam po kolei najpierw z matką, z matką i z innym obcym dorosłym, z samym innym obcym dorosłym, zupełnie samo i ponownie z matką. Stres związany z kolejnymi sytuacjami wywołuje u dziecka różne zachowania związane z przywiązaniem i, zdaniem Ainsworth, odzwierciedla traktowanie matki jako źródła bezpieczeństwa. A to z kolei może stanowić standaryzowany instrument oceny zasadniczego charakteru wczesnego przywiązania i ukazuje różnice pomiędzy dziećmi pod względem typów przywiązania, jakie stworzyły z matką.

Sytuacja obcości jest procedurą pozwalającą ocenić jakość przywiązania małego dziecka. Składa się ona z kilku epizodów wywołujących u dziecka stres, umożliwiający uruchomienie zachowań przywiązania i jest używana do klasyfikowania dzieci pod względem jakości bezpieczeństwa ich przywiązania.

Powyższe różnice sklasyfikowane zostały w kategoriach czterech podstawowych wzorców przywiązania (szczegóły zob. tab. 4.3). Uznaje się, że odzwierciedlają one fundamentalne różnice w sposobie nawiązywania pierwszych relacji społecznych i określają stopień bezpieczeństwa wynikający z wewnętrznego modelu operacyjnego opartego na więzi pierwotnej. Większość dzieci mieści się w kategorii *przywiązanych bezpiecznie*. Na podstawie ich pierwotnych pozytywnych doświadczeń można oczekiwać, że zarówno z dorosłymi, jak i z rówieśnikami będą one tworzyły związki charakteryzujące się wysokim stopniem bezpieczeństwa, stworzą ponadto odpowiedni do tego wizerunek własnego Ja, co z kolei okaże się przydatne w rozwiązywaniu zadań poznawczych, jakie napotkają w zabawie i szkole. Grupa z *przywiązaniem pozabezpiecznym* nie może liczyć na tak pomyślne okoliczności. Późniejsze związki tych dzieci są poważnie zagrożone, a ich zdolności przystosowawcze w wielu sferach życia nie mają tak solidnych podstaw, jak w przypadku grupy z przywiązaniem bezpiecznym. Niewielką liczbę dzieci zaliczyć można do grupy *zdezorganizowanej*. Uważa się, że jest to grupa szczególnie narażona na pojawienie się psychopatologii w późniejszym okresie. Gdyby okazało się, że powyższe przewidywania są słuszne, to klasyfikacja wczesnych wzorców przywiązania rzeczywiście miałaby ogromne znaczenie.

Skąd jednak możemy mieć pewność, że procedura sytuacji obcości naprawdę mówi nam aż tak wiele? Technika ta wywołała falę ożywionej krytyki (np. Clar-

TABELA 4.3

Typy przywiązania

Typ	Zachowanie w „Sytuacji obcości"
Przywiązanie bezpieczne	Dziecko wykazuje umiarkowane skłonności do szukania bliskości z matką; niepokoi się jej zniknięciem; po jej powrocie ciepło ją wita
Przywiązanie pozabezpieczne; unikanie	Dziecko unika kontaktu z matką, zwłaszcza po jej powrocie; pozostawione w towarzystwie obcego nie wykazuje zbytniego zaniepokojenia
Przywiązanie pozabezpieczne: opór	Dziecko silnie zaniepokojone nieobecnością matki; po jej powrocie trudno odzyskuje spokój, jednocześnie szuka bliskości i przeciwstawia się jej
Przywiązane zdezorganizowane	Dziecko przejawia brak spójnych systemów radzenia sobie ze stresem; prezentuje sprzeczne zachowania względem matki, takie jak poszukiwanie bliskości a następnie jej unikanie, wskazujące na zagubienie i lęk dotyczacy związku z nią

ke-Stewart, Goossens, Allhusen, 2001). Do jej mankamentów zaliczono to, że zastosować ją można tylko w wąskiej grupie wiekowej (od 12. do 18. miesiąca), sztuczność, niewielki zakres zachowań, jaki można przy jej pomocy obserwować i jeszcze mniejszą grupę zachowań, na których początkowo oparto podział na kategorie (np. reakcje na powrót matki po okresie jej nieobecności), wątpliwą przydatność przy ocenie niektórych grup dzieci, takich jak te, które przebywają w placówkach opieki dziennej lub te, które przyzwyczajone są do praktyk wychowawczych innych niż spotykane w kulturze zachodniej. Zgromadzona dotychczas ogromna liczba wyników badawczych nadal nie pozwala na udzielenie jednoznacznej odpowiedzi, rzuciły one jednak nieco światła na niektóre kwestie dotyczące sytuacji obcości. A mianowicie (szczegóły zob.: Goldberg, 2000):

- *Jak stabilna jest klasyfikacja na przestrzeni kolejnych okresów życia?* Główne znaczenie przypisywane wzorcom pierwotnego przywiązania opiera się na założeniu, że jeśli już jakiś wzorzec zostanie ustalony, ma on charakter samoutrwalający. Jak już dziś wiemy (Thompson, 2000), poziom stabilności krótkotrwałej, w okresie około 6 miesięcy jest bardzo wysoki, jednak poziom stabilności długotrwałej nie jest już tak imponujący. Prawdą jest, że porównywanie dzieci małych ze starszymi zakłada zmianę metod oceniania dla grup zbyt „starych", by korzystać z procedury sytuacji obcości, i jest to czynnik dodatkowo komplikujący sytuację. Niemniej jednak widać wyraźnie, że im dłuższy okres od momentu oceny, tym więcej dzieci zmienia swój status klasyfikacyjny. Okazuje się, że wewnętrzne modele operacyjne, na których opierają się zachowania związane z przywiązaniem, charakteryzują się pewną ciągłością, lecz nie są one całkowicie odporne na zmianę – co widać wyraźnie, gdy praktyki rodzicielskie z jakichś względów drastycznie się zmieniają lub gdy środowisko rodzinne zmienia się pod wpływem stresów spowodowanych chorobą, rozwodem lub poważnymi nadużyciami (Waters i in., 2000). W takich przypadkach prawdopodobieństwo zachowania stabilności jest niewielkie.

- *W jakim stopniu przywiązanie do matki porównać można z przywiązaniem do ojca?* Większość wcześniejszych badań dotyczyła tylko związku z matką, zgodnie z panującym wówczas przekonaniem o stosunkowo niewielkim znaczeniu roli ojców. Jednak na skutek rozszerzenia tej perspektywy również na nich, uzyskaliśmy wiele wyników badań pozwalających na porównanie przywiązania do matki z przywiązaniem do ojca. Wskazują one na to, że zazwyczaj mamy do czynienia ze spójnością statusu klasyfikacyjnego, co prawdopodobnie wynika z podobieństwa traktowania dziecka przez oboje rodziców. Jednakże istnieją różnice pomiędzy wzorcami w odniesieniu do różnych opiekunów, co wskazuje na to, że klasyfikacja jest funkcją konkretnego rodzaju związku, a nie wynika z wrodzonych cech dziecka.

- Co *jest źródłem różnic w klasyfikacji przywiązania?* Zdaniem Ainsworth, głównym powodem tego, że dziecko prezentuje przywiązanie bezpieczne lub pozabezpieczne jest stopień wrażliwości matki względem niego w początkowych miesiącach życia. Znaczy to, że matki odnoszące się do dzieci czule w takich sytuacjach, jak karmienie, zabawa lub zaniepokojenie, przenoszą na nie sposób podejścia charakteryzujący się troską i zainteresowaniem. Daje on podstawy do powstania przekonania, że matka jest dostępnym źródłem bezpieczeństwa. Natomiast matki, którym nie udaje się przekazać czułości, prawdopodobnie dochowają się dzieci, u których poczucie bezpieczeństwa nie zostanie utrwalone. Związek pomiędzy matczyną wrażliwością a poczuciem bezpieczeństwa dziecka nie jest jednak tak silny, jak sugerowała to Ainsworth. Przegląd badań podejmujących tę kwestię (np. DeWolff, van Ijzendoorn, 1997) wykazał, że wrażliwość jest istotnym, lecz nie jedynym warunkiem bezpiecznego przywiązania. Równie ważną rolę odgrywają także inne cechy rodziców. Na przykład nawet skrajnie odbiegające od normy zachowania rodzicielskie, jak przypadki przemocy i innych nadużyć, niekoniecznie muszą przynosić skutek w postaci zaburzonych form przywiązania u wszystkich traktowanych w ten sposób dzieci (zob. ramka 4.4).

RAMKA 4.4

Tworzenie przywiązania przez dzieci maltretowane przez rodziców

Podstawowym zadaniem przywiązania jest zapewnienie ochrony, której małe dzieci potrzebują od opiekunów w czasie, gdy są jeszcze dość bezradne i niesamodzielne. Co w sytuacji, gdy opiekun nie jest w stanie wypełnić tego zadania, jak w przypadku fizycznego lub emocjonalnego znęcania się, zaniedbywania lub innych form niewłaściwego traktowania? Jaki to ma wpływ na proces tworzenia przywiązania przez dzieci?

Wiele badań poświęcono na obserwację takich dzieci i ocenę ich możliwości nawiązywania relacji zarówno w okresie niemowlęcym, jak i w latach późniejszych (np.: Barnett, Ganiban, Cicchetti, 1999; Cicchetti, Barnett, 1991; Crittenden, 1988). Trudno się dziwić, że u większości dzieci, które spotkały tak przykre doświadczenia można zauważyć znaczne zaburzenie wzorców relacji z innymi ludźmi. Zaburzenie to można zaobserwować dość wcześnie i ma ono trwały charakter. Ocena z wykorzystaniem procedury sytuacji obcości wykazała, że dzieci maltretowane o wiele rzadziej niż inne można sklasyfikować jako przywiązane bezpiecznie (odpowiednio blisko 15% w porównaniu do 65%), większość kwalifikuje się do kategorii zdezorganizowanych (około 80% w porównaniu z 12%). Wzorzec zdezorganizowany jest jednym z najbardziej niepokojących z kategorii przywiązania pozabezpiecznego, gdyż zakłada znacznie zaburzony sposób odnoszenia się do opiekunów. Wygląda na to, że dzieci te nie wykształciły żadnej stałej strategii kontaktów. Niekiedy szukają bliskości z rodzicem, innym zaś razem unikają jej lub stawiają opór, a wszystko to dodatkowo wymieszane jest z oznakami lęku, zaniepokojenia i braku jakichkolwiek pozytywnych emocji. Stosunki z rówieśnikami często charakteryzują się wzorcem „walczyć lub uciekać", tj. albo wysoki poziom agresji albo unikanie lub wycofanie. O wiele bardziej niepokojący jest fakt, że maltretowane dzieci często stają się agresywnymi rodzicami, przekazując z pokolenia na pokolenie zaburzone wzorce relacji. Ponadto istnieją liczne przesłanki by uważać, że maltretowanie we wczesnym wieku prowadzi do psychopatologii w wieku późniejszym. Innymi słowy, depresja, podatność na stresy, zaburzenia zachowania lub działania przestępcze częściej obserwuje się u osób, które były niewłaściwie traktowane w dzieciństwie.

Dzieci maltretowane stanowią bez wątpienia grupę ryzyka. Lęk wzbudzany przez agresywnego rodzica i wynikający z tego brak ufności, jak nic innego odzierają dziecko z poczucia bezpieczeństwa i utrudniają mu wypracowanie środków regulacji emocjonalnej oraz umiejętności społecznych potrzebnych do nawiązania późniejszych stałych kontaktów. Pierwiastek strachu jest dodatkowo wzmacniany, kiedy (jak to często bywa w przypadkach znęcania się nad dziećmi) przemoc cechuje też inne relacje w rodzinie, na przykład stosunki między rodzicami. A ponieważ rodziny te naznaczone są również innymi problemami, takimi jak ubóstwo, alkoholizm lub choroba psychiczna, wszystko to obraca się przeciwko dziecku.

Jednak mimo tego ogólnie ponurego obrazu, zauważyć można także, co ciekawe, dwa pozytywne aspekty. Po pierwsze, dzieci maltretowane mimo wszystko zdradzają pewne oznaki przywiązania do swego agresywnego rodzica, choć może okazują to w sposób mało wyraźny i zdezorganizowany. System przywiązania zdaje się jednak być tak silny, że nawet w obliczu braku stałej miłości i ciepła emocjonalnego, dzieci dążą do związania się z rodzicem. Po drugie, we wszystkich badanych grupach znajdują się dzieci (co prawda znikoma mniejszość), które realizują typowy wzorzec rozwojowy. U około 15% pojawia się przywiązanie bezpieczne. Niektóre z nich potrafią w późniejszych latach stworzyć prawidłowe relacje z rówieśnikami i innymi ludźmi, i nie zawsze maltretowane dzieci stają się maltretującymi własne potomstwo rodzicami. Niestety niewiele wiadomo na temat tych wyjątków. Jednak zrozumienie mechanizmów pozwalających im uciec od fatum ciążącego nad większością, prawdopodobnie pozwoliłoby pomóc reszcie dzieci zaliczanych do tej grupy.

• *Czy różnice w zakresie pierwotnego przywiązania muszą prowadzić do późniejszych różnic psychicznych?* Jest to szczególnie istotna kwestia. Chodzi bowiem o ustalenie, czy doświadczenia okresu niemowlęcego mają długotrwałe skutki dla rozwoju. Stwierdzono, że dzieci sklasyfikowane w okresie wczesnego dzieciństwa jako bezpiecznie przywiązane, są w późniejszych latach bardziej kompetentne i dojrzałe w szerokim zakresie funkcji psychicznych, poznawczych i społeczno-emocjonalnych, niż dzieci przypisane do pozostałych trzech kategorii. Istotnie, dysponujemy pewnymi wskazującymi na to wynikami, szczególnie łączącymi wczesne pierwotne przywiązanie z późniejszymi kompetencjami społecznymi. Na przykład bezpiecznie przywiązane niemowlęta wyrastają na dzieci cieszące się popularnością wśród rówieśników. Jednakże związek ten (zwłaszcza w kwestii funkcji poznawczych) nie wydaje się być bardzo silny – trochę dlatego, że klasyfikacja części dzieci w następnych latach ulega zmianie, trochę dlatego, że klasyfikacja w odniesieniu do różnych opiekunów może być różna. Ale największe znaczenie ma fakt, że na rozmaite obserwowane cechy (np. dojrzałość do zabawy, niezależność, samoocena, zachowania antyspołeczne) wpływ ma szereg innych czynników, z których wszystkie należałoby uwzględnić. Tego typu przewidywania mogłyby być poczynione jedynie w warunkach stabilności rodziny i stosowanych praktyk rodzicielskich, czyli tam, gdzie rodzaj opieki sprawowanej w późniejszych latach był mniej więcej taki sam, jak w okresie niemowlęcym, oraz tam, gdzie – mówiąc językiem ekonomicznym – rodzaj tej opieki jest stale *aktualizowany*, a nie tam, gdzie za zachowanie dziecka ciągle odpowiadają pierwotne wzorce relacji. Jednak całkowite zrozumienie zakresu i sposobu, w jaki pierwsze związki tworzą podstawę dalszego rozwoju, wymaga o wiele większej liczby dowodów badawczych.

Wewnętrzne modele operacyjne

Przez długi czas korzystanie z procedury sytuacji obcości jako narzędzia oceny skupiało uwagę niemal wyłącznie na behawioralnych oznakach przywiązania u małych dzieci. Dopiero ostatnio nowe metody oceny pozwoliły objąć również starsze grupy wiekowe, także dorosłych. Na skutek tego jedno z najbardziej obiecujących pojęć Bowlby'ego zyskało na znaczeniu. Jest to pojęcie wewnętrznych modeli operacyjnych.

Jak już wspomnieliśmy, zdaniem Bowlby'ego modele te mają charakter poznawczy i opierają się na wcześniejszych doświadczeniach dziecka z obiektami przywiązania. Za ich pomocą dziecko może dokonać wewnętrznej reprezentacji stosownych atrybutów każdego z obiektów przywiązania i rodzaju relacji z tymi osobami. Od końca 1. r. ż., dziecko coraz lepiej potrafi w sposób mentalny reprezentować świat za pomocą symboli, tj. potrafi myśleć o obiektach przywiązania, o sobie, oraz o związkach łączących je z innymi ludźmi. Już sam fakt, że potrafi płakać z tęsknoty za *nieobecną* matką świadczy o tym, że jego zachowaniem kieruje wewnętrzny model matki, a z czasem modele te zaczynają przejmować coraz większą kontrolę nad działaniami dziecka. A zatem doświadczanie ciepła i akceptacji ze strony matki doprowadzi do stworzenia wewnętrznego modelu operacyjnego, w którym będzie ona przedstawiona jako źródło bezpieczeństwa i wsparcia. Dzięki temu dziecko będzie przeświadczone o jej dostępności w razie potrzeby i o możliwości potraktowania jej jako bezpiecznej przystani. Ponadto dziecięcy model własnej osoby będzie uwzględniał relacje z matką. Jeśli będą one dla dziecka satysfakcjonujące, będzie ono czuło się bezpieczne i akceptowane, a dzięki temu prawdopodobnie stworzy pozytywny obraz własnej osoby. Natomiast agresywny związek przyczyni się do powstania negatywnego obrazu własnego Ja, co może mieć niekorzystny wpływ na zachowanie dziecka. Pierwotne modele mogą ulec uogólnieniu na inne osoby i związki. Dzieci czujące, że są kochane mogą oczekiwać pozytywnych reakcji ze strony innych ludzi, zaś te, które uważają się za odrzucone, po wszystkich nowych związkach nie będą spodziewać się niczego pozytywnego. A zatem wewnętrzne modele operacyjne z jednej strony odzwierciedlają to, co wydarzyło się w przeszłości, a z drugiej służą za wzorce w kontekście przyszłych bliskich związków. Modele te nie są wcale pozbawione elastyczności ani odporne na zmiany wynikające z dalszych doświadczeń. Jednak Bowlby twierdził, że najwcześniejsze modele prawdopodobnie mają najtrwalszy charakter, zwłaszcza dlatego, że istnieją poza świadomością i dostęp do nich jest ograniczony. Charakterystykę najistotniejszych cech wewnętrznych modeli operacyjnych przedstawia tab. 4.4.

TABELA 4.4

Charakterystyka wewnętrznych modeli operacyjnych

- Wewnętrzne modele operacyjne są reprezentacjami umysłowymi o wiele szerszymi niż jedynie „obraz" innej osoby i związek z nią; dotyczą też uczuć wywoływanych przez ten związek.
- Kiedyś powstałe, funkcjonują w większości poza świadomością.
- Są wynikiem doświadczeń dziecka z poszukiwaniem bliskości i z zaspokajaniem tej potrzeby.
- Istnieją duże różnice w charakterze modeli operacyjnych tych dzieci, których próby znalezienia bliskości zawsze spotykały się akceptacją i tych, u których były one tłumione lub spotykały się z akceptacją tylko sporadycznie.
- Wraz z rozwojem modele operacyjne nabierają stabilnego charakteru, lecz w żadnym wypadku nie są całkowicie odporne na wpływ dalszych doświadczeń w zakresie kontaktów interpersonalnych.
- Funkcja tych modeli polega na dostarczeniu reguł, którymi jednostki będą się kierować zarówno w zakresie zachowania, jak i uczuć względem ważnych dla nich osób. Umożliwiają przewidywanie i interpretację zachowań innych ludzi, jak również planowanie własnego zachowania w odpowiedzi na nie.

Źródło: Main, Kaplan, Cassidy (1985).

Modele te podkreślają fakt, że przywiązanie jest zjawiskiem długofalowym, w żadnym wypadku nie ograniczającym się do początkowych lat życia. Jednakże, o ile zewnętrzne oznaki przywiązania zaobserwować najłatwiej, o tyle dostęp do tego typu zjawisk wewnętrznych jest o wiele trudniejszy. Podejmowano wiele prób stworzenia technik odpowiednich dla poszczególnych grup wiekowych, zwłaszcza dla dorosłych (zob. Crowell, Treboux, 1995). Najczęściej korzysta się z **Kwestionariusza Przywiązania Dorosłych** (*Adult Attachment Interview*, AAI). Składa się on z szeregu pytań wplecionych w pozornie usystematyzowany wywiad, zaprojektowany tak, by skłonić jednostkę do ujawnienia doświadczeń związanych z przywiązaniem we wczesnym okresie dzieciństwa i sposobu, w jaki jej zdaniem miały one wpływ na jej późniejszy rozwój i obecne funkcjonowanie. W zasadzie chodzi nie tyle o treść tych wspomnień, ile o sposób, w jaki są one relacjonowane, że szczególnym uwzględnieniem spójności i otwartości emocjonalnej. Za pomocą szeregu ocen dokonuje się klasyfikacji, która obejmuje stan umysłu dorosłego w odniesieniu do przywiązania. Klasyfikacja zawiera cztery następujące kategorie:

Kwestionariusz Przywiązania Dorosłych (*Adult Attachment Interview*, AAI). Jest to częściowo ustrukturowany wywiad, mający na celu ujawnienie doświadczeń związanych z przywiązaniem względem osób znaczących. Umożliwia klasyfikację badanego do różnych kategorii obejmujących stan jego umysłu w odniesieniu do bliskich związków.

- *Autonomiczni:* tak sklasyfikowane jednostki opowiadają o swoich dziecięcych doświadczeniach w sposób szczery i spójny, uwzględniając zarówno pozytywne, jak i negatywne wydarzenia i emocje. A zatem, w przeciwieństwie do pozostałych trzech grup, można je uznać za bezpiecznie przywiązane.
- *Lekceważący:* takie jednostki zdają się odcinać się od emocjonalnej natury swego dzieciństwa. Zaprzeczają zwłaszcza negatywnym doświadczeniom lub lekceważą ich znaczenie.
- *Zaabsorbowani:* jednostki te są nadmiernie zaangażowane w to, co sobie przypominają, zdają się być tak pochłonięte, że ich wypowiedzi tracą spójność i są pogmatwane.
- *Bez rozwiązania:* tak sklasyfikowani dorośli przyznają, że nie udało im się przeorganizować swego życia umysłowego po bolesnych doświadczeniach dzieciństwa, które wiązały się ze stratą lub urazem psychicznym.

Wstępne dowody świadczą o tym, że te cztery kategorie łączą się odpowiednio z kategoriami bezpieczeństwa, unikania, oporu i dezorganizacji, określonymi dla przywiązania małych dzieci. Matki zakwalifikowane do konkretnej kategorii, prawdopodobnie dochowają się dzieci kwalifikowanych do kategorii z nią korespondującej. Jeśli tak jest w rzeczywistości, znaczy to, że wewnętrzny model operacyjny, jaki matka sama stworzy w dzieciństwie, będzie miał wpływ na jej kontakty z dzieckiem, a to z kolei wpłynie na rodzaj przywiązania, jakie ono stworzy względem niej. Dzięki temu mamy do czynienia z ciągłością międzypokoleniową. Niektóre wyniki wskazują na to, że pewnego stopnia ciągłość może zostać utrzymana nawet przez trzy pokolenia, np. babcie, matki i dzieci (Benoit, Parker, 1994).

Relacje między rówieśnikami

Gdy dzieci stają się coraz starsze zaczynają tworzyć coraz większy wachlarz zróżnicowanych relacji międzyludzkich, wśród których szczególnie istotną rolę w ich życiu odgrywają więzi z partnerami w tym samym wieku. Stwierdzenie, że tylko rodzice (lub nawet tylko matka) odgrywają istotną rolę w rozwoju psychicznym dziecka przestaje obowiązywać. We wszystkich kulturach dzieci spędzają o wiele więcej czasu w towarzystwie rówieśników, a ponadto już od najmłodszych lat częściej można je spotkać w towarzystwie dzieci, niż dorosłych (zob. ryc. 4.4). Już samo to sugeruje, że związki z rówieśnikami mają istotny wpływ na kształtowanie zachowań i przekonań. Niektórzy z badaczy, jak Judith Harris (1998) i Steven Pinker (2002), wysunęli nawet dość prowokujące stwierdzenie, że socjalizacja rozgrywa się głównie w grupie rówieśniczej, a rola rodziców była dotąd w dużym stopniu wyolbrzymiona. To stwierdzenie też może być zbyt przesadne. Należałoby raczej uznać, że rodzice i rówieśnicy mają do spełnienia różne funkcje

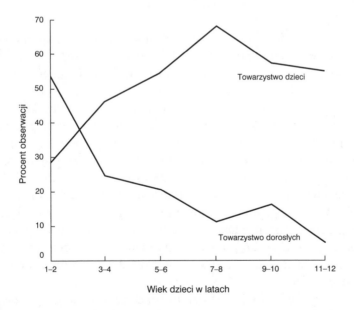

RYCINA 4.4

Czas spędzony w towarzystwie dzieci i dorosłych w różnych momentach dzieciństwa (za: Ellis, Rogoff, Cromer, 1981)

i do odegrania różne role, których celem jest zaspokojenie konkretnych potrzeb w życiu dziecka.

Relacje poziome i pionowe

Typy relacji wygodnie jest podzielić na dwie kategorie (Hartup, 1989):

* *Relacje pionowe* to relacje nawiązane z kimś, kto posiada większą wiedzę lub władzę niż samo dziecko i często jest to rodzic lub nauczyciel. Stosunki, na których się one opierają mają najczęściej charakter komplementarny: dorosły kontroluje, dziecko się podporządkowuje; dziecko szuka pomocy, dorosły jej udziela. Główna funkcja relacji pionowych polega na zapewnieniu dziecku bezpieczeństwa i ochrony oraz umożliwieniu mu zdobycia wiedzy i umiejętności.
* *Relacje poziome* łączą ludzi o tym samym statusie społecznym. Mają one charakter egalitarny i stosunki, na jakich się opierają charakteryzuje raczej wzajemność, niż dopełnianie się. Jedno dziecko się chowa, drugie szuka; jedno rzuca piłkę, drugie łapie. Następnie role te można odwrócić, gdyż każdy z partnerów ma podobne umiejętności. Funkcja związków poziomych polega na nabywaniu umiejętności, które można poznać jedynie w towarzystwie równych sobie, zalicza się do nich współpracę i rywalizację.

W pewnym względzie relacje poziome trudniej utrzymać niż pionowe. Rodzice mają tendencje do „podtrzymywania" interakcji z własnymi dziećmi: mogą pozwalać dziecku na wybranie tematu rozmowy, dokończać jego wypowiedzi, interpretować pragnienia, które są niekiedy niezbyt jasno wyrażone. W relacjach z rówieśnikami nie ma miejsca na takie uprzejmości; tam każdy ma swoje sprawy najwyższej wagi, i mimo iż z wiekiem sprawy te coraz częściej się pokrywają, to presja na dziecko by przyswoiło sobie umiejętności potrzebne do współpracy jest o wiele silniejsza. A zatem w swoim towarzystwie dzieci uczą się tego, czego nie nauczyłyby się w towarzystwie dorosłych: cech przywódczych, rozwiązywania konfliktów, podziału ról, podporządkowania normom, radzenia sobie z wrogością i zastraszaniem itd. Ponadto grupy dziecięce, gdy już się uformują, szybko ustanawiają własne wartości i zwyczaje – począwszy od wyglądu (ubiór i fryzura), do pomysłów na rządzenie światem. A zatem dzieci socjalizują się nawzajem i czynią to w sposób zupełnie inny niż w przypadku socjalizacji rodzicielskiej.

Jednak bez względu na to, jak bardzo rodzina różni się od grupy rówieśniczej, te dwa typy relacji nie są całkowicie odizolowane. To, co wydarzy się na jednym polu, może mieć skutki na drugim, co widać w dwojakim wpływie relacji rodzic––dziecko na stosunki między rówieśnikami (Ladd, 1992):

- *Wpływ bezpośredni* odnosi się do działań rodzica mających na celu „projektowanie" społecznego życia dziecka. Rodzice czynią to na przykład poprzez wybór miejsca zamieszkania, które zapewnia bezpieczeństwo zabawy i określonych kolegów z konkretnej grupy społecznej; zapraszanie do domu dzieci, które uważają za „odpowiednie"; mogą również bezpośrednio włączać się w działania grupy rówieśniczej, by upewnić się, że dziecko zdobędzie podczas nich „właściwe" doświadczenia. Takie postępowanie dotyczy dzieci raczej młodszych niż starszych. Istnieją jednak przesłanki, że już w przypadku dzieci w wieku przedszkolnym zbytnia ingerencja ze strony rodziców może przynieść skutek odwrotny i ograniczyć umiejętności społeczne dziecka.

- *Wpływ pośredni* odnosi się natomiast nie do konkretnych działań, ale do wpływu doświadczeń rodzinnych dziecka na jego zachowania względem rówieśników. Uważa się na przykład, że przywiązanie bezpieczne na ogół sprzyja rozwojowi kompetencji społecznych i ma szczególne znaczenie dla pozytywnych relacji z rówieśnikami. Ponadto, niektóre rodzaje stylu wychowania łączą się z podnoszeniem jakości związków koleżeńskich. Chłodni i niedostępni rodzice częściej niż rodzice, którzy udzielają wsparcia i darzą dzieci ciepłem, dochowują się dzieci agresywnych. Zakres umiejętności społecznych u dzieci rodziców autorytarnych jest niepełny; rodzice pobłażliwi, którzy nie wyznaczają żadnych granic, dochowują się dzieci, które są nieopanowane w relacjach z innymi. Natomiast rodzice wyrozumiali i wrażliwi przekazują dzieciom poczucie pewności siebie w relacjach z innymi, co ułatwia im udział w działaniach społecznych również poza domem. We wszystkich tych przypadkach założenie jest jedno: cokolwiek stanie się w jednym środowisku, znajdzie swój oddźwięk w innej grupie społecznej. Ponieważ to dom jest pierwotnym otoczeniem dziecka, to głównie on ma wpływ na grupę rówieśniczą.

Łańcuch zależności przedstawiony przez ten pogląd można zilustrować jako układ ciągłych strzałek widocznych na ryc. 4.5. Osobowość rodziców określa rodzaj przyjętych przez nich technik wychowawczych; te z kolei kształtują cechy

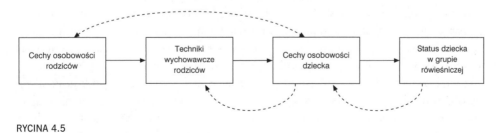

RYCINA 4.5

Związki między systemem rodzinnym a rówieśniczym

osobowości dziecka, które następnie odgrywają istotną rolę w nawiązywaniu przez nie relacji z innymi dziećmi. Strzałki przerywane świadczą natomiast o tym, że tak jednokierunkowa zależność stanowi zbytnie uproszczenie. Doświadczenia nabyte w towarzystwie rówieśników mają wpływ na pojęcie własnego Ja, a zatem na cechy, jakie dziecko w sobie rozwija. Cechy te mogą zmienić sposób traktowania dziecka przez rodziców; cechy charakteru rodziców i dziecka są ze sobą powiązane na wiele różnych sposobów i to nie tylko poprzez wspólny materiał genetyczny, który sam w sobie kształtuje charakter relacji rówieśniczych, jakie dziecko nawiąże. Stosunki rodzinne i rówieśnicze są ze sobą bez wątpienia wzajemnie powiązane, choć związek ten z pewnością nie jest prosty (Parke, Ladd, 1992; Rubin, 1994).

Wpływ relacji rówieśniczych na rozwój

Nawet najmłodsze niemowlęta interesują się innymi niemowlętami, choć początkowo nie wyraża się to niczym innym poza wpatrywaniem się, dotykaniem, a od czasu do czasu wyrywaniem zabawki. Jednakże już bardzo wcześnie relacje te stają się coraz bardziej wyrafinowane, zwłaszcza, gdy dzieci uczą się bawić *razem*, a nie obok siebie. Dzięki temu sekwencje wzajemnych zachowań stają się coraz dłuższe i częstsze; pojawia się współpraca i wzajemność w zabawie, a ponadto dzieci zaczynają być bardziej wybredne w doborze partnerów. Polega to na coraz bardziej wyraźnej segregacji płciowej. Od około 3. r. ż. chłopcy wolą bawić się z chłopcami, a dziewczynki z dziewczynkami – tendencje tę można obserwować przez cały okres dzieciństwa (Maccoby, 1998). Równie dobrze dostrzec to można w upodobaniu dzieci do konkretnych osób. Przyjaźń staje się czymś bardzo ważnym i cenionym, a dzieci zaczynają wiązać się przede wszystkim z tym, kogo lubią i cenią, i czyjego towarzystwa w sposób czynny szukają. Korzyści czerpane z relacji z rówieśnikami polegają przede wszystkim na tym, że starannie dobrane dzieci mogą stać się silnie wpływowym elementem codziennego życia dziecka.

Wpływ relacji rodzinnych na rozwój dziecka może przybrać dwie formy, mianowicie społeczną i intelektualną. Jeżeli chodzi o tę pierwszą, jednym z podstawowych zadań dzieciństwa jest ustanowienie poczucia tożsamości – inaczej mówiąc, jest to próba znalezienie odpowiedzi na najistotniejsze pytanie: „Kim jestem?" (jest to myśl, do której powrócimy w rozdz. 10.). Poczucie Ja tworzy się przede wszystkim w kontekście relacji – na początku z rodzicami, później w coraz większym stopniu z rówieśnikami. Od lat przedszkolnych aż po koniec okresu dojrzewania to, co dzieci myślą i w jaki sposób odnoszą się do siebie nawzajem ma ogromne znacznie. To dlatego przyjaźń w dzieciństwie tak bardzo się liczy – jest niemal równoznaczna z docenieniem przez innych i akceptacją, a tym samym pomaga stworzyć pozytywne poczucie Ja („Lubią mnie, tzn. jestem dobry").

Ponadto w grupie rówieśniczej dziecko odkrywa, jaką rolę społeczną najlepiej przyjąć – przywódcy czy poplecznika, tyrana czy ofiary, klowna, stratega, darczyńcy czy jakąkolwiek z wielu różnych możliwych tożsamości, które grupa całkiem naturalnie nakłada na swoich członków. Ponadto sam fakt, że dziecko należy do grupy oznacza, że jego poczucie Ja zawiera pewne normy wyglądu i zachowania oraz wartości moralne. One decydują o tym, co jest dopuszczalne, a co nie. Grupy dziecięce zwykle przyjmują pewne procedury i zwyczaje, których członkowie muszą się trzymać. Mogą posiadać własny sposób powitania i ubioru. Własne dowcipy i gry słowne, szczególne upodobania do określonych zespołów muzycznych, zgodne opinie o nauczycielach i osobach publicznych oraz wspólne oceny tego co „dobre" i co „złe" w życiu codziennym. W ten sposób powstaje kultura rówieśnicza, znacznie różniąca się od kultury podzielanej z dorosłymi. Silnie motywuje ona dzieci by się z nią utożsamiać i silnie oddziałuje na sposób, w jaki zaczynają myśleć o sobie i innych. A więc z jednej strony rówieśnicy pomagają każdemu dziecku przyjąć odrębną tożsamość, a z drugiej, grupa poprzez presję by podporządkować się jej normom sprawia, że jej członkowie stają się do siebie podobni.

Wpływ rówieśników na rozwój intelektualny dzieci jest również godny uwagi. Założenie, że dzieci czerpią wiedzę jedynie od dorosłych, i że edukacja to przekazywanie wszystkiego, co wiedzą rodzice i nauczyciele tym, którzy tego nie wiedzą, to przesadne uproszczenie. Spójrzmy na badania nad *współpracą rówieśniczą*. Dużo dziś wskazuje na to, że niewiele wiedzące dzieci, zmagające się z jakimś problemem w zespole szybciej dochodzą do rozwiązania, niż dzieci pracujące indywidualnie. Dotyczy to rozwoju umiejętności z tak rozmaitych dziedzin, jak matematyka, komponowanie muzyki, fizyka, rozważania moralne oraz zastosowanie komputerów, i odnosi się do szerokiego przedziału wiekowego oraz zakresu zdolności. Przedstawmy dwojgu dzieciom, nie posiadającym potrzebnej wiedzy, jakiś problem intelektualny do rozwiązania. Niech żaden nauczyciel nie służy im pomocą; relacja między nimi ma wynikać ze wspólnego zainteresowania, a nie ma być narzucona. Poprzez czynną dyskusję i wymianę myśli oraz dzielenie się własnymi częściowymi i niepełnymi próbami patrzenia na problem, dojdą one w końcu do rozwiązania, do którego działając oddzielnie nie doszłyby. Uczenie się to zatem kwestia wspólnych odkryć: co dwie głowy to nie jedna. Potrzeba wspólnego działania z kimś, kto ma inny pogląd na dany problem, zmusza dzieci do weryfikowania własnych pomysłów. W rezultacie prowadzi to do powstawania nowych sposobów podejścia do zadania, które mogą okazać się lepszym rozwiązaniem niż indywidualny pogląd dziecka. Czy zasadniczy proces rozwiązywania problemu wymaga współpracy, czy wręcz przeciwnie – ścierania się różnych koncepcji? Nie udało się jeszcze ustalić dlaczego w pewnych okolicznościach współpraca pomiędzy rówieśnikami może być tak skutecznym narzędziem nauki. Jedno jest jednak pewne, beztroska dyskusja pomiędzy jednakowo nie znającymi stojącego przed nimi problemu dziećmi oraz różnorodność rozwiązań, jakie mogą stworzyć, rodzi nowe sposoby widzenia i sprzyja uczeniu się poszczególnych osób. Jak z tego wynika, współpraca z rówieśnikami może stymulować zarówno rozwój poznawczy, jak i społeczny (Howe, 1993).

Status w grupie rówieśniczej

Dzieci można poddawać ocenie indywidualnej w takich kategoriach, jak inteligencja, poziom lęku lub zdolności artystyczne. Można je również oceniać jako członków grupy, tj. w zależności od tego, jaką zajmują pozycję wśród rówieśników. Czy są lubiane, czy nie? Czy są przywódcami, czy realizatorami poleceń? Czy są akceptowane, czy odrzucane? Czy zabiega się o ich względy, czy pozbawione są przyjaciół? Cechy te mają ogromne znaczenie dla dzieci, zwłaszcza ze względu na wagę, jaką one same przywiązują do opinii rówieśników. Jednocześnie jest już oczywiste, że cechy takie wiele nam mówią na temat prawdopodobnego kierunku przystosowania psychologicznego i zachowania w dalszych latach.

Obecnie posiadamy szeroki wybór narzędzi oceniających status społeczny dzieci, z czego najpowszechniej stosowane są **techniki socjometryczne**. By określić popularność, daje się dzieciom, na przykład, listę z imionami uczniów danej grupy i zadaje się pytania: „Z kim chciałbyś się bawić?" i „Z kim nie chciałbyś się bawić?". Innym razem można je zapytać o konkretną osobę: „Jak bardzo chciałbyś przebywać z tym dzieckiem?" W ten sposób uzyskuje się konkretną ocenę na skali „lubię–nie lubię". Następnie wyniki te można zestawić, by ocenić stopień popularności danego dziecka. Innym sposobem jest obserwacja dzieci, np. na placu zabaw i odnotowywanie, kto się bawi z kim i jak często towarzysz zabawy dziecka jest poszukiwany przez innych. W ten sposób tworzy się obraz struktury społecznej danej grupy, który wskazuje na stopień popularności lub odrzucenia konkretnej jednostki.

Techniki socjometryczne mogą przybierać rozmaite formy, lecz wszystkie przeznaczone są do wyznaczania ilościowego wskaźnika pozycji jednostki w grupie (np. popularności)

Tym sposobem udało się określić pięć *typów statusu socjometrycznego*: dziecko popularne, odrzucane, lekceważone, kontrowersyjne i przeciętne, w zależności od wysokości uzyskanych not, pozytywnych lub negatywnych, wystawionych przez rówieśników. Trzy początkowe kategorie są najważniejsze; dzieci kontrowersyjne to takie, które są lubiane przez jednych i nie lubiane przez innych, podczas gdy dzieci przeciętne po prostu uzyskują od rówieśników przeciętne oceny, gdyż nie wywołują u nich żadnych silnych uczuć. Jak wynika z podsumowania zawartego w tab. 4.5, dzieci popularne, odrzucane i lekceważone, to zupełnie inne gatunki. Dzieci popularne są otwarte, życzliwe i stają się często naturalnymi przywódcami w grupie. Dzieci odrzucane są nie lubiane, ponieważ często zdradzają destrukcyjne i agresywne zapędy i dlatego ich inicjatywa i gesty z ich strony są odrzucane. Dzieciom lekceważonym zazwyczaj brak umiejętności społecz-

TABELA 4.5

Cechy dzieci popularnych, odrzucanych i lekceważonych

Dzieci popularne

- Optymistyczne i radosne usposobienie
- Atrakcyjność fizyczna
- Mnogość wzajemnych kontaktów indywidualnych
- Częste zabawy polegające na współpracy
- Chęć dzielenia się
- Oceniane jako dobrzy przywódcy
- Niski poziom agresji

Dzieci odrzucane

- Częste zachowania destrukcyjne
- Kłótliwość i nastawienie antyspołeczne
- Nadmierna aktywność
- Gadatliwość
- Częste próby podejmowania kontaktów społecznych
- Rzadkie zabawy polegające na współpracy, niechęć do dzielenia się
- Więcej działań samodzielnych
- Niewłaściwe zachowanie

Dzieci lekceważone

- Nieśmiałość
- Rzadka agresja; wycofanie w obliczu agresji ze strony innych ludzi
- Rzadkie zachowania antyspołeczne
- Brak stanowczości
- Mnogość działań indywidualnych
- Unikanie wzajemnych kontaktów indywidualnych w diadach, więcej czasu spędza w szerszych grupach

nych. Są one nieśmiałe i mało pewne siebie. Zwykle bawią się same lub na obrzeżach większej grupy.

Jak świadczą badania, pierwotny status w grupie rówieśniczej rzutuje na dalsze zdolności przystosowawcze. Dokonywana przez rówieśników ocena dzieci może powiedzieć wiele o ich przyszłych prawdopodobnych osiągnięciach rozwojowych. U dzieci popularnych w porównaniu z innymi grupami obserwuje się w późniejszych latach większą towarzyskość oraz wyższy poziom zdolności poznawczych. Jednocześnie są one mniej agresywne i rzadziej można u nich zauważyć wycofanie społeczne. Dzieci lekceważone nie stanowią (co jest dość nieoczekiwane) grupy ryzyka wystąpienia późniejszych trudności przystosowawczych. Dzieje się tak po części dlatego, że w przeciwieństwie do pozostałych grup ich status społeczny nie jest zbyt ugruntowany i bardziej zależy od konkretnej grupy, którą w danym momencie współtworzą. Później stają się zazwyczaj ludźmi mniej towarzyskimi, o nieco biernym usposobieniu, lecz cechy te rzadko przybierają formy patologiczne.

Natomiast dzieci odrzucone z pewnością dają powody do obaw. I to właśnie tę grupę poddano najintensywniejszym badaniom. Dla celów prognostycznych warto rozróżnić tutaj dwie podgrupy: tych, którzy są odrzuceni przez rówieśników ze względu na agresywne i destrukcyjne zachowanie (jest ich większość) i tych, którzy zostają odrzuceni z powodu skłonności do społecznego wycofania i skrajnego zahamowania. Obie z nich należy uważać za grupy ryzyka wystąpienia późniejszych zaburzeń psychicznych: dzieci odrzucone/agresywne z powodu **zaburzeń eksternalizacyjnych**, a dzieci odrzucone/wycofane z powodu **zaburzeń internalizacyjnych**. Eksternalizacja obejmuje takie cechy, jak wrogość w stosunkach międzyludzkich, zachowania destrukcyjne, brak panowania nad impulsami i działania przestępcze. Tak scharakteryzowane dzieci podejmują szereg brutalnych i antyspołecznych zachowań, tyranizują innych lub wagarują. Zauważyć można u nich także trudności przystosowawcze w szkole, do których zalicza się słabe wyniki w nauce i przedwczesną rezygnację z dalszej edukacji. W okresie dorosłości nadal obserwuje się u nich oznaki uzewnętrzniania problemów w stopniu patologicznym. Internalizacja problemów obejmuje z kolei takie cechy, jak niepokój, samotność, depresja i lękliwość. Dzieci posiadające je łatwo stają się ofiarami i wyrastają na osoby wyizolowane społecznie, utrzymujące niewiele kontaktów z innymi i posiadające ograniczone możliwości nawiązywania relacji. Zatem u obydwu grup dzieci odrzuconych prawdopodobieństwo wystąpienie późniejszych problemów psychospołecznych jest bardzo duże i dlatego należy je uważać za grupy podwyższonego ryzyka. Można by więc wysnuć wniosek, że rodzaj relacji, jakie dzieci nawiążą z rówieśnikami, może nam wiele powiedzieć na temat mechanizmów radzenia sobie, które wykorzystają one w kontaktach z szeroko pojętym światem społecznym. Mechanizmy te charakteryzuje pewna stabilność, dlatego też ich znajomość pomaga nam przewidzieć późniejsze prawdopodobne problemy przystosowawcze (Rubin, Bukowski, Parker, 1998; Slee, Rigby, 1998).

Zarówno w przypadku przywiązania w okresie niemowlęcym, jak i kontaktów rówieśniczych w późniejszych latach, charakter relacji umożliwia przewidzenie przyszłości jednostki. Prawdę mówiąc, prognozy te powinny być czynione z pewną dozą ostrożności, ponieważ późniejsze doświadczenia mogą zmienić oczekiwany kierunek rozwoju; prognozowanie jest więc łatwiejsze w warunkach stabilnego otoczenia. Zarówno dzieci z przywiązaniem pozabezpiecznym, jak i odrzucone przez rówieśników stanowią grupę ryzyka, przy czym stwierdzenie „grupa ryzyka" niczego jeszcze nie przesądza, świadczy jedynie o statystycznie *większym prawdopodobieństwie*, że ich rozwój będzie różnił się od rozwoju pozostałych dzieci. Związek pomiędzy typem przywiązania a statusem w grupie rówieśniczej również ma taki charakter. Prawdę mówiąc, niewiele wskazuje na

Zaburzenia eksternalizacyjne
termin ten odnosi się do ujawniania zaburzeń zachowania, takich jak agresja, przemoc i przestępczość.

Zaburzenia internalizacyjne
to zaburzenia, które ujawniają się poprzez symptomy skierowane do wewnątrz, takie jak lęk i depresja.

istnienie *większego prawdopodobieństwa*, że dzieci z przywiązaniem pozabezpiecznym będą miały trudności z nawiązaniem relacji rówieśniczych, gdyż będą mniej popularne, będą miały mniej przyjaciół i będą mniej pewne siebie w grupie niż te z przywiązaniem bezpiecznym (Sroufe, Egeland, Carlson, 1999). Określenie ciągłości w długim okresie czasu jest z metodologicznego punktu widzenia niezwykle trudnym przedsięwzięciem. Niemniej jednak istnieje dość dowodów na to, że jakość relacji stworzonych przez jednostkę w każdym wieku jest jedną z najlepszych przesłanek do prognozowania jej zdolności przystosowawczych w dalszym życiu.

Podsumowanie

Rozwój dziecka odbywa się w kontekście związków interpersonalnych, a do tworzenia pierwszych związków dochodzi w obrębie rodziny.

Rodziny współczesne przyjmują rozmaite formy oprócz układu tradycyjnego, rozumianego jako połączeni związkiem małżeńskim mężczyzna i kobieta oraz ich dzieci. Brak jednak jakichkolwiek dowodów na to, by fakt rozwijania się w rodzinie innej niż tradycyjna wpływał niekorzystnie na dzieci. Badania wskazują, że o zdolnościach przystosowawczych decyduje sposób funkcjonowania rodziny, tj. jakość wzajemnych relacji, a nie jej struktura. W przypadku wszelkich typów rodzin najwłaściwsze jest podejście „systemowe", określające rodzinę jako twór dynamiczny, którego części składowe można odnaleźć na poziomie samej rodziny, jej poszczególnych członków i łączących ich relacji interpersonalnych. Poziomy te są wzajemnie od siebie zależne – to, co dzieje się na jednym z nich, wpływa na pozostałe. Na przykład rozwód wpływa nie tylko na rodzinę jako całość, ale również na dwa pozostałe poziomy. Jednakże, jeśli chodzi o wpływ na dzieci, to do jednych z najbardziej szkodliwych aspektów rozwodu zaliczyć należy konflikt pomiędzy rodzicami. Ma on patogenny wpływ nawet wtedy, kiedy do rozwodu w końcu nie dochodzi.

Już od chwili narodzin, dzieci posiadają predyspozycje do nawiązywania relacji z innymi ludźmi. Przywiązanie powstaje już w okresie niemowlęcym. Zachowania odruchowe ewoluują w kierunku wysoce wybiórczych, planowych i elastycznych systemów reakcji. W wyniku powstawania „wewnętrznych modeli operacyjnych" relacji dzieci zdolne są do wytrzymywania stopniowo coraz dłuższych okresów nieobecności rodziców, w coraz większym stopniu potrafią też pojmować intencje innych ludzi, dzięki czemu relacje z nimi stają się bardziej wyważone i elastyczne.

Warto zwrócić uwagę na różnice pomiędzy dziećmi, wynikające z istoty stworzonego przez nie przywiązania. Szczególnie wyraża się to w zakresie bezpiecznego i pozabezpiecznego przywiązania, które wyłoniono dzięki opracowanej przez Ainsworth procedurze „sytuacji obcości". Uważa się, że klasyfikacja dzieci do czterech kategorii na podstawie zachowania w tej sytuacji w okresie niemowlęcym pozwala przewidzieć szeroki zakres funkcji psychicznych, jaki prezentować będą one w późniejszych latach życia. Zalicza się do nich kompetencje społeczne, własny wizerunek oraz rozmaite aspekty rozwoju emocjonalnego. Ta zależność nie jest jednak stała: wczesne doświadczenia mogą położyć podwaliny pod późniejsze wydarzenia, ale doświadczenia późniejsze mogą zmienić kierunek rozwoju jednostki.

Relacje z rówieśnikami również mogą mieć znaczący wpływ, niezależny od relacji z rodzicami. Kontakty z innymi dziećmi pomagają w nabywaniu rozmaitych sprawności społecznych i w tworzeniu własnej tożsamości dziecka, a współpraca między kolegami jest napędem rozwoju intelektualnego. Klasyfikacja statusu dziecka w grupie rówieśniczej – opierająca się na następujących kategoriach: dziecko popularne, lekceważone i odrzucone – również pozwala przewidzieć późniejsze zdolności przystosowawcze.

Dzieci odrzucone stanowią grupę szczególnego ryzyka pojawiania się problemów psychicznych w ich dalszym rozwoju.

Literatura dodatkowa

Dunn, J. (1993). *Young Children's close Relationships.* London: Sage. Przyjemny w lekturze opis relacji dzieci z rodzicami, rodzeństwem, przyjaciółmi i innymi dziećmi. Szczególną uwagę zwraca na różnice indywidualne w charakterze tych kontaktów i ich znaczenie.

Goldberg, S. (2000). *Attachment and Development.* London: Arnold. Obszerny opis badań nad charakterem i powstawaniem przywiązania. Opisuje zarówno teorie, jak i odkrycia empiryczne, ze szczególnym uwzględnieniem czynników kształtujących pierwotne przywiązanie, rozwoju wewnętrznych modeli operacyjnych oraz wpływu różnych typów przywiązania na stan zdrowia fizycznego i umysłowego.

Hetherington, E. M. (red.) (1999). *Coping with Divorce, Single parenting and Remarriage: A Risk and Resiliency Perspective.* Mahwah, NJ: Erlbaum. Zawiera rozdziały autorstwa wybitnych badaczy różnych tematów dotyczących funkcjonowania rodziny i jej dysfunkcji. Szczególną uwagę poświęcono przystosowaniu dziecka do rozwodu, relacji z przybranym rodzicem i życia w różnego typu układach rodzinnych, a także przyczynom ogromnej rozbieżności w zakresie odporności i podatności zarówno rodziców, jak i dzieci.

Hinde, R. A., Stevenson-Hinde, J. (red.) (1998). *Relationships Within Families: Mutual Influences.* Oxford: Clarendon Press. Składa się z rozdziałów poświęconych różnym aspektom relacji rodzinnych – szczególnie akcentujących wzajemność zależności pomiędzy tymi relacjami – i temu, jak wpływają one na rozwój człowieka. Poruszone w nim tematy obejmują: zastosowanie teorii systemowej względem rodzin, wzajemność relacji małżeńskich i relacji rodzic–dziecko, wpływ narodzin nowego dziecka na rodzinę, spójność zachowań na przestrzeni pokoleń oraz wpływ konfliktu i rozwodu na rodzinę.

Schaffer, H. R. (1998). *Making Decisions about Children: Psychological Questions and Answers* (wyd. 2). Oxford: Blackwell. Zbiór informacji z zakresu wielu obszarów, w których badania mogą posłużyć jako praktyczne porady dotyczących różnych aspektów życia rodzinnego. Obejmuje np. takie zagadnienia, jak konsekwencje zatrudnienia matki lub rozwodu, efekty funkcjonowania różnego typu rodzin, a także porównanie sprawności kobiet i mężczyzn w roli rodziców.

Slee, P. T., Rigby, K. (red.) (1998). *Children's Peer Relations.* London:Routledge. Zbiór doniesień z badań nad współczesnymi problemami w zakresie relacji między rówieśnikami. Zawiera działy dotyczące: wpływów kultury, rodziny i rodziców na rozwój kompetencji społecznych; wpływu płci i pochodzenia etnicznego na charakter relacji z rówieśnikami, skutków niepełnosprawności i choroby oraz skuteczności interwencji, mających na celu umożliwienie nawiązania harmonijnych relacji z innymi dziećmi.

Literatura uzupełniająca w języku polskim

Anzieu, D. i in. (1978). *Przywiązanie. Ujęcie interdyscyplinarne.* (tłum. T. Gałkowski).Warszawa: PWN.

Bornstein, M. H. (1995). Pomiędzy opiekunami a ich potomstwem: dwa rodzaje interakcji i ich konsekwencje dla rozwoju poznawczego W: A. Brzezińska, G. Lutomski, B. Smykowski (red.), *Dziecko w świecie ludzi i przedmiotów* (tłum. A. Brzezińska, K. Warchoł). (s. 39–63). Poznań: Zysk i S-ka Wydawnictwo.

Brzezińska, A. (2004). Socjometria. W: J. Brzeziński (red.), *Metodologia badań psychologicznych*. *Wybór tekstów* (s. 192–231). Warszawa: Wydawnictwo Naukowe PWN.

Hinde, R. A., Stevenson-Hinde, J. (1994). Związki interpersonalne a rozwój dziecka. W: A. Brzezińska, G. Lutomski (red.) *Dziecko w świecie ludzi i przedmiotów* (tłum. A. Brzezińska, K. Warchoł). (s. 45–71). Poznań: Zysk i S-ka Wydawnictwo.

Musatti, T. (1995). Wczesne relacje rówieśnicze według Piageta i Wygotskiego. W: A. Brzezińska, G. Lutomski, B. Smykowski (red.), *Dziecko wśród rówieśników i dorosłych* (tłum. zbiorowe). (s. 107–146). Poznań: Zysk i S-ka Wydawnictwo.

Schaffer, H. R. (1994). Wczesny rozwój społeczny. W: A. Brzezińska, G. Lutomski (red.), *Dziecko w świecie ludzi i przedmiotów* (tłum. A. Brzezińska, K. Warchoł). (s. 96–124). Poznań: Zysk i S-ka Wydawnictwo.

Schaffer, H. R. (1994). Wzajemność kontroli we wczesnym dzieciństwie W: A. Brzezińska, G. Lutomski (red.) *Dziecko w świecie ludzi i przedmiotów* (tłum. A. Brzezińska, K. Warchoł). (s. 125–149). Poznań: Zysk i S-ka Wydawnictwo.

Tudge, J., Rogoff, B. (1995). Wpływ rówieśników na rozwój poznawczy – podejście Piageta i Wygotskiego. W: A. Brzezińska, G. Lutomski, B. Smykowski (red.), *Dziecko wśród rówieśników i dorosłych* (tłum. zbiorowe). (s. 180–213). Poznań: Zysk i S-ka Wydawnictwo.

Wood, D. (1995). Społeczne interakcje jako tutoring. W: A. Brzezińska, G. Lutomski, B. Smykowski, (red.), *Dziecko wśród rówieśników i dorosłych* (tłum. zbiorowe). (s. 214–245). Poznań: Zysk i S-ka Wydawnictwo.

Rozdział 5

Rozwój emocjonalny

Czym są emocje? 148

Istota i funkcje 148

Podstawy biologiczne 150

Droga rozwoju 154

Pojmowanie emocji przez dzieci 156

Początki języka emocji 156

Rozmowy na temat emocji 157

Myślenie na temat emocji 160

Socjalizowanie emocji 163

Nabywanie reguł ekspresji emocji 165

Wpływ rodziców 167

Kompetencje emocjonalne 170

Czym są kompetencje emocjonalne? 171

Od kontroli zewnętrznej do samokontroli ... 173

Dlaczego dzieci różnią się pod względem
kompetencji emocjonalnych? 175

Podsumowanie 179

Literatura dodatkowa 179

Literatura uzupełniająca w języku polskim ... 180

Dzieci poznają emocje głównie w kontekście kontaktów z innymi ludźmi. Bliskie relacje osobiste tworzą zawsze więź emocjonalną, pełną miłości lub nienawiści, dumy lub wstydu, smutku lub szczęścia. W kontakcie z ludźmi dzieci mają szansę zobaczyć nie tylko, jak inni radzą sobie z uczuciami i emocjami, ale też, jak ich własne przejawy emocji oddziałują na innych. Z punktu widzenia przystosowania społecznego i zdrowia psychicznego są to jedne z najistotniejszych dla dzieci doświadczeń.

Ściślej mówiąc, o czym tu w ogóle rozprawiać? Najważniejsze zdają się być następujące trzy aspekty:

- *Świadomość własnych stanów emocjonalnych.* Dzieci muszą się nauczyć, że w pewnych okolicznościach mogą się zezłościć (zmartwić, zmieszać itd.). Muszą wiedzieć, jakie to sytuacje, co czują wtedy, gdy opanowują je te emocje, i jak są one ujawniane na zewnątrz, a także jak je nazwać, by móc o nich rozmawiać. Wszystko to wymaga pewnego stopnia samoświadomości tj. zdolności spojrzenia z boku i kontrolowania własnych uczuć i zachowań, a to dość wyrafinowana umiejętność, choć jej zaczątki można zaobserwować już w bardzo wczesnym wieku.
- *Kontrola jawnych oznak własnych emocji.* Każda kultura dysponuje regułami określającymi to, co jest dopuszczalne w zakresie okazywania uczuć. W największym stopniu reguły te dotyczą agresji, którą należy powstrzymywać i przeciwstawiać się jej sposobami najmniej szkodliwymi dla życia społecznego. Jednak dotyczą również emocji pozytywnych, takich jak radość i duma. W niektórych kulturach niechętnie patrzy się na nie i zniechęca się do zbyt jawnego wyrażania takich odczuć. Dzieci muszą zatem nauczyć się oddzielać wewnętrzne uczucia od ich zewnętrznych wyrazów, a ta umiejętność stanowi istotną część ich socjalizacji.
- *Rozpoznawanie emocji innych osób.* Zdolność do „odczytywania" wewnętrznych uczuć innych osób na podstawie ich zewnętrznego zachowania także jest ważnym elementem relacji społecznych. Rozpoznanie emocji na podstawie ich zewnętrznych oznak i zrozumienie odczuć innej osoby, która zachowuje się w określony sposób umożliwia dzieciom podjęcie właściwego zachowania. Następstwem każdego doświadczenia jest stworzenie jakichś reguł: tata wrócił z pracy ze zmarszczonym czołem, kąciki ust skierowane w dół, nic nie mówi, unika kontaktu wzrokowego – oznacza to gniew i frustrację, lepiej trzymać się z daleka; mama się uśmiecha, jest odprężona i mówi łagodnym głosem, znaczy, że jest szczęśliwa, można do niej podejść i się przytulić. Lekcje wyniesione z rodziny można zastosować w innych sytuacjach, i mimo że trzeba będzie poczynić pewne modyfikacje, by dostosować je do stylu emocjonalnego innych osób, to zakres zewnętrznych oznak emocji w obrębie jednego społeczeństwa jest stosunkowo ograniczony.

Powiemy nieco o wszystkich tych aspektach, a zwłaszcza o istocie rozwoju emocjonalnego w okresie wczesnego dzieciństwa oraz o czynnikach biologicznych i społecznych kierujących tym rozwojem. W odpowiednim czasie od dzieci oczekuje się, że przyswoją sobie **kompetencje emocjonalne** – pojęcie to określa zdolność dzieci do radzenia sobie z własnymi emocjami oraz do rozpoznawania i reagowania na emocje innych. Nieumiejętność nabycia tych kompetencji może niekiedy mieć straszliwe skutki, co jest jeszcze jednym ważnym powodem, by badać i próbować zrozumieć rozwój emocjonalny.

Kompetencje emocjonalne to termin określający zdolność jednostki do radzenia sobie zarówno z własnymi, jak i z cudzymi emocjami. Jest to odpowiednik „kompetencji intelektualnych" w funkcjonowaniu poznawczym.

Czym są emocje?

Jesteśmy tak dobrze zaznajomieni z emocjami, że to pytanie wydaje się śmieszne. Emocje stale towarzyszą wszystkim wydarzeniom naszego życia codziennego, jednak nauka opieszale zabierała się do ich zbadania. Po części dlatego, że w przeszłości nasz pogląd na emocje był niemal całkowicie negatywny. Uważano, że mają one charakter destrukcyjny, dezorganizują pracę umysłu, co zaburza sprawność funkcji poznawczych, które uważane były za cechę wyróżniającą człowieka. Podczas gdy funkcje poznawcze bazują na pracy ośrodkowego układu nerwowego, emocje angażują przede wszystkim autonomiczny układ nerwowy – prymitywniejszy element naszej natury, który raczej zbliża nas do innych gatunków zwierząt, niż wynosi nas ponad nie jako najwyższe ogniwo ewolucji. Dopiero niedawno zapanował inny pogląd. Nie traktuje on emocji jako zakłóceń w systemie, ale daje im do odegrania konkretną rolę we wspieraniu rozwoju i przystosowaniu. Rozwój emocjonalny dziecka jest dziś obszarem dość dynamicznych badań i dzięki temu stan naszej wiedzy na ten temat szybko się powiększa (Denham, 1998; Saarni, 1999; Sroufe, 1996).

Istota i funkcje

Mimo iż są nam dobrze znane, emocje nadal stanowią tak mało przejrzyste zjawisko, że najlepiej będzie zacząć od definicji:

> Emocje to subiektywne reakcje na istotne wydarzenia, charakteryzowane poprzez zmiany fizjologiczne oraz zmiany na poziomie doświadczenia i widocznego dla innych zachowania.
>
> (Sroufe, 1996)

Jest to jedna z wielu definicji, odzwierciedlająca niepewność, jak najlepiej wyrazić istotę emocji. Jednakże ma ona tę zaletę, że kieruje uwagę na fakt, iż każdy epizod emocjonalny składa się z kilku elementów tj. ze:

- *Zdarzenia wywołującego*, które jest zawsze specyficzne dla każdej z emocji. Zaskoczenie, na przykład, jest wywoływane przez coś nieoczekiwanego; gniew przez przerwę w drodze do celu; lęk przez sytuację zagrożenia; wstyd przez atak na czyjąś samoocenę, itd.
- *Składnika fizjologicznego*, takiego jak zmiana rytmu serca i pulsu, przyspieszenie oddechu, pocenie się, przewodnictwo skórne i inne funkcje, kontrolowane przez autonomiczny układ nerwowy.
- *Składnika osobistego doświadczenia*, tj. rzeczywistego odczucia wewnętrznego. Jest to ten aspekt, który z własnego doświadczenia najlepiej znamy. Po części jest to świadomość pobudzenia wywołanego zmianami fizjologicznymi, po części wiąże się to z poznawczą oceną sytuacji wywołującej emocje oraz ze sposobem, w jaki ona na nas wpływa. Jedną z ważniejszych zmian związanych z wiekiem, które pojawiają się w dzieciństwie jest to, że coraz częściej do głosu dochodzą aspekty poznawcze. Przestraszone niemowlę reaguje po prostu wszystkimi oznakami strachu, starsze odwołuje się już do planu działania takiego, jak ucieczka. Nie tylko więc wyraża, ale również kontroluje swój strach.
- *Widocznej zmiany zachowania* – to tego najczęściej jesteśmy świadomi obserwując stany emocjonalne innych ludzi. Najbardziej wyrazista jest mimika twarzy i to ona, jak się za chwilę przekonamy, przyciągnęła największą uwagę badaczy oznak i rozpoznawania emocji. Do innych jawnych oznak zalicza się zmiany głosu (np. wysoki głos w momencie przerażenia) i szczególne gesty (np.: wymachiwanie pięściami w gniewie). Wszystkie z nich pozwalają innym ludziom nie tylko zdać sobie sprawę, że ktoś jest emocjonalnie pobudzony, ale także rozpoznać, jakie to emocje.

Podkreślmy jeszcze raz: emocje nie są zakłóceniami w systemie, a pełnią pożyteczną rolę. Weźmy pod uwagę lęk przed nieznajomymi – zjawisko to ujawnia się w drugiej połowie 1. r. ż., kiedy to dzieci zaczynają bardziej różnicować własne reakcje wobec innych ludzi (Schaffer, 1974). W wyniku tego przyjazne gesty ze strony nieznajomego wywołują reakcję lękową i pobudzenie o różnym stopniu natężenia w zależności od zachowania nieznajomego i temperamentu dziecka. Taka reakcja emocjonalna jest jak najbardziej pożyteczna. Wiąże się bowiem z reakcjami adaptacyjnymi, takimi jak opór, wycofanie i ucieczka do dobrze znanego rodzica. Ponadto płacz dziecka pełni funkcje komunikacyjne. Alarmuje on matkę, która podejmuje wszelkie niezbędne działania. Za pomocą reakcji i sygnałów emocjonalnych dzieci mogą informować innych o swych potrzebach i wymaganiach na długo zanim będą potrafiły wyrazić to słowami. A zatem wzorzec lęku zapewnia to, że dziecko pozostaje w otoczeniu ludzi godnych zaufania, a nie oddala się z byle kim. Reakcje te mają więc istotne znaczenie dla przeżycia, dzięki czemu, bez wątpienia, znalazły się w repertuarze wrodzonych reakcji właściwych dla naszego gatunku. Wszystkie emocje mają jakieś istotne znaczenie dla przeżycia i wszystkie pełnią użyteczne, wewnętrzne i interpersonalne, funkcje regulacyjne.

Podstawy biologiczne

Dzieci nie trzeba uczyć gniewu, lęku czy radości. Emocje te ujawniają się w sposób naturalny; stanowią część naszego dziedzictwa. Nie znaczy to jednak, że dziecko przychodzi na świat wyposażone w pełen zakres emocji. Lęk przed obcymi, jak już mogliśmy się zorientować, nie zaczyna ujawniać się przed końcem 1. r. ż. Złożone emocje, takie jak duma lub wstyd, ujawniają się jeszcze później. A mimo to brak jest dowodów, żeby dzieci wymagały zdobycia szczególnych doświadczeń, by je uruchomić. Wygląda raczej na to, że genetycznie nastawiony program zapewnia to, że różne emocje ujawniają się w różnym wieku oraz to, że u wszystkich ludzi przyjmują one jednakową formę, bez względu na kontekst społeczny lub kulturowy.

Tak zapewne twierdził Karol Darwin. Jego, wydana w 1872 r., książka pod tytułem *The Expression of emotions in Man and Animals* (wyd. pol. *O wyrazie uczuć u człowieka i zwierząt*) była pod wieloma względami pierwszą próbą naukowego opisu zachowań emocjonalnych i wyjaśnienia ich źródeł. Wiele danych empirycznych pochodzi z jego mozolnych obserwacji własnego synka, Doddy'ego. Oto, na przykład, co zanotował na temat jego pierwszych oznak gniewu:

> Trudno było określić w jak młodym wieku odczuwa się gniew; ósmego dnia skrzywił się i zmarszczył skórę wokół oczu zanim wybuchnął płaczem, ale mogło to wynikać z bólu lub niepokoju, a nie z gniewu. Kiedy miał około dziesięciu tygodni podano mu dość zimne mleko, marszczył czoło przez cały czas ssania, wyglądał więc, jak dorosły człowiek rozzłoszczony zmuszaniem go do robienia rzeczy, których nie chce. Gdy miał prawie cztery miesiące, a prawdopodobnie już dużo wcześniej, co do tego nie można mieć wątpliwości, sądząc po tym jak krew napływała mu do całej twarzy i głowy, z łatwością popadał w silną pasję.   (Darwin, 1872)*

Jak widać na tym przykładzie, Darwin kładł wielki nacisk na mimiczne wyrazy emocji i to właśnie je uznawał za element dziedziczny, który ewoluował od wzorców reakcji potrzebnych do walki o byt i miał wiele wspólnego z emocjami ujawnianymi przez inne ssaki naczelne. Twierdził, że „...niektóre wyrazy uczuć, jak np. jeżenie się włosów w skutek przerażena lub szczerzenie zębów pod wpływem wściekłości, można zrozumieć jedynie, jeśli się przyjmie, że człowiek żył kiedyś w stanie znacznie niższym, podobnym do zwierzęcego"** (Darwin, 1872).

Podejmowano wiele prób prześledzenia rozwoju emocjonalnego, a zwłaszcza określenia podstawowych emocji obserwowanych nawet u noworodków. Wyrazy

---

* Schaffer się pomylił; cytat pochodzi z: Ch. Darwin. A. Biological sketch of an infant. *Mind*, lipiec 1877 (przyp. tłum.).

** Przetłumaczyły Zofia Majlert i Krystyna Zaćwilichowska.

emocji to zjawiska ulotne i większość z badań opierała się jedynie na wrażeniach badaczy. Jednakże w ostatnich czasach wypracowano pewne bardzo wyrafinowane techniki pozwalające w sposób rzetelny i szczegółowy na obiektywny opis mimiki twarzy (zob.: Ekman, Friesen, 1978, na temat Systemu Kodowania Ruchów Twarzy, FACS, oraz Izard, 1979, na temat Maksymalnie Różnicującego Systemu Kodowania Ruchów Twarzy, MAX)*. Mimo to brak powszechnego porozumienia co do określenia sposobu ujawniania się emocji w początkowych tygodniach życia. Sześć stanów emocjonalnych uważa się za emocje pierwotne, które można rozpoznać nawet u noworodków, mianowicie: *gniew, lęk, zdziwienie, obrzydzenie, radość* i *smutek*. Każda z nich posiada własne podstawy biologiczne (neuronalne). Każda z nich wyrażana jest w szczególny sposób i w każdym przypadku wyrażanie emocji pełni określoną funkcję adaptacyjną (zob. tab. 5.1). To oczywiście zachowanie daje wskazówki do rozpoznania, co dziecko czuje. W jednym z eksperymentów (Lewis, Alessandri, Sullivan, 1990) dwumiesięczne niemowlęta

TABELA 5.1

Sześć podstawowych emocji i sposoby ich wyrażania

Emocje	Ekspresja twarzy	Reakcje fizjologiczne	Funkcja adaptacyjna
Gniew	Obniżenie i zbliżenie do siebie brwi; usta otwarte i kwadratowe *lub* wargi zaciśnięte	Przyśpieszona akcja serca i podwyższona temperatura skóry; wypieki na twarzy	Przezwyciężenie przeszkody; osiągnięcie celu
Lęk	Brwi uniesione; oczy szeroko otwarte i intensywnie wpatrzone w bodziec	Przyśpieszona stabilna akcja serca; obniżenie temperatury skóry; posapywanie	Rozpoznanie zagrożenia; uniknięcie niebezpieczeństwa
Obrzydzenie	Brwi obniżone; nos zmarszczony; policzki i górna warga uniesione	Spowolnienie akcji serca; podwyższona oporność skóry	Unikanie szkodliwego źródła
Smutek	Wewnętrzne końce brwi uniesione; kąciki ust opuszczone i podciągnięty podbródek	Spowolniona akcja serca; niska temperatura skóry; niskie przewodnictwo skórne	Zachęcenie innych do pocieszania
Radość	Kąciki ust uniesione i cofnięte; policzki uniesione; oczy przymrużone	Przyśpieszona akcja serca; nieregularny oddech; podwyższone przewodnictwo skórne	Sygnał do życzliwego kontaktu
Zaskoczenie	Oczy szeroko otwarte, brwi uniesione; usta otwarte; stała orientacja w kierunku bodźca	Spowolniona akcja serca; oddech nagle zawieszony; ogólny spadek napięcia mięśni	Przygotowanie do zdobycia nowego doświadczenia; poszerzenie pola widzenia

* Por. zaawansowane badania z wykorzystaniem obu tych technik: Draheim, S. E. (2004). *Makiawelistyczna osobowość niepełnoletniego świadka*. Poznań: Wydawnictwo Naukowe UAM (przyp. red. nauk.).

sadzano w nosidełkach, a do ich rączek przywiązywano sznurek. Szybko nauczyły się, że każde pociągnięcie uruchamia pozytywkę. Ujawniały przy tym wszelkie oznaki przyjemności: otwierały buzię, szeroko otwierały oczy, uśmiechały się. Kiedy eksperymentatorzy wyłączyli muzykę, a pociągnięcie sznurka nie wywoływało pożądanego efektu, miny dzieci wyraźnie prezentowały wszelkie oznaki gniewu: zaciskały one i obnażały zęby, ściągały usta, marszczyły brwi. Zawsze behawioralne oznaki każdej emocji mają jakieś konkretne walory adaptacyjne: na przykład dzieci, którym podano niesmaczną substancję, dadzą wyraz obrzydzeniu, którego elementem będzie próba wyplucia substancji, podczas gdy płacz zaalarmuje opiekunów, by podjęli właściwe działanie.

Skoro wyrazy emocji są biologicznie uwarunkowane, to powinny mieć charakter uniwersalny. Dlatego też Darwin wyruszył, by zebrać stosowne materiały z innych kultur w celu sprawdzenia, czy ludzie na całym świecie wyrażają swoje emocje w podobny sposób. Od tamtych czasów zebrano wiele materiałów z różnych kultur, a zwłaszcza ludów nie posiadających pisma, i mających niewielki kontakt z ludźmi z zewnątrz (zob. np. ramka 5.1). Na ich podstawie dowiedzieliśmy się, że istotnie na całym świecie istnieje znaczne podobieństwo wyrażania emocji za pomocą mimiki, głosu i ruchów (zob. przegląd Mesquita, Frijda, 1992). Gdy na przykład proszono ludzi o przedstawienie wyrazu właściwego dla otrzymania wiadomości o czyjejś śmierci, lub dla spotkania z dzikim zwierzęciem, lub bycia sprowokowanym czyimiś uwłaczającymi uwagami, wszyscy czynili identyczne gesty. Oznacza to również, że zdolność rozpoznawania emocji u innych ludzi ma charakter uniwersalny. Gdy fotografie udawanych wyrazów emocji przedstawiono ludziom z różnych kultur, także tym ze społeczności przedpiśmiennej, nie mieli oni trudności z właściwym określeniem tych emocji (zob. tab. 5.2). Już nawet trzymiesięczne dzieci zdają się rozpoznawać przynajmniej niektóre z ludzkich emocji, bo inaczej reagują na twarze wskazujące na zadowolenie, twarze pozbawione jakichkolwiek emocji i twarze zagniewane.

TABELA 5.2

Zgodność (w %) pomiędzy przedstawicielami różnych kultur w identyfikacji emocji wyrażonych przez twarze na fotografiach

Emocje	Stany Zjednoczone	Japonia	Brazylia	Szkocja	Nowa Gwinea
Szczęście	97	87	87	98	92
Smutek	73	74	82	86	79
Gniew	69	63	82	84	84
Obrzydzenie	82	82	86	79	81
Zaskoczenie	91	87	82	88	68
Lęk	88	71	77	86	80

Źródło: Ekman (1980) i Fridlund (1994).

RAMKA 5.1

Studia nad emocjami w kulturach neolitycznych

Czy wyrazy emocji mają charakter wrodzony czy wyuczony? Jeśli wrodzony, to powinny być identyczne u wszystkich ludzi bez względu na ich podchodzenie kulturowe, nawet u tych, którzy wiedli życie w odosobnieniu, bez wpływów kultury zachodniej.

Najdokładniejsze badania międzykulturowe w tym zakresie przeprowadził Paul Ekman (1980; Ekman, Sorenson, Friesen, 1969). Społecznością, którą wraz z zespołem poddał obserwacji był lud Fore, neolityczne plemię zamieszkujące dalekie zakątki Nowej Gwinei, które do czasu tuż przed przyjazdem Ekmana było całkowicie nieznane ludziom z zewnątrz. W badaniach posłużono się wieloma metodami. Na przykład członkom plemienia opowiadano historie (przetłumaczone na ich język) o takich wydarzeniach, jak spotkanie oko w oko z dzikiem, lub o przyjeździe przyjaciół, i za każdym razem proszono o wybranie właściwego spośród zdjęć przedstawiających różne stany emocjonalne wyrażane przez ludzi z kręgu kultury zachodniej. W większości przypadków osoby badane wykonywały to zadanie z powodzeniem. Na przykład w przypadku szczęścia poprawnych wyborów było 92%, w przypadku gniewu 84%, w przypadku obrzydzenia 81%, a w przypadku smutku 79%. Podobnie radziły sobie dzieci ludu Fore. Inna metoda polegała na pokazaniu fotografii, które zdaniem zarówno przedstawicieli kultury zachodniej, jak i piśmiennych kultur wschodnich przedstawiały konkretne emocje, a zadaniem badanych było ułożenie historyjki, która opisywałaby, co dzieje się w danej chwili z człowiekiem z obrazka, co działo się wcześniej i co stanie się później. To już okazało się trudniejsze, lecz też pokazało, że badane plemię rozpoznaje w tych fotografiach te same emocje, co przedstawiciele innych kultur. Kolejna technika polegała na tym, że ludzie z plemienia Fore mieli pokazać, jaką minę zrobiliby, gdyby coś ich rozzłościło i byliby gotowi do walki oraz jak wyraziliby zadowolenie z odwiedzin przyjaciela. Późniejsza analiza nagrań wideo wykazała, że poruszali oni tymi samymi mięśniami twarzy, co reprezentanci innych kultur odczuwający lub udający te emocje. Ponadto, gdy pokazano te taśmy w krajach zachodnich, ich interpretacja była w większości trafna.

Ekman nie miał wątpliwości, że wyniki tych badań potwierdzają uniwersalny charakter niektórych wyrazów emocji. Szczęście, zaskoczenie, smutek, gniew, lęk i obrzydzenie zaliczył do powszechnego, nie ograniczającego się do żadnej konkretnej kultury repertuaru reakcji, choć później nie przywiązywał do tej listy zbytniej wagi. Nie wszyscy zgadzali się z jego wnioskami (np. Russell, 1994) – po części dlatego, że zastosowane metody nie były niezawodne, a po części dlatego, że można by zastosować inne interpretacje teoretyczne. Mimo wszystko, te i inne doniesienia z badań sprawiają, że pogląd, iż natura wyposażyła wszystkich przedstawicieli gatunku ludzkiego w konkretny zbiór określonych wzorców zachowań wyrażających podstawowe emocje, nadal wydaje się najbardziej prawdopodobny.

Prawdę mówiąc, powszechność tych reakcji niekoniecznie świadczy o tym, że są one wrodzone. Mogą bowiem wynikać z uczenia się na podstawie powszechnych dla danego gatunku doświadczeń. W takim razie najważniejsze było odkrycie, że dzieci pozbawione takich doświadczeń z powodu ślepoty lub głuchoty wyrażają swoje emocje w taki sam sposób, jak inni ludzie (Eibl-Eibesfeldt, 1973). Od samego początku potrafią się śmiać, uśmiechać, krzywić, wyrażać zaskoczenie i płakać w taki sam sposób i w takich samych sytuacjach. W złości zaciskają pięści, w smutku opuszczają ramiona, przy czym towarzyszą temu odpowiednie wydawane przez nie dźwięki, „poprawne", mimo że nigdy nie słyszały ich w wykonaniu innych ludzi. A zatem wrodzony charakter naszego repertuaru emocjonalnego jest niemalże pewny, choć (jak się zaraz przekonamy) czynniki społeczne powodują jego wytłumienie, gdyż w okresie dzieciństwa ustalone zostają normy, co do zakresu i okoliczności wyrażania emocji.

Droga rozwoju

W procesie rozwoju, w wyniku dojrzewania i socjalizacji, emocje ulegają zmianie. Pojawiają się także nowe emocje: w 2. i 3. r. ż. dziecko zaczyna dawać np. oznaki poczucia winy, dumy, wstydu i zażenowania. Dochodzi do łączenia emocji, np. jednocześnie pojawia się lęk i złość. Podstawowe emocje, oczywiście, pozostają częścią repertuaru przez całe życie jednostki, jednakże wraz z wiekiem zmianie ulegają okoliczności wywołujące je. Począwszy od 2. r. ż. odczucia emocjonalne mogą zostać wywołane nie tylko przez konkretną sytuację, ale także przez jej symboliczną reprezentację. Dziecko może ogarnąć strach nawet, gdy siedzi bezpiecznie w domu na krzesełku słuchając, czy jedynie przypominając sobie straszną historię. Jeszcze jedna godna uwagi zmiana rozwojowa: emocje ujawniają się w coraz subtelniejszy sposób, gdyż dziecko uczy się panować nad swym zachowaniem i reagować w sposób społecznie akceptowany. Zatem wraz z przyswajaniem sobie dobrych „manier" uczucia i ich oznaki stopniowo stają się coraz bardziej rozłączne: nie złościć się, kiedy inne dziecko otrzyma pożądaną pierwszą nagrodę; nie okazywać rozczarowania, kiedy prezent okazuje się czymś niechcianym, a nawet maskować uczucia poprzez okazanie „grzeczniejszych" emocji niż te rzeczywiście odczuwane.

Rozwój emocjonalny idzie w parze z rozwojem poznawczym. Najlepiej widać to na przykładzie powstawania tego, co zwane jest emocjami *związanymi z samoświadomością*, takimi jak, duma, wstyd, wina i zażenowanie, których zazwyczaj nie zauważa się u dzieci przez końcem 2. r. ż. By móc je odczuwać dzieci muszą najpierw posiadać poczucie Ja – rodzi się ono około 18. miesiąca życia. Takie emocje, jak lęk czy gniew nie wymagają tego, pojawiają się więc stosunkowo wcześnie. Jednakże w sytuacji, kiedy dziecko jest dumne lub zawstydzone – „poczucie Ja ocenia poczucie Ja" (Lewis, 1992); znaczy to, że dziecko musi posiadać pewien zakres obiektywnej samoświadomości, by móc ocenić własną postawę, a to dość wyszukana zdolność poznawcza, której próżno doszukiwać się w okresie niemowlęcym (zob. bardziej szczegółowe omówienie w rozdz. 10.). Innymi słowy, do momentu osiągnięcia zdolności obiektywnego spojrzenia na siebie

RAMKA 5.2

Badania nad poczuciem dumy i wstydu

Podstawowe emocje, takie jak gniew czy lęk, łatwo jest zaobserwować nawet u małych dzieci. Ich jawne oznaki mają wyraźny charakter i u wszystkich przybierają mniej więcej taką samą formę. Inaczej jest w przypadku późniejszych świadomych emocji, takich jak duma i wstyd, które nie wywołują specyficznych wyrazów twarzy. Badania tych zjawisk wymagały zatem od badaczy przede wszystkim odpowiedzenia sobie na pytanie: jak je mierzyć (zob. Lewis, 1992; Stipek, Recchia, McClintic, 1992).

Zarówno duma, jak i wstyd są emocjami „całego ciała". Nie można ich określić na podstawie specyficznych wyrazów twarzy, ujawniają się natomiast poprzez ogólną postawę ciała, zwłaszcza u dzieci, które nie mają zahamowań przed okazywaniem ich jawnie i w pełnej formie. Poprzez postawienie dziecka w sytuacji, w której odniesie ono sukces lub poniesie porażkę, obserwatorom udało się zebrać oznaki dumy i wstydu, które pozwalają na różnicowanie tych dwóch emocji. Dzięki temu można było stwierdzić, że duma powoduje przede wszystkim „powiększanie" się rozmiarów ciała. Dzieci przyjmują postawę otwartą, wyprostowaną, z odchylonymi w tył barkami, podniesioną głową, z ramionami uniesionymi i/lub otwartymi, podniesionym wzrokiem; towarzyszy temu uśmiech, a czasami pozytywna werbalizacja w stylu: „Udało się!" lub po prostu „Oooo!". Natomiast w przypadku wstydu ciało wydaje się „zapadnięte", barki przygarbione, ręce opuszczone i przylegające do ciała lub dotykające twarzy, jakby ją zakrywały, kąciki ust skierowane w dół, wzrok spuszczony, aktywność zahamowana; może również wystąpić negatywny komentarz werbalny, np.: „nie jestem w tym dobry". Dzięki tym wskaźnikom obserwatorzy mogą dojść do porozumienia w kwestii tego, co dziecko odczuwa, i tym samym obiektywnie badać powyższe zjawiska.

Weźmy przykład badania, którego autorami byli Lewis, Alessandri i Sullivan (1992). Trzyletni chłopcy i dziewczynki mieli wykonać zadania łatwe i trudne (np. ułożyć puzzle z 4 lub 25 elementami; odwzorować linię prostą lub trójkąt), a ich reakcje emocjonalne w postaci dumy i wstydu rejestrowano na wideo. Celem było określenie zakresu, w jakim reakcje dzieci różniły się w zależności od trudności zadania oraz tego, czy pomiędzy dziećmi istnieją jakiekolwiek różnice związane z płcią. Wyniki wykazały niezbicie, że dzieci okazują dumę i zawstydzenie w sposób prawidłowy i zróżnicowany. Żadne z nich nie było dumne z porażki ani żadne nie okazało wstydu z sukcesu. Oceniały natomiast swoje działanie dość realnie w zależności od poziomu trudności. Więcej z nich okazało wstyd z powodu niewykonania zadania łatwego niż trudnego, i więcej było dumnych z powodzenia w trudnym niż w łatwym zadaniu. Sama porażka lub sukces nie były w stanie w pełni tłumaczyć różnic w dziecięcych reakcjach. Nawet trzylatki potrafiły ocenić swoje działanie w stosunku do zamierzonego celu. Jeśli zaś chodzi o różnice płciowe, to chłopcy i dziewczynki nie różnili się w okazywaniu dumy. Natomiast w przypadku porażki, zwłaszcza, jeśli zadanie było łatwe, dziewczynki znacznie częściej niż chłopcy okrywały się wstydem – co zresztą koresponduje z obserwacjami nad dorosłymi kobietami i mężczyznami.

dziecko nie jest w stanie ocenić własnego zachowania i porównać go ze standardami wyznaczonymi przez innych lub siebie samego. Dopiero gdy to osiągnie może dojść do wniosku: „zrobiłem coś wielkiego (lub okropnego)" i odczuwać satysfakcję lub niezadowolenie z własnego zachowania (więcej szczegółów na temat badań nad dumą i wstydem zob. ramka 5.2).

Pojmowanie emocji przez dzieci

Od momentu, kiedy dzieci zaczynają porozumiewać się za pomocą mowy, ich rozwój emocjonalny zyskuje zupełnie nowy wymiar. Emocje stają się punktem wyjścia do refleksji. Gdy dzieci umieją już nazwać swoje odczucia, mogą „stanąć obok nich", przemyśleć je i tym sposobem obiektywnie ocenić to, co dzieje się w ich wnętrzu. Posiadając słowa do nazywania emocji, mogą już na ich temat rozmawiać. Z jednej strony przekazują innym to, co czują, a z drugiej mogą słuchać innych ludzi opowiadających o swoich przeżyciach. Można się zatem emocjami podzielić, przez co nauka o ich istocie – o przyczynach, skutkach i sposobach radzenia sobie – kiedy już wkracza na poziom werbalny staje się łatwiejsza.

Początki języka emocji

Słów odnoszących się do przeżyć wewnętrznych dzieci zaczynają używać po raz pierwszy w drugiej połowie 2. r. ż. – są to takie słowa, jak szczęśliwy, smutny, zły i przestraszony (Bretherton, Beeghly, 1982; Dunn, Bretherton, Munn, 1987). A zatem do najważniejszych tematów należą przyjemność i ból. Najczęściej rozmowy te toczą się po to, by skomentować, jak dziecko się czuje („Boję się"; „Jestem zadowolona"). Zakres i liczba terminów określających emocje wzrasta gwałtownie w 3. r. ż., a w wieku 6 lat dzieci używają już takich słów, jak: poruszony, zaniepokojony, rozzłoszczony, zadowolony, nieszczęśliwy, odprężony, zawiedziony, zmartwiony, zdenerwowany i radosny. Ponadto, o ile początkowo dzieci rozmawiają niemal wyłącznie o własnych uczuciach, o tyle w wieku około 2 $\frac{1}{2}$ roku odnoszą się również do przeżyć innych ludzi. W nagraniach spontanicznych rozmów dzieci w sytuacjach naturalnych można usłyszeć następujące uwagi:

> „Jest ciemno; boję się".
> „Katie, nieszczęśliwa buzia. Katie smutna".
> „Przytulam. Dzidzia zadowolona".

Nagrania te są istotne, ponieważ ukazują, jak wcześnie dzieci są zdolne wyciągać wnioski na temat stanów wewnętrznych. Już w 3. r. ż. zamiast rozmawiać tylko o zewnętrznych zachowaniach („płacz", „pocałunek", „śmiech" itd.) przeskakują na poziom psychologiczny i potrafią mówić nie tylko o swoich, ale i o cudzych przeżyciach wewnętrznych. Ponadto wnioski, jakie wyciągają, są zazwyczaj poprawne. Gdy trzylatkowi pokażemy zdjęcia twarzy wyrażających rozmaite emocje i zapytamy, jak ci ludzie się czują, to w przypadku podstawowych emocji nie będzie on miał zbytnich trudności w rozpoznaniu właściwych uczuć. Uwaga typu „Jej oczy płaczą, jej smutna", najlepiej ilustruje ten typ wnioskowania.

W okresie przedszkolnym język emocji szybko zyskuje na precyzyjności, przejrzystości i złożoności, a co najważniejsze – zaczyna odwoływać się do możliwych powodów ludzkich odczuć. Dlatego stwierdzenia typu: „Jest ciemno, boję się", „Babcia zła; ja popisałem ścianę" oraz „Boję się Hulka, zamykam oczy" ukazują wyraźnie, że emocje nie są już traktowane jako odrębne wydarzenia. Te małe dzieci już intensywnie rozmyślają i domyślają się przyczyn tego, co czują konkretne osoby. Tworzą przekonujące teorie na temat tego, co powoduje dane wyrazy emocji, które obserwują, odnoszą te przejawy do wydarzeń interpersonalnych, takich jak kłótnie rodziców lub skarcenie dziecka przez matkę, a ponadto mówią o sposobach radzenia sobie z emocjami („Jestem na Ciebie zły, Tatuś, idę sobie, do widzenia"). Kiedy już zrozumieją, co wywołuje emocje, mogą zacząć manipulować uczuciami innych osób („Jeśli będziesz się gniewać, tatuś, powiem mamie").

Zdolność mówienia o emocjach świadczy o tym, że dzieci potrafią dokonać obiektywnej oceny uczuć swoich, jak również uczuć innych osób. Zdolność ta wzrasta szczególnie wyraźnie w okresie środkowego dzieciństwa i umożliwia wtedy dzieciom rozmowy na temat minionych wydarzeń emocjonalnych, przewidywanie przyszłych sytuacji, ich analizę w kategoriach przyczyn i konsekwencji. Ponadto umożliwia docenianie tego, jak nastrój może wpływać na zachowanie oraz uwzględnianie różnic pomiędzy ludźmi, jeżeli chodzi o ich wrażliwość emocjonalną. A zatem, zdolność myślenia o uczuciach i omawiania ich z innymi osobami oznacza, że z jednej strony dzieci usiłują pojąć własne emocje, a z drugiej, wysłuchują zwierzeń innych ludzi na temat ich emocji i zapoznają się z ich interpretacją rozmaitych sytuacji. Rozmowy na temat emocji mają więc istotne znaczenie dla rozwoju emocjonalnego, bo zwiększają szanse na dogłębne zrozumienie przez dziecko istoty relacji interpersonalnych.

Rozmowy na temat emocji

Zainteresowanie dzieci emocjami i ich zdolności pojmowania emocji rozwijają się wraz z nawiązywaniem kolejnych relacji społecznych, o czym świadczą rozmowy prowadzone przez dzieci z rodzicami (Dunn, Bretherton, Munn, 1987; Dunn, Brown, 1994). Wynika z nich wyraźnie, że to często same dzieci inicjują próby dowiedzenia się czegoś na temat emocji. Nawet wtedy, gdy ich zdolności jasnego

wyrażania się na temat uczuć są nadal ograniczone, wykazują wielkie zaciekawie-
nie przyczynami takiego, a nie innego ludzkiego zachowania. Weźmy przykład
dwuipółlatka, który podsłuchał, jak jego mama mówi o zdechłej myszy (Dunn,
1988):

> *DZIECKO:* Co cię przestraszyło mamusiu?
> *MATKA:* Nic.
> *DZIECKO:* Co cię przestraszyło mamusiu?
> *MATKA:* Nic.
> *DZIECKO:* Co to? Co jest tam na dole, mamo? Że cię przestraszyło?
> *MATKA:* Nic.
> *DZIECKO:* To cię nie przestraszyło?
> *MATKA:* Nie, nie przestraszyło mnie.
> *DZIECKO:* No, co tam jest?

Mamy tu do czynienia z dzieckiem przekonanym, że musi być jakaś konkretna
przyczyna zachowania emocjonalnego matki, i uparcie próbującym dociec, co
wywołało ten stan. Dziecku nie wystarcza jedynie zarejestrowanie zewnętrznego
zachowania matki. Chce je wyjaśnić w kategoriach leżących u jego podstaw, czyli
emocji, i zrozumieć warunki, które je wywołały.

Początkowo rozmowy na temat emocji pomagają dzieciom zrozumieć głównie
własne uczucia i odzyskać spokój. Widać to na następującym przykładzie dwulat-
ka, któremu pokazano książeczkę z potworami (Dunn, Bretherton, Munn, 1987):

> *DZIECKO:* Mamo, mamo.
> *MATKA:* Co się stało?
> *DZIECKO:* Boję.
> *MATKA:* Książka?
> *DZIECKO:* Tak.
> *MATKA:* Ty się jej nie boisz!
> *DZIECKO:* Boję.
> *MATKA:* Przestraszyła cię, tak?
> *DZIECKO:* Tak.

Rozmowy te pełnią rozmaite funkcje:

- umożliwiają dzieciom stawienie czoła własnym emocjom;
- pomagają wyjaśnić zachowania innych ludzi;
- służą dzieciom pomocą w zrozumieniu coraz większej liczby uczuć;
- umożliwiają zgłębienie charakteru i okoliczności kontaktów międzyludzkich;
- umożliwiają dzieciom dzielenie się swoimi doświadczeniami emocjonalnymi
  z innymi i uwzględnianie ich w kontaktach z nimi.

TABELA 5.3

Częstotliwość odwoływania się do uczuć u dzieci w wieku od $1^1/_2$ do $2^1/_2$ lat oraz ich matek

	$1^1/_2$ roku	2 lata	$2^1/_2$ roku
Dzieci	0,8	4,7	12,4
Matki	7,1	11,1	17,4

Źródło: Dunn, Bretherton, Munn (1987).

Częstotliwość takich rozmów pomiędzy dziećmi i rodzicami bardzo wzrasta w początkowych latach życia, wraz z rosnącym zakresem zdolności werbalnych i możliwościami pojmowania. Jak widzimy w tab. 5.3, znaczący skok częstotliwości dziecięcych odniesień do uczuć następuje w okresie od 2. do 3. r. ż. Także matki w tym okresie zaczynają częściej rozmawiać z dziećmi o uczuciach, i ich rozmowy rozwijają się równolegle z dziecięcymi. Początkowo dotyczą one jedynie emocji dziecka, a dopiero później zaczyna się wspominać także o innych ludziach. Również liczba i rodzaj wspominanych emocji dostosowane są do poziomu dziecka, a ich zakres zwiększa się wraz z jego rozwojem. Podobnie jak dzieci, także matki coraz częściej omawiają przyczyny i skutki emocji. Czy zatem matki *prowokują* u swoich dzieci rozwój języka emocji? Czy, być może, po prostu dotrzymują im kroku zgodnie z ich wzrastającymi zdolnościami posługiwania się tym językiem i pojmowania go? Nie znamy odpowiedzi na te pytania, lecz nikogo chyba nie zdziwiłoby, gdyby obie sugestie były trafne – gdyby partnerzy w tych relacjach mieli na siebie wzajemny wpływ.

Podobny problem przyczynowo-skutkowy pojawia się, gdy chodzi o różnice indywidualne. Dunn odkryła wraz z zespołem (1987), że rozmowy matek z córkami cechuje częstsze niż w przypadku rozmów matek z synami odwoływanie się do uczuć. Z jednej strony dziewczynki częściej mówią o emocjach, co da się zauważyć już w 2. r. ż., z drugiej strony, matki dziewczynek częściej odwołują się do emocji niż matki chłopców. Kwestią otwartą pozostaje to, czy reagują w ten sposób na wrodzone, sprzężone z płcią predyspozycje, czy też może same przyczyniają się do powstawania tego typu różnic? Dunn i jej zespół zauważyli również, że starsze rodzeństwo też częściej rozmawia o uczuciach z dziewczynkami niż z chłopcami, i fakt ten może sugerować pierwszy sposób wyjaśnienia, choć jednoznacznie niczego nie rozstrzyga.

Istnieje ogromne zróżnicowanie, jeżeli chodzi o częstotliwość rozmawiania przez konkretne rodziny o emocjach. Kiedy Dunn, Brown i Beardsall (1991) rejestrowali swobodne rozmowy rodzin posiadających dziecko w wieku trzech lat, zauważyli, że w niektórych tylko 2 razy, a w innych aż 25 razy na godzinę dochodzi to wymiany zdań na temat odczuć ludzkich. Wygląda też na to, że częstotliwość wciągania dzieci w rozmowy na temat emocji może mieć długotrwałe skutki. Dzięki dalszym badaniom Dunn zdołała wykazać, że w wieku 6 lat dzieci, które często były angażowane w takie rozmowy, zyskały o wiele większą zdolność pojmowania rozmaitych aspektów emocji niż dzieci, które miały mniej okazji do tego typu rozmów. Wygląda na to, że częste odwołania do odczuć ludzkich już od najmłodszych lat, pomagają dziecku kierować uwagę na te szczególne aspekty ludzkiego zachowania, będąc źródłem wrażliwości na różne odcienie ekspresji emocjonalnej, a z biegiem czasu umożliwiając mu zgromadzenie dobrze ustrukturalizowanego zasobu wiedzy na temat przyczyn i skutków emocjonalnych zachowań ludzi.

Myślenie na temat emocji

Dzieci nie tylko *doświadczają* emocji; wraz z wiekiem coraz częściej również o nich myślą. Próbują pojąć to, co one oznaczają dla nich samych i dla innych ludzi. Usiłują włączyć się w sytuacje emocjonalne i stosownie do nich tworzą własne teorie na temat istoty i przyczyn emocji, z którymi mają do czynienia.

Teorie te z początku mają charakter prymitywny, choć dość szybko zaczynają przyjmować coraz bardziej wyszukane formy. Widać to już w uznaniu, że emocje są czymś więcej niż tylko zewnętrznymi objawami, i że obejmują także pewien element wewnętrzny. Weźmy przykład dziewczynki komentującej pokazany jej obrazek: „Jej oczy płaczą; smutna". Jest ona świadoma nie tylko odpowiednich objawów zachowania, potrafi także wnioskować na temat stanów wewnętrznych, które spowodowały te objawy. Zmiana koncepcji z behawiorystycznych na poznawcze w myśleniu dziecka dokonuje się z biegiem lat. Jednakże już bardzo wcześnie dzieci zaczynają zdawać sobie sprawę, że emocje są elementem życia wewnętrznego i stanowią o wiele więcej niż tylko zewnętrzne reakcje na zewnętrzne sytuacje. Dzieci coraz trafniej potrafią oceniać emocje i rozpoznawać ich przyczyny.

Widać to wyraźnie w sposobie, w jaki objaśniają stany emocjonalne innych dzieci. Fabes i in. (1991) przeprowadzili obserwacje na trzy- i pięcioletnich przedszkolakach i odnotowywali wystąpienie każdego epizodu emocjonalnego (walkę o zabawkę; kłótnie o to, czyja kolej; reakcje na dotkliwy komentarz itd.). Za każdym razem notowali nie tylko to, jak zachowują się dzieci bezpośrednio zaangażowane, ale również prosili dzieci będące świadkami zdarzenia o opis zauważonych emocji i pytali o ich przyczyny. Wyniki (przedstawione w tab. 5.4) wykazały, że nawet trzylatki dość trafnie określają rodzaj emocji, o czym świadczy liczba odpowiedzi zgodnych z odpowiedziami obserwatorów, zwłaszcza w przypadku negatywnych emocji, takich jak gniew i smutek. Nawet najmłodsze dzieci potrafiły wskazać wiele konkretnych przyczyn tych emocji. Analiza *rodzajów* objaśnień pokazała, że młodsze dzieci częściej skupiały się na zewnętrznych przyczynach („on się gniewa, bo ona zabrała jego zabawkę"; „jest wściekła, bo on ją uderzył"), natomiast dzieci starsze na stanach wewnętrznych („jest smutna, bo tęskni za mamą"; „złości się, bo myślała, że to jej kolej"). Wyjaśnienia wewnętrzne częściej dotyczyły intensywnych emocji i częściej towarzyszyły ich negatywnym niż pozytywnym przejawom. A zatem, z wiekiem dzieci coraz bardziej odwracają się od przyczyn widocznych na rzecz niewidocznych, a wnioski co do motywów, jakie kierują zachowaniem innych ludzi stopniowo pozwalają im uzyskać coraz lepsze pojęcie na temat wewnętrznego świata innych osób.

By w pełni pojąć ten świat, dzieci muszą zrozumieć, że w każdym z nas tkwi inna natura i wiedzieć, że nie wszyscy czujemy tak samo, jak dziecko. I znów wiele wskazuje na to, że przedszkolaki są już do tego zdolne. Dunn i Hughes (1998) rozmawiali z czterolatkami na temat codziennych źródeł szczęścia, gniewu, smutku i lęku u nich samych, u ich kolegów i ich mam. Wyjaśnienia, jakich dzieci udzieliły, były nie tylko spójne i przekonujące, ale także różniły się w zależności od tożsamości „obmawianej" osoby. Na przykład na pytanie o źródło szczęścia matki wymieniały: „Filiżanka herbaty", „Dobry sen – moja mama nigdy dobrze nie śpi, więc byłaby szczęśliwa." i „Perfumy, mama uwielbia perfumy". Różniły się one znacznie od źródeł wspomnianych przy okazji omawiania własnego szczęścia. I, mimo iż gdy mówiły o sobie i o przyjaciołach ich opinie były podobne, dość wyraźnie zaznaczały, że każdy powinien być rozpatrywany odrębnie. Zatem, emocje były wyjaśniane w kategoriach potrzeb i wymagań konkretnej osoby, a nie tylko jako uogólnienie własnych doświadczeń dziecka.

Mamy więc do czynienia z pierwszymi oznakami rodzenia się u dzieci **teorii umysłu** – świadomości, że inni ludzie mają własny wewnętrzny świat i zdolności zauważania, że świat ten jest różny dla każdej osoby. Później powiemy na ten temat więcej, na razie interesuje nas jedynie to, jakie ma to znaczenie dla rozumienia emocji. Jak zauważył Paul Harris (1989), świadomość ta kształtuje się w dużej mierze w okresie przedszkolnym, gdyż wtedy dzieci osiągają coraz większą biegłość w tworzeniu teorii pomagających przewidywać ludzkie odczucia. Teorie te stają się coraz bardziej złożone, gdy dzieci zaczynają zdawać sobie sprawę z tego, że emocjonalny wpływ danej sytuacji zależy nie tyle od obiektywnych wyznaczników tej sytuacji, ile od indy-

Teoria umysłu to nabyta w dzieciństwie wiedza o tym, że inni ludzie posiadają swój wewnętrzny świat myśli i uczuć, które pozostają niezależne od stanów umysłu innej osoby.

TABELA 5.4

Dokładność określania przez dzieci charakteru i przyczyn emocji (dokładność określana jako % zgodności z dorosłym obserwatorem)

| | Grupa wiekowa | | | Emocje | |
	3 lata	4 lata	5 lat	Pozytywne	Negatywne
Charakter emocji	69	72	83	66	83
Przyczyna emocji	67	71	85	85	64

Źródło: Fabes i in. (1991).

widualnej jej oceny dokonanej w świetle pragnień i oczekiwań danej osoby. Bardzo małe dzieci przyjmują, że wszystkie sytuacje mają jednakowe znaczenie dla każdego, i znaczenie to zależy od reakcji dziecka na to zdarzenie. Natomiast w okresie przedszkolnym dzieci stopniowo zaczynają zdawać sobie sprawę, że to nie sama sytuacja wywołuje określone reakcje emocjonalne, ale znaczenie, jakie jednostka jej przypisuje. Dlatego też to, co dla jednych jest przerażające, dla innych takie nie jest, a to, co dla jednych mogło okazać się miłą niespodzianką, u innych budzi rozczarowanie. Dzieci uzyskują zatem biegłość w przewidywaniu reakcji emocjonalnych innych ludzi dzięki temu, że są w stanie uwzględnić w danej sytuacji ich specyficzne właściwości. Biegłość tę uzyskują dzięki zdolności porzucenia własnej perspektywy i wejściu w umysł innych, co wymaga nie lada wyobraźni. Opowiadając dzieciom historyjki o zmyślonych postaciach i prosząc je o komentarz (zob. np. ramka 5.3), Harris pokazuje, że najpóźniej w wieku 6 lat dzieci posiadają zdolność pojmowania stanów umysłowych innych ludzi. Zdają sobie wówczas sprawę, że to, co oni czują zależy od ich pragnień i przekonań, jakie z nimi wiążą, i pod kątem których dana sytuacja zostaje oceniona. Potrafią trafnie ocenić to, jak dana sytuacja wpłynie na jednostkę. Są już zatem w tym wieku zdolne do stawiania hipotez na temat przyczyn pojawiania się emocji, na temat tego, jak te reakcje się objawią i co jest w stanie je zatrzymać. Zdolność *czytania w umysłach* pod koniec okresu przedszkolnego staje się zatem o wiele doskonalsza niż wcześniej.

RAMKA 5.3
Życie emocjonalne słonicy Ellie

Badanie zdolności małych dzieci do pojmowania uczuć innych ludzi wymaga wykorzystania technik zrozumiałych dla nich oraz dopasowanych do ich zdolności rozumowania i reagowania. Dlatego też kiedy Paul Harris (1989) podejmował się zbadania tego, jak i kiedy dzieci osiągają zdolność przyjmowania cudzej perspektywy, opracował szereg fikcyjnych historyjek, których bohaterami były zwierzęta, i poprosił badane dzieci o komentarze do sytuacji, w których zwierzęta te się znalazły.

Na przykład przedszkolaki usłyszały historyjkę o słonicy imieniem Ellie, która bardzo wybrzydzała na to, co dostawała do picia. Jednym dzieciom powiedziano, że lubi ona tylko mleko, a innym, że tylko coca-colę. Kiedy pewnego dnia na spacerze zachciało jej się pić, zapragnęła wrócić do domu i napić się swojego ulubionego napoju. Niestety, pewna złośliwa małpka Mickey podczas nieobecności słonicy podmieniła jej napoje. Wylała całą ulubioną colę, i gdy słonica wróciła do domu podała jej puszkę napełnioną nie lubianym mlekiem. Zapytano wówczas dzieci, jak Ellie poczuje się, gdy odkryje prawdziwą zawartość puszki.

Dzieci, młodsze i starsze, potrafiły uwzględnić preferencje Ellie w przewidywaniu jej odczuć. Skoro słonica lubiła colę, ucieszyłaby się, gdyby odkryła colę w puszce, a skoro lubiła mleko byłaby smutna, gdyby podano jej colę. A zatem już od 3. r. ż. dzieci potrafiły opierać przewidywania na cudzych *istniejących wcześniej pragnieniach*: potrafiły postawić się w czyjejś sytuacji i ocenić, jak dana osoba poczułaby się, gdyby jej pragnienie zostało zaspokojone lub nie. Ponadto potrafiły zrobić to niezaleznie od własnych odczuć i pragnień.

Jednakże u młodszych dzieci tego typu rozumienie było nieco ograniczone, co było widać, gdy zapytano je o to, jak poczuła się Ellie, gdy zobaczyła puszkę, ale jeszcze nie spróbowała napoju. Jaka byłaby jej reakcja, gdyby lubiła colę, a dostała puszkę, do której małpka w sekrecie nalała mleka? Starsze dzieci odpowiedziały poprawnie. Uwzględniały *istniejące wcześniej przekonanie* Ellie, że puszka zawiera colę, i twierdziły, że ucieszyłaby się, iż może ją wypić, choć na pewno zasmuciłaby się, gdyby już spróbowała zawartości. Młodsze dzieci natomiast nie uwzględniały błędnych oczekiwań słonicy: same wiedziały, co w rzeczywistości znajduje się w puszce i dlatego myślały, że Ellie posiada tę samą wiedzę.

Istnieje zatem różnica w zakresie pojmowania *pragnień* i *poglądów* innych ludzi jako przyczyn ich emocji. Nawet młodsze badane przez Harrisa dzieci rozumiały pragnienia słonicy, tj. wiedziały, że jej preferencje, jeśli chodzi o napój, będą miały wpływ na jej reakcje, gdy otrzyma ten lub inny napój. Z drugiej strony jednak, nie potrafiły wyzbyć się własnych osobistych poglądów; uważały, że wszystko, co wiedzą, wiadome jest też innym ludziom. Początkowo pojmowanie emocji jest zatem egocentryczne. Stopniowo, w trakcie edukacji przedszkolnej osiąga ono dojrzalszy charakter i umożliwia dzieciom postawienie się w sytuacji innych osób.

Socjalizowanie emocji

Rozwój emocjonalny oparty jest na uniwersalnych fundamentach biologicznych, jednakże już jego przebieg jest kształtowany przez zróżnicowane doświadczenia społeczne. A zatem, sposób okazywania emocji może w różnych społecznościach przybierać skrajnie odmienne formy. Spójrzmy na następujące normy kulturowe i porównajmy je ze zwyczajami zachodnimi:

- Lud Ifaluk z wyspy na Zachodnim Pacyfiku, nie zezwala na okazywanie szczęścia, sądząc, że jest to niemoralne i prowadzi do zaniedbania obowiązków. Wychowuje więc dzieci tak, by unikać jakiegokolwiek podniecenia związanego z okazywaniem tego typu uczuć, w przekonaniu, że może to przyczynić się do złego zachowania i różnych zaburzeń. Nakłania się je za to, by zawsze były delikatne, ciche i spokojne (Lutz, 1987).

- Yanomamo stanowią żyjącą na granicy Wenezueli i Brazylii grupę Indian, która w stosunkach międzyludzkich nade wszystko ceni sobie zaciekłość. Prawie stale angażuje się w konflikty z sąsiadami, mające na celu zabijanie mężczyzn i porywanie kobiet, a wszystkie spory wewnętrzne również rozwiązuje w sposób brutalny. Dzieciom okazuje się niewiele uczuć. Zarówno chłopcy, jak i dziewczynki uczy się zachowań agresywnych we wszystkich kontaktach z innymi dziećmi (Chagnon, 1968).

- Mieszkańcy Bali żyją w przekonaniu, że wszelkie formy wybuchów emocjonalnych są szkodliwe i należy się ich wystrzegać. Przywołuje się dla przykładu sytuacje, w których ludzie zapadają w sen tylko po to, by uniknąć lęku. Dlatego też od samego początku dzieci wychowuje się tak, by unikały wszelkich, nawet najmniejszych oznak emocji (Bateson, Mead, 1940).

Każda społeczność (nawet ta, w której my funkcjonujemy!) wykształciła pewne społecznie akceptowane sposoby radzenia sobie z emocjami. Istotnym elementem różnic w tym zakresie jest zbiór jawnych i ukrytych wskazówek, którymi powinni kierować się wszyscy w okazywaniu własnych uczuć. Przekazanie tych wskazówek dzieciom stanowi więc jeden z głównych celów socjalizacji. Jak pokazuje przykład z ramki 5.4, normy przestrzegane w innych społecznościach nam mogą czasami wydawać się bardzo dziwne.

RAMKA 5.4

„Nigdy się nie złość": sposób na życie Eskimosów Utku

Jean Briggs, antropolog, spędziła 17 miesięcy wśród Utku, Eskimosów, zamieszkujących pod kołem arktycznym, gdzie została „adoptowana" przez rodzinę, która pozwoliła jej zamieszkać we własnym igloo i obserwować siebie, jak również sąsiadów z okolicy. Swoje obserwacje Briggs zawarła z książce *Never in Anger* (1970).

Tym, co wyróżnia Utku jest niemalże zupełny brak oznak agresji w ich wzajemnych stosunkach. Nie pozwalają oni na okazywanie gniewu. Ideałem jest osoba, która zawsze jest ciepła, opiekuńcza, zrównoważona w relacjach z innymi, oraz która nigdy w swym zachowaniu nie wykazuje oznak wrogości. Można sobie, co najwyżej, pozwolić na tak niegroźne zachowania, jak żartowanie, obgadywanie i okazywanie innym chłodu, podczas gdy gniew można okazać wobec psów, ale wówczas uznaje się go za sposób utrzymania „dyscypliny". Na gniew brak społecznego przyzwolenia dlatego, że nie pasuje on do najwyższej wartości uznawanej w społeczności Utku, mianowicie do postawy pełnej uczucia i troski względem innych. Jeśli ktoś okazuje takie emocje, jest podejrzewany o zanik rozsądku i uważa się, że zachowuje się jak małe dziecko. Utku nawet nie przyznają się do gniewnych myśli. Nie uznają ich nie tylko względem innych osób, ale także względem siebie, gdyż przekonani są, że takie myśli mogłyby doprowadzić do zabicia kogoś, kto je „wytwarza". Każdy problem sporny musi zostać wyjaśniony w sposób pokojowy – jest to cel, który ich zdaniem nietrudno osiągnąć.

Przez początkowe dwa, trzy lata dzieciom pozwala się na okazywanie wściekłości i gniewu, lecz później rodzice dają dzieciom wyraźnie do zrozumienia, że nie akceptują takich zachowań. Większość wysiłków socjalizacyjnych poświęcona jest na skanalizowanie negatywnych emocji w innych kierunkach, by pomóc dzieciom przyswoić sobie wartości Utku, tj. cierpliwość i samodyscyplinę. Rodzice czynią to nie krzykiem ani groźbą, lecz poprzez spokojne okazywanie niezadowolenia słowem lub spojrzeniem. Dostosowanie do wymagań nie jest wzmacniane, i chociaż posłuszeństwo jest bardzo cenione, rodzice rzadko nań nalegają. Dzieci nigdy nie są karane cieleśnie, choć przez cały czas są konsekwentnie uczone, że jakikolwiek wyraz złego nastroju, gniewu lub wrogości jest bardzo źle widziany.

Uczestniczenie w takich lekcjach nie jest łatwe i Briggs opisuje w sposób wzruszający, jak mała dziewczynka z rodziny, w której mieszkała, radziła sobie z wrogimi emocjami wynikającymi z rywalizacji między rodzeństwem. Początkowo wyrażała swoje emocje potajemnie – szczypała małą siostrzyczkę, kiedy dorośli odwracali się tyłem, lub wyrywała jej zabawkę, gdy nie było ich w pobliżu. Na wymagania dorosłych reagowała nadąsaniem – podporządkowaniem ze znieruchomiałą twarzą bez wyrazu lub odwracając się od ściany i cichutko łkając. W reakcji na nieakceptowane przez siebie prośby rodziców, by ustąpiła siostrzyczce, w ciszy patrzyła przed siebie, a łzy ściekały jej po policzkach, lecz brak było jakichkolwiek wyraźnych oznak gniewu. W wyniku takiego traktowania dzieci Utku, w przeciwieństwie do dzieci z kultur zachodnich, wykazują zadziwiająco mało oznak agresji, co powoduje, że od wczesnego okresu ich życia agresja w grupach rówieśniczych jest niezwykle rzadkim zjawiskiem.

Nabywanie reguł ekspresji emocji

Pojęcie **reguł ekspresji emocji** wykorzystuje się do opisu zwyczajów rządzących jawnymi wyrazami emocji w danej grupie społecznej – kulturze, rodzinie czy grupie rówieśniczej. Dzięki tym zasadom ludzie mogą nawzajem przewidzieć swoje reakcje. Wszyscy nauczeni takich samych zwyczajów wiedzą konkretnie, co dane okazanie uczuć oznacza. W znaczny sposób ułatwia to komunikację między członkami grupy. By to docenić, należałoby postawić się w sytuacji gościa którejkolwiek z wymienionych powyżej społeczności. Konsternacja i brak zrozumienia osiągnęłyby taki poziom, że wszelkie próby komunikacji zakończyłyby się fiaskiem, bez względu na to, jak dobrze opanowalibyśmy dany język. A zatem, dzieci od jak najwcześniejszych lat muszą uczyć się reguł okazywania uczuć panujących w ich środowisku.

Reguły ekspresji emocji odnoszą się do norm kulturowych dotyczących wyrażania emocji – zarówno ich rodzaju, jak i okoliczności, w jakich można je okazać.

Dzięki temu wiedzą, jakie zachowanie emocjonalne przystoi w danej sytuacji, a jakie nie. W niektórych sytuacjach wypada okazać „naturalne" zachowanie, a w innych nawet od małych dzieci wymaga się, by kontrolowały swoje naturalne reakcje, a nawet by zastępowały je innym zachowaniem niż to, które koresponduje z ich rzeczywistymi odczuciami.

Spójrzmy, jak to wygląda. Jedna z powszechnych reguł głosi: „okaż zadowolenie, gdy ktoś wręcza ci coś, co w jego mniemaniu tobie się podoba – nawet, jeśli ci się nie podoba". Carolyn Saarni (1984) poddała obserwacjom dzieci w wieku od 6 do 10 lat w celu określenia zakresu, w jakim stosują się one do tej zasady, to znaczy, czy potrafią niekiedy ukryć rozczarowanie i okazać radość. Każde dziecko poproszono, by pomogło dorosłemu w ocenie podręczników szkolnych, a na koniec oprócz podziękowania otrzymywało ono atrakcyjny upominek. Następnym razem, kilka dni później jeszcze raz poproszono je o pomoc, lecz tym razem obdarowano je nieatrakcyjną, mało oryginalną zabawką, nadającą się raczej dla niemowląt. Za każdym razem filmowano reakcje mimiczne, głosowe i ruchowe podczas odpakowywania prezentu.

W reakcji na pierwszy podarunek dzieci okazały wszystkie zwykłe oznaki radości: uśmiechy, spojrzenia na dorosłego, entuzjastyczne „dziękuję" itd. Gdy dostały mniej ciekawy podarunek, starsze dzieci próbowały ukryć rozczarowanie i okazać przynajmniej pewne oznaki jawnej przyjemności. Natomiast młodszym dzieciom trudniej było nie przyznać się do prawdziwych uczuć i w zamian tego otwarcie wyrażały swe rozczarowanie, chociaż i wśród nich były dzieci, szczególnie dziewczynki, które zdobyły się na wysiłek przestrzegania konwencji i udawały zadowolenie. Starsze dzieci wyraźnie opanowały umiejętność oddzielania zewnętrznych zachowań od wewnętrznych uczuć. W młodszym wieku wygląda na to, że dzieci zaczynają dopiero uczyć się tych reguł.

Wyróżniamy cztery kategorie reguł ekspresji emocji:

- *Minimalizacja:* są to te przypadki, kiedy intensywność okazywania emocji jest zredukowana w porównaniu z prawdziwymi odczuciami. Jest to przedstawione powyżej zachowanie Eskimosów Utku, gdzie strategię tę pokazano na przykładzie odczuwania gniewu.
- *Maksymalizacja:* odnosi się głównie do sposobu okazywania pozytywnych emocji. Być może w badaniach Saarni starsze dzieci otrzymujące pierwszy upominek zareagowały o wiele bardziej entuzjastycznie niż sytuacja tego wymagała – robiły tak, bo tak należało.
- *Maskowanie:* występuje kiedy za właściwe uważa się zachowanie neutralne (twarz pokerowa). Nasz przykład ludu Ifaluk ukazuje tego typu zachowanie.
- *Substytucja:* mówimy o niej wtedy, kiedy od jednostki oczekuje się, by zastąpiła jedne emocje innymi, zazwyczaj przeciwnymi. Dzieci, które okazują wielką radość zamiast wewnętrznego rozczarowania z powodu otrzymania zabawki dla niemowląt, wyraźnie przyswoiły sobie tę zasadę.

Wygląda na to, że minimalizacja, a tym bardziej maksymalizacja, przyswajane są nieco wcześniej niż pozostałe dwie strategie. Bez wątpienia dwulatek, który przesadza z płaczem po to, by skłonić matkę do współczucia, pokazuje, że już opanował tę drugą regułę. Jednakże należy odróżnić umiejętność *stosowania* reguły ekspresji od *wiedzy*, że się z niej korzysta. Kiedy Paul Harris (1989) badał przedszkolaki – które bardzo umiejętnie skrywały swe rozczarowanie pod maską zadowolenia – pod kątem rozumienia strategii substytucji, rzadko zdarzało się, by były one świadome tego, że to, co czują, i to, co okazują rzeczywiście się różni. Wyglądało na to, że były one zdolne do społecznie akceptowanych zachowań bez głębszego zrozumienia tego, co robią. Dopiero od około 6. r. ż. zauważa się różnicę pomiędzy emocjami rzeczywistymi a ujawnianymi, dopiero wtedy dzieci potrafiły wyraźnie zauważyć to, że uczucie i zachowanie nie zawsze ze sobą korespondują, i że powszechnie dopuszcza się oszukanie innych osób dla dobra zachowania konwencji społecznych.

Wpływ rodziców

Pierwszym kontekstem nabywania przez dziecko wiedzy o emocjach jest rodzina. Nawet w okresie niemowlęcym to, w jaki sposób inni odnoszą się do dzieci, stanowi dla nich źródło wiedzy na temat sposobu okazywania emocji. Chodzi tu o okoliczności, w jakich okazuje się emocje, i sposoby działania podejmowanego w celu poradzenia sobie z sytuacjami budzącymi emocje. Rodzaj relacji z innymi może więc określić sposób i zakres zachodzącej socjalizacji emocjonalnej – analogiczne wnioski wynikają z badania związku pomiędzy rozwojem emocjonalnym a typem przywiązania (Cassidy, 1994).

Przywiązanie często określa się mianem więzi *emocjonalnej*, tj. takiego związku, w którym dzieci doświadczają najsilniejszych przeżyć emocjonalnych we wczesnych etapach rozwoju. A sposób przekazywania tych doświadczeń przez rodziców i to, jak reagują oni na dziecięce oznaki uczuć, ma decydujący wpływ na przebieg dalszego rozwoju. Jak już przekonaliśmy się w poprzednim rozdziale, uważa się, że wrażliwość matki na dziecięce wyrazy emocji sprzyja bezpieczeństwu przywiązania; brak tej wrażliwości, natomiast, skutkuje brakiem poczucia bezpieczeństwa. Dzieci wychowywane przez wrażliwych rodziców i tworzące bezpieczne przywiązanie względem nich często opracowują inne strategie regulacji emocjonalnej niż te, które miały rodziców niewrażliwych, czego skutkiem jest przywiązanie pozabezpieczne. Istnieją dowody na to, że trzy podstawowe typy przywiązania łączą się z następującymi wzorcami (Goldberg, 2000):

- *Bezpiecznie przywiązane* dzieci nauczyły się, że okazywanie emocji, zarówno pozytywnych, jak i negatywnych, jest przez ich rodziców akceptowane. I dlatego czują się swobodnie okazując je w sposób bezpośredni i otwarty. Wiedzą na przykład, że oznaki cierpienia zaalarmują rodziców i wywołają z ich strony pomoc i reakcję uspokojenia, dlatego nie wahają się okazać niepokoju lub gniewu. Podobnie też nauczyły się, że oznaki radości lub szczęścia zostaną odwzajemnione i dlatego bez skrępowania je ujawniają. I odwrotnie, dzieci te będą również reagować na szeroki zakres emocji u innych ludzi.
- Dzieci *unikające* niejednokrotnie spotkały się z odrzuceniem swych emocji, szczególnie jeśli chodzi o emocje negatywne, na które ich matki były najmniej

wrażliwe. W wyniku tego dzieci wypracowują strategię ukrywania wszelkich oznak zaniepokojenia, by uniknąć ignorowania lub odtrącenia, chociaż mogą go doświadczać równie często, jak inne dzieci. Pozytywne emocje również zostają stłumione, ponieważ oznaczają one chęć kontaktu z kimś, kto może nie zechce ich odwzajemnić.

- Dzieci *stawiające opór* nauczyły się, że na ich oznaki emocji reagowano w sposób niespójny, przez co ich efekty są nieprzewidywalne. W związku z tym opracowały strategię przesadnego wyrażania emocji, szczególnie negatywnych, ponieważ to one najprawdopodobniej zwrócą uwagę rodziców.

Emocjonalność wynika zatem z rodzaju relacji pomiędzy dzieckiem a rodzicem. Różne typy przywiązania wiążą się z odmiennymi sygnałami przekazywanymi dzieciom odnośnie stosowności zachowań emocjonalnych. Wiedza przyswojona sobie w takim związku przenoszona jest dalej i uogólniana na inne rodzaje relacji, aż w końcu staje się elementem stylu uczuciowego każdej jednostki.

Istnieją trzy podstawowe sposoby przekazywania tych informacji przez rodziców i innych dorosłych:

- *Trenowanie*. Odnosi się do bezpośrednich instrukcji wydawanych przez rodzica: „Chłopaki nie płaczą."; „Uśmiechnij się, gdy babcia daje ci prezent."; „Nie ma co się bać psa".
- *Modelowanie*. Dzieci w sposób nieunikniony naśladują rodziców i inne modele, i na podstawie obserwacji uczą się „właściwych" sposobów zachowania. To, w jaki sposób rodzice okazują emocje lub ich nie okazują, stanowi bogate źródło informacji i jako takie wpływa na sposób wyrażania emocji przez dzieci.
- *Uczenie się zbieżności*. Jest to prawdopodobnie najefektywniejsze źródło społecznego oddziaływania. Poprzez badanie nawet najmniejszych szczegółów wymiany sygnałów, co już w okresie niemowlęcym stanowi ważną cechę komunikacji między rodzicem i dzieckiem, odkrywamy występowanie *dialogu emocjonalnego*, kiedy to wymianie podlegają wzajemne sygnały mimiczne, gesty i inne sygnały emocji, bez względu na to, czy towarzyszą im słowa, czy nie (Malatesta i in., 1989). Na początku są to nieprzypadkowe reakcje matki na sygnały emocjonalne dziecka; konkretne sposoby wyrażania emocji zwykle występują po odpowiednich wyrazach emocji z drugiej strony. Na przykład matka okazuje radość po okazaniu radości przez dziecko. Lęk u dziecka, natomiast, wywołuje okazanie przez matkę czułości. Dziecko w ten sposób uczy się, że zachowanie innych osób daje się przewidzieć („Jeśli ja zrobię X, ona zrobi Y"). Jeśli na przykład jakiś wyraz emocji zostanie zauważony i wywoła pozytywną reakcję, dziecko będzie powtarzać to zachowanie; jeśli jednak albo nie zostanie to zauważone, albo wywoła negatywne reakcje, dziecko zostanie zniechęcone do tego typu zachowania w przyszłości. To, jak szybko takie zniechęcenie można wywołać ilustrują badania nad małoekspresyjnymi mat-

kami, które albo cierpią na depresję, albo przyjęły „kamienną twarz" na potrzeby eksperymentu (więcej szczegółów zob. ramka 5.5).

RAMKA 5.5

Odcięcie przepływu emocjonalnego

Dialog można prowadzić nawet bez słów – to fakt, który doskonale ilustrują kontakty „twarzą w twarz" pomiędzy niemowlętami a ich matkami; kontakty te sprawiają wrażenie konwersacji, mimo że składają się na nie tylko takie elementy jak miny, gesty, spojrzenia i wokalizacje, lecz nie słowa. Wrażenie to wynika ze sposobu, w jaki owe komponenty są ze sobą połączone w dwukierunkową wymianę pomiędzy dwoma rozmówcami, tak że to, co „powie" jeden, natychmiast spotyka się z odpowiedzią drugiego. Dziecko szybko uczy się, że jego sygnały emocjonalne spotykają się z zainteresowaniem partnera, który reaguje na nie w sposób spokojny i przewidywalny. Dzięki temu dzieci mogą przyswoić sobie pewne podstawowe reguły interakcji społecznych; mogą również uzyskać pomoc w wyrażaniu własnych emocji i modulowaniu ich w zależności od oczekiwań innych osób.

O tym, jak ważne są tego typu okoliczności, najłatwiej przekonać się w sytuacji zamierzonego przerwania wzajemnego oddziaływania. Dochodzi do niej w wyniku przyjęcia paradygmatu „kamiennej twarzy"; jest to procedura laboratoryjna zakładająca, że najpierw matka oddziałuje na dziecko w swój naturalny sposób, co tworzy u dziecka oczekiwanie dalszej normalnej komunikacji, ale potem zaczyna milczeć i pozostaje niewrażliwa na sygnały dziecka przez kilka minut, aż do końca obserwacji. Dzięki zapisom i porównaniu zachowań dziecka w tych dwóch sytuacjach możliwe jest określenie wpływu powyższych trudności na zachowanie dziecka (szczegóły zob. Cohn, Tronick, 1983; Tronick i in., 1978). Wyraźne różnice można zauważyć począwszy od 2. miesiąca życia. Nie ma wątpliwości, że dzieci są zagubione i coraz bardziej zaniepokojone nie mogąc zwrócić na siebie uwagi matki i wzbudzić jej reakcji, jak to zazwyczaj czyniły. Początkowo podejmują próby fizycznego zaangażowania matki poprzez wpatrywanie się w nią i uśmiechanie się do niej. Kiedy to nie pomaga, przestają się uśmiechać. Jednocześnie wzrasta częstotliwość występowania innych oznak emocji, takich jak płacz, krzywienie się i grymaszenie. Spojrzenia na matkę stopniowo stają się coraz krótsze, aż w końcu dziecko całkowicie się od niej odwraca, jak gdyby jej widok stawał się dla niego trudny do zniesienia. Dziecko zaczyna sprawiać wrażenie zaabsorbowanego sobą i „przygnębionego". Stan ten utrzymuje się nawet jeszcze przez chwilę po tym, jak matka powraca do swojego normalnego zachowania.

Z obserwacji tych jasno wynika, że niedostępność emocjonalna matki stanowi dla dziecka bardzo niepokojące przeżycie. Jest ono nawet dużo bardziej bolesne niż jej chwilowa nieobecność fizyczna, co widać z porównania zachowania dziecka w sytuacji utrzymywania przez matkę „kamiennej twarzy" z jego zachowaniem, gdy matka opuszcza pokój (Field, 1994). W 1. r. ż. dzieci są już na tyle dojrzałe, by posiadać określone oczekiwania, co do rodzaju wrażliwości matki, a jednocześnie zbyt małe, by poradzić sobie bez jej wsparcia i by móc niezależnie od niej kontrolować swoje zachowania emocjonalne. Matka musi być dostępna, by zaoferować dziecku optymalny poziom stymulacji, modulować poziom jego pobudzenia i kształtować przebieg jego dalszego rozwoju emocjonalnego poprzez odwzajemnianie jego reakcji uczuciowych. Jeśli tego nie czyni – a dzieje się tak nierzadko przez dłuższy okres, np. gdy matka cierpi na depresję – stanowi to duże zagrożenie dla procesu rozwoju emocjonalnego dziecka (zob. ramka 3.6).

Bez względu na to, jak znaczny jest wpływ rodziców na rozwój emocjonalny dziecka, nie należy pomijać roli innych osób. Jest to szczególnie godne uwagi, jeśli uwzględnimy naciski ze strony grupy rówieśniczej, zwłaszcza na to, by chłopcy zachowywali się jak chłopcy, a dziewczynki jak dziewczynki. Zatem od chłopców oczekuje się, by byli twardzi, a od dziewczynek, by były czułe. W przypadku chłopców oznacza to okazywanie gniewu i agresji oraz znajdowanie sposobu, by skutecznie je wyrazić, przy jednoczesnym minimalizowaniu pozytywnych emocji. Dziewczęta natomiast mają tłumić oznaki jawnych konfliktów, kłaść nacisk na współpracę i zgodę oraz być wrażliwymi na uczucia innych i adekwatnie okazywać własne emocje. Jak to zwykle ze stereotypami bywa, są to uogólnienia, które nie mają zastosowania zawsze i wszędzie. Niemniej jednak służą one przypomnieniu, że wszystkie grupy rówieśnicze, tak samo jak rodziny, mają pewien klimat emocjonalny, i one też oczekują od swoich członków podporządkowania się jakimś normom w celu zachowania tego klimatu. Dotyczy to też liczby okazywanych emocji, tego, jakich emocji się oczekuje i tego, kto ma je komu okazywać. Grupy rówieśnicze mają również ściśle określoną hierarchię i okazywanie gniewu komuś postawionemu wyżej wiąże się z kłopotami. Jak już się przekonaliśmy w poprzednim rozdziale, dzieci mają określone poglądy na temat tego, jakie emocje są akceptowane w jakich okolicznościach. Chłopcy, którzy są nadmiernie agresywni, najprawdopodobniej zostaną z grupy usunięci, chociaż ci zupełnie nie asertywni również będą mieli trudności z uzyskaniem akceptacji. A zatem począwszy od wieku przedszkolnego różne relacje, w jakie dziecko zostanie zaangażowane, będą sprzyjać zdobywaniu odmiennych kompetencji emocjonalnych. Przynależność jednocześnie do rodziny i do grupy rówieśniczej w sposób właściwy sprzyja poszerzaniu zakresu umiejętności, które dzieci mogą sobie przyswoić.

Kompetencje emocjonalne

Pogląd, że ludzie różnią się od siebie poziomem inteligencji jest powszechnie przyjęty, lecz fakt, że w podobny sposób ocenić można indywidualne zdolności właściwego funkcjonowania emocjonalnego, nieco rzadziej spotyka się z takim samym uznaniem. Dzieje się tak po części dlatego, że emocje zdają się być o wiele mniej konkretną i bardziej „mętną" materią niż cechy poznawcze. Stanowisko, że rzeczywiście możliwe jest ocenienie funkcjonowania emocjonalnego i określenie, że dana jednostka radzi sobie lepiej od innych, dopiero niedawno doczekało się poważnego potraktowania. Tak czy inaczej, wreszcie zaczynamy uznawać, że kompetencje emocjonalne powinny być uważane za równorzędny z kompetencjami intelektualnymi aspekt naszej struktury psychicznej. Dlatego, gdy Daniel Goleman opublikował w 1995 roku książkę pt. *Emotional Intelligence (Inteligencja emocjonalna)* wywołała ona powszechne zainteresowanie, szczególnie dlatego, że kładła nacisk na rozwój „elokwencji emocjonalnej" i ostrzegała przed przykrymi konsekwencjami defektów w sferze emocji. Udało się do tej pory zgromadzić wystarczającą liczbę dowodów badawczych, pozwalających częściowo zrozumieć istotę i wyznaczniki różnic indywidualnych, odpowiedzialnych za kompetencje w tym aspekcie ludzkiego zachowania. Zaś za szczególnie uzasadniony możemy uznać pogląd mówiący, że korzenie tych różnic sięgają wczesnego dzieciństwa i wiążą się z czynnikami oddziałującymi właśnie w tym okresie.

Czym są kompetencje emocjonalne?

Odpowiedź na to pytanie nie jest prosta, ponieważ na rozwój emocjonalny ma wpływ wiele czynników. Tabela 5.5 przedstawia listę ośmiu podstawowych składników kompetencji emocjonalnej, a każdy z nich odnosi się do innych umiejętności, jakie dziecko musi nabyć w drodze do dojrzałości. Elementy te niekoniecznie muszą tworzyć jednolitą całość. Biegłość w jednej z umiejętności nie

TABELA 5.5

Elementy kompetencji emocjonalnej

1. Świadomość własnego stanu emocjonalnego
2. Zdolność dostrzegania cudzych emocji
3. Zdolność używania słownictwa związanego z emocjami, powszechnie stosowanego w danej (pod)kulturze
4. Zdolność do współczującego zaangażowania w cudze doświadczenia emocjonalne
5. Umiejętność zdawania sobie sprawy, że wewnętrzne stany emocjonalne nie muszą korespondować z ich zewnętrznymi oznakami, zarówno u siebie, jak i u innych
6. Zdolność adaptacyjnego radzenia sobie z przykrymi i nieprzyjemnymi emocjami
7. Świadomość, że rodzaj relacji określa się w dużej mierze na podstawie sposobu komunikowania emocji i wzajemności emocji w związku
8. Zdolność do samoskuteczności emocjonalnej, tj. poczucie kontroli i akceptacja własnych stanów emocjonalnych

Źródło: Saarni (1999).

gwarantuje wcale biegłości w drugiej, nie mówiąc już o wszystkich. A zatem wyrażenie kompetencji emocjonalnej wskaźnikiem typu jednego ilorazu inteligencji byłoby bezsensowne. Znacznie przydatniejszy może być profil opisujący rozmaite silne i słabe strony jednostki w aspekcie tych podstawowych umiejętności, ale nie doczekaliśmy się jeszcze opracowania formalnego narzędzia służącego do tego celu.

By jakiś element uznać za kompetentny, musi on oczywiście zostać poddany ocenie z uwzględnieniem wieku jednostki. Jakiś czterolatek może być bardziej rozwinięty od swych rówieśników, lecz wiadomo, że w porównaniu z dziesięciolatkiem zostanie oceniony jako mniej dojrzały. Z kompetencjami emocjonalnymi jest tak samo, jak z inteligencją, tzn. należy je odnosić do określonych przedziałów wiekowych. Ocena musi również uwzględniać otoczenie kulturowe jednostki. Jak już wcześniej wspomnieliśmy, to co uznaje się za „dojrzałą" umiejętność w jednym środowisku, w innym może nie być za taką uznane. Porównajmy Eskimosów Utku i Indian Yanomamo (s. 163–165). Zupełnie inne wartości przypisywane roli agresji w kontaktach społecznych sprawiają, że obie te społeczności diametralnie różnie spostrzegają kompetencje emocjonalne swych członków. Tak samo porównanie Tajlandii i Stanów Zjednoczonych ukazuje, że zahamowanie emocjonalne i nieśmiałość ceniona u Tajów, uznane byłyby za brak kompetencji w swobodnie okazującym emocje społeczeństwie amerykańskim (zob. s. 52). Każda kultura stawia swoim przedstawicielom wymaganie podporządkowania się określonym standardom, a mimo to w każdym przypadku można wyróżnić ludzi bardziej lub mniej kompetentnych.

Kompetencje emocjonalne ściśle wiążą się z kompetencjami społecznymi, zwłaszcza dlatego, że umiejętność radzenia sobie z własnymi i cudzymi emocjami stanowi sedno kontaktów społecznych (Halberstadt, Denham, Dunsmore, 2001). Szczególnie widoczne jest to w kontaktach rówieśniczych, w których popularność i przyjaźń ściśle wiążą się z umiejętnością dziecka w zakresie łączenia własnych emocji z emocjami innych. Oto kilka spostrzeżeń badawczych (np.: Calkins i in., 1999; Fabes, Eisenberg, 1992; Murphy, Eisenberg, 1997):

- Dzieci, które wypracowały konstruktywne sposoby kierowania własnymi emocjami (np.: panują nad sobą, kontrolują płacz) mają na ogół większe powodzenie w kontaktach z rówieśnikami.
- Dzieci biegłe w wyraźnym sygnalizowaniu innym własnych stanów emocjonalnych są uważane za bardziej lubiane przez inne dzieci.
- Dzieci trafniej dobierające odpowiednie przekazy emocjonalne są bardziej popularne.
- Dzieci częściej korzystające z pozytywnych wyrazów emocji mają lepsze kontakty rówieśnicze niż dzieci często sięgające do wyrazów negatywnych.
- Dzieci trafniej interpretujące przekazy emocjonalne innych osób osiągają najwyższe wyniki akceptacji społecznej.

- Dzieci potrafiące radzić sobie z gniewem w sposób nieagresywny są bardziej lubiane, są lepszymi przywódcami i ogólnie są bardziej kompetentne pod względem społecznym.

Oto kilka przykładów ukazujących ścisłe związki zachowań emocjonalnych dzieci z typem relacji międzyludzkich. O tym czy dzieci są popularne, czy nie, czy mają przyjaciół, czy nie, czy mają twórczy, czy destrukcyjny wpływ na funkcjonowanie grupy oraz o innych aspektach kontaktów społecznych decyduje to, jak radzą sobie z emocjami. Dzieci cechujące się nadmierną emocjonalnością i słabą kontrolą nad jej wyrażaniem mają raczej wpływ destrukcyjny. Wzniecają konflikty i istnieje w ich przypadku o wiele większe ryzyko bycia odrzuconym przez grupę rówieśniczą niż w przypadku dzieci, które posiadły zdolność panowania nad własnymi emocjami. Kompetencje emocjonalne i społeczne nakładają się na siebie do tego stopnia, że niektórzy autorzy traktują je jako jedność, dla której najodpowiedniejsze jest określenie *emocjonalne kompetencje społeczne* (zob. Halberstadt, Denham, Dunsmore, 2001).

Od kontroli zewnętrznej do samokontroli

Frijda (1986) w sposób obrazowy pisze, że ludzie nie tylko *mają* emocje, ale także *używają* ich. Zajmijmy się zatem jednym z aspektów kompetencji emocjonalnej, mianowicie zdolnością hamowania lub modulowania emocji w sposób społecznie dopuszczalny. Zdolność regulowania, kontrolowania, przekierowywania i modyfikowania własnych impulsów zgodnie z normami społecznymi stanowi sedno prawidłowego funkcjonowania każdego społeczeństwa, zwłaszcza jeśli chodzi o bodźce agresywne. Dzieci niezdolne do kontrolowania emocji, dające upust przemocy wobec innych, należy traktować jako przykład skrajnej niekompetencji emocjonalnej w tym zakresie, gdyż nie udaje się im przejść typowej dla dzieciństwa drogi rozwoju, mianowicie nie udaje im się przejść od kontroli zewnętrznej do wewnętrznej.

Przeniesienie kontroli z opiekuna na dziecko jest jednym z głównych zadań rozwojowych, na które przeznaczony jest cały okres dzieciństwa, i którego niemal nigdy nie udaje się w pełni w tym okresie zrealizować. Nawet jako dorośli nie zawsze jesteśmy w tej kwestii samowystarczalni, zwłaszcza w czasach kryzysu jesteśmy zależni od tych, którzy nas otaczają. Jednakże w okresie dzieciństwa stopniowo opanowujemy cały zakres strategii regulowania odczuć emocjonalnych i ich zewnętrznych wyrazów (główne strategie zob. tab. 5.6). Im większy jest ten zakres i im większa swoboda w posługiwaniu się nimi, tym pomyślniejsza adaptacja społeczna. A to, kiedy rozmaite strategie stają się dla nas dostępne, zależy od poziomu naszego rozwoju sensomotorycznego i poznawczego. Poniższy czteroetapowy plan stanowi podsumowanie procesu rozwoju w tym obszarze (więcej szczegółów, zob. Cole, Michel, O'Donnell-Teti, 1994).

TABELA 5.6

Strategie autoregulacji emocji

Strategia	Zachowanie	Moment pojawienia się
Przekierowanie uwagi	Odwracanie wzroku od źródła pobudzenia emocjonalnego	Około 3. miesiąca
Samouspokojenie	Ssanie palca, kręcenie loków, kołysanie się	1. rok
Poszukiwanie dorosłego	Uczepianie się, podążanie za, przywoływanie i inne zachowania przywiązaniowe mające na celu zapewnienie bezpieczeństwa	Druga połowa 1. roku
Użycie tzw. przedmiotów przejściowych	Przytulanie maskotek, szmatek lub innych uspokajających przedmiotów nieożywionych	Druga połowa 1. roku
Fizyczne unikanie	Uciekanie z sytuacji trudnych emocjonalnie	Początek 2. roku
Zabawa na niby	Wyrażanie różnych emocji z poczuciem bezpieczeństwa w zabawie na niby	2. i 3. rok
Kontrola werbalna	Rozmowy na temat emocji z innymi, myślenie o nich	Okres przedszkolny
Tłumienie odczuć emocjonalnych	Rozmyślne oddzielanie myśli od źródła niepokoju	Okres przedszkolny
Konceptualizacja emocji	Refleksja nad doświadczeniami emocjonalnymi i werbalizowanie myśli w sposób abstrakcyjny	Środkowe dzieciństwo
Dystansowanie się poznawcze	Samoświadomość tego, w jaki sposób powstają emocje i jak nad nimi panować	Środkowe dzieciństwo

1. *Okres niemowlęcy (0–1. r. ż.).* Początkowo dzieci są bardzo zależne od dorosłych, jeśli chodzi o radzenie sobie z trudnościami: płacz jest sygnałem dla dorosłych, by przynieść ulgę i uspokoić dziecko. Jednak bardzo szybko dzieci zaczynają korzystać z technik samoregulacji. Najpierw wpadają na nie przypadkowo, jak wtedy, gdy kciuk zbłądzi do buzi i wywoła pożądany efekt uspokojenia; następnie traktowane to będzie jako część repertuaru normalnych zachowań. Szczególnie skuteczną technikę można zaobserwować nawet u bardzo małych dzieci: jeśli bodziec wywołuje nadmierne pobudzenie, jak na przykład w sytuacji kontaktu twarzą w twarz, gdy dorosły zbyt silnie stymuluje dziecko, po prostu odwraca ono wzrok. Początkowo jest to zachowanie czysto automatyczne, lecz później ewoluuje w kierunku prawdziwie zamierzonych działań, takich jak zakrywanie oczu lub uszu.

2. *Wczesne dzieciństwo (1.–3. r. ż.).* Gdy dziecko umie już chodzić, samo potrafi fizycznie wyrwać się z niepożądanych sytuacji. Ponadto może aktywnie poszukiwać dorosłych, do których jest przywiązane i poprzez uczepienie się ich, a przynajmniej poprzez pozostanie z nimi w kontakcie, samo może podjąć inicjatywę uzyskania od nich ukojenia. Procesy regulowania emocji przechodzą zatem na bardziej symboliczny poziom, gdyż dzieci coraz bardziej są

zdolne do myślenia na temat tego, co się wokół nich dzieje. Dzięki temu potrafią podejmować zabawy, w których znajdują ujście dla swoich uczuć, zaczynają mówić o swoich przeżyciach, a co ważniejsze – zaczynają spostrzegać siebie jako niezależnych sprawców działania, zdolnych przejąć kontrolę nad sytuacją. W tym czasie opiekunowie nadal pozostają jednak zasadniczym źródłem pomocy w przypadkach większego pobudzenia.

3. *Okres przedszkolny (3.–5. r. ż.).* Dzieci stają coraz bardziej sprawne w posługiwaniu się językiem i myślą w pojmowaniu przeżywanych emocji, dzięki czemu obiektywizują te zjawiska i rozpatrują je z dystansu. A zatem, znajdują różne sposoby interpretacji wydarzeń, próbując uczynić je mniej szkodliwymi. Podobnie też, poprzez rozmawianie o nich z innymi ludźmi, mogą podzielić się swoimi odczuciami i zapoznać się z różnymi interpretacjami. Wzrastają umiejętności symulowania emocji w zabawie. Dzieci stają się bardziej zdolne do maskowania lub minimalizowania doświadczanych uczuć.

4. *Późniejsze dzieciństwo (od 5. r. ż.).* Zdolności poznawcze pozwalają dzieciom na coraz bardziej abstrakcyjne ustosunkowywanie się do emocji i skłaniają je do coraz mniej osobistej refleksji nad nimi. Widać już pełną świadomość tego, w jaki sposób panować nad swymi emocjami i dlatego dzieci mogą zadać sobie pytanie: „Jak najlepiej potrafię sobie poradzić z moim lękiem/gniewem/wstydem/itd.?". Ponadto kształtują się u nich różne sposoby regulowania emocji innych osób, np. poprzez znalezienie metody złagodzenia gniewu innego dziecka, i przez to zapanowania nad tym, z jakim zakresem intensywności sytuacji stymulującej emocje same będą miały do czynienia. W efekcie zakres strategii regulujących rozszerza się. Coraz bardziej oczywiste stają się różnice pomiędzy dziećmi pod względem rodzajów stosowanych przez nie strategii i powodzenia w ich stosowaniu.

Powyższy schemat to oczywiście ideał, któremu wiele dzieci nie dorówna. Nieadaptacyjne sposoby panowania nad emocjami mogą się pojawiać na każdym z wyżej wymienionych etapów i chociaż wszelkie zaburzenia funkcjonowania emocjonalnego stanowią zaczątek większości form zaburzeń psychicznych w późniejszych okresach życia, to jednak najważniejsze jest zgłębienie przyczyn ich występowania właśnie w okresie dzieciństwa.

Dlaczego dzieci różnią się pod względem kompetencji emocjonalnych?

Istnieje wiele możliwych powodów, dla których pewne dzieci stają się bardziej kompetentne od innych, więc w celu uproszczenia podzielimy te powody na trzy kategorie czynników: biologicznych, związanych z kontaktami interpersonalnymi oraz środowiskowych.

- *Czynniki biologiczne.* Za różnice w zachowaniu emocjonalnym w dużej mierze odpowiedzialne są uwarunkowane genetycznie różnice temperamentu. Takie cechy, jak zakres wrażliwości emocjonalnej, próg reakcji, zdolność hamowania impulsów oraz łatwość uspokajania się w sytuacji pobudzenia, uznane zostały za uwarunkowane biologicznie i stosunkowo stabilne aspekty naszej indywidualności, o sporym znaczeniu z punktu widzenia zdolności uzyskiwania kontroli nad impulsami emocjonalnymi. Jest to szczególnie widoczne w przypadkach patologicznych: mówi się, że dzieci z zespołem Downa mają na przykład problemy z regulacją emocji, po części z powodu opóźnionego dojrzewania dróg mózgowych odpowiedzialnych za hamowanie zachowań, a po części z powodu swej niskiej reaktywności fizjologicznej (Cicchetti, Ganiban, Barnett, 1991). Dlatego dzieci te wolno ulegają pobudzeniu, ale kiedy już zostaną pobudzone, mają kłopoty z zapanowaniem nad swoimi uczuciami.

- *Czynniki interpersonalne.* Bez względu na to, jaki jest udział czynników biologicznych, ich ostateczny wpływ zależy od tego, w jakie interakcje wchodzą z licznymi czynnikami zewnętrznymi (Calkins, 1994). Zdolność dziecka do radzenia sobie z trudnościami zależy przede wszystkim od wrodzonych cech jego temperamentu. Jednakże na cechy te wpływa, na przykład, rodzaj wsparcia, jakiego dziecko doświadcza ze strony swych rodziców. Gdy go brak, jak w przypadku znęcania się nad dziećmi (Cicchetti, Ganiban, Barnett, 1991), istnieje niebezpieczeństwo, że dzieci nie będą zdolne do wykształcenia mechanizmów niezbędnych do sprawowania samokontroli emocjonalnej. Podobnie też, kiedy rodziną targają konflikty, a dzieci często są świadkami wybuchów emocji, trudno mówić by cokolwiek zachęcało je do kontrolowania własnych emocji. Gdy rodzice cierpią na zaburzenia psychiczne dotyczące funkcjonowania emocjonalnego, takie jak np. depresja, istnieje zagrożenie, że u dzieci także że wystąpią pewne nieprawidłowości rozwoju emocjonalnego. Jak już wcześniej zauważyliśmy, doświadczenia związane z przywiązaniem również rzucają nieco światła na sprawę różnic indywidualnych i pozwalają na prześledzenie związków pomiędzy zróżnicowaniem kompetencji emocjonalnych a typem relacji panujących pomiędzy rodzicem i dzieckiem w okresie niemowlęcym.

- *Czynniki środowiskowe.* Szerszy kontekst, w jakim rodzina wychowuje swe dziecko, również może odpowiadać za zróżnicowanie kompetencji emocjonalnych. Weźmy pod uwagę taki czynnik, jak ubóstwo (Garner, Jones, Miner, 1994; Garner, Spears, 2000). Stresy związane z niskimi dochodami mają zgubny wpływ na życie emocjonalne rodziców i bez wątpienia stanowią czynnik ryzyka dla funkcjonowania społeczno-emocjonalnego dziecka. Wpływ ten może objawiać się wieloraku. Współistnienie aspektów ubóstwa, takich jak problemy materialne, zagęszczenie i słabe zdrowie, może skutkować mniejszą otwartością i chłodną postawą rodziców, co sprzyja powstawaniu przywiązania pozabezpiecznego. Zmęczona, przepracowana i pełna obaw matka może mieć mniej czasu, by rozmawiać z dziećmi, a jednocześnie jest niezdolna do rozmawiania z nimi o znaczących wydarzeniach emocjonalnych. W rodzinach o niskim dochodzie dzieci częściej mają do czynienia z konfliktami, gdyż nieproporcjonalnie więcej jest w nich gniewu i agresji, wynikających z większej liczby codziennych życiowych stresów. W żadnym wypadku jednak nie można powiedzieć, że wszystkie dzieci wychowujące się w takich warunkach znajdują się w niekorzystnym położeniu. Niemniej jednak, jeśli chcemy zrozumieć różnice indywidualne w zakresie kompetencji emocjonalnych, ubóstwo jest jednym z przykładów czynników, z punktu widzenia których warto rozpatrywać szerszy środowiskowy kontekst życia dziecka.

Podsumowując, istnieje wiele różnych czynników odpowiadających za zróżnicowanie poziomu kompetencji emocjonalnej i pozwalających zrozumieć, że każdy przypadek wymaga na ogół analizy całego zakresu wzajemnie oddziałujących na siebie różnych czynników. Na przykład dzieci, nad którymi znęcano się fizycznie, stanowią grupę ryzyka i ich droga rozwoju emocjonalnego będzie pod wieloma względami wypaczona. Często są one niewrażliwe na trudności innych osób, częściej okazują gniew i lęk, są bardziej niestabilne emocjonalnie, a ich reakcje na sytuacje wzbudzające emocje często są niewłaściwe i nieadaptacyjne (zob. Denham, 1998). Jednak nie wszystkie maltretowane dzieci rozwijają się w ten sam sposób. Niektóre okazują się być całkiem odporne i nieźle sobie radzą. Skąd ta różnica? Odpowiedź może tkwić nie tylko w liczbie działających na dziecko czynników ryzyka. Na przykład, do maltretowania dodajmy uległy temperament, który usposabia dziecko do intensywnych reakcji na stres; do tego jeszcze dotknięte ubóstwem otoczenie, w którym prawdopodobieństwo wystąpienia sytuacji stresowych jest bardzo wysokie, i szanse na to, że rozwój emocjonalny zboczy z właściwego toru stają się coraz większe. Istnieją oczywiście sytuacje, które tak potęgują te niekorzystne okoliczności, że właściwie sytuacja jest bez wyjścia. Dotyczy to głównie określonych stanów biologicznych, kiedy to upośledzenie funkcji neurofizjologicznych staje się bezpośrednią przyczyną wystąpienia patologii psychicznej. Jednym z takich przypadków jest autyzm. Ramka 5.6 szerzej opisuje dzieci dotknięte tym zaburzeniem, którego jedną z głównych cech jest nieprawidłowe funkcjonowanie emocjonalne. Jednak w większości przypadków brak kompetencji emocjonalnej jest wynikiem działania kilku czynników, zazwyczaj pochodzących z trzech powyższych grup, które wzajemnie oddziałując na siebie skutkują niepowodzeniem rozwojowym.

RAMKA 5.6

Patologia emocji u dzieci autystycznych

Autyzm jest stosunkowo rzadkim zaburzeniem. Niemniej poświęcono mu sporo uwagi z powodu jego intrygującego i (jak dotąd) tajemniczego charakteru. Początkowo myślano, że pojawia się on za sprawą „rodziców-lodówek", tj. chłodnego, pozbawionego uczuć traktowania ze strony rodziców. Dziś uważa się je za zaburzenie niemal bez wątpienia wrodzone, prawdopodobnie uwarunkowane genetycznie. Jak dotąd nie istnieje żadna skuteczna terapia, choć dzieci o łagodniejszym stopniu zaburzenia dzięki odpowiedniej pomocy mogą całkiem nieźle funkcjonować w społeczeństwie.

Od najmłodszych lat życia u dzieci autystycznych obserwuje się trzy podstawowe problemy psychiczne: (1) kłopoty z nawiązywaniem normalnych relacji społecznych; (2) nieprawidłowości i opóźnienie rozwoju języka; (3) zrytualizowane i często powtarzane wzorce zachowań. Ogromna liczba prowadzonych ostatnio badań rzuciła nieco światła na konkretne procesy odpowiedzialne za te defekty. Na przykład, problemy z opanowaniem języka mogą wynikać z braku poznawczych zdolności wyodrębniania, abstrahowania i organizowania wiedzy. Uważa się także, że trudności w tworzeniu związków są pochodną braku umiejętności tworzenia „teorii umysłu", gdyż dzieci autystyczne nie potrafią ocenić, co myślą inni, a nawet zdać sobie sprawy z tego, że inni to osoby myślące tj. posiadające umysł.

Tego typu problemy społeczne znajdują swe odbicie w deficytach emocjonalnych charakterystycznych dla tego zaburzenia. Niejednokrotnie zauważano u dzieci autystycznych brak empatii. W eksperymentach, w których dorośli symulowali zły stan emocjonalny, taki jak cierpienie lub lęk, w przeciwieństwie do typowo rozwijających się dzieci, dzieci autystyczne przywiązywały niewielką wagę do wyrazu twarzy dorosłego, a zamiast tego interesowały się obiektem, który według nich był odpowiedzialny za ten stan rzeczy. Wynika z tego, że w znikomym stopniu korzystają one z komunikatów emocjonalnych wysyłanych przez innych, lub przynajmniej czynią to z dużym dystansem, pokazując, że nie interesują się innymi ludźmi ani ich odczuciami. W związku z tym mają problemy z rozróżnianiem emocji innych – a to chyba nic dziwnego, skoro rzadko utrzymują kontakt wzrokowy z kimkolwiek. Gdy w jednym z zadań poproszono dzieci rozwijające się prawidłowo, upośledzone i autystyczne o pogrupowanie fotografii twarzy ludzkich, dwie pierwsze grupy zrobiły to na podstawie wyrazu twarzy, dzieci autystyczne natomiast na podstawie nakryć głowy.

Istotne są również inne sfery funkcjonowania emocjonalnego, takie jak ich własny sposób okazywania emocji. Dzieci autystyczne w kontaktach z rodzicami lub rówieśnikami okazują mniej uczuć pozytywnych, takich jak przyjemność lub radość. Objawiają swoje emocje nieadekwatnie do sytuacji: smucą się, gdy powinny być zadowolone, a cieszą się, gdy powinny być smutne. Dlatego nie potrafią dostosować własnych zachowań emocjonalnych do zachowań innych i zakłócają harmonijne funkcjonowanie grupy rówieśniczej, co skutkuje brakiem popularności i odrzuceniem. Niektóre z dzieci autystycznych są bardzo uzdolnione pod względem intelektualnym i bez problemu wykonują zadania poznawcze typowe dla danego wieku, na przykład wymagające stosowania zasady przyczynowości fizycznej. I chociaż rozumieją, że kopnięta piłka potoczy się w określonym kierunku, to jednak nie potrafią pojąć przyczynowości psychologicznej, na przykład, że rozczarowanie może sprawić, iż ktoś posmutnieje.

Tego typu nieprawidłowości muszą przekładać się na ich funkcjonowanie społeczne. Skoro dzieci nie potrafią trafnie odczytać sygnałów emocjonalnych płynących od innych osób, przekazanych wyrazem twarzy, gestem lub też słowem, muszą mieć duże trudności związane z uczestniczeniem w interakcjach z innymi ludźmi. Skoro zaś nie potrafią nawet rozróżniać emocji, muszą niewłaściwie odnosić się do innych ludzi, co dodatkowo komplikuje trudności, których i tak już doświadczają (Denham, 1998; Harris, 1989; Rutter, 1999).

Podsumowanie

Niegdyś spostrzegano emocje wyłącznie w kategoriach negatywnych – jako procesy destrukcyjne i niewygodne, które jedynie zakłócają skuteczne funkcjonowanie. Dopiero całkiem niedawno zapanował na ich temat bardziej przychylny pogląd, który uznał je za pożyteczne w procesie adaptacji i nade wszystko za zasadniczy element relacji międzyludzkich.

Emocje mają podłoże biologiczne i stanowią część wrodzonych predyspozycji wszystkich istot ludzkich. Już w początkowych tygodniach życia można rozróżnić kilka podstawowych emocji, natomiast kolejne pojawiają się w późniejszych etapach rozwoju, gdyż wymagają bardziej złożonych funkcji poznawczych, takich jak poczucie Ja, które kształtuje się dopiero po okresie niemowlęcym. Wspólne podstawy biologiczne powodują, że wszyscy ludzie posiadają ten sam repertuar emocji. Potwierdzają to badania antropologiczne ludzi żyjących w odosobnieniu, społeczności przedpiśmiennych oraz obserwacje dzieci niesłyszących i niewidzących. Jednakże sposób i okoliczności, w jakich okazujemy swoje emocje będzie zależał od wychowania i doświadczenia.

Dzieci nie tylko doświadczają emocji, również o nich myślą. Od razu, gdy zaczynają mówić, są w stanie je nazwać, rozmyślać o nich oraz rozmawiać na ich temat. Również od 3. r. ż. potrafią wnioskować na temat stanów emocjonalnych innych osób, coraz lepiej rozumieć przyczyny i przewidywać skutki emocji. To z kolei umożliwia późniejsze tworzenie rozbudowanych teorii na temat

tego, dlaczego ludzie zachowują się tak, a nie inaczej. Dzięki temu dzieci uzyskują większą zdolność „czytania w umyśle" innych osób.

Proces ten jest w dużej mierze możliwy dzięki rozmowom na temat emocji, najpierw z rodzicami, a później z innymi dziećmi. Wynika z nich, że nawet małe dzieci bardzo interesują się przyczynami własnych i cudzych emocji. Dzieci z rodzin, w których często się o tym rozmawia, są bardziej zaawansowane w rozumieniu emocji niż dzieci z innych rodzin. Zatem rozwój emocjonalny kształtowany jest przez doświadczenie społeczne. Widać to wyraźnie, kiedy porówna się „reguły okazywania emocji", których dzieci różnych kultur muszą się nauczyć. Są to normy wyrażania określonych emocji w określonych okolicznościach.

Tak samo jak w przypadku kompetencji intelektualnych, obserwuje się duże zróżnicowanie kompetencji emocjonalnych. Istnieje wiele przyczyn tych różnic: biologiczne, odnoszące się do temperamentu i innych cech wrodzonych; interpersonalne, tj. sposób wychowania dziecka, i środowiskowe, takie jak np. ubóstwo. Szczególnie istotną cechą jest regulacja własnych emocji i panowanie nad nimi, ponieważ brak tych zdolności może mieć fatalne skutki społeczne. Rozwój tych umiejętności polega na przeniesieniu kontroli z opiekuna na dziecko. Procesowi temu poświęcony jest cały okres dzieciństwa, kiedy to dziecko przyswaja sobie rozmaite strategie regulacji uczuć i sposobów ich okazywania.

Literatura dodatkowa

Denham, S. (1998). *Emotional Development in Young Children*. New York: Guilford Press. Atrakcyjna pozycja zawierająca wiele opisów przypadków; dotyczy przede wszystkim okresu przedszkolnego. Stanowi opisowy, bogaty w informacje zarys wiedzy zgromadzonej w badaniach.

Fox, N. A. (red.) (1994). „The development of emotion regulation: Biological and behavioral considerations." W: _Monographs of Society for Research in Child Development_, 59 (2–3, Serial No. 240). Monografia dotycząca szczególnie kwestii regulacji emocji, zawiera rozdziały omawiające szeroki zakres aspektów fizjologicznych, behawioralnych i interpersonalnych, pozwalając na dogłębne zrozumienie problemów, którymi zajmują się badacze, i metod poszukiwania rozwiązań tych problemów.

Oatley, K., Jenkins, J. M. (1996). _Understanding Emotions_. Oxford: Blackwell [wyd. pol. _Zrozumieć emocje_. (tłum. J. Radzicki, J. Suchecki) (2004). Warszawa: Wydawnictwo Naukowe PWN]. Doskonałe wprowadzenie do badań nad emocjami, zawierające rozdział dotyczący aspektów rozwojowych. Prezentuje emocje w kontekście ewolucyjnym i kulturowym, ze szczególnym uwzględnieniem aspektów psychopatologicznych.

Saarni, C. (1999). _The Development of Emotional Competence_. NewYork: Guilford Press. Przejrzyste objaśnienie kompetencji emocjonalnej i rozmaitych elementów składających się na nią. Silny wpływ na tę publikację miało doświadczenie kliniczne autorki, co odzwierciedla szczególny nacisk na niepowodzenia rozwojowe i niewłaściwe funkcjonowanie.

Literatura uzupełniająca w języku polskim

Czub, M. (2003). Znaczenie wczesnych więzi społecznych dla emocjonalnego rozwoju dziecka. _Forum Oświatowe, 2 (29)_, 31–49.

Czub, M. (2003). Społeczna natura rozwoju emocjonalnego. W: A. Brzezińska, S. Jabłoński, M. Marchow (red.). _Niewidzialne źródła. Szanse rozwoju w okresie dzieciństwa_ (s. 55–70). Poznań: Wydawnictwo Fundacji Humaniora

Czub, T. (2003). Znaczenie wstydu w procesie socjalizacji. W: A. Brzezińska, S. Jabłoński, M. Marchow (red.). _Niewidzialne źródła. Szanse rozwoju w okresie dzieciństwa_ (s. 71–84). Poznań: Wydawnictwo Fundacji Humaniora

Czub, T. (2003). Gotowość do reagowania wstydem: przyczynek do koncepcji intrapsychicznych mechanizmów autodestruktywności. _Forum Oświatowe, 2 (29)_, 87–95.

Czub, T. (2004). Możliwości regulacji emocji u dzieci w środowisku szkolnym. _Kwartalnik Pedagogiczny, 4 (194)_, 53–74.

Goleman, D. (1997). _Inteligencja emocjonalna_ (tłum. A. Jankowski). Poznań: Media Rodzina of Poznań.

Salovey, P., Sluyter (red.). (1999). _Rozwój emocjonalny a inteligencja emocjonalna_ (tłum. M. Karpiński). Poznań: Dom Wydawniczy Rebis.

Rozdział 6

Dziecko jako naukowiec: Piagetowska teoria rozwoju poznawczego

Przegląd 182
    Cele i metody 183
    Podstawowe cechy teorii 186

Stadia rozwoju poznawczego 189
    Stadium sensoryczno-motoryczne 190
    Stadium przedoperacyjne 196
    Stadium operacji konkretnych 200
    Stadium operacji formalnych 204

Za i przeciw teorii Piageta 205
    Korzyści 205
    Mankamenty 207

Podsumowanie 213

Literatura dodatkowa 214

Literatura uzupełniająca w języku polskim . . . 214

Poznanie wiąże się z wiedzą, a rozwój poznawczy ze zdobywaniem wiedzy w okresie dzieciństwa. Dotyczy on takich procesów, jak rozumienie, rozumowanie, myślenie, rozwiązywanie problemów, uczenie się, tworzenie pojęć, klasyfikacja, zapamiętywanie – mówiąc w skrócie, wszystkie te aspekty ludzkiej inteligencji wykorzystujemy, by dostosować się do świata i zrozumieć go.

W przeciwieństwie do „gorącego" tematu rozwoju emocjonalnego, kwestia rozwoju poznawczego traktowana była jako temat „chłodny", z racji tego, że dotyczyła czysto intelektualnego funkcjonowania, które rzekomo można badać z pominięciem funkcji społeczno-emocjonalnych. W tym rozdziale opiszemy niezwykle znaczącą pod wieloma względami oraz niezwykle owocną teorię prezentującą takie właśnie „chłodne" spojrzenie na rozwój poznawczy. Jest to teoria Jeana Piageta, który stworzył coś, co po dziś dzień stanowi najpełniejszy opis sposobu pojmowania świata przez dzieci. Przekonamy się jednak również, że nieraz jego stanowisko było nieco zbyt chłodne i dlatego w kolejnym rozdziale zwrócimy się ku innemu poglądowi na rozwój poznawczy. Będzie to teoria Lwa Wygotskiego, który do pewnego stopnia starał się przywrócić równowagę i odnieść intelektualny wymiar zachowania człowieka do jego wymiarów społeczno-emocjonalnych.

Przegląd

Jean Piaget, z urodzenia Szwajcar, przez większą część XX w. był dominującym autorytetem w dziedzinie psychologii dziecięcej. Jego znaczące propozycje teoretyczne i obserwacje empiryczne, jakich dokonał w trakcie swojego długiego życia (1896–1980) wywarły ogromny wpływ i przeobraziły nasz sposób myślenia o dzieciach i ich rozwoju intelektualnym. Jak na ironię, Piaget nigdy nie posiadał żadnych formalnych kwalifikacji psychologicznych, gdyż początkowo specjalizował się w biologii – z której, w wieku 11 lat opublikował swoją pierwszą pracę naukową (obserwację wróbla bielaka). Jednakże w okresie dorastania żywo zainteresował się epistemologią, tj. dziedziną filozofii zajmującą się źródłami wiedzy, której pozostał wierny przez resztę życia. By prowadzić badania w tej dziedzinie Piaget zdecydował się na podejście rozwojowe i za pomocą metod psychologicznych badał sposób, w jaki dzieci przyswajają sobie podstawowe narzędzia wiedzy oraz przekształcają je w coraz bardziej złożone środki przystosowania się do środowiska.

Piaget opublikował ponad 50 książek, między innymi: *Judgment and Reasoning in the Child* (1926) [wyd. pol. *Sąd i rozumowanie u dziecka* (1939)], *The Child's Conception of the World* (1929) [wyd. pol. *Jak sobie dziecko świat przedstawia* (1969)], *Play, Dreams and Imitation in Childhood* (1951) [„Zabawa, marzenia i naśladowanie w dzieciństwie"] i *The Construction of Reality in the Child* (1954) [„Jak dziecko tworzy rzeczywistość"]. Jednak początkowo wpływ jego teorii był ograniczony – po części dlatego, że publikował po francusku, a angloamerykański świat poznał jego książki dopiero wiele lat później, gdy pojawiły się przekłady angielskie; a po części dlatego, że jego podejście metodologiczne i pojęcia teoretyczne znacznie różniły się od ówcześnie panujących. Z czasem jednak teoria Piageta wzbudziła duże zainteresowanie i zainspirowała wielu innych badaczy – początkowo chcących powtórzyć jego obserwacje na innych próbkach dzieci, później uzupełnić i rozszerzyć jego pomysły na inne zagadnienia, a w końcu zmodyfikować i pod pewnymi względami zastąpić jego wnioski swoimi.

Cele i metody

Na początku kariery Piaget współpracował z Binetem, ojcem koncepcji ilorazu inteligencji (II), nad standaryzacją testów inteligencji. Zadanie polegało na kwalifikowaniu dziecięcych odpowiedzi jako „poprawne" bądź „niepoprawne". Jednakże szybko doszedł do wniosku, że nie interesuje go to, czy dzieciom się powiodło, czy też nie. Chciał wiedzieć, jakim sposobem doszły one do danej odpowiedzi, bez względu na to, jaka ona była. Innymi słowy, chciał odkryć procesy umysłowe leżące u podstaw odpowiedzi dziecka. Co te procesy mówią nam o dziecięcej koncepcji świata, jak zmieniają się wraz z wiekiem, i dzięki czemu dziecko coraz lepiej radzi sobie z rzeczywistością? W przeciwieństwie do Bineta, niewiele interesowały go różnice indywidualne i odpowiedź dziecka jako wskaźnik jego wieku umysłowego. Zaczął zatem badać raczej ogólny charakter inteligencji, niż jej oznaki u konkretnych jednostek. Dlatego też niewielką wagę przywiązywał do kwestii dobierania próbek reprezentacyjnych przy selekcji dzieci, które poddawał badaniu. Prawdę mówiąc, niektóre z jego najważniejszych publikacji oparte były na badaniach tylko trójki dzieci, a konkretnie, jego własnych. Ustalenie norm rozwojowych pozostawił Binetowi i jego współpracownikom. Sam zaś postawił sobie za cel zbadanie *istoty* rozwoju – chciał to osiągnąć poprzez prześledzenie sposobu, dzięki któremu dzieci stają się coraz bardziej zdolne do przystosowania się do środowiska.

Praca Piageta przebiegała w dwóch zasadniczych etapach:

1. Początkowo badał rozwój dziecięcego pojmowania pewnych specyficznych pojęć – takich jak czas, przestrzeń, szybkość, klasa, relacja i przyczynowość. Są to podstawowe kategorie wiedzy, o fundamentalnym znaczeniu dla rozumienia rzeczywistości. Większość tych badań dotyczyła dzieci w wieku od 3 do 10 lat. Uzyskiwał od nich istotne informacje za pomocą rozmowy, mającej na celu ukazanie poglądu każdego dziecka na konkretne zjawisko np.: „Co sprawia, że chmury się przesuwają?", „Skąd biorą się sny?", „Dlaczego rzeki płyną?". Rozmowy te były zupełnie niestandaryzowane, ponieważ to, jakie zadawał pytanie zależało od poprzedniej odpowiedzi dziecka; trwały dopóty, dopóki Piaget nie zyskał przekonania, że wie, co badane dziecko myśli na temat danego zjawiska (zob. np.: ramka 6.1). On sam mówił: „An-

gażuję badane dzieci w rozmowę wzorowaną na wywiadzie psychiatrycznym, celem odkrycia o sposobie rozumowania czegoś, co leży u podstaw ich poprawnych, a jeszcze lepiej, co leży u podstaw błędnych odpowiedzi". Poprzez rozmowy z dziećmi w różnym wieku, Piaget śledził rozwój rozumienia każdego pojęcia. To właśnie zrazu przekonało go, że zmiany w myśleniu następują w sposób skokowy, a nie ciągły i dlatego rozwój najlepiej będzie opisać za pomocą stadiów. Weźmy przedstawiony w tab. 6.1 przykład z badań Piageta nad dziecięcą koncepcją przyczynowości. Zadając serię pytań typu „Co sprawia, że chmury się przesuwają?", uzyskał odpowiedzi, które przekonały go, że w różnych przedziałach wiekowych zaobserwować można różne pod względem jakościowym typy myślenia, oraz że rozwój pojmowania tego szczególnego pojęcia najlepiej opisać jako trzystopniową sekwencję od pojmowania „magicznego", przez „animistyczne" do „logicznego".

2. W drugiej fazie swych prac Piaget przeszedł do o wiele bardziej ogólnego poglądu na temat rozwoju intelektualnego. Zamiast badać odrębne aspekty dziecięcego rozumowania, połączył je w całościowy schemat, odnoszący się do całokształtu rozwoju poznawczego od urodzenia do dojrzałości. Wówczas zamiast określać stadia rozwojowe dla poszczególnych pojęć, zaproponował czterostopniowy schemat sekwencyjny, wyjaśniający rozwój intelektualny jako całość. Poniżej szczegółowo opiszemy te cztery stadia. W tym jednak miejscu zaznaczmy tylko, że rozszerzenie badanego zakresu wieku w dół, do niemowlęctwa, oznaczało, że Piaget nie mógł już dłużej opierać się wyłącznie na rozmowach, i że bardzo istotną rolę zaczęły odgrywać obserwacje zarówno spontanicznych zachowań dziecka, jak i jego reakcji na sytuacje zaaranżowane. Na przykład, chcąc poznać zdolność dzieci do klasyfikowania przedmiotów, Piaget dawał im specjalnie dobrane przedmioty lub obrazki (domów, ludzi, zabawek, zwierząt itd.) i prosił o poukładanie ich w grupach jako „pasujące do siebie" lub „podobne". W ten sposób dowiedział się, kiedy po raz pierwszy dzieci rozumieją pojęcie klasyfikacji i mógł

TABELA 6.1

Stadia rozumienia przyczynowości

Przykładowe pytanie: Co sprawia, że chmury przesuwają się po niebie?

Typ myślenia	Przykład odpowiedzi
Magiczny (do 3. r. ż.), tj. dziecko może wpływać na przedmioty zewnętrzne myślą lub działaniem	„My sprawiamy, że się poruszają, kiedy idziemy."
Animistyczny (3–7 lat), tj. dziecko przypisuje własne cechy przedmiotom	„Poruszają się same, bo żyją"
Logiczny (od 8. r. ż.), tj. dziecko ujmuje świat w kategoriach bezosobowych	„Wiatr je przesuwa"

badać kryteria, dla których poukładały te przedmioty w takich, a nie innych grupach. A były to cechy percepcyjne, takie jak powszechnie spotykane u młodszych dzieci rozmiar i kolor; lub bardziej abstrakcyjne, takie jak typ przedmiotu (np.: zabawki a ubrania) lub jego zastosowanie (np.: jadalne lub nie). Tak, jak poprzednio, Piageta interesowała nie tyle poprawność lub błędność odpowiedzi, ile sposób, w jaki dzieci zabierały się do zadania i to, czego mógł się na tej podstawie dowiedzieć na temat dziecięcej organizacji umysłowej na danym etapie rozwoju. W tym celu sporządzał szczegółowe protokoły zachowania i wypowiedzi dzieci, które często cytował we wszystkich swych książkach (ramka 6.1 zawiera jeden z przykładów).

RAMKA 6.1

Techniki gromadzenia danych przez Piageta

By zilustrować metody, jakie wykorzystywał Piaget w celu uzyskania informacji od badanych dzieci, zacytowaliśmy poniżej fragmenty dwóch jego protokołów. Pierwszy jest przykładem metody wywiadu klinicznego – luźnej rozmowy, mającej na celu rzucenie nieco światła na sposób, w jaki dziecko myśli na dany temat i wyjaśnia niektóre zjawiska. W tym przypadku badana jest natura snów; dziecko ma 5 lat i 9 miesięcy.

Piaget: „Skąd się biorą sny?” Dziecko: „Myślę, że śpisz sobie tak dobrze, że śnisz.” P: „Czy przychodzą z nas, czy z zewnątrz?” D: „Z zewnątrz.” P: „Czym my śnimy?” D: „Nie wiem.” P: „Rękoma? Niczym?” D: „Tak, niczym.” P: „Kiedy leżysz w łóżku i śnisz, gdzie jest sen?” D: „W moim łóżku, pod kocem. Naprawdę nie wiem. Gdyby był w brzuchu, to kości stałyby na przeszkodzie i nie zobaczyłbym go.” P: „Czy sen tam jest kiedy śpisz?” D: „Tak, jest w łóżku obok mnie.” P: „Czy sen jest w twojej głowie?” D: „To ja jestem we śnie: on nie jest w mojej głowie. Kiedy śnisz, nie wiesz, że jesteś w łóżku. Wiesz, że chodzisz. Ty jesteś we śnie. Jesteś w łóżku, ale o tym nie wiesz” ... P: „Kiedy sen jest w pokoju, czy jest obok ciebie?” D: „Tak, o tu!” (pokazuje 30 cm przed oczyma).

Fragment ten pochodzi z opublikowanej w 1929 roku książki pt. *The Child's Conception of the World* (*Jak sobie dziecko świat przedstawia*), stanowiącej opis badań nad dziecięcym pojmowaniem zjawisk, takich jak myśl i sny. I chociaż ukazuje ona zdolność i upór Piageta w stawianiu rozmaitych, bardzo szczegółowych i istotnych pytań, to widać także, że może jednak istnieć niebezpieczeństwo sugerowania przez niego pewnych pojęć, którymi dzieci wcześniej nie dysponowały. Obawa ta sprawiła, że w późniejszych pracach Piaget w mniejszym stopniu opierał się na technice wywiadu. Niemniej jednak widać wyraźnie, że cytowane dziecko ma pewne trudności w traktowaniu takich zjawisk umysłowych, jak sny jako *umysłowe*, i spostrzega je raczej w kategoriach fizycznych, tj. jako rzeczy z konkretnego materiału. Piaget określił tę tendencję mianem *realizmu*, widocznego również w utożsamianiu myśli z czynnością mówienia, co udało mu się odkryć też podczas wywiadów z dziećmi w wieku około 4 i 5 lat.

Drugi przykład pochodzi z późniejszej publikacji (książki z 1954 roku zatytułowanej *The Construction of Reality in the Child*; „Jak dziecko tworzy rzeczywistość") i ukazuje zastosowanie obserwacji zachowań u bardzo małego dziecka. Była to córeczka Piageta – Jacqueline, która wówczas miała 18 miesięcy.

> Jacqueline siedzi na zielonym dywaniku i bawi się ziemniakiem, który bardzo ją zainteresował (to dla niej nowy przedmiot). Mówi „zie-mniak" i zabawia się wkładając go do pustego pudełka, to znów wyciągając... Biorę go wtedy i na jej oczach wkładam do pudełka. Biorę później pudełko i wkładam pod dywanik, obracam je do góry dnem, przez co ziemniak zostaje pod dywanikiem, przy czym dziecko nie widzi tej czynności i wyjmuję puste pudełko. Następnie mówię Jacqueline, która nie przestawała obserwować dywanika i zdawała sobie sprawę, że coś pod nim robię: „Daj tacie ziemniaka." Szuka go w pudełku, patrzy na mnie, znów dokładnie przeszukuje pudełko, patrzy na dywanik itd., ale nie wpada na to, by podnieść dywanik, aby znaleźć pod nim ziemniak.

Wiele z obserwacji Piageta dotyczy całkowicie spontanicznych zachowań dzieci, lecz tym razem dokonał on również *quasi*-eksperymentu, w którym badał reakcje dziecka na rozmaite świadomie stworzone przez niego sytuacje. Był to obserwacyjny odpowiednik oceny procesów umysłowych za pomocą pytań w wywiadzie. Ten przykład stanowił część badań nad dziecięcymi zdolnościami spostrzegania przedmiotów jako rzeczy trwałych. Jest to umiejętność, która – jak się później przekonamy – stanowi istotny krok w rozwoju intelektualnym w dwóch początkowych latach życia.

Podstawowe cechy teorii

Natura czy wychowanie? Z punktu widzenia rozwoju poznawczego, jak i różnych aspektów zachowania, pytanie to stale budzi wiele kontrowersji. Z jednej strony, istnieją ludzie, którzy uważają, że środowisko jedynie wypełnia istniejące już struktury umysłowe treścią, i że to te wrodzone struktury stanowią główne fundamenty rozwoju poznawczego. Z drugiej strony, istnieje pogląd, że wszystkie aspekty rozwoju można wytłumaczyć w kategoriach stymulacji środowiskowej, a więc jeśli chce się zrozumieć proces przyswajania wiedzy, należy badać dziecięce doświadczenia związane z procesem uczenia się.

Sedno Piagetowskiej teorii rozwoju brzmi: rozwój intelektualny można zrozumieć jedynie dzięki analizie dynamicznego i ciągłego *wzajemnego oddziaływania* dziecka i otoczenia. Stawianie natury dziecka nad czynniki środowiskowe, lub na odwrót, pozbawione jest sensu. Jeśli chcemy zrozumieć to, w jaki sposób dziecko przyswaja sobie wiedzę, musimy szczegółowo prześledzić, jak w toku swego rozwoju dziecko wpływa na środowisko, a jak środowisko na dziecko. To właśnie zadanie postawił sobie Piaget. Nie wierzył, że dziecko dopiero co przybyłe na świat jest „pustym naczyniem" czekającym na wypełnienie doświadczeniami. Przyjmował raczej, że jest istotą wyposażoną w pewnego rodzaju, jakkolwiek prymitywną, strukturę psychiczną, która usposabia je do dość konkretnego wykorzystywania wszelkich odbieranych informacji. W każdym etapie swego rozwoju dzieci są zdolne do selekcjonowania, interpretowania, przetwarzania i odtwarzania doświadczeń tak, by dopasować je do już posiadanych struktur umysłowych. Początkowo struktury te są bardzo prymitywne i opierają się zasadniczo na odruchach, takich jak np. ssanie. Gdy dwumiesięcznemu dziecku damy lalkę, to nie zacznie się ono bawić nią tak, jak zrobiłby to np. dwulatek, ale będzie próbowało ją ssać. Zdaniem Piageta dziecko to *asymiluje* lalkę do posiadanego schematu ssania, a ponieważ ssanie stanowi dominujący schemat w tym okresie jego życia, to on określa, jak dzieci w tym wieku używają przedmiotów, z którymi mają do czynienia. Jednocześnie, na podstawie takiego doświadczenia dziecko uczy się, że lalka oferuje też inne możliwości wykorzystania, dzięki czemu pojawiają się też inne formy postępowania z tym przedmiotem: głaskanie, tulenie, zginanie, potrząsanie itd. To znaczy, że dziecko *akomoduje* się do natury obiektu. Te dwa bliźniacze procesy **asymilacji** i **akomodacji**, zdaniem Piageta, odzwierciedlają podstawowy mechanizm zmiany poznawczej. Z jednej bowiem strony dzieci „dołączają" rzeczywistość zewnętrzną do swej struktury psychicznej; z drugiej, są niejako zmuszone do modyfikowania i poszerzania repertuaru swych działań tak, by dostosować się do wymagań środowiskowych (definicje niektórych terminów piagetowskich zob. tab. 6.2).

Asymilacja to termin Piageta opisujący przyswajanie informacji przy użyciu już istniejących struktur umysłowych.

Akomodacja to termin używany w teorii Piageta do określenia modyfikacji struktur umysłowych w celu przyswojenia nowych informacji.

Ten prosty przykład ukazuje najbardziej podstawowe cechy teorii Piageta:

- Inteligencja nie zaczyna się od dość wyszukanych procesów umysłowych, jakie to słowo przywodzi na myśl, ale od prymitywnych wzorców zachowań odruchowych, obecnych od narodzin. Jednakże wzorce te można modyfikować: będą się one zmieniać, dostosowywać, łączyć, stawać się bardziej rozbudowane na skutek kontaktu z przedmiotami świata zewnętrznego.
- Wiedza jest *konstruowana* w wyniku wzajemnych oddziaływań dziecka i środowiska. Nie jest ani zorganizowana w sposób wrodzony, ani nie jest po prostu dostarczana przez środowisko, lecz powstaje w wyniku aktywnego badania przez dziecko (najpierw) przedmiotów i (potem) pojęć. Przyswajanie wiedzy oparte jest zatem na działaniu i nigdy nie jest procesem biernego gromadzenia informacji. Dotyczy to każdego wieku. Tak samo, jak dziecko musi zająć się lalką, by odkryć jej właściwości, tak i uczeń musi zająć się i manipulować pojęciami, by odkryć, jakie niosą ze sobą możliwości.
- Rozwój inteligencji należy rozumieć jako proces jak najbardziej precyzyjnej i złożonej adaptacji do środowiska. Wszystkie organizmy biologiczne z powodzeniem dążą do dostosowania się do środowiska i osiągają to poprzez bliźnia-

TABELA 6.2

Definicje niektórych terminów piagetowskich

Termin	Definicja
Inteligencja	Zdaniem Piageta: „to szczególny przypadek biologicznej adaptacji". Odnosi się do procesów umysłowych, dzięki którym do takiej adaptacji dochodzi, a nie do różnic między jednostkami pod względem ich kompetencji poznawczych.
Adaptacja	Dostrzegana u wszystkich organizmów biologicznych wrodzona tendencja do dostosowania się do wymagań środowiskowych.
Schemat	Podstawowa struktura poznawcza oparta na czynnościach sensoryczno-motorycznych lub na myśli, którą jednostki wykorzystują celem zrozumienia swoich doświadczeń.
Asymilacja	Proces umysłowy, dzięki któremu jednostka włącza nowe doświadczenia do już istniejącego schematu, a zatem przetwarza przychodzącą informację tak, by „pasowała" do dotychczasowego typu myślenia.
Akomodacja	Proces umysłowy, dzięki któremu jednostka modyfikuje istniejące schematy tak, by pasowały do nowych doświadczeń, a zatem dostosowuje poprzednie tryby myślenia do nadchodzących informacji.
Równowaga	Stan, w którym schematy jednostki pozostają w równowadze ze środowiskiem. W przypadku braku równowagi, musi nastąpić restrukturyzacja schematów.

cze procesy asymilacji i akomodacji. Z jednej strony używają elementów świata zewnętrznego, by „nakarmić" już istniejące struktury umysłowe, a z drugiej modyfikują te struktury w procesie przetwarzania tego typu doświadczeń.

- Za każdym razem, gdy dziecko zdobędzie nowe doświadczenie nie pasujące do jego dotychczasowej struktury umysłowej, wpada w stan **braku równowagi**.

Brak równowagi
to w teorii Piageta stan umysłowy, do jakiego dochodzi, gdy jednostka napotyka nową informację, dla której przyswojenia nie ma jeszcze odpowiednich struktur umysłowych.

Równowaga to w teorii Piageta stan uzyskiwany dzięki asymilacji i akomodacji, który oznacza, że jednostka przyswoiła sobie i zrozumiała nową informację.

Pchane przez ciekawość, dzieci często mają do czynienia z takimi doświadczeniami i są zmuszone do ich ogarnięcia, tj. szukają **równowagi**. To zdaniem Piageta jest główną siłą sprawczą rozwoju intelektualnego. Dochodzi jednak do tego rozwoju tylko wtedy, gdy napotkane wydarzenie nie jest zbyt rozbieżne z tym, co dziecko już zna. Dlatego rola rodziców i nauczycieli polegać ma na dostarczaniu dziecku nowych doświadczeń na optymalnym dla niego poziomie znajomości i nieznajomości przedmiotu.

Teraz już wiemy, dlaczego Piaget lubił mawiać o dzieciach „mali naukowcy". Naukowcy, gdy napotkają problem, starają się wyciągnąć wnioski z obserwacji najpierw dopasowując je do już istniejących teorii, a jeśli to się nie udaje, „naciągając" te teorie lub tworząc nowe. Tak samo dzieci, początkowo usiłują wykorzystać znane sobie sposoby asymilowania nieznanych wydarzeń, a następnie akomodują własne istniejące wzorce działania i myślenia tak, by wpasować w nie nowe doświadczenia. W obu przypadkach jednostka aktywnie angażuje się w poszukiwanie rozwiązania. Eksperymentuje (prawdopodobnie metodą prób i błędów) z różnymi sposobami osiągnięcia zrozumienia, a w końcu, w wyniku aktu twórczego, podejmuje wyzwanie i w ten sposób tworzy zadowalające przejście pomiędzy obserwacją a zrozumieniem. Zastanówmy się nad następującym opisem obserwacji Piageta jego dziesięciomiesięcznego syna:

> ...Wawrzyniec leży na plecach... Chwyta kolejno celuloidowego łabędzia, pudełko itd., wyciąga przed siebie rączkę i wypuszcza je. Wyraźnie zmienia pozycję ich upadku. Nieraz wyciąga ramię pionowo, czasem trzyma je ukośnie, przed lub za głową itd. Kiedy przedmiot upada w nowe miejsce... pozwala mu upaść dwa lub trzy razy w to samo miejsce, jakby badał relacje przestrzenne; wtedy zmienia sytuację. W pewnym momencie łabędź spada w pobliże jego buzi; lecz nie zaczyna go ssać (choć przedmiot ten zwyczajowo do tego służy), ale spuszcza go jeszcze trzykrotnie jedynie czyniąc gest rozchylenia ust.*
>
> (Piaget, 1953)

Oto dziecko zajęte dokonywaniem odkryć, pchane ciekawością zbadania wszelkich potencjalnych nowych sytuacji, które uda mu się odkryć. Chce dowiedzieć się o nich jak najwięcej poprzez aktywną eksplorację w procesie odkrywania wszystkiego, co interesuje je na temat tych przedmiotów i ich zachowania w przestrzeni. Za pierwszym razem może dokonać odkrycia przez przypadek, ale tak jak u naukowca, jego dociekliwość prowadzi do badania tego zjawiska na wszelkie możliwe sposoby. Z uporem próbuje więc różnych możliwości i starannie odnotowuje wszelkie konsekwencje. Dzięki temu granice wiedzy dziecka i naukowca stale się poszerzają.

Stadia rozwoju poznawczego

Zasadniczą cechą teorii Piageta jest przekonanie o etapowym charakterze rozwoju. Nie uważał on, by rozwój poznawczy można było uznać jedynie za prosty ilościowy przyrost wiedzy. Sądził, że zamiast osi ciągłej jest to raczej seria stopni schodów, przy czym każde stadium charakteryzuje się sposobem myślenia, który *różni się pod względem jakościowym* zarówno od stadium przedniego, jak i od stadium następnego. Na podstawie swych obserwacji doszedł do wniosku, że w ciągu całego dzieciństwa w kolejnych okresach życia powstają zupełnie nowe strategie rozumowania. O ile początkowo ograniczał się jedynie do opisywania ich w aspekcie poszczególnych pojęć, o tyle w przypadku wspomnianej już przyczynowości, w końcu zebrał to wszystko w jeden obszerny schemat składający się z czterech głównych stadiów. Mamy zatem do czynienia w dzieciństwie z trzema momenta-

* Przetłumaczyła Maria Przetacznikowa.

mi przełomowymi (pod koniec 2. r. ż., około 6.–7. r. ż. i mniej więcej około 11.–12. r. ż.), w których dochodzi do poważnych reorganizacji. Uważał, że każda taka reorganizacja ma głęboki charakter i dotyczy wszystkich aspektów rozumowania. Dzieci różnią się między sobą pod względem wieku, w którym nadchodzi ten moment, jednak kolejność jest niezmienna, więc dziecko nie może funkcjonować na późniejszym, wyższym stadium nie przeszedłszy uprzednio przez stadia wcześniejsze. Każde kolejne stadium charakteryzuje się większą złożonością i bardziej adaptacyjnym sposobem pojmowania środowiska oraz skutkuje innym pod względem jakościowym sposobem rozumowania. Charakterystykę tych czterech stadiów przedstawiamy poniżej, a tab. 6.3 stanowi ich krótkie podsumowanie.

Stadium sensoryczno-motoryczne

Ten okres ciągnie się prawie przez dwa początkowe lata i bierze nazwę od swej głównej cechy, mianowicie faktu, że dzieci początkowo gromadzą wiedzę o świecie w kategoriach działań, jakie podejmują względem otoczenia. Wiedza, tym

TABELA 6.3

Piagetowskie stadia rozwoju poznawczego

Stadium	*Cechy charakterystyczne*
Sensoryczno-motoryczne (od urodzenia do 2 lat)	Niemowlęta są uzależnione od sensorycznych i motorycznych środków uczenia się i rozumienia środowiska. Opierające się na działaniu struktury poznawcze stają się coraz bardziej złożone i skoordynowane. Dopiero pod koniec tego okresu działania ulegają internalizacji i tworzą pierwsze symbole reprezentacyjne.
Przedoperacyjne (od 2 do 7 lat)	Dzieci potrafią posługiwać się symbolami (słowami, obrazami umysłowymi) w celu zrozumienia świata. Możliwa jest zabawa oparta na wyobraźni, a dzieci wyraźnie potrafią oddzielić fantazję od rzeczywistości. Myślenie ma początkowo charakter egocentryczny i dopiero pod koniec tego okresu dzieci stają się zdolne do uwzględnienia punktu widzenia innych osób.
Operacji konkretnych (od 7 do11 lat)	Dzieci przyswajają sobie rozmaite operacje umysłowe, takie jak wielokrotna klasyfikacja, odwracalność, szeregowanie, zasadę zachowania stałości, przy użyciu których na różne sposoby manipulują symbolami. Pojawia się myślenie logiczne, choć rozwiązywanie problemów nadal ogranicza się w zasadzie do przedmiotów konkretnych, a nie obejmuje pojęć abstrakcyjnych.
Operacji formalnych (od 11 lat)	Dzieci są już zdolne do operacji umysłowych na pojęciach abstrakcyjnych i do myślenia logicznego. Potrafią rozważać różne możliwe rozwiązania problemu bez ich wykonywania. Są w stanie radzić sobie z sytuacjami zupełnie hipotetycznymi. Myślenie coraz częściej dotyczy raczej pojęć, niż przedmiotów.

samym, jest uzyskiwana poprzez ssanie, chwytanie, obserwowanie, głaskanie, gryzienie i inne tego typu jawne czynności wykonywane na obiektach z otoczenia. Nie pochodzi jeszcze z wewnętrznych procesów myślowych, które później umożliwiają dzieciom umysłową manipulację przedmiotami. Jednakże Piaget był zdania, że to początkowe, oparte na czynnościach stadium stanowi zasadniczy wstęp do rozwoju myślenia, a operacje umysłowe są, jego zdaniem, uwewnętrznionymi działaniami.

Chociaż czynności sensoryczno-motoryczne to u dzieci do około 2. r. ż. główny sposób kontaktowania się z otoczeniem, rozwój w tym stadium wcale nie ma charakteru statycznego i, według Piageta, można go podzielić na serię podetapów. Przyjrzyjmy się najistotniejszym tendencjom w tej sekwencji:

- *Od sztywnych do elastycznych wzorców czynności*. Dzieci rodzą się ze sporą liczbą wzorców reakcji, które od samego początku umożliwiają im wejście w kontakt z otoczeniem. Początkowo pozwalają one radzić sobie tylko z niewielkim zakresem określonych bodźców. Na przykład obecne od urodzenia ssanie najpierw jest wywoływane odruchowo tylko przez dotyk sutka, wszystkie inne obiekty wchodzące w kontakt z ustami są odrzucane. Jednakże na podstawie bardzo dokładnych obserwacji trojga własnych dzieci Piaget stwierdził, że w ciągu początkowych miesięcy sztywność tych zasad ulega uelastycznieniu, gdyż dziecko stopniowo staje się zdolne do prezentowania tych samych zachowań w reakcji na coraz większą liczbę bodźców. Na przykład w 9. dniu życia jego synek Wawrzyniec przypadkowo dotknął ust rączką i próbował ją ssać, choć zaraz ją odrzucił. Później z takim samym skutkiem próbował ssać kołderkę. Nie pasowało mu nic oprócz matczynej piersi. Jednak po tygodniu lub dwóch zaczął częściej ssać swój kciuk i stopniowo cały szereg innych przedmiotów, jak wcześniej odrzucaną kołderkę, palec ojca i zabawki o różnym kształcie i powierzchni. Ponadto, o ile początkowo do ssania dochodziło wtedy, gdy przedmioty te weszły w kontakt z jego ustami, o tyle później dziecko stopniowo nauczyło się kojarzyć z tym działaniem również obraz przedmiotu. Dlatego czteromiesięczna Jacqueline, córeczka Piageta, otwierała buzię, gdy tylko pokazano jej butelkę, a w wieku 7 miesięcy inaczej otwierała buzię, gdy zobaczyła butelkę niż wtedy, gdy widziała łyżeczkę. To właśnie tego typu czynności przystosowawcze stanowią, zdaniem Piageta, początek zachowań inteligentnych.
- *Od pojedynczych do skoordynowanych wzorców czynności*. Początkowo przedmioty służą patrzeniu na nie, chwytaniu lub ssaniu. Później dziecko uczy się, że jednocześnie, w sposób skoordynowany na tym samym przedmiocie można dokonywać całej serii różnych działań. Na przykład początkowo dziecko złapie przedmiot tylko wtedy, gdy wejdzie on w kontakt z jego rączką; nie podejmuje przy tym prób podniesienia go do oczu celem zbadania wzrokiem. Jest to następne osiągnięcie rozwojowe, choć początkowo dochodzi do tego

tylko wtedy, gdy rączka i przedmiot jednocześnie znajdą się w polu widzenia dziecka. W końcu dziecko zaczyna chwytać widziane przedmioty i patrzeć na przedmioty, które chwyta. Co więcej, później zaczyna koordynować ten nowy wzorzec wzrokowo-ruchowy ze ssaniem przez podniesienie przedmiotu do ust, lub – jak w przypadku grzechotki – przez potrząsanie, jednocześnie produkując dźwięk i słuchając go. Tym sposobem repertuar zachowań dziecka staje się o wiele bardziej złożony, skoordynowany i efektywny.

- *Od zachowania reaktywnego do intencjonalnego.* Choć dziecko od samego początku stale wykazuje sporą aktywność, jego działanie początkowo nie jest ani zamierzone, ani planowane. Jego oddziaływanie na środowisko ma charakter przypadkowy. Na przykład, kiedy dziecko uderza w sznurek z paciorkami zawieszony na jego wózeczku i sprawia, że paciorki podskakują i pobrzękują, nie jest świadome związku pomiędzy swoim działaniem a jego skutkiem, dlatego nie podejmuje dalszych rozmyślnych prób jego powtórzenia. Przed końcem 1. r. ż. trudno mówić o widocznych zachowaniach intencjonalnych. Piaget odnotował to przy opisie zachowania trojga swoich dzieci napotykających trudności w dotarciu do jakiegoś atrakcyjnego przedmiotu. Oto, co napisał:

> Pokazałem Wawrzyńcowi (6 miesięcy) pudełko zapałek trzymając jednocześnie poprzecznie drugą rękę tak, by utrudnić mu uchwycenie go. Próbował ją ominąć, ale nie podjął próby jej odsunięcia.... [Jednak w wieku $7^1/_2$ miesiąca] Wawrzyniec zareagował zgoła inaczej. Pokazałem mu pudełko ponad ręką, którą trzymałem w formie zapory, ale na tyle cofniętej, by nie mógł go uchwycić bez usunięcia przeszkody. Po chwili nie zwracania na nią uwagi, Wawrzyniec nagle uderzył w trzymaną przeze mnie rękę, jakby chciał ją odsunąć lub obniżyć. Przepuściłem go i złapał pudełko. [Kiedy zamiast ręki napotkał poduszkę] próbował chwycić pudełko, zmęczony przeszkodą nagle uderzył w nią zdecydowanie ją obniżając aż droga była wolna*.
>
> (Piaget, 1953)

Z reguły intuicyjnie nietrudno odróżnić zachowania zamierzone od niezamierzonych. Silna determinacja Wawrzyńca do chwycenia pudełka była bezsporna. Postęp w kierunku tak dalekowzrocznych, planowanych działań jest jednym z ważniejszych kroków w dzieciństwie i nadaje dziecięcemu zachowaniu inny, o wiele bardziej dojrzały charakter.

- *Od zewnętrznych czynności do reprezentacji umysłowych.* Mimo, że okres niemowlęctwa zdominowany jest przez działania sensoryczno-motoryczne, pod koniec tego okresu stopniowo pojawiają się oznaki procesów umysłowych.

---

* Przetłumaczyła Maria Przetacznikowa.

Początkowo brak sygnałów, by dziecko korzystało z jakichkolwiek wyobrażeń, symboli, myśli lub innych wewnętrznych „środków". Piaget ilustruje to przywołując zachowanie w sytuacji rozwiązywania problemu, jak na przykład w sytuacji, gdy zabawka znajduje się poza zasięgiem ruchów dziecka, ale można ją zdobyć za pomocą leżącego obok kijka. Większość dzieci w 1. r. ż. nie widzi związku pomiędzy tymi dwoma przedmiotami, nawet jeśli przypadkowo poruszy zabawkę bawiąc się kijem. Rozwiązywanie problemów, jeśli w ogóle istnieje w tym wieku, pozostaje na poziomie metody prób i błędów. Dopiero w 2. r. ż. dzieci uzmysławiają sobie, że patyk może być użyty jako środek osiągnięcia pożądanego celu. Najpierw muszą zauważyć kij w pobliżu zabawki, by docenić jego użyteczność. Potem pojmują, że w tej sytuacji potrzebny jest kij, a w przypadku jego braku trzeba iść i go poszukać. Gdy do tego dojdzie, zachowania dziecka stają o wiele bardziej wszechstronne. Ponadto rozwój języka w tym czasie ułatwia symboliczną reprezentację przedmiotów i ludzi, dzięki której można manipulować nimi w myślach i planować działania na nich, nawet bez potrzeby realizacji tych planów. Korzystanie z reprezentacji umysłowej jest jednak nadal prymitywne, mimo że jest to wielce istotny krok w kierunku dojrzałego funkcjonowania człowieka.

Jedno z bardzo znaczących osiągnięć rozwojowych stadium sensoryczno-motorycznego zasługuje na szczególną uwagę; jest to odkrycie przez dziecko **stałości przedmiotu**, co polega na zrozumieniu, że świat jest zbudowany z przedmiotów stanowiących odrębne byty, które istnieją bez względu na to, czy zdajemy sobie z tego sprawę, czy nie. Jest to założenie tak dla nas, dorosłych, naturalne, że aż trudno nam uwierzyć w istnienie jakiegokolwiek innego poglądu. To, że Piaget zdał sobie sprawę, iż dzieci inaczej spostrzegają świat, mianowicie w kategoriach ulotnych wrażeń sensorycznych, i że przedmioty są dla nich po prostu związane z dziecięcą świadomością ich istnienia, jest dowodem jego geniuszu. Wszystko – grzechotka, kciuk, matka, butelka, miś lub cokolwiek, z czym dziecko się kontaktuje – zawdzięcza swoje istnienie temu, że dziecko na nie patrzy, słucha lub trzyma w rączkach. W chwili, gdy dziecko przestaje się kontaktować z przedmiotem, przedmiot przestaje istnieć: *co z oczu, to z umysłu*. Dlatego też dziecko nie ma poczucia własnego Ja, ponieważ także ono wymaga zdolności łączenia różnych wrażeń, a w okolicach 1. r. ż. dzieci nie są jeszcze do tego zdolne.

> **Stałość przedmiotu** to termin Piageta opisujący uświadomienie sobie, że przedmioty są bytami niezależnymi, które nie przestają istnieć nawet, gdy jednostka nie jest świadoma tego istnienia.

By potwierdzić swoje stanowisko, Piaget posłużył się testem zakrywania. Pokazywał swoim badanym pewną arcyciekawą zabawkę i w momencie, w którym dziecko miało już po nią sięgnąć, zakrywał ją materiałem, usuwając ją tym samym z pola widzenia dziecka. Młodsze dzieci natychmiast zachowywały się w myśl zasady, co z oczu to z serca. Przestawały po nią sięgać, zwracały uwagę na coś innego i zachowywały się jakby zabawka rzeczywiście przestała istnieć. Starsze dzieci, natomiast, nadal usiłowały sięgnąć po zabawkę, mimo że była ukryta. Wpatrywały się w zakrycie, łapały za nie, unosiły i szukały pod nim zabawki. Ich ciągłe ukierunkowanie na przedmiot, który zniknął uznane zostało przez Piageta za dowód na to, że obraz zabawki pozostał w ich umyśle, i że znajomość przedmiotu, można by rzec, się utrwaliła.

Jednak nowe pojęcie przedmiotu jako wartości stałej nie pojawia się nagle w pełnej, dojrzałej formie. Piaget badał jego rozwój cierpliwie i szczegółowo przez okres niemowlęctwa, bawiąc się w ukrywanie przedmiotów ze swymi dziećmi w różnych okresach życia, odpowiednio, wraz z wiekiem komplikując zadania. Chociaż pierwsze oznaki stałości przedmiotu pojawiły się już pod koniec 1. r. ż., dopiero niemalże rok później Piaget stwierdził, że dziecko jest zdolne zdać sobie sprawę, w dojrzały, dorosły sposób, że przedmioty mają charakter trwały bez względu na to, czy dziecko jest tego świadome, czy nie. Stałość przedmiotu jest zatem pojęciem, które dziecko musi *zbudować*. Tak samo, jak w przypadku innych pojęć przestrzeni i czasu, Piaget twierdził, że nie można mówić o istnieniu tego zjawiska w momencie narodzin, trzeba dać mu szansę rozwoju. Jak przeczytamy w ramce 6.2 jest to proces długotrwały i obejmuje większość okresu sensoryczno-motorycznego.

RAMKA 6.2

Poszukiwanie zakrytych przedmiotów

Przez cały okres niemowlęcy trójce swych dzieci Piaget proponował zabawy w zakrywanie – bez wątpienia ku ich uciesze, ale także w celu poszerzenia wiedzy ich ojca, jak i naszej. To sposób, w jaki w różnym wieku reagowały na te zabawy, szukając przedmiotów lub nie, przyczynił się do zrodzenia się idei *stałości przedmiotu* i odzwierciedlał rozwój tego pojęcia na przestrzeni 2 początkowych lat życia.

Piaget opisywał ten rozwój w kilku etapach. Początkowo, przez około 4 miesiące, dziecko nie podejmuje żadnych prób odnalezienia znikającego przedmiotu. Może ono przez chwilę spoglądać w miejsce, w którym przedmiot lub osoba znikły, lecz nie jest to niczym więcej niż tylko przedłużeniem ostatniej reakcji. Później, około 9. lub 10. miesiąca, dzieci zaczynają wykazywać nieco silniejsze czynne zainteresowanie tym, co stało się ze znikającym przedmiotem. Zamiast biernie wpatrywać się w miejsce, gdzie ostatnio go widziały, zaczynają wzrokowo poszukiwać jego nowej lokalizacji. Piaget zauważył, że kiedy sześciomiesięczny Wawrzyniec leżąc upuścił pudełko, natychmiast spojrzał we właściwym kierunku i zaczął go tam szukać. Jak pisze dalej:

Wtedy sam chwyciłem pudełko i upuściłem je, pionowo i tak szybko, że nie był w stanie prześledzić lotu. Jego oczy zaraz zaczęły szukać go na sofie, na której leżał. Zdołałem stłumić dźwięk i uderzenie. Wykonałem ten eksperyment z prawej i lewej jego strony. Wynik był zawsze pozytywny.

Na tym etapie dziecko potrafi przewidzieć przyszłą pozycję poruszającego się przedmiotu, szacując to na podstawie przebiegu toru jego lotu; zatem możliwe jest poszukiwanie wzrokiem. Jednakże poszukiwanie za zasłoną, jak widzimy w poniższym fragmencie, nadal wykracza poza zdolności dziecka:

Jacqueline [prawie 8 miesięcy] starała się złapać gumową kaczkę leżącą na jej kołderce. [Jednak kaczka zsunęła się i] spadła bardzo blisko jej dłoni, ale za fałdę prześcieradła. Oczy Jacqueline śledziły jej ruch, a nawet wodziła za nią wyciągniętą rączką. Lecz gdy kaczka znikła – nie ma jej! Następnie wyciągnąłem kaczkę z ukrycia i położyłem obok jej rączki. Za każdym razem chciała ją chwycić, ale kiedy tylko miała ją dotknąć odkładałem zabawkę pod prześcieradło. Jacqueline natychmiast cofała rączkę i rezygnowała.

Mamy tu wyraźny przykład sposobu rozumowania „co z oczu, to z serca". Dziecko rezygnuje z wydobycia przedmiotu, chociaż jest w pełni zdolne wykonać niezbędne ku temu ruchy.

Od 9.–10. miesiąca dzieci zaczynają poszukiwać ukrytych przedmiotów i potrafią wydobyć je spod przykrycia lub zza zasłony. Jednak, jak widać z zachowania Jacqueline w wieku 10 miesięcy, ich poszukiwania są nadal ograniczone:

Jacqueline siedziała na materacu bez niczego, co by jej przeszkadzało lub rozpraszało jej uwagę... Wziąłem z jej rąk papugę i dwa razy z rzędu ukryłem pod materacem po jej lewej stronie [miejsce A]. Dwa razy Jacqueline szukała jej i dwa razy znalazła. Wtedy wziąłem papugę z jej ręki i powoli, na jej oczach, przeniosłem ją do analogicznego miejsca po jej prawej stronie [miejsce B]. Jacqueline z uwagą przyglądała się tym ruchom, lecz gdy tylko papuga znikła w miejscu B, odwróciła się w lewo i szukała tam, gdzie papuga była wcześniej, czyli w miejscu A.

A zatem nowo nabyta zdolność Jacqueline do poszukiwania ukrytych przedmiotów to jeszcze nie wszystko. Pojęcie stałości przedmiotu jest nadal dość ograniczone. Mimo że widziała, jak zabawka jest chowana w nowym miejscu, miejscu B, była zdolna jedynie powtórzyć poprzednią reakcję i nadal szukać w miejscu A – tak zwany błąd A/B. Dziecko jedynie powtarza poprzednie skuteczne działanie. Przedmiot jest nadal związany z zachowaniem i nie jest postrzegany jako zupełnie odrębny byt.

Dochodzi do tego w ciągu 2. r. ż., chociaż też nie od razu, ale w dwóch etapach. Na początek dziecko potrafi znaleźć przedmiot w miejscu B, ale tylko pod warunkiem, że jego przemieszczenie jest dla niego widoczne, tzn. jeśli dziecko rzeczywiście widzi, jak przedmiot jest przekładany z A do B. Niewidoczne przemieszczenie nadal wykracza poza zdolności dziecka. Jeśli, na przykład, ktoś przenosi mały przedmiot w *zamkniętej* dłoni w nowe miejsce, dziecko nadal będzie go szukało w miejscu A, jak gdyby nie było jeszcze zdolne manipulować w umyśle tym przedmiotem by dojść do tego, jaka była jego możliwa droga i jaka jest nowa lokalizacja. Na zrozumienie tego typu przemieszczenia przyjdzie jeszcze poczekać:

Jacqueline [1 1/2 roku] miała przed sobą trzy zasłony A, B i C (beret, chusteczkę i kurteczkę). Ukryłem małą kredkę w ręku, mówiąc „A kuku, kredka." Trzymałem zamkniętą dłoń przed nią i wkładałem ją kolejno pod A, pod B i pod C (zostawiłem kredkę pod C) i za każdym razem wyciągałem zamkniętą doń, powtarzając „A kuku, kredka." Jacqueline poszukała od razu pod C, znalazła i roześmiała się.

Jacqueline wiedziała zatem, że przedmiot nadal istniał w dłoni ojca przez cały okres niewidzialnych przemieszczeń, a zatem *na podstawie obrazu umysłowego* zdołała odgadnąć, gdzie został położony. I to dopiero jest ostatni etap, który Piaget uważa za dowód istnienia pełnej stałości przedmiotu.

Stadium przedoperacyjne

Zmiany zachodzące w obrębie zdolności poznawczych dzieci pod koniec 2. r. ż. są przeogromne, gdyż wtedy dziecko staje się zdolne do angażowania się w myślenie symboliczne i nie musi ograniczać się tylko do rzeczywistości typu „tu i teraz". A symbol to słowo lub wyobrażenie zastępujące coś innego; świadczą o tym następujące obserwacje Piageta:

W wieku 21 miesięcy Jacqueline zobaczyła muszlę i powiedziała „kubeczek", po czym podniosła ją i udawała, że pije. ... Następnego dnia zobaczyła tę samą muszelkę i powiedziała „szklanka", potem „kubeczek", następnie „kapelusz", a na koniec „łódka na wodzie". Trzy dni później wzięła pudełko i zaczęła nim przesuwać w tę i z powrotem mówiąc „samochodzik".

(Piaget, 1953)

Obserwując kolejne etapy zabawy Piaget potrafił wykazać, że pod koniec 2. r. ż. pojawia się nowy pod względem jakościowym rodzaj funkcjonowania psychicznego. Zamiast angażować się tylko w czynności sensoryczno-motoryczne (potrzaskiwanie, pukanie, ssanie, rzucanie), dzieci podejmują zabawy z wyobraźni: lalki dostają pić z pustych kubeczków, kawałek papieru staje się prześcieradłem, a szmatka królewskim płaszczem. Zatem dziecko staje się zdolne do myślenia opartego na reprezentacjach, które umożliwiają mu umysłowe manipulowanie obrazami przedmiotów, reprezentowanie przedmiotów i osób słowami, a stworzony dzięki fantazji świat może być różny od rzeczywistości. Zamiast *bezpośrednich* kontaktów z otoczeniem, dziecko może korzystać z *reprezentacji umysłowych* tegoż otoczenia i kontaktować się z nimi.

Mimo to sposób myślenia dzieci na tym etapie nadal bardzo różni się od myślenia dorosłych. Piaget podkreślił to, decydując się na określenie tego stadium mianem „przedoperacyjnego". **Operacja**, to zdaniem Piageta, uwewnętrznione działanie, dzięki któremu docierającymi z otoczenia informacjami można manipulować według indywidualnego uznania. Na przykład, dodawanie trzech rzeczy do pięciu jest operacją umysłową, inną jest porządkowanie przedmiotów według wielkości, a jeszcze inną zaklasyfikowanie różnych stworzeń jako muchy, słonie, psy, koty do jednej kategorii zwierząt. Piaget ujmował rozwój intelektualny jako proces zależny od przyswajania różnych operacji. Niestety, ponieważ by tego dokonać konieczna jest zdolność myślenia na poziomie symbolicznym, dzieci w stadium przedoperacyjnym są poniekąd upośledzone, jeśli chodzi o możliwość korzystania z operacji umysłowych, a to z powodu cech charakteryzujących ich myślenie, takich mianowicie, jak: egocentryzm, animizm, sztywność i rozumowanie przedlogiczne. Zilustrujemy każdą z nich opierając się na obserwacjach i eksperymentach Piageta.

Operacja to w teorii Piageta każda procedura umysłowego działania na przedmiocie.

Egocentryzm

Dotyczy on tendencji do spostrzegania świata wyłącznie z własnej perspektywy. W rozumieniu proponowanym przez Piageta nie jest to określenie obraźliwe i nie ma nic wspólnego z samolubnością. Oznacza raczej naturalną niezdolność dziecka do zrozumienia, że inni mogą spostrzegać rzeczy z innego punktu widzenia. Piaget zilustrował to swoim klasycznym *krajobrazem z trzema górami* (zob. ryc. 6.1), tj. sytuacją, w której dzieci siadają przed kartonową makietą trzech gór o różnym kształcie i wielkości. Następnie pokazuje się im zdjęcia modelu zrobione pod różnym kątem i prosi o wskazanie zdjęcia pasującego do tego, co widzą. Z tym większość przedszkolaków raczej nie ma problemów. Następnie w innym końcu makiety umieszczona zostaje figurka i zadaniem dzieci jest wskazanie fotografii przedstawiającej jej punkt widzenia. Większość dzieci wówczas znów wskaże zdjęcie przedstawiające ich *własny* punkt widzenia.

Zdaniem Piageta, jest to wyraźny dowód egocentryzmu, tj. niezdolności małych dzieci do oderwania się od własnej perspektywy i zrozumienia, że inni potrafią spostrzegać tę samą sytuację w inny sposób. Jak za chwilę przekonamy się, inni badacze nie do końca potwierdzili te obserwacje. Mimo to, zdaniem Piageta, egocentryzm stanowi wszechobecną tendencję, którą można zaobserwować w wielu sferach zachowania małych dzieci. Zapytajmy, na przykład, małe dziecko, czy ma brata i jeśli odpowie „tak" zapytajmy, czy ten brat ma rodzeństwo, a wtedy prawdopodobnie usłyszymy, że „nie". W tym przypadku znów widzimy brak zdolności dziecka do odstąpienia od własnej perspektywy, co z pewnością ma wpływ na zdolność do myślenia relacyjnego. Tę samą tendencję dostrzegamy w dziecięcych rozmowach, które przyjmują często formę *kolektywnych monologów*, w których dziecko A wyraża jakieś zdanie, po czym dziecko B wygłasza także jakieś zdanie na zupełnie inny temat, co wcale nie stanowi odpowiedzi dziecku A itd. W rzeczywistości nie dochodzi między nimi do prawdziwej komunikacji, bo żadne

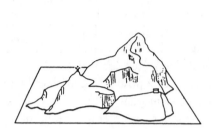
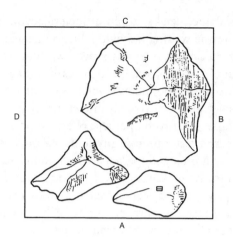

RYCINA 6.1

Piagetowski krajobraz z trzema górami

z nich nie potrafi wyzbyć się własnej perspektywy i w rezultacie rozmawiają monologując.

Animizm

W ramach badania dziecięcego pojmowania świata fizycznego Piaget postanowił określić, które z przedmiotów spostrzegane są jako ożywione, a które jako nieożywione. Dlatego zadawał pytania typu: „Czy jeśli oderwę ten guzik, to czy on to poczuje?", „Czy słońce wie, że wypuszcza światło?" i „Czy krzesło może mieć coś przeciwko siadaniu na nim?". Z odpowiedzi dzieci Piaget wnioskował, że w wieku przedszkolnym nie są one jeszcze w stanie rozróżnić, co jest żywe, a co nie. Próbują przypisać cechy żywych organizmów przedmiotom martwym. Jest to tendencja określana mianem *animizmu*, co znajduje swój wyraz w następującej rozmowie:

> **Piaget:** „Co robi słońce, gdy niebo jest zachmurzone i pada?"
> **Dziecko:** „Idzie sobie, bo jest brzydka pogoda".
> **Piaget:** „Dlaczego?"
> **Dziecko:** „Bo nie chce zmoknąć".

Dopiero później, stopniowo w trakcie całego okresu przedoperacyjnego dzieci zaczynają rozróżniać rzeczy ożywione od nieożywionych. Początkowo każdy przedmiot uważany jest za obdarzony świadomością, na przykład kamień „wie", że jest przesuwany. Później tylko poruszające się rzeczy są uznawane za żywe, na przykład rower lub poruszany wiatrem liść. Jeszcze później życie przypisane jest tylko rzeczom poruszającym się spontanicznie, takim jak strumyk. Aż wreszcie, dzieci zaczynają sobie zdawać sprawę, że życie to tylko cecha ludzi i zwierząt, i że zasadnicza różnica pomiędzy rzeczami ożywionymi i nieożywionymi tkwi w ich naturze.

Sztywność myślenia

Objawia się na wiele sposobów; weźmy dla przykładu dwa z nich. Pierwszy to *nieodwracalność*, tj. tendencja do myślenia o przedmiotach i wydarzeniach tak, jak wskazuje na to pierwsze doświadczenie. Przedszkolaki nie potrafią *w myślach* odwrócić biegu zdarzeń, ich myślenie jest tak samo sztywne, jak ich sposób spostrzegania. Jednym z wielkich osiągnięć dojrzałego myślenia jest to, że za pomocą wyobraźni można poprzestawiać symbole tak, jak tylko się komuś podoba, w sposób nie zawsze możliwy w rzeczywistości. A zatem dopiero wówczas, kiedy dzieci będą zdolne do myślenia odwracalnego, będą mogły opanować dodawanie i odejmowanie; dopiero wtedy zrozumieją, że 3 plus 4 równa się 7, a 7 minus 4 równa się 3. Odejmowanie jest odwrotnością dodawania i dopóki dzieci nie zrozumieją tej zasady, nie pojmą również podstaw arytmetyki.

Sztywność myślenia dostrzec można również w niezdolności do dostosowania się do zmian zachodzących w wyglądzie zewnętrznym przedmiotów. Spójrzmy na następujący eksperyment: przedszkolakom pokazano psa i poproszono o rozpoznanie zwierzęcia. Wszyscy poprawnie określili, że to pies. Następnie badacz wyciągnął maskę kota i na oczach dzieci nałożył ją temu psu. Gdy jeszcze raz poprosił o rozpoznanie zwierzęcia, większość dzieci orzekła, że to kot. Za każdym razem, kiedy zdejmował lub zakładał psu maskę, dzieci odpowiednio zmieniały zdanie. Wygląda na to, że ich myślenie zostało zdominowane przez jakąś właściwość percepcyjną, która w rzeczywistości była bez znaczenia dla rozpoznania zwierzęcia, niemniej nie potrafiły się jej wyzbyć.

Rozumowanie przedlogiczne

W porównaniu z dorosłymi, zdolność rozumowania u przedszkolaków jest wielce niedoskonała. Dzieci te nie są jeszcze zdolne ani do myślenia indukcyjnego, ani dedukcyjnego, tj. przechodzenia od szczegółu do ogółu lub od ogółu do szczegółu. W zamian prezentują typ myślenia, który Piaget określił mianem *transdukcyjnego*. Na przykład: nie odbywszy swojej popołudniowej drzemki, Lucienne, córka Piageta oznajmiła: „Nie miałam drzemki, więc to nie jest popołudnie". Lucienne prezentuje tu rodzaj rozumowania od jednego szczegółu (drzemka) do drugiego (popołudnie), co prowadzi do wniosku, że jeden szczegół określa drugi. Rozumowanie transdukcyjne zakłada zatem związek przyczynowy pomiędzy dwoma konkretnymi elementami, podczas gdy faktycznie takiego związku nie ma, po prostu te dwa elementy występują jednocześnie. Dzieci mogą też odwrócić związek przyczynowo-skutkowy, tak jak to widać w stwierdzeniu pewnego przedszkolaka: „Ten pan spadł z roweru, bo złamał rękę". Tutaj też obserwujemy typowe dla wieku błędne pojmowanie kolejności przyczyny i skutku. Jednakże, jak zresztą w przypadku wszystkich aspektów myślenia małych dzieci, Piaget nie zamierzał traktować tego jako oznaki ignorancji lub głupoty. Uważał raczej takie wysiłki za w pełni usprawiedliwiony etap konieczny do rozwoju myślenia dojrzałego. Jego zdaniem dzieci są nie tyle *nielogiczne*, ile *przedlogiczne*. Procesy logiczne, stanowiące o istocie myślenia systematycznego, są po prostu w tym wieku jeszcze niedostępne, ale w sposób naturalny powstaną na bazie tych bardziej prymitywnych, podejmowanych przez dzieci wysiłków.

Stadium operacji konkretnych

Około 6. lub 7. r. ż. dochodzi w procesie rozwoju intelektualnego dziecka do kolejnej zmiany jakościowej. Dzieci stają się zdolne do operacji umysłowych. Innymi słowy, zaczynają rozumować w sposób systematyczny. Usiłują rozwiązywać problemy w sposób logiczny i wreszcie wyzbywają się egocentryzmu, który zdaniem Piageta cechował wcześniejszy sposób patrzenia na świat. Zmianę tę można dostrzec szczególnie w nowo powstałej umiejętności odwracania sekwencji myśli, dowolnego przestawiania ich kolejności. Dzieci nie są już skazane na pojmowanie zdarzeń tak, jak miały one miejsce w rzeczywistości. Dzięki temu ich myślenie staje się bardziej elastyczne i efektywne. Nadal jednak pod pewnym względem pozostaje ograniczone. Ich operacje umysłowe muszą bowiem nadal opierać się na konkretnych przedmiotach i wydarzeniach. Stąd zaproponowana przez Piageta nazwa tego stadium. Myślenie hipotetyczne i pojęcia abstrakcyjne nadal wykraczają poza możliwości dzieci w tym wieku.

Omówmy zatem osiągnięcia rozwojowe stadium operacji konkretnych.

• *Szeregowanie.* Jednym z wyróżników myślenia operacyjnego jest zdolność umysłowego porządkowania przedmiotów pod względem pewnej wielkości, dajmy na to wysokości, ciężaru, czasu lub szybkości. Dziecko w stadium operacji konkretnych potrafi, na przykład, spostrzegać kolegów w kategoriach *różnic* wzrostu, a nie jak dotąd tylko jako pojedyncze jednostki. To, z kolei, prowadzi do zdolności wyciągania *wniosków na temat relacji*. Dzieci potrafią rozwiązać, na przykład, następujący problem: „Jeśli James biega szybciej niż Harry, a Harry szybciej niż Sam, to kto jest szybszy – James czy Sam?". Wymaga to skoordynowania informacji o trzech osobach i dwóch zależnościach i stanowi przyczynek do poznania liczb i miar. Piaget uważał, że jest to niemożliwe przed 6. bądź 7. r. ż. (chociaż stanowisko to zostało podważone, gdy późniejsze badania wykazały, że o wiele młodsze dzieci są w stanie poradzić sobie z tym zadaniem).

- *Klasyfikacja.* Zdolność dzieci do grupowania przedmiotów pod względem określonego kryterium jest w tym wieku o wiele bardziej zaawansowana. Zastanówmy się nad zjawiskiem *zawierania klas*, tj. rozumienia relacji całość/część. Piaget zademonstrował to pokazując dzieciom naszyjnik składający się z 10 drewnianych koralików, z których 7 było brązowych, a 3 białe. Gdy zapytał, czy więcej jest koralików brązowych, czy drewnianych, dzieci w stadium przedoperacyjnym zwykle odpowiadały, że brązowych, co miało świadczyć o tym, że nie potrafią jednocześnie myśleć o całej klasie (drewnianych koralikach) i podklasie (koralikach brązowych). Natomiast dzieci na etapie operacji konkretnych potrafią dostrzec relację pomiędzy częścią a całością. Potrafią wyzbyć się pewnych uwarunkowań percepcyjnych (takich jak kolor brązowy) i zrozumieć, że chodzi tu o dwie różne cechy, z czego jedna zawiera się w drugiej.
- *Pojęcia liczbowe.* Zdolności szeregowania i klasyfikowania, zdaniem Piageta, pomagają w zrozumieniu pojęcia liczby. Całkiem małe dzieci potrafią liczyć, ale jest to czynność, którą wykonują na pamięć, czynność pozbawiona prawdziwego rozumienia leżących u jej podstaw pojęć. Początkowo dzieci myślą o każdej liczbie jako o nazwie przypisanej konkretnemu przedmiotowi, więc każdy numer stanowi „cechę" danego przedmiotu. Dopiero na początku stadium operacji konkretnych dzieci nabywają nieco dojrzalsze pojęcie. Uświadamiają sobie, że liczenie to procedura arbitralna i dlatego cyfry można stosować zamiennie. Zaczynają zdawać sobie sprawę, że liczby można łączyć w grupy i podgrupy (tj., że 3 i 4 daje 7, tak samo jak koraliki białe i brązowe to razem „koraliki"). Uczą się także pojęcia *niezmienności liczby* tj., że np. liczba monet ułożonych w linii pozostaje ta sama bez względu na to, czy je bezładnie rozsuniemy, czy zbliżymy do siebie, i tylko dodanie lub odjęcie monet może zmienić ich liczbę.

Jednak o wiele więcej uwagi poświęcono innemu osiągnięciu rozwojowemu stadium operacji konkretnych. Piaget jako pierwszy odkrył je i opisał jako najbardziej godny uwagi postęp w sposobie myślenia dzieci w tym okresie życia. Jest to zasada **zachowania stałości**, tj. uzmysłowienie sobie, że podstawowe cechy przedmiotu nie zmieniają się, mimo że pozornie zmienia się jego wygląd. Spójrzmy, jak to wygląda (zob. ryc. 6.2). Poproszono dziecko, by nalało tyle samo wody do dwóch jednakowych naczyń A i B, i by potwierdziło, że rzeczywiście jest w nich tyle samo wody. Następnie zawartość naczynia B przelano do innego pojemnika – C, który był wyższy i węższy. Poziom wody w tym naczyniu był wyższy niż w naczyniu A. Na pytanie, czy obydwa naczynia zawierają taką samą ilość wody, przedszkolaki zaprzeczą, twierdząc, że w naczyniu C jest więcej. Do udzielenia właściwej odpowiedzi (że w pojemnikach A i C jest tyle samo wody) zdolne będą dopiero, gdy wkroczą w stadium operacji konkretnych. Według terminologii piagetowskiej, będą wtedy zdolne do myślenia zgodnie z zasadą zachowania objętości.

Zasada zachowania stałości to termin Piageta oznaczający zrozumienie, że pewne podstawowe cechy przedmiotu, takie jak np. waga i objętość, pozostają niezmienne nawet wtedy, gdy ich wygląd w aspekcie percepcyjnym uległ zmianie.

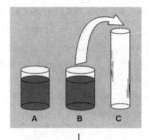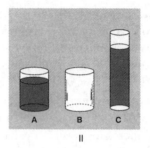

RYCINA 6.2

Eksperyment badający zasadę zachowania objętości

Dlaczego ten prosty eksperyment był tak ważny? Była to w istocie jedna z szeregu demonstracji ilustrujących, że zasada zachowania stałości dotyczy wielu cech przedmiotu, między innymi długości, liczby, masy, wagi i powierzchni, jak również objętości (szczegóły zob. ramka 6.3). Wszystkie wykazały, że myślenie dzieci na temat świata przechodzi (jak mawiał Piaget) od poziomu percepcji do poziomu logiki. Wróćmy do powyższego przykładu. Kiedy nalejemy wodę do naczynia C, ocena przedszkolaka będzie zdominowana przez jedną z cech wyglądu tego naczynia, mianowicie jego wysokość. Po przelaniu z naczynia B, poziom wody podniesie się, a wniosek z tego jest taki, że teraz jest jej więcej. Małe dzieci nie potrafią uwzględniać jednocześnie dwóch cech – wysokości i szerokości. Nie są więc jeszcze zdolne zrozumieć, że zmiana jednej wielkości kompensuje zmianę drugiej. Podobnie, przedszkolak nie potrafi wyobrazić sobie odwrócenia sytuacji i zrozumieć, że przelanie wody z powrotem z naczynia C do B sprawi, że poziom wody powróci do stanu poprzedniego. To wymaga myślenia operacyjnego, które pojawi się dopiero po okresie przedszkolnym i umożliwi logiczne rozwiązywanie problemów, a nie opieranie się na znamiennych, ale jednak nieistotnych wrażeniach percepcyjnych.

RAMKA 6.3

Badanie dziecięcego rozumienia zasady zachowania stałości

Piaget opracował szereg zadań mających na celu zademonstrowanie istoty myślenia dziecka, a do najbardziej znanych należą eksperymenty badające zasadę zachowania stałości. W każdym przypadku zamierzał wykazać, iż pojęcie przedmiotu u dzieci w wieku przedszkolnym zdominowane jest przez widoczne właściwości percepcyjne, i że dzieci te łatwo zwieść poprzez pozorne zmiany wyglądu. Natomiast dzieci starsze, w stadium operacji konkretnych, zdają sobie sprawę z tego, że zmiany te są nieistotne dla zasadniczych cech przedmiotu, i dlatego rozumieją zasadę zachowania jego podstawowych właściwości.

Zastanówmy się nad zasadą zachowania stałości *liczby* (zob. ryc. 6.3). Dziecko widzi dwa równo ułożone rzędy guzików; widzi, że jest ich taka sama liczba w każdym rzędzie. Następnie guziki z jednego rzędu zostają na oczach dziecka rozsunięte. Pada pytanie o to, czy liczba guzików w obu rzędach jest nadal jednakowa. Przedszkolaki odpowiedzą, że teraz w dłuższym rzędzie jest ich więcej. A jeśli zsuniemy je do siebie tak, że rządek stanie się krótszy, powiedzą, że jest ich mniej.

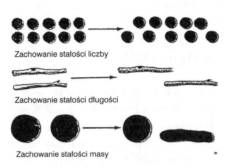

Zachowanie stałości liczby

Zachowanie stałości długości

Zachowanie stałości masy

RYCINA 6.3

Zadanie na zachowanie stałości liczby, długości i masy

By zbadać zasadę zachowania stałości *długości*, układa się równolegle dwa patyczki jeden nad drugim. Dziecko potwierdza, że są równe. Następnie jeden patyczek zostaje wysunięty tak, że wystaje poza drugi. Pada pytanie, czy są tej samej długości. Przedszkolak zostanie zwiedziony tym przesunięciem i stwierdzi, że patyk wysunięty jest teraz dłuższy.

Następny przykład dotyczy zachowania stałości *masy*. Przed dzieckiem leżą dwie równe kulki plasteliny. Dziecko potwierdza, że zawierają jednakową ilość plasteliny. Jedna z nich zostaje następnie uformowana w wałeczek. Na pytanie, czy obydwie kulki zawierają taką samą ilość plasteliny, przedszkolak odpowie, że w wałku jest jej teraz więcej.

Na pytanie o powód swych odpowiedzi, dzieci w stadium przedoperacyjnym bez wahania wskazują na to, co widzą. Dlatego wskazując wałeczek plasteliny powiedzą: „Jest dłuższy" albo „Zrobiłeś tak, że patyk sięga dalej". Natomiast wyjaśnienia dzieci w stadium operacji konkretnych wskazują, że dokonane zmiany są dla nich bez znaczenia, np.: „Nie odejmowałeś plasteliny, więc musi być tyle samo.", „Wałek jest dłuższy, ale cieńszy." lub „Możesz znowu zrobić kulkę i nadal będzie tyle samo.".

Te trzy ostatnie objaśnienia pokazują, ilu rozmaitych operacji wymaga zrozumienie zasady zachowania stałości. Pierwsza skupia się na zasadniczej *tożsamości* przedmiotu – kiedy to nic nie zostało dodane ani odjęte. Druga odnosi się do *kompensacji*, tzn. zmiana jednej wielkości jest kompensowana przez zmianę drugiej. A trzecia wskazuje na *odwracalność* myślenia starszych dzieci. Potrafią one wyobrazić sobie, co się stanie, gdy wałeczek z powrotem zmienimy w kulkę, i na tej podstawie dochodzą do wniosku, że zmiana kształtu nie ma wpływu na ilość plasteliny.

Podkreślmy raz jeszcze, że przejście na bardziej dojrzały poziom rozumowania nie jest kwestią podania małym „ignorantom" (tj. dzieciom w stadium przedoperacyjnym) potrzebnych informacji i nauczenia ich właściwego rozwiązywania problemów. Wykazano bowiem, że próby nauczenia dzieci zasady zachowania stałości nie przyniosły zbyt wielkich rezultatów, jeśli nadal pozostawały one w stadium przedoperacyjnym. Jest to raczej kwestia braku u tych dzieci procesów myślowych koniecznych do przejścia na wyższy poziom rozumowania, a nie wielkości wysiłku, jaki włożymy w trening.

Stadium operacji formalnych

Około 11.–12. r. ż. dzieci osiągają najbardziej zaawansowany poziom myślenia. Musimy jednak mieć na uwadze to, że między dziećmi występują pod tym względem wielkie różnice indywidualne. Zauważmy także, że nie wszystkie osiągają ten najwyższy poziom, i że część z nich pozostaje na etapach niższych. Zresztą, nawet najbardziej dojrzały myśliciel nie funkcjonuje na tym poziomie przez cały czas, ale raz po raz odwołuje się do prymitywniejszych form myślenia.

Operacje formalne różnią się od operacji konkretnych kilkoma aspektami:

- *Rozumowanie abstrakcyjne.* Dzieci potrafią już rozumować na temat rzeczy, których nigdy bezpośrednio nie doświadczyły. Myśl nie jest już ściśle związana z prawdziwymi przedmiotami i wydarzeniami. Zatem dzieci potrafią radzić sobie z problemami hipotetycznymi i abstrakcyjnymi. Są zdolne myśleć o przyszłości, także swojej własnej, rozważać różne możliwości i snuć odpowiednie plany. Zdają sobie sprawę, że rzeczywistość wokół nich nie jest rzeczywistością jedyną. Istnieją inne możliwe światy, które potrafią wymyślić i, jeśli zechcą, próbować je zrealizować. Nastolatek potrafi zatem być idealistą. Może dążyć do innych niż obecnie panujące zasad politycznych, moralnych i religijnych.
- *Stosowanie logiki.* Możliwe staje się rozumowanie dedukcyjne. Dzieci potrafią przyjąć jakieś ogólne założenie i wyobrazić sobie jego skutki na zasadzie: „jeżeli... to...". Oznacza to, między innymi, że możliwy jest szybki postęp rozumowania naukowego, gdyż nauka pełna jest założeń dedukcyjnych, gdzie konkretne obserwacje zostają wydedukowane na podstawie ogólnej teorii. Zatem dzieci potrafią uznać, że możliwe jest przewidzenie czegoś w pewnym momencie w przyszłości, ponieważ wynika to z ogólnej teorii, np.: że można odkryć gwiazdę nie tylko poprzez wpatrywanie się niebo, ale też na podstawie tego, że wyliczenia matematyczne świadczą o tym, iż w konkretnym miejsccu powinna być gwiazda.
- *Zaawansowany poziom rozwiązywania problemów.* Piaget wykazał znaczny postęp myślenia w okresie dorastania, stawiając nastolatkom szereg zadań, przeważnie z fizyki i chemii, a następnie przyglądając się, jak zabierają się do rozwią-

zania problemu. Kazał im, na przykład, odkryć jak działa wahadło. Dając im ciężarki o różnej wadze i sznury o różnej długości, chciał zobaczyć, czy potrafią dojść do zasad tkwiących u podstaw rozwiązania. W przeciwieństwie do dzieci na etapie operacji konkretnych, te w stadium operacji formalnych zabrały się do pracy w sposób systematyczny, zmieniając za każdym razem tylko jeden czynnik: wagę, długość lub siłę. W ten sposób stworzyły obraz procesu w sposób zorganizowany i spójny. Zatem ich strategia radzenia sobie z tym problemem wielce różniła się od tego, co proponowały dzieci myślące na poziomie operacji konkretnych. Zamiast chaotycznej metody prób i błędów, dzieci na etapie operacji formalnych potrafiły stworzyć hipotezę, opracować w umyśle różne wyniki, dzięki czemu dysponowały wieloma rozwiązaniami zanim jeszcze zaczęły je sprawdzać. Oznacza to, że były zdolne do zastosowania hipotetyczno-dedukcyjnego sposobu podejścia do rozwiązywania problemu.

Stadium operacji formalnych stanowi najwyższy poziom, jaki dzieci potrafią osiągnąć, przechodząc przez wszystkie wcześniejsze stadia. Myślenie staje się racjonalne, systematyczne i abstrakcyjne, i chociaż w drodze do dorosłości pojawią się kolejne etapy rozwojowe, to będą one dotyczyły przede wszystkim zakresu wiedzy, a nie jej istoty.

Za i przeciw teorii Piageta

Opis rozwoju dziecka dokonany przez Piageta miał znaczenie przełomowe. Przez długi czas był to dominujący model opisu sposobu przyswajania wiedzy przez dzieci. Na całym świecie zainspirował ogromną liczbę badań, które miały na celu potwierdzenie i poszerzenie wielu aspektów tej teorii. Dzięki temu łatwiej nam dziś ocenić tę teorię i uznać zarówno jej wkład w nasz sposób rozumienia tego, jak dzieci myślą, jak też zobaczyć rozmaite jej mankamenty.

Korzyści

Jedną z zalet podejścia Piageta jest to, że nie był on teoretykiem fotelowym. Wszystkie jego idee zostały poparte solidnymi obserwacjami, dlatego zarówno dane empiryczne, jakie zgromadził, jak i towarzyszące im wyjaśnienia teoretyczne pomagają nam zrozumieć sposób spostrzegania świata przez dzieci w różnym wieku oraz zachodzące w tym obszarze zmiany rozwojowe. Potraktujmy poniższe podsumowanie jako wskazanie na najważniejsze aspekty tej teorii:

- *Dzieci myślą w sposób jakościowo odmienny od dorosłych*. Rozwój intelektualny nie jest rezultatem podawania dziecku coraz większej liczby informacji i w ten sposób poszerzania stanu jego wiedzy. Piaget bardzo wyraźnie mówił, że dzieci myślą *inaczej*. Istota tych różnic zmienia się wyraźnie w każdym kolejnym okresie rozwojowym. Mimo że sposoby rozwiązywania problemów przez dzieci z „dorosłego" punktu widzenia mogą czasem wydawać się śmieszne, w rzeczywistości odzwierciedlają one autentyczny postęp w toku kolejnych stadiów, jakie dziecko musi przejść w drodze do dojrzałości.

- *Rozwój intelektualny trwa od momentu narodzin*. Podejście Piageta ma w dużej mierze charakter rozwojowy. Twierdził on, że dopasowanie się noworodka do sutka, czy próby rozwiązania problemów przez uczniów, opierają się w pewnym zakresie na podobnych mechanizmach, przy czym ta pierwsza sytuacja nawet bardziej niż druga jest wskaźnikiem aktywności intelektualnej, zatem każda próba zgłębienia procesu rozwoju inteligencji musi rozpoczynać się w momencie narodzin. Mimo zmian zachodzących wraz z przechodzeniem dziecka z jednego stadium do drugiego, mamy więc do czynienia z pewną podstawową ciągłością w tym obszarze.
- *Dzieci są uczniami aktywnymi*. Nabywanie wiedzy nie jest kwestią biernego wchłaniania informacji. Niejednokrotnie sam Piaget podkreślał istnienie u dzieci wielkiej ciekawości świata, która pcha je w kierunku eksploracji i eksperymentowania. Szczególnie potwierdzają to obserwacje jego własnych dzieci; nie czekały one bowiem na stymulację ze strony innych osób, ale już od początkowych miesięcy życia same wchodziły w rolę „małego naukowca".
- *Można odkryć wiele zjawisk otwierających drogę do umysłu dziecka*. Stałość przedmiotu, egocentryzm, zawieranie klas, zasada zachowania stałości – Piaget posłużył się tymi i wieloma innymi przykładami, by zobrazować istotę dziecięcego rozumowania. Nie tylko kierował naszą uwagę na te zjawiska, ale także obmyślił sposoby ich zgłębiania, umożliwiając innym kontynuowanie jego pracy.

Zważywszy na charakter teorii Piageta, trudno się dziwić, że wywołała ona spore zainteresowanie wśród nauczycieli. Wniosek, że dzieci są *aktywnymi uczniami* nie jest nowy, ale to Piaget opisał to w sposób bardziej szczegółowy niż ktokolwiek wcześniej. Zauważył, że to naturalna ciekawość pcha dzieci w kierunku eksploracji i eksperymentowania, dzięki którym same *dla siebie* odkrywają zasady funkcjonowania świata. Obraz dzieci siedzących w ławkach i biernie słuchających nauczyciela, który przekazuje wiedzę, był dla Piageta przekleństwem. Dzieci muszą być aktywnie zaangażowane, a im młodsze dziecko tym ważniejsze jest, by mogło uczyć się poprzez działanie. Jest to uzasadnienie nauczania przez odkrywanie, kiedy to zadaniem nauczyciela jest stworzenie warunków pozwalających dzieciom na samodzielne konstruowanie wiedzy. Tylko taka wiedza ma głęboki charakter, wiedza przekazana przez innych taka nie jest.

Wynika z tego, że trzeba poważniej pomyśleć o indywidualnych możliwościach dzieci w zakresie radzenia sobie z określonymi doświadczeniami. To w tej kwestii znaczenie teorii Piageta jest największe, chodzi tu o edukację, a zwłaszcza o nauczanie matematyki i nauk ścisłych. Myślenie dzieci, jak się przekonaliśmy, jest inne pod względem jakościowym od myślenia osób dorosłych. Ponadto jego charakter zmienia się wraz ze zmianą stadium rozwoju poznawczego. Nie można zakładać, by dziecięcy sposób pojmowania problemów był taki sam, jak dorosłych. Stąd bierze się potrzeba nauczania „skoncentrowanego na dziecku", w którym zadania stawiane przed dzieckiem możliwie najprecyzyjniej dostosowane są do poziomu jego rozwoju poznawczego. Na przykład, dziecko w stadium przedoperacyjnym potrzebuje do zabawy materiałów umożliwiających poznanie ich funkcji i właściwości na podstawie chwytu, dotyku i manipulacji, ponieważ na tym etapie wiedza przyswajana jest przede wszystkim w wyniku wchodzenia w bezpośrednie interakcje ze środowiskiem. Podobnie, dzieci w stadium operacji konkretnych, mimo iż zdolne są do operacji umysłowych, potrzebują prawdziwych przedmiotów, by na nich oprzeć rozwiązanie problemu. Taka pomoc pomoże im poradzić sobie z zadaniami, które wykraczałyby poza ich możliwości, gdyby opierały się na pojęciach abstrakcyjnych. Zatem, skuteczne nauczanie wymaga, po pierwsze, określenia zdolności poznawczych każdego dziecka, po drugie, analizy wymagań, jakie stawia zadanie i po trzecie, dopasowania zadania do możliwości poznawczych dziecka. Szczegółowo analizując zdolności dzieci w różnym wieku, Piaget sprawił, że tego typu dopasowywanie stało się o wiele łatwiejsze.

Mankamenty

Większość uwag krytycznych, jakie wynikały z późniejszych badań dotyczyła dwóch aspektów, odnoszących się odpowiednio do wieku i stadiów.

Po pierwsze, *czy Piaget nie doceniał zdolności dziecka?* Wiele późniejszych badań wykazało, że wiek, który Piaget wskazywał jako moment osiągania kolejnych kamieni milowych rozwoju był błędny, co wskazywało na to, że dość sceptycznie oceniał on możliwości dzieci. Prawdą jest, że Piaget niewiele dbał o normy wiekowe i bardziej skupiał się na kolejności zdobywania umiejętności – zostało to ogólnie rzecz biorąc potwierdzone w późniejszych badaniach. Niemniej jednak, rozbieżność wieku często jest tak duża, że wymaga wyjaśnienia. Weźmy na przykład stałość przedmiotu – pojęcie, którego, zdaniem Piageta, dziecko nie może posiąść przed ukończeniem 1. r. ż. Ilustrował to eksperymentami polegającymi na ukrywaniu przedmiotu, co w wykonaniu późniejszych badaczy przynosiło takie same rezultaty. Jednakże przy użyciu innych technik udało się wykazać, że nawet o wiele młodsze dzieci rozumieją, iż przedmioty nie przestają istnieć, gdy znikają z pola widzenia. Na przykład, Bower (1974) pokazywał trzymiesięcznemu dziecku atrakcyjną dla niego zabawkę, która następnie została zakryta. W jednym przypadku po odsunięciu zasłony zabawki już nie było; w drugim – była tam nadal (zob. ryc. 6.4). Mierząc akcję pracy serca dziecka (oznaka zaskoczenia i zmartwienia), Bower wykazał, że nawet w tak wczesnym okresie życia praca serca ulegała

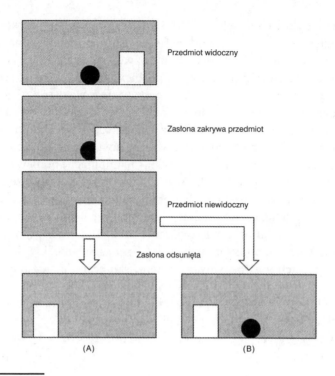

RYCINA 6.4

Eksperyment Bowera badający stałość przedmiotu

większej zmianie, gdy zabawki nie było za zasłoną niż wtedy, kiedy była. Jest to niewątpliwy wskaźnik tego, że dzieci te oczekiwały, iż zabawka pozostanie na tym samym miejscu, nawet kiedy na chwilę znikła im z pola widzenia. Podobnie też działo się, gdy zamiast zabawki podstawiony został inny przedmiot. Zdziwienie dzieci było większe niż wtedy, gdy znów pokazała się ta sama zabawka. Zatem, stawiając mniej wymagające zadanie, polegające na badaniu wzrokiem, a nie manualnie, możliwe jest wykazanie istnienia stałości przedmiotu we wcześniejszym okresie życia niż twierdził to Piaget na podstawie swoich badań.

Przywołajmy jeszcze jeden przykład wskazujący na to, że zmiany procedury mogą przynieść odmienne wyniki. Zdaniem Piageta, zasada zachowania stałości dostępna jest dopiero wtedy, gdy dziecko wejdzie w stadium operacji konkretnych. Zatem (zob. ramka 6.3), jeśli jeden z dwóch rządków zawierających taką samą liczbę guzików zsuniemy tak, że będzie on krótszy, dzieci poniżej 6. r. ż. uznają, że teraz jest tu mniej guzików niż w tym drugim rządku, co wskazuje na to, że nie pojmują zasady zachowania stałości. McGarrigle i Donaldson (1974) powtórzyli to badanie, ale wprowadzili dodatkowo postać „niegrzecznego misia", który wpadł na guziki i przypadkowo poprzesuwał jeden rządek, przez co jest on teraz krótszy. O ile niewiele dzieci potrafiło postąpić zgodnie z zasadą stałości liczby wtedy, gdy guziki zostały zsunięte przez eksperymentatora, o tyle udało się to większości z nich, gdy guziki poprzesuwał „niegrzeczny miś". A zatem nawet czterolatki w pewnych warunkach są zdolne do zachowania stałości liczby, a w innych nie. Skąd ta różnica? Zdaniem tych badaczy, uzasadnienia trzeba szukać w sposobie interpretowania sytuacji przez dziecko. Kiedy dorosły zsuwa jeden rządek guzików i prosi o porównanie liczby w obu rządkach, przedszkolaki przekonane są, że musiała zajść jakaś prawdziwa zmiana, w przeciwnym razie zadawane pytanie nie miałoby sensu. Gdy jednak to „niegrzeczny miś" przypadkowo zmieni wygląd jednego z rzędów, wówczas dzieciom łatwiej wykazać się znajomością zasady zachowania stałości liczby.

Widać wyraźnie, że wynik działania dziecka rozwiązującego zadanie eksperymentalne zależy od o wiele większej liczby czynników niż cechy samego zadania. Środowisko społeczne, interpretacja intencji dorosłego przez dziecko, zastosowane procedury, typ pomiaru – wszystko to może wpływać na otrzymywane wyniki, a Piaget nie wziął pod uwagę żadnego z tych czynników. Trzeba uwzględnić nawet obeznanie dziecka z językiem, w jakim wydawane są polecenia. Słowa użyte w pytaniu Piageta badającym rozumienie zależności całość/część, brzmiącym „Czy więcej jest koralików brązowych, czy drewnianych?" na pewno dla niektórych dzieci brzmią osobliwie. Gdy pytanie to zostało zmodyfikowane przez innych badaczy, okazało się, że młodsze dzieci były zdolne do bardziej zaawansowanego rozumowania niż wskazywały na to wyniki uzyskane przez Piageta. Jak widać, podczas oceny wyników trzeba brać pod uwagę cały kontekst, w jakim przeprowadzone były badania, a szczególnie kulturę, w jakiej rozwija się dziecko. Opis zawarty w ramce 6.4, ukazuje, że przeniesienie eksperymentów Piageta do innych kultur dostarczyło istotnych spostrzeżeń, zwłaszcza podkreślając rolę dotychczasowego doświadczenia, które Piaget całkowicie pominął.

RAMKA 6.4

Wpływ kultury na wykonywanie przez dzieci zadań piagetowskich

Piaget przedstawił opis nabywania wiedzy o świecie, jak gdyby wyniki obserwacji dzieci szwajcarskich miały wymiar uniwersalny. Można zatem odnieść wrażenie, że przechodzenie przez kolejne stadia nakreślone przez Piageta jest nieuniknionym następstwem bycia człowiekiem, i że czynniki zewnętrzne działające w środowisku dziecka nie odgrywają w rozwoju żadnej roli.

Czy rzeczywiście tak jest? Znaczna liczba dowodów świadczy dziś o tym, że dzieci pochodzące z różnych kręgów kulturowych w odmienny sposób rozwiązują zadania piagetowskie (przykłady zob. Dasen, 1977). Eksperymenty badające zasadę zachowania stałości przeprowadzono na tak rozmaitych próbkach, jak dzieci Eskimosów i Aborygenów, dzieci afrykańskie z Senegalu i Rwandy, dzieci z Hong Kongu i Papui Nowej Gwinei, a także z wielu innych miejsc zdecydowanie różniących się od siebie pod względem doświadczeń wychowawczych i edukacyjnych, które mogą mieć znaczenie dla rozwoju poznawczego. To, jak dzieci te radzą sobie z zadaniami opracowanym pierwotnie dla dzieci europejskich, zależy, oczywiście, od ich obeznania z użytymi materiałami, sposobu przekazania instrukcji i świadomości dziecka, że „jest badane". Tak czy inaczej, można z tego wyciągnąć kilka wniosków.

Po pierwsze, dzieci spoza zachodniego kręgu kulturowego często wykazują pewne opóźnienie, jeżeli chodzi o myślenie operacyjne. Na przykład, dzieci aborygeńskie żyjące w Centralnej Australii i mające niewielki kontakt z kulturą „białych", nie są zdolne do zrozumienia zasady zachowania stałości nawet kilka lat później niż ich europejscy rówieśnicy. Niektórzy z Aborygenów jeszcze pod koniec okresu dojrzewania, a nawet w dorosłości nie są zdolni do myślenia w kategoriach operacji konkretnych (Dasen, 1974). Jednak mali Aborygeni żyjący w społecznościach białych i uczęszczający tam do szkoły rozwiązują te zadania w tym samym wieku, co dzieci badane przez Piageta. Dzieje się tak prawdopodobnie dlatego, że to szkoła daje odpowiedni „bodziec" do opanowania pojęć koniecznych do myślenia operacyjnego. Jedną rzecz udało się potwierdzić. Nawet jeśli rozwój jest znacznie opóźniony, przejście od jednego stadium do następnego przebiega w kolejności wyznaczonej przez Piageta. Wszędzie dzieci nabywają zdolność operacji konkretnych dopiero wtedy, gdy przejdą przez etap przedoperacyjny, a jeżeli osiągną poziom operacji formalnych, to wyłącznie po przejściu przez okres operacji konkretnych. Czynniki kulturowe mogą zatem wpłynąć na *tempo* osiągnięć, ale nie zmienią *porządku* rozwoju.

Ponadto, widać wyraźnie, że w każdej grupie kulturowej pewne cechy poznawcze cenione są bardziej niż inne i nie pozostaje to bez wpływu na rozwój pojęć w obrębie poszczególnych stadiów. Price-Williams, Gordon i Ramirez (1969) dostarczają wymownego przykładu dzieci meksykańskich w wieku od 6 do 9 lat, z których część pochodziła ze społeczności zajmującej się garncarstwem, a reszta z rodzin zaangażowanych w inne rzemiosło. Przedstawiono im szereg zadań badających zasadę zachowania stałości, między innymi zadanie na zachowanie stałości masy, które jak zwykle polegało na zmianie kształtu bryłek gliny. Wszystkie dzieci garncarzy o wiele lepiej niż reszta dzieci rozumiały zasadę zachowania stałości masy. Można zatem wyciągnąć wniosek, że różne kultury bardziej sprzyjają rozwojowi tych, a nie innych obszarów rozumienia, a doświadczenie jest czynnikiem o wiele bardziej znaczącym, niż zakładał to Piaget.

Zajmijmy się teraz drugim aspektem teorii Piageta, wzbudzającym sporo kontrowersji. *Czy rozwój ma charakter etapowy?* Dla odróżnienia modelu etapowego od modelu, który postrzega dzieciństwo w kategoriach ciągłego procesu zmian wyróżniono trzy kryteria (Flavell, Miller, Miller, 1993):

1. *Zmiany jakościowe*. W pewnych momentach rozwoju zachowanie i sposób myślenia dziecka ulegają zmianom, które nie polegają jedynie na tym, że dziecko potrafi zrobić czegoś więcej, szybciej lub precyzyjniej; jest to raczej sprawa robienia czegoś *inaczej*, jak np. przez zastosowanie nowego rodzaju strategii myślenia.

2. *Nagłość zmian*. Model etapowy przypomina raczej schody niż równię pochyłą. Każdego rodzaju zmiana następuje raptownie, a nie stopniowo.

3. *Zmiana powszechna*. Pojęcie etapu wiąże się z założeniem, że zmiany dotyczą jednocześnie całego szeregu funkcji. Na przykład, nowy etap rozumowania wpłynie na wszystkie, a nie tylko na wybrane aspekty rozwiązywania problemów.

Atrakcyjność modelu etapowego, takiego jak model Piageta, wynika z jego prostoty: łatwo go zrozumieć i opisać. Lecz czy jest on trafny? Coraz częściej psychologowie dochodzą do przekonania, że rozwój przyjmuje bardziej złożone, nieoczekiwane formy, że zmiany nie dokonują się po prostu w ciągu nocy, i że nie odnoszą się do jakiegoś specyficznego obszaru, ale są zmianami „w ogóle".

Zakres konkretny, zakres ogólny. Terminy używane do opisu tego, czy procesy rozwojowe dotyczą tylko określonych, czy wszystkich funkcji umysłowych.

Weźmy pod uwagę egocentryzm (opisany na s. 197–198). Zdaniem Piageta do 7. r. ż. dzieci nie są zdolne zrozumieć, że inni ludzie mogą mieć własny punkt widzenia, i to odmienny niż mają one, i dlatego zakładają, że każdy musi spostrzegać i odczuwać tak samo, jak one. Dopiero na początku stadium operacji konkretnych dzieci zaczynają wyzbywać się podejścia egocentrycznego i uzgadniać własną perspektywę z punktem widzenia innych ludzi.

Pogląd ten był niejednokrotnie weryfikowany. Piaget opierał swoje przekonanie głównie na jednej konkretnej próbie badawczej – na zadaniu z trzema górami (ryc. 6.1). W jednej z ważniejszych prac krytycznych Margaret Donaldson (1978) stwierdziła, że metoda ta jest zbyt złożona i nierzetelna, jeśli mielibyśmy sprawiedliwie oceniać zdolności dzieci. W trakcie badań należałoby raczej tworzyć sytuacje przypominające sytuacje z ich codziennego życia. Cytuje ona jako przykład

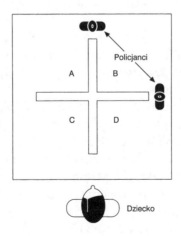

RYCINA 6.5

Eksperyment Hughesa z „ukrywaniem", badający egocentryzm

badania Martina Hughesa: dzieci miały „ukryć" figurkę przed dwoma policjantami na makiecie (pokazanej na ryc. 6.5), składającej się z dwóch skrzyżowanych ścianek, wystarczająco wysokich, by zakryć figurkę. Zadanie wymagało od dzieci niebrania pod uwagę tego, co same widzą i skupienia się tylko na punkcie widzenia postaci, tzn. musiały zachować się nieegocentrycznie. Jak stwierdził Hughes, już trzyipółletnie dzieci potrafiły umieścić figurkę we właściwym sektorze. Wynik ten różni się od założeń Piageta, a różnica, zdaniem Donaldson, wynika z tego, że zadanie to było bardziej życiowe, niż zadanie z trzema górami.

Wiele innych prac wykazało, że dzieci dużo młodsze niż siedmiolatki zachowują się w *pewnych okolicznościach* nieegocentrycznie. Dużo zależy od zadania i wymagań stawianych dziecku. Zatem pogląd, że istnieje jakiś określony wiek (7 lat lub dowolny inny), w którym pojawia się zdolność zmiany własnego punktu widzenia, jest nie do przyjęcia. Jasne stało się także to, iż zdolność zmiany własnej perspektywy można charakteryzować pod względem trzech następujących kategorii:

- *Zmiana w obszarze percepcji*, tj. uświadomienie sobie, że inne osoby widzą i słyszą z odmiennego punktu widzenia;
- *Zmiana w obszarze uczuć* związana ze zdolnością oceny czyjegoś stanu emocjonalnego;
- *Zmiana w obszarze poznawczym*, czyli zdolność uznania tego, co wiedzą inni.

Rozwój tych trzech aspektów wcale nie przebiega jednakowo. Najpierw pojawia się *percepcyjna* zmiana perspektywy widoczna w „pokazywaniu" (Lempers, Flavell, Flavell, 1977). Nawet roczne dziecko poproszone o pokazanie zabawki siedzącemu naprzeciw dorosłemu, uniesie zabawkę do góry. Dziecko półtoraroczne nie tylko ją podniesie, ale i obróci w kierunku drugiej osoby. Jeśli dostanie sześcian bez jednej ścianki, na którego dnie wklejony będzie obrazek, dwulatek tak obróci sześcian, by dorosły mógł zobaczyć, co jest w środku, nawet, jeśli dziecko pozbawia się tym samym możliwości oglądania obrazka. I z pewnością nie jest to działanie egocentryczne. Zatem już w 2. r. ż. dzieci pod pewnym względem świadome są tego, że inni widzą inaczej, przy czym osiągnięcie rozwojowe nie pojawia się od razu, lecz stopniowo.

Afektywna zmiana perspektywy pojawia się nieco później, choć wciąż w dość wczesnym wieku. Wykazało to, na przykład, badanie dzieci w wieku przedszkolnym, którym opowiedziano kilka krótkich historyjek o pewnej postaci, a następnie poproszono o dobranie do każdej z nich obrazków twarzy przedstawiającej odpowiednie emocje (szczęśliwy, zły, przestraszony lub smutny). Już trzylatki, ze zmiennym skutkiem, a czterolatki zupełnie biegle rozpoznawały, jak ktoś mógłby się czuć w danej sytuacji (Borke, 1971). Jeżeli chodzi o zmianę perspektywy *poznawczej*, badania nad teorią umysłu (o której mówiliśmy w rozdz. 5., a jeszcze bardziej szczegółowo opowiemy w rozdz. 8.) wykazały niezbicie, że dzieci pod koniec okresu przedszkolnego są w stanie uwzględniać przekonania innych osób.

Świadczy to o tym, że w wieku około 5 lat są już dość biegłe w przyznawaniu, że poglądy te mogą różnić się od ich własnych. A zatem potrafią odkryć to, co inni ludzie widzą, czują i o czym myślą, i czynią w tym zakresie znaczne postępy, które ciągną się przez cały okres przedszkolny.

Konkretny przykład zjawiska egocentryzmu, jaki tu analizujemy, ukazuje trudności, jakich nastręcza Piagetowski etapowy model rozwoju, i które zaobserwować można także w innych obszarach. Rozwój rzadko przyjmuje formę stopniową, na jaką wskazywałby ten model. Dokładniejsze badania ujawniają istnienie ciągłości, czego nie uwzględnia teoria oparta na okresowo pojawiających się zmianach jakościowych. Powszechnie uznaje się także, że Piagetowski model „ogólnego rozwoju" należy zastąpić podejściem zakładającym jednak określony zakres zmian. Rozwój różnych funkcji, które Piaget wkładał do „jednego worka", często przebiega w różnym tempie i różnymi drogami.

Podsumowanie

Piagetowska teoria rozwoju poznawczego jest tak głęboka i rozległa, że żadne inne ujęcie rozwoju nie może się z nią równać. Główną zasługą Piageta było przedstawienie systemu pojęć, który łączył różne funkcje poznawcze poprzez wyjaśnianie ich w kategoriach podobnych procesów, takich jak asymilacja, akomodacja, powstawanie operacji, egocentryzm itd., oraz pozwalał na śledzenie funkcjonowania poznawczego dziecka w kolejnych przedziałach wiekowych, przez co ukazywał istnienie ciągłości wysiłków mających na celu poznanie świata przez dziecko – od momentu narodzin aż do osiągnięcia przez nie dojrzałości.

Inteligencja, zdaniem Piageta, powinna być ujmowana jako środek adaptacji do otoczenia, zatem za swój cel przyjął on prześledzenie, jakim sposobem dzieci stają się coraz bardziej zdolne do adaptacji. Nie interesowały go jednak różnice indywidualne, a tym, co go rzeczywiście zajmowało była *natura* rozwoju, czyli sposób, w jaki ograniczony zakres wyposażenia noworodka ewoluuje w kierunku skomplikowanego umysłu osoby dorosłej. By wyjaśnić ten postęp, Piaget odciął się od poglądów mówiących, że to tylko kwestia nagromadzenia wiedzy, a położył nacisk na aktywny charakter prób zrozumienia otaczającego świata nawet u najmłodszych dzieci. Dzieci są bardzo ciekawe swojego środowiska, chcą je zgłębiać i badać. Nie czynią

tego jednak w sposób przypadkowy: „wybierają" spośród swoich doświadczeń to, co jest spójne z już posiadaną strukturą psychiczną. Zatem wiedza jest przez nie konstruowana; wyłania się z aktywnego badania przez dziecko przedmiotów i pojęć, a to znaczy, że dziecko postępuje jak „mały naukowiec". Usiłuje zrozumieć nowe doświadczenia drogą eksperymentowania, starając się dopasować te doświadczenia do posiadanych sposobów rozumowania, a jeśli nie jest to możliwe, rozszerzając je lub tworząc nowe sposoby.

Obserwacje Piageta skłoniły go do przyjęcia poglądu, że sposób pojmowania świata przez dzieci rozwija się w sposób etapowy, a nie ciągły. Jego zdaniem istnieją cztery główne stadia na drodze od narodzin do dojrzałości, a każde z nich prezentuje inny jakościowo sposób rozumowania:

1. Stadium sensoryczno-motoryczne, od urodzenia do końca 2. r. ż., kiedy dzieci nie są jeszcze zdolne do reprezentacji umysłowej, dlatego wiedzę na temat przedmiotów czerpią z bezpośrednich działań na nich.

2. Stadium przedoperacyjne, trwające od około 2. do około 7. r. ż., w którym dziecko rozwija myślenie symboliczne, język i zabawę na niby.

3. Stadium operacji konkretnych, od około 7. do około 11. r. ż., w którym dziecko nabywa zdolność systematycznego rozumowania i logicz-

nego rozwiązywania problemów, lecz tylko w przypadku problemów dotyczących konkretnych przedmiotów i zdarzeń.

4. Stadium operacji formalnych, począwszy od 11. r. ż., kiedy to dzieci zyskują zdolność rozumowania abstrakcyjnego i hipotetycznego.

Stadia te występują w niezmiennym porządku. Każde kolejne stadium oferuje nowe strategie umysłowe, a każda z nich stanowi coraz bardziej zaawansowany sposób pojmowania otoczenia.

Mimo że teoria Piageta znacznie poszerzyła stan naszej wiedzy na temat rozwoju dzieci i zna-lazła spore zastosowanie w praktyce edukacyjnej, nie ominęła jej fala krytyki, zwłaszcza dwóch jej aspektów. Pierwszy dotyczy zbytniego pesymizmu Piageta, co do możliwości małych dzieci. Inni badacze, stawiając inne, bardziej zrozumiałe zadania wykazali, że dzieci mogą je pomyślnie rozwiązać w młodszym, niż na to wskazywał Piaget, wieku. Drugi zakwestionowany aspekt tej teorii to etapowy charakter procesu rozwoju. Jak świadczy dziś o tym wiele dowodów, zmiany w obrębie funkcji poznawczych następują w sposób mniej gwałtowny i nie mają tak ogólnego charakteru, jak wskazywałby na to model Piageta.

Literatura dodatkowa

Boden, M. (1994). *Piaget* (wyd. 2). London: Fontana. Książka, która nie tylko opisuje teorię (np. w takich rozdziałach, jak: „Dziecko inteligentne" i „Dziecko obdarzone intuicją"), ale również odnosi ją do innych dyscyplin, mianowicie, filozofii, biologii i cybernetyki.

Crain, W. (1999). *Theories of Development: Concepts and Applications* (wyd. 4). Englewood Cliffs, NJ: Prentice-Hall. Kolejny krótki opis, zawierający zarys biografii Piageta i przedstawiający jego teorię, po czym następuje rzetelna ocena wkładu prac Piageta do naszej wiedzy o rozwoju dziecka.

Donaldson, M. (1978). *Children's Minds.* London: Fontana. Bardzo przystępna pozycja, która stała się klasyczną krytyką Piagetowskich metod i pojęć.

Ginsburg, H., Opper, S. (1983). *Piaget's Theory of Intellectual development* (wyd. 3). Englewood Cliffs, NJ: Prentice-Hall. Dość szczegółowy opis, choć skierowany do osób dopiero rozpoczynających studia. Szczególnie przydatny może okazać się rozdział pierwszy, prezentujący krótką biografię i opis podstawowych pojęć Piageta.

Miller, P. H. (2002). *Theories of Developmental Psychology* (wyd. 4). New York: W. H. Freeman. Zawiera rozdział przedstawiający w zarysie teorię Piageta. Krótki i przejrzysty, stanowi jeden z najlepszych wstępów do tego modelu.

Piaget, J. (1951). *Play, Dreams, and Imitation in Childhood.* London: Routledge&Kegan Paul. Książki autorstwa samego Piageta są zdecydowanie trudne w lekturze. Jego styl jest ciężki do przebrnięcia, i korzysta on z terminologii w większości wymyślonej przez siebie. Jednakże, niniejszy tom jest prawdopodobnie najlepszy, by zasmakować w teorii Piageta, zwłaszcza dlatego, że dotyczy niektórych bardzo interesujących problemów i zawiera wiele fascynujących obserwacji.

Literatura uzupełniająca w języku polskim

Donaldson, M. C. (1986). *Myślenie dzieci* (tłum. A. Hunca-Bednarska, B. Hunca). Warszawa: Wiedza Powszechna „Omega".

Piaget, J. (1966). *Studia z psychologii dziecka.* Warszawa: PWN.

Piaget, J. (1969). Punkt widzenia Piageta. *Psychologia Wychowawcza, 12 (5)*, 509–531.

Piaget, J. (1977). Mit o zmysłowym pochodzeniu poznania naukowego. W: J. Piaget, *Psychologia i epistemologia* (tłum. Z. Zakrzewska). (s. 72–96). Warszawa: PWN.

Piaget, J. (2005). *Mowa i myślenie dziecka* (tłum. J. Kołudzka). Warszawa: Wydawnictwo Naukowe PWN.

Rozdział 7

Dziecko jako praktykant: Wygotskiego społeczno-poznawcza teoria rozwoju

Przegląd 217

    Postać Lwa Wygotskiego 217

    Teoria 218

Od cudzej pomocy do autopomocy 225

    Co dzieje się w strefie najbliższego rozwoju? 226

    W jaki sposób dorośli pomagają dziecku
w rozwiązywaniu zadań? 227

    Co sprzyja efektywnej pomocy? 232

    Czy rówieśnicy mogą działać jako tutorzy? .. 233

    Jaką rolę w tutoringu dorosły–dziecko
pełnią czynniki kulturowe? 234

    Czy wspólne rozwiązywanie problemów
jest ważniejsze od pracy samodzielnej? 238

Ocena 240

    Korzyści 240

    Mankamenty 241

Podsumowanie 243

Literatura dodatkowa 244

Literatura uzupełniająca w języku polskim ... 244

Kontekst społeczny rozwoju poznawczego w teorii Piageta nie odgrywał zbyt wielkiej roli. Dzieci to, jego zdaniem, jednostki samotne. Rzadko przyznawał, że inne osoby odgrywają istotną rolę w ich rozwoju. Grzechotki, pudełka, kubeczki, tak wyraźnie przewijające się w jego obserwacjach dziecięcych zabaw oraz podczas rozwiązywania przez dzieci problemów, pojawiają się jakby znikąd. Fakt, że obecne są w interakcjach między dzieckiem a dorosłym uważany był przez niego za mało istotny. Cokolwiek dziecko osiągnie, zawdzięcza to swym samotnym i samodzielnym staraniom. Zdaniem Piageta dzieci usiłują pojmować świat na własną rękę.

Zupełnie inna koncepcja wynika z prac opublikowanych przez rosyjskiego psychologa Lwa S. Wygotskiego. Jest to koncepcja, która ostatnimi czasy zyskuje coraz większą uwagę, zapewne z tego powodu, że Wygotski zasadniczą rolę w procesie kształtowania się inteligencji przypisuje kontekstowi społecznemu. Piaget i Wygotski byli zgodni w kwestii tego, że rozwój nie odbywa się w próżni, i że wiedza jest konstruowana przez dziecko w wyniku aktywnego interesowania się otoczeniem, jednak Piaget spostrzegał otoczenie w kategoriach aspołecznych. Z kolei Wygotski był przekonany, że konkretna kultura, w której dziecko jest zakorzenione, oraz różnorodne interakcje z ludźmi posiadającymi znacznie większą od niego wiedzę, stanowią kluczowy czynnik jego rozwoju poznawczego. Natury człowieka nie da się opisać w sposób abstrakcyjny. Kierunek, jaki obierze rozwój umysłowy dziecka, w dużej mierze zależy od narzędzi kulturowych „wręczonych" mu przez innych ludzi. A zatem stanowiska tych dwóch badaczy były całkowicie odmienne. O ile Piaget skłaniał nas do myślenia o wewnętrznych procesach umysłowych i ich przemianach następujących wraz z wiekiem, o tyle Wygotski kierował naszą uwagę na rolę środowiska społecznego oraz procesów interpersonalnych odpowiedzialnych za zmiany w obszarze umysłu.

Przegląd

Postać Lwa Wygotskiego[*]

Lew Semionowicz Wygotski (1896–1934) urodził się w Rosji w tym samym roku, co Piaget. Jego wykształcenie początkowo obejmowało historię i literaturę. Po ukończeniu w 1917 r. (roku rewolucji październikowej w Rosji) Uniwersytetu Moskiewskiego, zaczął nauczać literatury w szkole średniej. Jednak zakres jego zainteresowań był bardzo szeroki i Lew Wygotski wkrótce zaczął fascynować się

---

[*] Por. charakterystyka drogi rozwoju w pracy: R. Stachowski, (2002). Lew S. Wygotski – prekursor psychologii o dwóch obliczach. W: L. S. Wygotski, *Wybrane prace psychologiczne II: dzieciństwo i dorastanie*. (s. 19–39). Poznań: Zysk i S-ka oraz w tej samej pracy życiorys ojca napisany przez córkę: Wygodska Gita L. O życiu L. S. Wygotskiego (s. 41–57) (w latach 20. XX w. Wygotski zmienił w swym nazwisku literę „d" na „t", córka pozostała przy nazwisku pierwotnym) (przyp. red. nauk.).

psychologią. Uczył tego przedmiotu w studium nauczycielskim i napisał pracę doktorską dotyczącą psychologii sztuki. Referat na temat natury świadomości, jaki napisał i przedstawił na Kongresie Psychoneurologicznym w Petersburgu w 1924 r., spotkał się z takimi zainteresowaniem, że zaproponowano mu przyłączenie się do zespołu Instytutu Psychologii w Moskwie. Pozostało to jego głównym zajęciem do czasu, gdy po dziesięcioletnim okresie stałych nawrotów choroby, zmarł na gruźlicę w wieku zaledwie 38 lat.

Biorąc pod uwagę niezbyt długi okres życia, aż dziw, że Wygotskiemu udało się napisać tak dużo książek i artykułów. Bez wątpienia jego umysł był bardzo płodny i nietuzinkowy. Nie sposób powstrzymać się od spekulacji na temat tego, do czego by doszedł, gdyby przyszło mu żyć tak długo, jak Piagetowi. W przeciwieństwie do niego, nie udało mu się jednak stworzyć w pełni rozwiniętej teorii, ani zrealizować spójnego zbioru badań. Wiele z jego oryginalnych pomysłów nie zostało sprecyzowanych. A międzynarodowe zainteresowanie jego publikacjami nastąpiło dopiero wiele lat po jego śmierci, gdy przetłumaczono na angielski dwie z jego najważniejszych książek: *Thought and Language* (1962) [wyd. pol. *Myślenie i mowa* (1989)] oraz *Mind in Society* (1978) [„Umysł w społeczeństwie"].

Ponadto, nawet w Związku Radzieckim prace Wygotskiego napotkały pewne trudności, nawet tak duże, że w końcu zostały przez reżim stalinowski wycofane z obiegu. Było to zaskakujące, gdyż Wygotski był zaangażowanym marksistą, który szczerze wierzył, że ludzkie zachowanie kształtowane jest przez organizację społeczną, i żeby zrozumieć, jak przebiega rozwój dziecka, należy wziąć pod uwagę działanie sił historii. Zetknąwszy się z teorią Piageta doszedł do przekonania, że konieczne jest stworzenie zgoła innej koncepcji rozwoju, koncepcji, która uważałaby dziecko nie za wyizolowaną jednostkę, ale za istotną część kultury, w której żyje. Zatem zadaniem psychologii jest badanie specyficznego „napięcia" pomiędzy dzieckiem a społeczeństwem oraz sposobu, w jaki dochodzi do niwelowania owego napięcia w toku rozwoju. Wierzył, że dzięki wyjaśnieniu tego procesu, psychologia może przyczynić się do stworzenia lepszego społeczeństwa socjalistycznego. Jednakże, w paranoicznej atmosferze panującej w Związku Radzieckim w latach 30., prace Wygotskiego budziły wiele podejrzeń. Politycznie uznawaną teorią natury ludzkiej była wówczas, oparta na odruchach warunkowych, teoria Pawłowa. Sam fakt, że idee Wygotskiego były o wiele bardziej wyrafinowane, był wystarczającym powodem, by potraktować go jak czarną owcę. Z pewnością umierał w poczuciu wielkiej goryczy.

Teoria

Rozwój umysłowy to zasadniczo proces społeczny. Jest to podstawowa myśl w pracach Wygotskiego. Postawił on sobie za zadanie wyjaśnienie tego, w jaki sposób wyższe funkcje psychiczne – rozumowanie, rozumienie, planowanie, zapamiętywanie itd. – wyrastają z doświadczeń społecznych dziecka.

Dokonał tego dzięki rozważaniu ludzkiego rozwoju na trzech poziomach: kulturowym, interpersonalnym i indywidualnym, których integracja określa kierunek, jaki obiera rozwój każdego dziecka. Możemy opisać te poziomy w sposób następujący.

1. Aspekt kulturowy

Zgodnie ze swymi marksistowskimi przekonaniami, Wygotski ujmował naturę człowieka jako produkt społeczno-kulturowy. Dzieci nie muszą odkrywać świata na nowo, jak zdaje się myślał Piaget. Mogą korzystać z mądrości nagromadzonej przez poprzednie pokolenia, a w codziennym życiu mają ku temu okazję poprzez wzajemne relacje z opiekunami. Zatem każde pokolenie wyrasta na barkach poprzedniego. Przejmuje konkretną kulturę wraz z jej osiągnięciami intelektualnymi, materialnymi, naukowymi i artystycznymi, po to, by dalej ją rozwijać, zanim przekaże wszystko kolejnym pokoleniom.

Co jest do przekazania? By opisać istotę dziedziczenia kultury przez dziecko, Wygotski używał pojęcia **narzędzi kulturowych**. Miał na myśli zarówno narzędzia technologiczne, jak i psychologiczne. Z jednej strony są to książki, zegary, rowery, kalkulatory, kalendarze, długopisy, mapy i inne środki fizyczne, a z drugiej takie pojęcia i symbole, jak: język, umiejętność czytania i pisania, matematyka i teorie naukowe, a także takie wartości, jak: prędkość, skuteczność i siła. Opanowanie tego typu narzędzi pomaga dzieciom wieść życie w określony sposób, uznawany przez dane społeczeństwo za skuteczny i właściwy. Z ich pomocą dzieci uczą się pojmować zasady funkcjonowania otaczającego je świata. Weźmy przykład czasu i zasadniczą rolę, jaką odgrywa on w naszym społeczeństwie. Od najmłodszych lat dzieci uczą się, że codzienne działanie dzieli się na konkretne jednostki czasu. Język pełen jest słów, takich jak: rano, wieczór, wkrótce, późno, 1 godzina, 3 godziny, za chwilę, wtorek, w przyszłym tygodniu itd., których opiekunowie dziecka używają, by wskazać na potrzebę umieszczania konkretnych wydarzeń w ramach czasowych i by w tych kategoriach organizować i myśleć o własnych czynnościach. Tym narzędziom psychologicznym z pomocą przychodzą narzędzia technologiczne, takie jak zegarki na rękę, zegary i kalendarze. By je pojąć, nie wystarczy jednak posiąść jedynie kilka określonych umiejętności, ale trzeba również przyswoić określony sposób myślenia o czasie, który w kręgach kultury zachodniej odgrywa o wiele bardziej zasadniczą rolę niż w większości innych kultur.

Psychologiczne i technologiczne narzędzia kulturowe oddziałują zazwyczaj jednocześnie, zwłaszcza w rozwoju dziecka trudno określić, które z nich jest pierwsze. Czy pojęcie czasu, czy zainteresowanie zegarkami i zegarami? Świadomość istoty czytania i pisania, czy fascynacja obrazkami i książkami? Bywa jednak, że

Narzędzia kulturowe są to wypracowane przez każde społeczeństwo i służące przekazywaniu tradycji przedmioty i umiejętności, które w tym celu muszą być przejmowane z pokolenia na pokolenie.

wiodącą rolę pełni technologia i z początku nie wiadomo, jaki będzie miała wpływ na rozwój dziecka. Jeden z wyrazistych współczesnych przykładów dotyczy komputerów. W krótkim czasie zajęły one centralne miejsce w niemalże wszystkich sferach życia, dlatego dzieci zaznajamiane są z ich obsługą i wykorzystaniem w coraz młodszym wieku. To, w jaki sposób ten ostatni wytwór człowieka wpływa na rozwój poznawczy, a jednocześnie społeczny, pozostaje w sferze domysłów. Ramka 7.1 szerzej zgłębia ten intrygujący problem.

RAMKA 7.1

Komputery jako narzędzia kulturowe

Rzadko zdarzało się w historii, by nowinki techniczne pełniły powszechnie tak dominującą rolę w prawie wszystkich sferach działań człowieka, jak to jest w przypadku komputerów. Komputer, ponadto, osiągnął tę pozycję najszybciej – na przestrzeni zaledwie kilku dziesięcioleci. Fachowa znajomość komputera uważana jest za podstawową umiejętność, którą powinny posiąść nawet bardzo małe dzieci. Dzięki stopniowemu obniżaniu cen, zastosowanie komputera staje się coraz bardziej powszechne, tak że dzieci mogą zetknąć się z nim w domu lub przedszkolu o wiele wcześniej, nim stanie się on elementem ich formalnej edukacji.

Tak powszechny kontakt z komputerami skłania do podjęcia badań nad jego następstwami psychologicznymi, zwłaszcza dla rozwoju dziecka. Wiele badań dotyczyło skuteczności wykorzystania komputerów jako pomocy w nauce i źródła informacji. Inne natomiast wyrażały obawy w kwestii uzależnienia i efektu izolacji społecznej (Crook, 1994). Jednakże wiele z obaw dotyczących potencjalnych destrukcyjnych dla edukacji następstw istnienia komputerów nie znalazło potwierdzenia. Wbrew opiniom o przykuwaniu dziecka do maszyny, często okazywało się w praktyce, że komputer działa jako wysoce skuteczny środek zespołowego uczenia się – początkowo warunki ekonomiczne wymagały od grupy dzieci, by dzieliła się komputerem zainstalowanym w klasie, a później nauczyciele zauważyli, że dzięki takiej współpracy uczenie się było skuteczniejsze i towarzyszyła mu większa motywacja. Pokaźny zbiór badań, z których większość zainspirowana była poglądami Wygotskiego na temat społecznej istoty uczenia się, potwierdza, że praca grupowa z komputerem znacznie przewyższa indywidualną pracę z komputerem, a indywidualizacja uczenia się wcale nie jest koniecznym następstwem rozwoju technologii (Light, 1997; Littleton, Light, 1998).

O wiele mniej wiadomo o wpływie komputera na działania poznawcze dzieci. Na przykład, czy technologia edycji tekstu zmienia w porównaniu z tradycyjnymi metodami papieru i ołówka sposób opracowywania tekstu przez dzieci, sprawiając, że są bardziej wydajne i robią to szybciej? A może dzięki wielu udogodnieniom edytorskim stają się o wiele bardziej pomysłowe, albo może niedbałe? Czy fakt stosowania komputerów sprzyja rozwojowi myślenia lub umożliwia nabywanie określonych kompetencji poznawczych? Na tę drugą możliwość wskazują badania przeprowadzone przez Patricię Greenfield wraz z zespołem (Greenfield, 1994). Dla wielu dzieci gry wideo stanowią wstęp do technologii komputerowej, i niewykluczone, że określony system symboli i wymagania związane z obsługą popychają graczy w kierunku określonych kompetencji tak samo, jak dajmy na to biegłość czytania i pisania pomaga rozwijać konkretne umiejętności poznawcze. Badania, o których donosi Greenfield, ograniczają się do jednego typu umiejętności, mianowicie do kompetencji w przetwarzaniu informacji przestrzennej. Większość gier wideo to gwałtownie zmieniające się obrazy, a gracz musi określać ich prędkość i odległość, by doprowadzić je do danego celu lub przechwycić inne przedmioty. Szybkie i dokładne operowanie tymi obrazami prowadzi do sukcesu. Zatem środek, jakim jest komputer faworyzuje i promuje właśnie te zdolności. Wyniki Greenfield wskazują, że umiejętności wyniesione z gier komputerowych można przenieść na inne sytuacje również wymagające orientacji przestrzennej. Należą do nich interpretowanie obrazów, ich obróbka, umysłowa transformacja lub odnoszenie ich do innych obrazów – wszystkie te umiejętności są wymagane w wielu rozmaitych zadaniach edukacyjnych i zawodowych, zwłaszcza na polu nauki, matematyki i inżynierii. Taki transfer może nastąpić również wtedy, gdy dzieci ćwiczywszy na dwuwymiarowym ekranie poproszone są o sterowanie w trójwymiarowej sytuacji rzeczywistej. Fakt, że kobiety są zdecydowanie mniej niż mężczyźni kompetentne, jeśli chodzi o zadania przestrzenne, wynika prawdopodobnie z tego, że dziewczynki rzadziej niż chłopcy garną się do gier wideo. Warto także odnotować, że istnieją sugestie, iż ćwiczenie na grach wideo może stanowić zajęcia wyrównawcze dla tych, których wyniki w zakresie orientacji przestrzennej są słabe.

Komputery, jak wszystkie inne narzędzia kulturowe, mogą bez wątpienia stanowić bogate źródło socjalizacji poznawczej, jednakże w sposób wybiórczy sprzyjają rozwojowi niektórych umiejętności, jednocześnie zaniedbując inne. Tego typu następstw często nie można przewidzieć w momencie, w którym technologia dostarcza nowych narzędzi, tym bardziej istotne staje się monitorowanie ich późniejszego wpływu.

Jednakże najważniejszym narzędziem kulturowym przekazywanym dzieciom jest język. Wygotski traktował język jako o wiele ważniejszy środek przyswajania zdolności intelektualnych przez dziecko niż zakładał to Piaget, według którego język w początkowych latach życia nie stanowi czynnika wpływającego na kształt myśli. Mowa dzieci w tym okresie jest zaledwie autonomicznym produktem ubocznym podejmowanych przez nie działań, pozbawionym funkcji regulacyjnej oraz komunikacyjnej. Natomiast Wygotski uważał, że odgrywa ona rolę kluczową pod wieloma względami. Po pierwsze, jest głównym środkiem przekazywania doświadczeń społecznych. To, jak mówią inni i to, o czym mówią, stanowi główny kanał przekazu kulturowego od dorosłego do dziecka. Po drugie, język umożliwia dzieciom kierowanie własnymi działaniami. Dziecięce monologi, które Piaget traktował jako główną oznakę orientacji egocentrycznej, świadczą wyraźnie o tym, że dzieci posiadły umiejętność korzystania z języka jako narzędzia myślenia, biorącego swój początek z dialogów prowadzonych z innymi, co wskazuje, iż źródła myślenia są w istocie społeczne. Po trzecie, język w późniejszym okresie (około końca wieku przedszkolnego) zostaje zinternalizowany i przekształcony w myśl. Zatem zasadniczo społeczna funkcja języka staje się podstawowym narzędziem funkcjonowania poznawczego.

2. Aspekt interpersonalny

To w tej kwestii wkład Wygotskiego okazał się największy, a ogrom badań zainspirowanych jego pomysłami dotyczy pojęć, jakie zaproponował, by wyjaśnić istotę procesów interakcji istotnych dla rozwoju poznawczego. Bardziej szczegółowo zajmiemy się tymi badaniami za chwilę. Na razie przedstawmy ogólny zarys jego koncepcji.

Rozwój poznawczy dziecka, według Wygotskiego, jest przede wszystkim wynikiem wzajemnych interakcji z osobami posiadającymi większą wiedzę i bardziej kompetentnymi. Osoby te muszą przekazać dziecku narzędzia kulturowe potrzebne do jego aktywności intelektualnej – np. narzędzie, takie jak język, który rozwijał się w toku dziejów każdej społeczności, i który umożliwia dzieciom właściwe funkcjonowanie w roli członków społeczeństwa. Życie dziecka pełne jest kontaktów z dorosłymi, którzy posiadają różne możliwości poszerzania jego wiedzy o świecie. W kontekście formalnym są to kontakty z nauczycielami w szkole, w nieformalnym z rodzicami w domu, ale w każdej z tych sytuacji dzieci mają wiele okazji, by przyswoić sobie określone umiejętności rozwiązywania problemów, a także zaznajomić się z kulturą, do której przynależą. Zatem każdy postęp w rozwoju, jaki dziecko czyni, ma swoje korzenie w kontekście kulturowym i interpersonalnym. To właśnie poziom interpersonalny stanowi płaszczyznę krzyżowania się trzech grup wpływów – kulturowych, interakcyjnych i indywidualnych.

Wygotski był przekonany, że zdolność dziecka do czerpania korzyści z pomocy i wskazówek innych ludzi stanowi fundamentalny wyróżnik natury ludzkiej. Jest to cecha doskonale uzupełniana przez skłonność dorosłych do służenia pomocą i radami. Działanie o wiele bardziej wprawnego opiekuna, stanowi zatem klucz do psychicznego rozwoju dziecka. Jego zdolność myślenia i rozwiązywania problemów rozwija się dzięki ukierunkowaniu ze strony osób, które potrafią nauczyć je właściwego posługiwania się narzędziami kulturowymi. Umysłowy rozwój dziecka kształtuje się więc dzięki wielu doraźnym interakcjom z takimi przewodnikami. Danie dziecku szansy uczestniczenia w wielu różnych działaniach społecznych pozwala mu na zapoznanie się z procedurami, które w późniejszym okresie życia pozwolą mu na funkcjonowanie samodzielne.

Wygotski utrzymywał, że kompetencje intelektualne powstają w wyniku internalizacji sposobów rozwiązywania problemów, jakie poznało się w toku podejmowania wspólnych działań z inną osobą. W często cytowanym fragmencie ujmuje to w sposób następujący:

(...) wszelka funkcja w rozwoju kulturowym dziecka pojawia się na scenie dwukrotnie, w dwóch płaszczyznach: najpierw społecznej, później psychologicznej – najpierw między ludźmi, jako kategoria interpsychiczna, następnie w wewnętrznym przeżyciu dziecka jako kategoria intrapsychiczna. Odnosi się to w jednakowym stopniu do uwagi dowolnej, jak i pamięci logicznej, zarówno do tworzenia pojęć, jak i do rozwoju woli.* (Wygotski, 1981a)

Zatem wszelkie zdolności intelektualne objawią się najpierw we wspólnych działaniach z kompetentnym dorosłym, dopiero później zostają przez dziecko przejęte i zinternalizowane. Rozwój poznawczy zatem to postęp od interpsychicznego do intrapsychicznego, od regulacji wspólnej do autoregulacji. Przywołuje to obraz zgoła inny od prezentowanego przez Piageta: dziecko nie jest osobą samotnie rozwiązującą problemy, która musi polegać wyłącznie na własnych działaniach. Jest za to partnerem we wspólnym przedsięwzięciu – młodszym współpracownikiem lub – lepiej – praktykantem.

Kluczem do rozwoju jest zatem interakcja mistrz–czeladnik, oparta na wzajemnej adaptacji. Jedne z najciekawszych propozycji Wygotskiego dotyczyły właśnie tego, jak przebiegają takie interakcje. Za chwilę zajmiemy się nimi w sposób bardziej szczegółowy, tymczasem przywołajmy jeden z podstawowych i innowacyjnych wniosków płynących z jego prac. Jest to przekonanie, że potencjał dziecka ujawnia się najlepiej w tym, co może ono osiągnąć z kimś bardziej kompetentnym, a nie w tym, co może zrobić samo. Tego typu przekonanie jest, oczywiście, sprzeczne z ogólnie przyjętymi poglądami, o czym świadczą psychometryczne i inne procedury badawcze. Zakładają one, że prawdziwe zdolności dziecka mogą ujawnić się tylko w zadaniach rozwiązywanych przez nie samodzielnie. Wygotski, mimo że zgadzał się z tym, iż wyniki uzyskiwane przez dzieci samodzielnie mogą być interesujące, twierdził jednocześnie, że ich optymalny poziom może być uzyskany jedynie podczas współdziałania z bardziej kompetentnymi osobami. Dopiero wtedy ujawniają się bardziej zaawansowane – w stosunku do sytuacji pracy samodzielnej – formy myślenia, a umiejętność korzystania z pomocy może nam o wiele więcej powiedzieć o ewentualnych zdolnościach niż obserwacja wysiłków dziecka podczas rozwiązywania problemów bez niczyjej pomocy. Ponadto rozbieżności pomiędzy wynikami działania samodzielnego i wspólnego również mają ogromne znaczenie diagnostyczne. Koncepcja strefy najbliższego rozwoju („najbliższego" znaczy „następnego") stanowiła istotną część jego teorii, ponieważ to w tej strefie pojawiają się według niego „zalążki", a nie „owoce rozwoju",

Strefa najbliższego rozwoju zdaniem Wygotskiego jest to różnica pomiędzy tym, co dziecko już wie, a tym czego może się nauczyć pod kierunkiem innych.

a zdaniem Wygotskiego to właśnie owe „zalążki" mają większą wartość diagnostyczną z punktu widzenia postępu w rozwoju poszczególnych dzieci. Ujął to tak:

---

* Przetłumaczyli Edda Flesznerowa i Józef Fleszner.

Oto zbadaliśmy dwoje dzieci i określiliśmy wiek ich rozwoju umysłowego na siedem lat. Oznacza to, że oboje rozwiązują zadania przewidziane dla tego właśnie wieku. Jeśli jednak spróbujemy badać te dzieci dalszymi testami skali, to stwierdzimy między innymi duże różnice. Jedno dziecko z pomocą pytań naprowadzających i pokazu rozwiąże z łatwością zadania przewyższające o dwa lata jego poziom rozwoju, inne z taką samą pomocą rozwiąże testy sięgające naprzód tylko o pół roku.*

(Wygotski, 1956)

Zatem tych dwoje dzieci wyraźnie różni się potencjałem dalszego rozwoju, chociaż są podobne pod względem konwencjonalnie ocenianych kompetencji (zob. ryc. 7.1). Ponadto, znaczy to, że dorośli, jeśli chcą mieć wpływ na rozwój dziecka, muszą dostosować swoje wysiłki w zakresie nauki tak, by mieściły się w jego strefie najbliższego rozwoju. Pogląd ten zwraca uwagę na potrzebę wykazania się przez dorosłych dużą wrażliwością na zdolności i potencjał dzieci. Porusza również kwestię zachowania się dorosłych w roli nauczycieli. Jak się okaże, większość późniejszych badań zainspirowanych pracami Wygotskiego była ukierunkowana na szczegółowe wyjaśnienie tych problemów w celu lepszego, niż uczynił to Wygotski, zrozumienia związku mistrz–czeladnik.

3. Aspekt indywidualny

Wygotski miał na ten temat o wiele mniej do powiedzenia, niż na temat dwóch poprzednich aspektów. W przeciwieństwie do Piageta, nie starał się śledzić rozwoju w kolejnych okresach życia**. Nie miał zamiaru, tak jak Piaget, tworzyć teorii etapów rozwoju, a to, co mówił na temat roli dziecka we współdziałaniu podczas rozwiązywania problemów, tak samo dotyczyło dzieci w wieku przedszkolnym, jak i nastolatków. Jedyne stwierdzenie odnoszące się do wieku mówiło, że do ok. 2. r. ż. główny wpływ na dziecko mają czynniki biologiczne, a czynniki społeczno-kulturowe, których analiza stanowi sedno prac Wygotskiego, nie mają żadnego znaczenia przed osiągnięciem tego wieku. Założenie to nie znalazło potwierdzenia w bardziej współczesnych badaniach.

Z drugiej strony, podobnie jak Piaget, traktował każde dziecko jako aktywnego współautora własnego rozwoju. Dzieci nie są więc jedynie biernymi odbiorcami rad dorosłych. Poszukują, wybierają i systematyzują pomoc osób je otaczających i pomagających im rozwiązywać problemy. A dorosły, by skutecznie pomagać dziecku, musi być tego świadomy i kierować się dziecięcą motywacją do uczenia się. Wygot-

---

* Przetłumaczyli Edda Flesznerowa i Józef Fleszner.
** Nie jest to prawdą. Por. teksty na temat przebiegu rozwoju w okresie dzieciństwa i dorastania, opublikowane w pracy: L. S. Wygotski (2002). *Wybrane prace psychologiczne II: dzieciństwo i dorastanie* (red. nauk. A. Brzezińska i M. Marchow). Poznań, Zysk i S-ka Wydawnictwo (przyp. red. nauk.).

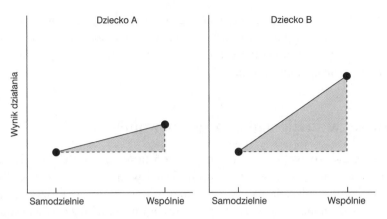

RYCINA 7.1

Wynik działania dwójki dzieci pracujących samodzielnie lub wspólnie z kimś posiadającym większą wiedzę; ciemny obszar odzwierciedla strefę najbliższego rozwoju (za: Siegler, 1998)

ski nie przywiązywał wagi do precyzyjnego opisu sposobu pełnienia przez dzieci swoich ról, ani do różnic pomiędzy nimi pod względem tego, co wnoszą do interakcji z dorosłym. Zadowalał się uogólnieniem, że rozwój poznawczy należy ujmować jako wspólne przedsięwzięcie: z jednej strony dziecko sygnalizuje swoje wymagania i dostarcza dorosłemu wskazówek, co do tego, co jest w stanie osiągnąć, z drugiej dorosły musi pozostawać wrażliwy na te wskazówki i odpowiednio dostosowywać charakter i moment własnych interwencji. Podobnie jak Piaget, Wygotski podkreślał *konstruktywistyczną* naturę rozwoju poznawczego: dzieci odgrywają aktywną rolę w gromadzeniu wiedzy i osiąganiu sprawności w rozwiązywaniu problemów. Jednak w przeciwieństwie do Piageta nie wierzył w to, by mogły one osiągać to na własną rękę. Mogą to uczynić tylko we współpracy z innymi ludźmi, w kontekście wspólnie podejmowanych przedsięwzięć. Stanowisko to stało się znane pod nazwą **konstruktywizmu społecznego**.

Konstruktywizm społeczny jest to przyjęte przez Wygotskiego i innych badaczy stanowisko, że uczenie się dziecka oparte jest raczej na aktywnym dążeniu do zrozumienia świata, niż na biernym przyswajaniu wiedzy, oraz że najskuteczniejsze uczenie się ma miejsce we współpracy z innymi.

Od cudzej pomocy do autopomocy

Wygotski przedstawił swoje pomysły jedynie w ogólnym zarysie i niewiele badań empirycznych wspierało jego teorię. Dopiero inni musieli to nadrobić, ale większość późniejszych prac skupiała się na aspektach poziomu interpersonalnego, zwłaszcza na sposobie czerpania przez dziecko korzyści z pomocy dorosłego podczas rozwiązywania problemów. Wygotski stworzył pojęcie strefy najbliższego rozwoju (SNR) jako spójnego narzędzia analizy postępu w rozwoju dziecka: od zależności od innych do pełnej samodzielności w funkcjonowaniu poznawczym. Jednak wiele pytań pozostawił bez odpowiedzi. Znaleźć je musieli późniejsi badacze. Przyjrzyjmy się tym kwestiom.

Co dzieje się w strefie najbliższego rozwoju?

Strefa najbliższego rozwoju – SNR – to rozstęp pomiędzy tym, co dziecko jest w stanie osiągnąć bez pomocy, a tym, co może osiągnąć przy pomocy osoby posiadającej większą wiedzę. Jest to więc bardzo ważny obszar, w którym powinny mieścić się wysiłki nauczyciela. Dorosły powinien być wrażliwy zarówno na osiągnięcia dziecka, jak i na jego potencjał i z odpowiednim wyczuciem formułować wyzwania intelektualne tak, by nie wykraczały dalej niż jeden krok ponad to, co dziecko już potrafi zrozumieć. Poprzez wykorzystanie już posiadanej przez dziecko wiedzy można w ten sposób prowadzić je ku dalszym osiągnięciom.

Postęp w granicach SNR został szczegółowo opisany w trzech kolejnych etapach (Tharp, Gallimore, 1988):

- *Etap 1.: kiedy działania dziecka wspierane są przez inne, bardziej kompetentne osoby.* Zanim dzieci zaczną funkcjonować samodzielnie, muszą polegać na pomocy innych. Początkowo dziecko ma niewielkie pojęcie na temat istoty zadania lub celu, do którego ma dążyć. Dlatego to dorosły musi przyjąć rolę dominującą, polegającą na pokazywaniu i kierowaniu, a dziecko po prostu się do tego stosuje i go naśladuje. Na przykład bardzo małe dzieci, którym pokazuje się układankę, raczej nie mają pojęcia, jak poskładać różne części w jedną całość, ani jaki ma być efekt końcowy. W związku z tym dorosły musi działać jak model, zachęcać dziecko do pomocy i naśladowania, wskazywać mu, co jest „dobre", a co „złe", oraz kierować jego uwagę na sposób, w jaki stopniowo powstaje obraz. Za każdym następnym razem dziecko staje się bardziej kompetentne, a dorosły w coraz większym stopniu przekazuje mu odpowiedzialność za kolejne aspekty zadania. Czyni to w takim tempie i w taki sposób, jaki idealnie nadąża za działaniem dziecka, jednak nadal służy mu pomocą i wsparciem w razie potrzeby. Tego typu plan dotyczy wszystkich zadań, jakie dzieci mają wykonać, i nie ma znaczenia czy chodzi o układanie puzzli, czy o naukę czytania, ani też to, czy zadanie to zajmuje minuty, czy całe lata.
- *Etap 2.: kiedy dziecko samo wspiera się w działaniu.* Dziecko w coraz większym stopniu przejmuje od dorosłych odpowiedzialność za pomyślne wykonanie zadania i dlatego często pracuje samodzielnie, a obecność dorosłych nie jest konieczna. Istnieją jednak nadal pewne ograniczenia: zamiast polegać na werbalnych wskazówkach ze strony dorosłych, dziecko opiera się teraz na własnych wyraźnych wskazówkach słownych głośno kierowanych do siebie. Powtarza

sobie polecenia, prośby i ponaglenia, innymi słowy – samo kieruje swoim zachowaniem podczas rozwiązywania zadania. A zatem, na tym poziomie kierowane do siebie głośne wypowiedzi stanowią nieodzowny środek regulacji poczynań podczas rozwiązywania zadań. Stanowi to etap przejściowy pomiędzy wskazówkami regulującymi działanie, ale pochodzącymi od innych, a etapem internalizacji procesów, do jakiej w końcu w pełni dojdzie.

- Etap 3.: *kiedy działanie jest zautomatyzowane.* Wielokrotne ćwiczenie sprawia, że dziecko stopniowo uwalnia się od wszelkich form jawnej autoregulacji. Wykonanie zadania zaczyna przebiegać gładko i staje się automatyczne. Zatem wiedza o wykonaniu zadania zostaje zinternalizowana, tj. przeniesiona z poziomu społecznego (*interpsychicznego*) na poziom psychologiczny (*intrapsychiczny*).

Postęp ten może zostać chwilowo zahamowany z powodu zmęczenia lub choroby, a na dłuższą metę w wyniku przedłużającego się braku możliwości działania lub urazu. Wówczas dziecko nie jest w stanie automatycznie wykonywać zadań i cofa się w sposobie realizacji celów do rozwojowo wcześniejszych etapów, sprzed osiągnięcia wyższego poziomu dzięki SNR.

Podkreślmy sprawę kluczową: to, co dzieje się w obrębie SNR wcale nie musi ograniczać się tylko do jawnych instrukcji dydaktycznych, o jakich mówił Wygotski. Dotyczy to także szeregu innego rodzaju wzajemnych kontaktów, które są dość zwyczajne i nieformalne, a obejmują wspólną zabawę czy pogawędki, niemniej odgrywają podobną, stymulującą rolę w poszerzaniu wiedzy dziecka. Dlatego Barbara Rogoff (1990) wprowadziła pojęcie **ukierunkowanego uczestnictwa**, by opisać to, co dzieje się w SNR. Jest to bardzo trafne określenie, ponieważ z jednej strony zwraca uwagę na wzajemność procesu uczenia się, a z drugiej podkreśla rolę dziecka jako *praktykanta* u posiadających większą wiedzę i bardziej kompetentnych osób.

Ukierunkowane uczestnictwo jest to procedura, dzięki której dorośli pomagają dzieciom w uzyskiwaniu wiedzy na drodze współpracy w sytuacji rozwiązywania problemów.

W jaki sposób dorośli pomagają dziecku w rozwiązywaniu zadań?

Pierwszymi nauczycielami dziecka są zazwyczaj rodzice, a nauka odbywa się w spontanicznych i naturalnych kontaktach „jeden na jeden". Przyjrzyjmy się rozmowie matki z dwuipółlatkiem podczas układania puzzli z ciężarówką (Wertsch, 1979):

DZIECKO: „O, a to gdzie pasuje?" (Podnosząc czarną część bagażową).
MATKA: „Gdzie to pasuje na tej ciężarówce? Popatrz na inną ciężarówkę i wtedy mi powiesz."...
DZIECKO: „No... (patrzy na obrazek, a potem na model)... Patrzę... Um, ta inna układanka ma... ma tę czarną część o tu?" (pokazuje czarną część bagażową na modelu).
MATKA: „Uhu... więc gdzie chcesz położyć tę czarną część w tej układance?

DZIECKO: (podnosi czarny kawałek, patrzy na obrazek): „... o tu?" (układa kawałek we właściwym miejscu).

Zabawa czy nauka? Nie ma to tutaj większego znaczenia, gdyż czegokolwiek dzieci w tym wieku się nauczą, robią to w kontekście zabawy, z której czerpią radość i która wyznacza tempo, do jakiego matka z łatwością się dostosowuje. Wzajemne kontakty między nią a dzieckiem nie noszą znamion instrukcji dydaktycznych. Przyjmują często formę prostego dialogu, gdzie kwestie matki mają formę pytań, które w dużym stopniu służą kierowaniu uwagą i działaniem dziecka. I to dziecko, a nie matka, pod koniec tej krótkiej rozmowy umieszcza w końcu element układanki we właściwym miejscu, dzięki czemu to ono czerpie satysfakcję z osiągnięcia pożądanego celu.

Dorośli pomagając dzieciom w rozwiązywaniu zadań wykorzystują różnorodne wzorce zachowań, których charakter zależy od istoty zadania, ale także od wieku i zdolności dziecka. Pewne ogólne strategie pojawiają się stosunkowo często i wymieniono je w tabeli 7.1. Nie są one jednak stosowane na chybił trafił, lecz dobierane z pełną świadomością wysiłków dziecka podejmowanych w danej sytuacji i mają na celu zachęcenie go do maksymalnego zaangażowania posiadanych zdolności, a to oznacza, że dorosły buduje swego rodzaju pomocne dziecku *rusztowanie*.

Pojęcie **rusztowania** zostało wprowadzone przez Davida Wooda i jego zespół* (Wood, Bruner, Ross, 1976; zob. również Wood, Wood, 1996), by opisać sposób ukierunkowywania i wspierania dzieci w SNR przez dorosłych, a tym samym określić rodzaj działań służących efektywnemu uczeniu się. Określenie to wzięło swój początek z prowadzonych przez Wooda i jego zespół (1976) obserwacji technik nauczania, z jakich korzystały matki, kiedy ich trzy- i czteroletnie dzieci stawały przed zadaniem, z którym same nie mogły sobie poradzić. Zadanie polegało na budowaniu piramidy z drewnianych klocków, które posiadały otwory i trzeba było połączyć je za pomocą kołków. Pytanie brzmiało, czy dzieci pod kierunkiem dorosłego mogą nauczyć się to robić. Wyniki badania jasno pokazały, że wiele dzieci po okresie nauki nauczyło się radzić sobie z tym problemem samodzielnie. Jednak najbardziej interesujące było to, w *jaki sposób* nauka to sprawiła. To właśnie wtedy narodziło się pojęcie rusztowania, trafnie określającego działania matek.

> **Rusztowanie** jest to proces, dzięki któremu dorośli służą dziecku pomocą w rozwiązywaniu problemu i dopasowują zarówno rodzaj, jak i zakres pomocy do jego możliwości.

Działania te przybierają rozmaite formy. Należą do nich: pomaganie dziecku w doborze elementu, pokazanie jak wpasować kołek w otwór, usuwanie elementów, którymi dziecko się nie zajmuje, wskazywanie lub nazywanie pewnych właściwości itd. Wszystkie z tych działań miały na celu utrzymanie zainteresowania dziecka zadaniem oraz uproszczenie problemu do odpowiedniego dla dziecka po-

---

* Pojęcie to zostało zaproponowane przez J. Brunera, a wykorzystane i upowszechnione przez D. Wooda (przyp. red. nauk.).

TABELA 7.1

Strategie pomagania stosowane przez dorosłych wobec dzieci podczas wspólnego rozwiązywania problemów (np.: układania puzzli)

Strategia	Przykłady (podczas układania puzzli)
Kierowanie uwagi na przedmioty	Wskazuje, stuka, nazywa
Ustalanie sekwencji działań	„Najpierw narożniki, a potem krawędzie"
Dzielenie zadań na mniejsze elementy	„Poszukajmy kawałków konia"
Uwypuklanie cech zasadniczych	„Popatrz, to jest róg"
Demonstrowanie, pokazywanie	Trzyma element nad pustym miejscem, by go położyć
Przypominanie o kolejnych zdaniach	„Teraz musimy znaleźć ogon konia"
Bank pamięci	„Czy dopasujesz to tak, jak ten kwadracik przed chwilą?"
Kontrolowanie frustracji	„Idzie ci dobrze, już prawie kończysz"
Ocenianie powodzenia/porażki	„Bystra dziewczynka, znalazłaś ten kawałek zupełnie sama"
Podtrzymywanie ukierunkowania na cel	„Jeszcze reszta domku i będzie skończone"

TABELA 7.2

Poziomy kontroli rodzicielskiej stosowane podczas wspólnego z dziećmi rozwiązywania problemów

Poziom	Przykłady
1. Ogólne podpowiedzi ustne	„Zrób coś"
2. Konkretne podpowiedzi ustne	„Sięgnij po cztery klocki"
3. Wskazanie materiałów	Wskazuje potrzebne klocki
4. Przygotowanie do połączenia	Ustawia pary tak, by otwór był naprzeciw kołka
5. Pokazywanie	Składa dwie pary klocków

ziomu. Jednakże sukces zależał przede wszystkim od tego, w jaki sposób matki dostosowywały swoje sposoby interwencji do postępów czynionych przez dzieci. Wood określił dwie reguły tego typu dostosowania. Po pierwsze, kiedy dziecko zaczyna napotykać problemy, jego tutor powinien od razu zwiększyć zakres pomocy. Po drugie, kiedy dziecko zaczyna sobie radzić, tutor powinien zmniejszać zakres pomocy i usunąć się na plan dalszy. Oferowanie wsparcia, którego wielkość zależy od tego, do osiągnięcia czego dziecko zmierza, daje mu znaczny zakres niezależności, a jednocześnie poczucie, iż w każdym momencie może liczyć na pomoc. A zatem matka oferuje poziom kontroli odpowiedni do tego, czego dziecko już się nauczyło – poziom, który stopniowo się obniża wraz z tym, jak dziecko przejmuje odpowiedzialność za ukończenie zadania (zob. tab. 7.2 – poziomy oceny interwencji matek podczas zadania polegającego na składaniu klocków).

Pojęcie rusztowania może przywodzić na myśl jakąś sztywną i nieruchomą strukturę, ale nie taki był tu zamiar. Dwie reguły dotyczące zakresu pomocy oznaczają, że zachowania dorosłych są elastyczne i stale modyfikowane w zależności od tego, co akurat robi dziecko. W ten sposób mamy pewność, że wysiłki tutora zawsze będą mieścić się w SNR dziecka, oraz że charakter i zakres wsparcia będą stale dostosowywane do stopnia zrozumienia przez dziecko tego, co działo się wcześniej w toku nauki. Wood przyznaje, że utrzymanie odpowiedniego poziomu dostępności wskazówek przez cały czas wykonywania zadania jest bardzo trudne. Obserwacje zarówno obojga rodziców, jak i zawodowych nauczycieli pokazały, że rzadko kto potrafi być przez cały czas adekwatny wobec wysiłków dziecka. Ponieważ jednak dzieci najczęściej uczą się właśnie w takich warunkach, wygląda na to, że nawet dużo mniej niż stuprocentowa dostępność wystarcza, by zapewnić dziecku sukces. Jednak istnieje pewna ogólna zasada: rusztowanie to wspólny, powstający we współpracy i interakcji wysiłek, który powinien doprowadzić do przejęcia przez dziecko od dorosłego odpowiedzialności za ukończenie zadania.

Istnieje wiele innych, podejmujących kwestię wspólnego rozwiązywania problemów przez dorosłych i dzieci badań, które posłużyły się pojęciem rusztowania do wyjaśnienia tego, co się wtedy dzieje. Badania te prowadzono z dziećmi w różnym wieku, współdziałającymi z różnymi partnerami: ojcami, nauczycielami, obcymi dorosłymi, a także z bardziej zaawansowanymi rówieśnikami. Badane dzieci zmagały się z różnymi zadaniami, takimi jak nauka liczenia, opowiadanie historyjek, oglądanie książek z obrazkami, sortowanie przedmiotów, planowanie złożonych działań, uczenie się robótek ręcznych i rozwiązywanie problemów naukowych (zob. ramka 7.2 – przykład, w jaki sposób matki pomagają dzieciom zrozumieć pierwsze kroki w liczeniu). To wszystko wskazuje na szereg ogólnych zasad określających skuteczną pomoc w uczeniu się (Rogoff, 1990):

1. Tutorzy mają za zadanie zbudować jakiś pomost, niwelujący rozstęp pomiędzy aktualną wiedzą i umiejętnościami dziecka, a wymaganiami nowego zadania.
2. Udzielając uczącemu się dziecku wskazówek i pomocy w kontekście podejmowanych przez niego działań, tutorzy budują rusztowanie wspierające je w rozwiązywaniu problemu.
3. Mimo iż dziecko ma do czynienia z rzeczami przekraczającymi początkowo jego możliwości, działania tutora sprawiają, że aktywnie działa ono w kierunku rozwiązania problemu i przyczynia się do pomyślnego ukończenia zadania.
4. Skuteczny instruktaż polega na przenoszeniu odpowiedzialności z tutora na uczące się dziecko.

Główną zaletą pojęcia *rusztowania* jest to, że stanowi ono niezwykle obrazową metaforę, która przypomina nam o tym, że proces uczenia się jest szczególnym rodzajem podejmowania wspólnych wysiłków: dorosły musi w odpowiednim czasie udzielać dziecku określonego rodzaju wsparcia. Samo to pojęcie w zasadzie nie wyjaśnia, w jaki sposób dziecko internalizuje to, co uzyskuje od swego tutora, jednak zwraca uwagę na warunki, w jakich zachodzi proces uczenia się i podkreśla ważną społeczno-interakcyjną naturę tych warunków.

RAMKA 7.2

Poznawanie liczb przy pomocy mamy

Proces poznawania liczb stanowił przedmiot wielu badań i dlatego dysponujemy dziś sporą wiedzą na temat umiejętności i znajomości arytmetyki u dzieci w różnym wieku (zob. Gelman, Gallistel, 1978; Nunes, Bryant, 1996). Jednakże o wiele mniej wiemy o tym, *w jaki sposób* zdobywają one te kompetencje, gdyż większość badań dotyczyła tego, co dzieci wiedzą, nie zadawała zaś pytania o źródła tej wiedzy. Dlatego też umiejętność liczenia uważana była za proces czysto intrapersonalny i dopiero całkiem niedawno badacze zainteresowali się rozwojem tych zdolności w codziennych warunkach życiowych.

Jakie czynniki społeczne kształtują wiedzę dziecka o liczbach? Obserwacje (np. Durkin i in., 1986) wykazały, że już od okresu niemowlęctwa dzieci są świadkami wielku sytuacji społecznych wymagających posługiwania się liczbami. W rozmowach otaczających je dorosłych jest mnóstwo spontanicznych, wcale nie mających na celu nauczania dziecka, odwołań do liczb. Ponadto, wiele codziennych obowiązków domowych z udziałem dzieci wiąże się z posługiwaniem się liczeniem. Na przykład: pomoc w nakrywaniu do stołu („przy każdym miejscu należy położyć dwa widelce"), chodzenie na zakupy („kupmy cztery takie ciasteczka"), określanie czasu („spóźnimy się do żłobka, już dziewiąta"), gotowanie („a może by tak jeszcze jedną łyżkę mąki"), wybieranie kanału telewizji itd. Na dodatek istnieją piosenki i wierszyki („raz, dwa, trzy, cztery, maszeruje Huckleberry"), historyjki (o trzech świnkach lub o Złotowłosej i trzech misiach), nieformalne zabawy (liczenie palców i rączek lub nóżek) oraz konkursy (ile razy dziecko skoczy przez skakankę) przedstawiające dziecku znaczenie liczb w sposób zupełnie nieformalny, lecz jak najbardziej czytelny.

Oczywiście, nawet w domu zdarzają się bardziej formalne próby zapoznawania dzieci z takimi operacjami, jak liczenie i dodawanie. Bliższe badanie tego typu interakcji w celu poznania zasad procesu nauczania-uczenia się ujawniło wiele dowodów na budowanie w tym obszarze rusztowania. Saxe, Guberman i Gearhart (1987) poprosili matki dwu- i czterolatków, by pracowały razem z dziećmi nad pewnymi prostymi zadaniami, takimi jak zliczanie przedstawionych przedmiotów lub łączenie przedmiotów z jednej grupy z przedmiotami z drugiej grupy. Interakcje te były filmowane, a ich późniejsza analiza pokazała, jak matki spontanicznie modyfikowały zakres pomocy, tak by poszerzać kompetencje dziecka w tych zadaniach. Zatem matki na ogół rozpoznawały typ trudności, jakich doświadczały dzieci, i reagowały na nie adekwatnymi instrukcjami. W przypadku popełnienia przez dziecko błędu udzielały bardziej konkretnych wskazówek; w przypadku poprawnego wykonania zadania podwyższały poziom złożoności instrukcji. Matki młodszych i mniej wprawnych dzieci upraszczały swoje polecenia – dzieląc je na mniejsze i łatwiejsze elementy. Do takiej samej sytuacji dochodziło, kiedy zadanie stawało się trudniejsze. Poprzez tego typu modyfikacje rusztowanie ułatwiało dzieciom przechodzenie na wyższe poziomy umiejętności: dzieci zmieniały swoje zachowania zgodnie ze wskazówkami matki i z jej pomocą były w stanie wykonywać zadania, których same nie mogłyby ukończyć. Zmiana ta była jednak bardziej widoczna u cztero- niż u dwulatków, co oznacza, że czterolatki w przypadku tych konkretnych zadań wyraźnie znajdowały się w SNR, natomiast dwulatki jeszcze w nią nie weszły.

Obserwacje te spójne są ze stanowiskiem Wygotskiego na temat rozwoju poznawczego. Dzieci nie poznają liczb samodzielnie. Poznają je dzięki innym, którzy bardzo często nieformalnie i spontanicznie służą im pomocą i pełnią funkcje instruktorów. Pomoc ta zazwyczaj jest elastyczna, udzielana przy pełnej świadomości co do ogólnej kompetencji dziecka oraz z chwili na chwilę dopasowywana do sukcesów i porażek dziecka. Ponadto dorośli starają się, by interakcje te były przyjemne, zwiększając tym samym motywację dziecka do powtarzania zachowań i odkrywania innych możliwości działania.

Co sprzyja efektywnej pomocy?

Nie zawsze wysiłek dorosłych mający na celu dostarczenie dzieciom pomocy jest równie skuteczny, skąd więc biorą się różnice? Weźmy pod uwagę trzy typy czynników, które odnoszą się kolejno do właściwości dorosłego, dziecka i do relacji pomiędzy nimi.

- *Dorośli* w znacznym stopniu różnią się między sobą pod względem wrażliwości na innych, a u niektórych z nich zdolność dostrajania się do wymagań dzieci może być znacznie ograniczona. Tego typu zdolność, jak już wiemy, ma zasadnicze znaczenie, jeśli pomoc ma służyć dziecku w taki sposób, w jaki to wcześniej opisano. Wrażliwość polega na zrozumieniu tego, z którymi elementami zadania dziecko jest w stanie poradzić sobie samo, co może zrozumieć tylko przy czyjejś pomocy, a które elementy wykraczają poza jego aktualne zdolności. Pozbawiony wrażliwości dorosły może zasypywać dziecko zbyt dużą liczbą informacji, udzielać mu informacji na nieodpowiednim poziomie trudności (zbyt wysokim lub zbyt niskim), zbytnio je kontrolować i nie pozostawiać mu możliwości wypróbowywania własnych rozwiązań, lub w końcu – stosować niewłaściwe strategie, jak na przykład udzielanie tylko wskazówek słownych, podczas gdy dziecko potrzebuje niewerbalnego przykładu. Bez względu na formę, jaką przyjmuje, brak wrażliwości dorosłego pozbawia dziecko właściwego rusztowania koniecznego do rozwiązania zadania.
- *Dzieci* różnią się pod względem możliwości skorzystania z pomocy. Jak już wcześniej podkreślaliśmy, wszystkie interakcje dorosły–dziecko mają z natury charakter dwukierunkowy. Wpływ dzieci na dorosłych wynikający z ich cech indywidualnych, określa istotę tych interakcji; znajduje to również swe odzwierciedlenie w sytuacjach nauki. Najlepiej widać to w przypadku patologii, jak na przykład zespół Downa. Dzieci z tym zespołem mają trudności z elastycznością uwagi, przekierowywaniem jej, gdy inna osoba chce zmienić kieru-

nek ich działania, i dostosowywaniem własnych działań do działań innych ludzi. Wszystko to jest warunkiem czerpania korzyści ze wspólnego rozwiązywania problemów (Landry, Chapieski, 1989). To samo dotyczy dzieci urodzonych przedwcześnie, przynajmniej w najwcześniejszych stadiach ich rozwoju (Landry i in., 2000), i wszelkich innych warunków wynikających z cech dziecka, które zakłócają synchronię kontaktów dziecko–rodzice.

- *Relacje dorosły–dziecko.* Trzeba wziąć pod uwagę również te czynniki, ponieważ wiele wskazuje na to, że rodzaj przywiązania pomiędzy rodzicem a dzieckiem także może mieć wpływ na możliwość korzystania przez dziecko z instrukcji, i to nie tylko z instrukcji pochodzących od rodziców, ale również od innych dorosłych (Moss i in., 1997; van der Veer, van Ijzendoorn, 1988). Bezpiecznie przywiązane dzieci mają większą odwagę w radzeniu sobie z trudnymi problemami poznawczymi, nawet gdy pracują samodzielnie lub przy pomocy nieznanej im osoby. Gdy pracują z matką, wiedzą, że ich próby rozwiązania zadania spotkają się z akceptacją i wsparciem. Natomiast dzieci z przywiązaniem pozabezpiecznym nie posiadają takiej pewności siebie. Ich wcześniejsze doświadczenia mówią, że ich działania zostaną albo zlekceważone, albo odrzucone, dlatego w rezultacie mniej chętnie podejmują własne inicjatywy. Ogólnie rzecz biorąc, dla dzieci z przywiązaniem pozabezpiecznym współpraca z matką stanowi mniej przychylny im kontekst, niż dla dzieci z przywiązaniem bezpiecznym. Matka i dziecko nie są do siebie tak dobrze dostrojone, przez co pomoc oferowana przez matkę nie jest tak zrozumiała i dostępna, jak w przypadku przywiązania bezpiecznego. Wynika z tego, że osiągnięcia bezpiecznie przywiązanych dzieci w działaniach we współpracy z matką nad rozwiązywaniem problemu ulegają poprawie, natomiast w przypadku dzieci z przywiązaniem pozabezpiecznym niekoniecznie.

Czy rówieśnicy mogą działać jako tutorzy?

Wyróżniono dwa rodzaje okoliczności, w których dzieci mogą pomagać innym w rozwiązywaniu problemów:

- *Wspólne uczenie się* – zakłada, że dzieci są na tym samym poziomie kompetencji i pracują razem w parach lub grupach – już omówiono tę sytuację w rozdziale 4., jako część dyskusji na temat kontaktów rówieśniczych.
- *Tutoring rówieśniczy* – kiedy bardziej wprawne dzieci zaczynają udzielać instrukcji i porad innym dzieciom, by wprowadzić je na podobny do swojego poziom kompetencji.

Ważniejsza jest tu ta druga sytuacja, gdyż według Wygotskiego model tutor–podopieczny może obejmować każdy wariant pary, jak rodzic–dziecko, nauczyciel–

–uczeń, a także rówieśnik ekspert–rówieśnik nowicjusz. Za każdym razem mamy tu do czynienia z asymetrią ról w tym sensie, że dochodzi do przeniesienia wiedzy z jednego partnera na drugiego.

Dzisiaj dysponujemy obszerną literaturą na temat tutoringu rówieśniczego (zob. Foot, Howe, 1998; Foot, Morgan, Shute, 1990). Większość zainteresowania tym tematem wynika z możliwości praktycznego zastosowania tej wiedzy w praktyce szkolnej. Pomysł, by dzieci mogły pomagać sobie nawzajem, bez wątpienia jest ciekawy dla nauczycieli, którzy wyczerpali wszystkie swoje możliwości. Stąd też większość badań nad tutoringiem rówieśniczym dotyczyła dzieci w wieku szkolnym i zadań o dużym znaczeniu dla procesu kształcenia, takich jak czytanie, pisanie i nauka ortografii lub problemów naukowych, takich jak zrozumienie zasad unoszenia się przedmiotów na wodzie lub ruchu po równi pochyłej. Jednocześnie badaniom tym towarzyszyło spore zainteresowanie teoretyczne, gdyż im większa jest różnorodność partnerów obserwowanych w sytuacji wspólnego rozwiązywania problemów, tym większe szanse na poznanie różnych sposobów transferu wiedzy.

Większość badań nad tutoringiem rówieśniczym przynosi pozytywne rezultaty. Rzeczywiście dzieci, kiedy kierowane są przez tutorów-rówieśników uczą się więcej, nawet jeśli różnica wieku pomiędzy nimi jest minimalna. Co więcej, według niektórych badań tego typu nauczanie przynosi korzyści również *tutorowi*. Jednak nie wszystkie badania potwierdzają korzyści płynące z takiego układu, w niektórych sytuacjach odnotowuje się nawet regres. Jak widać, samo obcowanie z bardziej zaawansowanym partnerem to nie wszystko, muszą być spełnione i inne warunki. W przypadkach, gdy tutor posiada większe, ale niepełne zrozumienie danego problemu, proces instruowania może się załamać. Tak samo, jeśli tutor zdominuje interakcję i ograniczy udział uczącego się, to ten ostatni raczej nie wyniesie z tego wielkich korzyści. Bez wątpienie dziecięcy tutorzy (tak samo, jak ich dorośli odpowiednicy), by być skuteczni, muszą zastosować pewne strategie. Ponadto muszą wykazać się wrażliwością na wysiłki partnera, udzielać informacji zwrotnych na odpowiednim poziomie i dawkować swoje instrukcje z taką prędkością, z jaką uczący się jest w stanie je przyswajać (Tudge, Winterhoff, 1993). Dość zaskakujące jest to, że dzieci, przynajmniej począwszy od średniego dzieciństwa, często potrafią stosować te strategie i dla mniej doświadczonych rówieśników mogą stać się rzeczywiście prawdziwymi tutorami.

Jaką rolę w tutoringu dorosły–dziecko pełnią czynniki kulturowe?

Gdy porównamy charakter instrukcji kierowanych do dzieci w różnych kulturach, zauważymy od razu zarówno pewne różnice, jak też fundamentalne podobieństwa. Zajmijmy się najpierw różnicami – dotyczą one trzech aspektów instrukcji: *co*, *kiedy* i *jak*. To, *co* jest przedmiotem nauki, zależy do konkretnego zbioru umiejętności i wiedzy cenionych w danej społeczności. W jednej będzie to polowanie na dzikie zwierzęta i wyprawianie skór, a w innej obsługa komputera i wykorzystywanie go do pracy. To, *kiedy* dzieci powinny być instruowane, również zależy od konkretnych wymagań kulturowych. Na przykład, u plemion afrykańskich, dla których ogromnie ważna jest praca kobiet na roli, cztero- i pięciolatki uczone są opieki nad małymi dziećmi po to, by matki mogły jak najszybciej po porodzie wrócić do pracy. W kręgach kultury zachodniej, natomiast, uważa się, że takie dzieci nie są jeszcze w stanie samodzielnie wykonywać czynności koniecznych w tej sytuacji.

Pytanie *jak* odnosi się do stylu udzielania instrukcji. Dotyczy, na przykład, zakresu wsparcia udzielanego dziecku podczas nauki i sposobu jego udzielania, sposobu ujmowania ról tutora i podopiecznego, oraz tego, w jakim stopniu proces uczenia się jest wpleciony w zadania życia codziennego danej społeczności, lub tego, czy ma być realizowany za zamkniętymi drzwiami wyspecjalizowanych instytucji edukacyjnych. Porównania międzykulturowe ukazują niekiedy znaczne różnice w stylu instruktażu (zob. przykład w ramce 7.3). Zatem w niektórych kulturach niechętnie widziane są pytania dzieci kierowane do dorosłych, jest to uważane za niegrzeczne i obraźliwe. W innych kulturach dorośli za śmieszne uważają zadawanie dziecku pytań, skoro sami znają na nie odpowiedź. Istnieją też różnice w wadze, jaką przywiązuje się do obserwowania i naśladowania, które albo są głównym sposobem przekazywania wskazówek, albo też – w innych społecznościach – dzieci po prostu aktywnie włączają się w działania dorosłych. Różnice te wynikają z tego, czy odpowiedzialność za uczenie się ciąży na dziecku czy na dorosłym. Można również dostrzec różnice w stopniu jawności instrukcji – czasem mają charakter jawny i udzielane są w specjalnie do tego powołanych instytucjach, takich, jak szkoły, czasem są dyskretne i wtedy mają charakter „ubocznego" produktu życia codziennego.

RAMKA 7.3

Wspólne rozwiązywanie problemów przez matki i dzieci w Gwatemali i USA

Było to bardzo ambitne badanie międzykulturowe. Barbara Rogoff wraz z zespołem (1993) szczegółowo przeanalizowała, w jaki sposób, pochodzące z czterech różnych społeczności o różnym podłożu kulturowym, matki z małymi dziećmi zabierają się do wspólnego rozwiązywania problemów. Przykłady te pochodziły z Gwatemali, Stanów Zjednoczonych, Indii i Turcji, choć tym razem zajmiemy się tylko dwoma państwami, między którymi kontrast był największy.

Grupę gwatemalską stanowiły kobiety z grupy Indian Majów – ze społeczności San Pedro, maleńkiego górskiego miasteczka, które było do tej pory względnie odizolowane od wpływów zewnętrznych i całkiem niedawno dotarły do niego osiągnięcia nowoczesnej technologii, takie jak światło elektryczne czy radio. Większość ojców stanowili pracownicy rolni lub drobni farmerzy, walczący o zapewnienie bytu rodzinom. Rodziny amerykańskie pochodziły z Salt Lake City, półmilionowej stolicy stanu Utah, i reprezentowały albo zamożną najwyższą, albo wyższą klasę średnią. W każdej społeczności intensywnej obserwacji poddano 14 par matek z dziećmi w wieku od 1. do 2. lat. Szczególną uwagę zwracano na sposób, w jaki matka pomagała dziecku poradzić sobie z dwoma trudnymi zadaniami, tzn.: manipulowaniem pajacykiem na sznurku oraz zakładaniem ubrania.

Wszystkie matki współpracowały z dziećmi przy obu zadaniach. Służyły im pomocą, wspierały i zachęcały. Mimo to styl współpracy pod wieloma względami był całkowicie odmienny, co odzwierciedliła analiza sposobu, w jaki każda para zabierała się do zabawy z nowym przedmiotem (zob. tab. 7.3). Matki z San Pedro, w przeciwieństwie do Amerykanek, nie traktowały siebie jako współtowarzyszek zabawy swych dzieci. Przyjęcie takiej roli byłoby dla nich wysoce żenujące i wolały raczej zawołać jedno ze swych starszych dzieci, by pobawiło się z maluchem i instruowały to starsze, jak ma pomagać młodszemu. Matki te widziały siebie jedynie w roli nadzorcy i instruktora. I chociaż wcale nie były zaangażowane w działania malucha, większość czasu spędzały na demonstrowaniu mu, co powinno się robić z danym przedmiotem, a następnie zwracały się do dziecka mówiąc „Teraz ty to zrób!". W porównaniu z grupą kobiet z Salt Lake City, w sytuacjach tych panowała zupełnie inna atmosfera: bez względu na to, jak duże było ich zaangażowanie, matki gwatemalskie i tak udzielały pomocy dziecku w bardziej formalny sposób. Zamiast wykorzystać okazję do wspólnej zabawy, jak czyniły to Amerykanki, podtrzymywały odmienność statusu swojego i dziecka.

TABELA 7.3

Zachowania matek podczas wspólnego rozwiązywania problemów: porównanie grup gwatemalskich i amerykańskich (% sytuacji, w których pojawiało się dane zachowanie)

	Gwatemala	*Stany Zjednoczone*
Matka zachowuje się jak towarzysz zabawy	7	47
Matka rozmawia z dzieckiem jak rówieśnik	19	79
Matka używa mowy udziecinnionej	30	93
Matka chwali dziecko	4	44
Matka udaje ekscytację	13	74
Matka wykazuje gotowość do pomocy	81	23

Źródło: Rogoff i in. (1993).

Różnice można było dostrzec też we wzorcach komunikacji prezentowanych przez obie grupy. Matki z San Pedro nie traktowały dzieci jako partnerów rozmowy, podczas gdy matki z Salt Lake City starały się zaangażować dzieci w rozmowę, zadając im pytania, a nawet nakłaniając je do wyrażania opinii, co rzadko obserwowano w San Pedro. Amerykanki często stosowały mowę udziecinnioną, by zniżyć się do poziomu językowego dziecka i nawiązać z nim skuteczny dialog. By zwiększyć motywację dziecka, mówiły tonem pełnym ekscytacji i ogólnie mówiły więcej, podczas gdy matki gwatemalskie skłaniały się głównie do komunikacji niewerbalnej. Rzadziej też chwaliły dzieci za ich wysiłek, a za to przez cały czas monitorowały ich działania i były w każdej chwili gotowe do pomocy.

Zatem szczegółowa analiza sposobu, w jaki matki i dzieci z tych dwóch grup współdziałały ze sobą w przypadku jednakowych zadań, ujawniła znaczne rozbieżności w stylach instruktażu. U ich podstaw tkwią różnice kulturowe w pojmowaniu roli dziecka i dorosłego. W Gwatemali, na przykład, to przede wszystkim dzieci mają być odpowiedzialne za własną naukę, zatem pozostawia się im określenie tempa i kierunku swych działań. Większość działań maluchów wynikała z ich własnej inicjatywy, a matki tylko bacznie je nadzorowały. Rodzice amerykańscy natomiast uważali, że sami muszą motywować dzieci do nauki i wchodzić z nimi w interakcje, przy czym przekonani byli, że najskuteczniej dokonają tego funkcjonując na tym samym poziomie zabawy i mowy, co ich dziecko.

Jednak pomimo wszelkich tych różnic, pojęcie tutoringu, jako przedsięwzięcia opartego na współpracy, w którym instruujący dorosły i uczące się dziecko muszą wypracować podzielone przez oboje pojęcie środków i celów, jest powszechnie spotykane, nawet w społecznościach o całkowicie odmiennych stylach instruktażu. Zastanówmy się nad przykładem matek ze społeczności Indian z Ameryki Środkowej (Rogoff, 1990):

Matki w społeczności Majów opowiadają, jak to jedno- i dwulatki przyglądają się im podczas przygotowywania placków kukurydzianych i próbują je naśladować. Dają im wtedy mały kawałek ciasta i pozwalają na lepienie z niego kulek i rozpłaszczanie ich. Taki dziecięcy „placek", jeśli nie spadnie na ziemię, jest następnie pieczony razem z innymi i jedzony... Kiedy dziecko nauczy się odpowiednio kształtować tortille, matka udziela mu dalszych wskazówek i pokazuje, jak trzymać ciasto w pozycji, która ułatwia właściwe rozpłaszczanie. Dziecko może więc zarówno przyglądać się wynikom własnych działań, jak i pomagać w przygotowywaniu posiłków. Dzieci bacznie obserwują i biorą udział w przygotowaniach, a matki zazwyczaj dobrodusznie wspierają ich wysiłki, upraszczając zadanie tak, by było współmierne do poziomu ich umiejętności. Czynią to poprzez pokazywanie i dawanie wskazówek w procesie wspólnego działania. Pięcio- i sześciolatki same potrafią już przygotować kilka placków na obiad, a ośmio- i dziewięcioletnie dziewczynki potrafią przeprowadzić cały proces produkcji – począwszy od mielenia kukurydzy do rolowania i klepania placków oraz obracania ich palcami na gorącej blasze – i przygotować, w razie potrzeby, obiad dla całej rodziny.

Widzimy, jak dzieci uczestniczą w działaniach dorosłych. Naśladują ich, ale także zachęcane są przez nich do działania. Dorośli stosują rozmaite techniki budowania rusztowania: upraszczają zadanie, dzielą je na mniejsze etapy i przekazują dzieciom odpowiedzialność za prostsze zadania, demonstrują, zachęcają i ogólnie dostosowują poziom instrukcji do poziomu zdolności dziecka. Podobne obserwacje pochodzą też z innych społeczności, w których przekazuje się inne umiejętności – np. szycie w Liberii i tkactwo w Meksyku. Tam też potwierdza się wzorzec stopniowego przejmowania przez dzieci odpowiedzialności za zadanie, wyzbywania się tej odpowiedzialności przez dorosłych i wspólnej pracy obojga partnerów aż do osiągnięcia celu.

Czy wspólne rozwiązywanie problemów jest ważniejsze od pracy samodzielnej?

Doszliśmy teraz do kluczowego pytania, gdyż dotyczy ono społecznych źródeł wiedzy, a więc jednego z najważniejszych postulatów Wygotskiego. Istnieje wiele badań, które zajmowały się tym problemem. Najbardziej przekonujące zdają się te, które były zaprojektowane tak, by przetestować to eksperymentalnie. Taki test zazwyczaj przybiera formy przedstawione w tab. 7.4, zgodnie z którymi najpierw określa się początkowe zdolności podczas pracy samodzielnej, następnie przez jakiś czas dziecko pracuje razem z tutorem, po czym na koniec raz jeszcze dokonuje się oceny samodzielnego rozwiązania zadania. Zmiana, jaka zachodzi pomiędzy pre- a posttestem stanowi wskaźnik korzyści wyniesionych z okresu pracy z tutorem. Należy to następnie porównać ze zmianami, jakie w tym samym czasie nastąpiły w grupie kontrolnej, która przez cały czas pracowała samodzielnie.

Weźmy na przykład badanie Freund (1990). Dzieci w wieku od 3. do 5. lat pracowały z matkami nad rozdzielaniem mebelków do różnych pomieszczeń w domku dla lalek – kanapa do salonu, kuchenka gazowa do kuchni itd. Matki miały pomagać dzieciom tak, jak tylko im się podoba, choć miały wystrzegać się nauczania w ścisłym tego słowa znaczeniu. Zanim dzieci zaczęły współpracować z mat-

TABELA 7.4

Plan badań mający na celu zbadanie wpływu wspólnego rozwiązywania problemów

	Pretest	*Rozwiązywanie problemów – trening*	*Posttest*
Grupa eksperymentalna	Ocena samodzielnej pracy dziecka	Okres wspólnej pracy dziecka z tutorem	Ocena samodzielnej pracy dziecka
Grupa kontrolna	Ocena samodzielnej pracy dziecka	Okres samodzielnej pracy dziecka nad problemem	Ocena samodzielnej pracy dziecka

TABELA 7.5

Wyniki pre- i posttestów (% prawidłowych rozwiązań zadań na segregację)
u trzy- i pięciolatków we współpracy z tutorem i w pracy samodzielnej

	Praca z instruktorem		Praca samodzielna	
	Pretest	Posttest	Pretest	Posttest
Trzylatki	46	70	41	36
Pięciolatki	52	94	51	64

Źródło: Freund (1990).

kami, oceniono ich możliwości samodzielnego wykonania tego zadania. Zaraz po zakończeniu wspólnej pracy z matką znów oceniono ich samodzielne możliwości. Po porównaniu z grupą dzieci w tym samym wieku, które pracowały cały czas bez pomocy matki, okazało się, że dzieci „współpracujące" poczyniły większe postępy niż te, które pracowały „solo" (tab. 7.5). Co więcej, dzieci tych matek, których wskazówki był najbardziej przydatne, gdyż omawiały na przykład różne aspekty strategii (np.: „Gdzie w domu trzymamy lodówkę?") lub podtrzymywały ukierunkowanie na cel (np.: „Najpierw skończmy sypialnię, a potem zajmiemy się kuchnią") poczyniły największe postępy w samodzielnej pracy nad problemem. Możemy zatem dojść do wniosku, że po pierwsze, czynne zaangażowanie we współpracę z bardziej doświadczonym przewodnikiem bezpośrednio odpowiada za wzrost poziomu wykonania zadania przez dziecko, a po drugie, to, czego dokładnie dotyczyła współpraca, znacząco wpływało na stopień poprawy: im dłużej dzieci pozostawały pod działaniem określonego rodzaju wskazówek koniecznych do rozwiązania problemu, tym miały potem większe szanse na samodzielne poradzenie sobie z tym zadaniem.

Istnieje pokaźny zbiór dowodów badawczych świadczących o tym, że zdolność rozwiązywania przez dzieci problemów poprawia się w wyniku współpracy z oferującym wsparcie dorosłym, a ta poprawa przenosi się również na samodzielnie wykonywane w przyszłości zadania. Dotyczy to zarówno tutoringu rówieśniczego, jak i prowadzonego przez dorosłych, zarówno matek, ojców, jak i nieznajomych dorosłych, bez względu na wiek dziecka i typ zadania. Jednak wyniki te nie do końca są jednoznaczne. Jak już zdołaliśmy to zauważyć w przypadku tutoringu rówieśniczego, i co wykazały niektóre z badań nad tutoringiem prowadzonym przez dorosłych (np.: Kontos, Nicholas, 1986), nie wszyscy potwierdzają korzystny wpływ wspólnego działania. Niektórym dzieciom nie udało się poprawić swego funkcjonowania lub ich postęp był równy z postępami dzieci z grupy kontrolnej, czyli dzieci pracujących samodzielnie. Wygląda na to, że do poprawy funkcjonowania dochodzi jedynie pod pewnymi warunkami. Po pierwsze, wiele zależy od techniki tutora. W opisanych wyżej badaniach Freund wykazuje, że pewne rodzaje instruktażu są skuteczniejsze od innych. Nie wszystkie formy wspólnej pracy gwarantują jednakowy sukces, a w niektórych sytuacjach obecność partnera może nawet wywierać skutek ujemny. Poza tym, niektóre zadania bardziej od innych nadają się do tego, by rozpracowywać je wspólnie, co stanowi sedno powodzenia układu tutor–podopieczny. Na przykład, gdy zadanie w bardzo łatwy sposób można podzielić na prostsze części, z którymi dzieci sobie poradzą, przy czym trudniejsze partie zadania dostaną dorośli – nie będzie okazji do współdziałania obu umysłów i w takim przypadku ogólny poziom działania dziecka nie ulegnie poprawie.

Ocena

Choć prace Wygotskiego „odkryto" dopiero w latach 60. i 70. XX wieku i mimo, iż nie żył on wystarczająco długo, by cieszyć się zbliżoną do Piageta liczbą publikacji, jego dokonania miały nie mniejsze znaczenie niż dokonania Piageta. Jak gdyby chcąc nadrobić utracony czas, teoria Wygotskiego wzbudziła ogromne zainteresowanie, a zarówno znaczenie, jak i pewne niedociągnięcia jego poglądu na rozwój poznawczy dzieci stają się coraz bardziej wyraziste.

Korzyści

Przede wszystkim, sedno dzieła Wygotskiego tkwi w podejściu *kontekstualnym*. Jest to pogląd głoszący, że badanie odrębnych jednostek pozbawione jest sensu, i że przyglądać im się należy raczej w kontekście społeczno-historyczno-kulturowym, do którego przynależą. Wygotski nie był wcale pierwszym, który rozwinął ten pogląd. Ale to dokonana przez niego analiza istoty tego kontekstu i jego roli w rozwoju intelektualnym sprawiła, że podejście to zyskało tak ogromne znaczenie, jakiego nie miało w pracach innych autorów.

Tradycyjnie pojedyncze dziecko było punktem wyjścia badań nad rozwojem – zarówno jako cel wpływów środowiskowych, popychany w określonym kierunku i w określony sposób kształtowany, jak i jako niezależny czynnik sprawczy aktywnie konstruujący własną rzeczywistość. W każdym przypadku dziecko i kontekst były sobie przeciwstawiane: jako dwa odrębne twory, które w trakcie rozwoju muszą się ze sobą pogodzić. Dla wielu takie stanowisko zdawało się być zdroworozsądkowe, jednak prace Wygotskiego konsekwentnie stwierdzały, że podstawową jednostką analizy w rozważaniach nad dzieckiem musi być *dziecko w kontekście*, a nie *dziecko w próżni*. Zastanówmy się nad fragmentem, w którym Wygotski (1987) charakteryzuje teorię Piageta i wyraża się o niej z pogardą:

> Dziecko nie jest spostrzegane jako część społeczności, jako podmiot relacji społecznych. Nie jest spostrzegane jako istota biorąca udział w życiu społecznym całego społeczeństwa, do którego od samego początku przynależy.

Głównym osiągnięciem Wygotskiego było określenie, jakich przemian w sposobie myślenia musimy dokonać, kiedy traktujemy dzieci jako część „społeczności", a nie jako jednostki wyrwane z kontekstu środowiskowego, czyli kiedy zastosujemy szerszy od tradycyjnego sposób podejścia.

Szczególną wartość zyskała teoria Wygotskiego dzięki próbie określenia natury kontekstu, w jakim przebiega rozwój, i sposobu oddziaływania tego kontekstu na dzieci. W przeciwieństwie do innych teorii, teoria ta zakładała, że *kontekst* to twór wielowarstwowy, obejmujący wiele więcej niż tylko bezpośrednie otoczenie, w jakim dziecko w danym czasie funkcjonuje. Wpływy historii, polityki, ekonomii, techniki i literatury – wszystko to stanowi nieodłączną część środowiska społecznego, do którego należy dziecko. Weźmy pod uwagę wprowadzone przez Wygotskiego pojęcie *narzędzia kulturowego* – było to nowe ujęcie sposobu, w jaki każde społeczeństwo w toku swych dziejów wykształca określone środki myślenia, dzięki którym dzieci mogą uczestniczyć w życiu tegoż społeczeństwa. To znaczy, że kontekst nie jest wcale czymś mglistym lub ogólnym, lecz jest tworem, który może być określony i może pełnić określoną rolę w rozwoju dziecka. Rozważmy też pojęcie *strefy najbliższego rozwoju* – sposób pojmowania kontaktów pomiędzy dzieckiem a społeczeństwem. Pomogło ono Wygotskiemu nie tylko w sformułowaniu ogólnego wniosku, że kultura musi być przekazywana z pokolenia na pokolenie w wyniku wzajemnego oddziaływania w toku interakcji dorosły–dziecko. Dzięki temu pojęciu wykazał on również, w jaki sposób do tego dochodzi i przedstawił mechanizmy, którymi można dokonać tego w sposób najbardziej skuteczny.

Wygotski sam nie podejmował wielu prac badawczych, lecz specyficzny charakter wielu z jego pomysłów umożliwił innym pójście jego śladami i tym samym jego teoria dała asumpt do wielu badań empirycznych. Jak się mogliśmy przekonać, dotyczyły one szczególnie roli dorosłych w nauce dzieci. Jednak pretekstem wielu badań stały się także inne idee, jak na przykład rola narzędzi kulturowych w rozwoju poznawczym. Także dwa inne obszary badawcze wiele zawdzięczają pracom Wygotskiego, mianowicie, dalsze próby określenia tego, jak najskuteczniej zdefiniować czynniki kontekstualne, czego najlepszym przykładem jest teoria systemów ekologicznych Bronfenbrennera (1989). Drugim przykładem są porównania międzykulturowe, jak te prowadzone przez Rogoff (1990), których podstawy teoretyczne wynikają z nacisku, jaki Wygotski kładł na symbiotyczny charakter relacji pomiędzy rozwojem dziecka a jego otoczeniem społeczno-kulturowym.

Mankamenty

Prace Wygotskiego w wielu momentach zdają się być niejasne lub są nie dokończone. Zajmijmy się jednak tylko dwoma niedociągnięciami, mianowicie zlekceważeniem przez niego własnego wkładu dziecka w swój rozwój oraz pominięciem aspektów emocjonalnych.

Mimo starań zintegrowania trzech podstawowych poziomów, tj. kulturowego, interakcyjnego i indywidualnego, Wygotski najmniej uwagi poświęcił temu ostatniemu. W przeciwieństwie do rzetelnego potraktowania dwóch pierwszych poziomów, nie udało mu się szczegółowo przedstawić sposobów, jakimi dzieci samodzielnie przyczyniają się do własnej nauki i rozwoju. Zgadzał się z Piagetem co do konieczności ujmowania dziecka jako osoby aktywnej, jednak określenie tego, co dziecko wnosi do wzajemnych kontaktów z partnerami kulturowymi nie zostało przez niego wystarczająco uwypuklone i przeanalizowane. Więcej uwagi niż dziecku poświęcał dorosłym, a także wpływom społeczno-kulturowym niż czynnikom stanowiącym o naturze dziecka. Bez wątpienia, w owych czasach niewiele wiedziano o genetyce, a mimo to inni z ówczesnych autorów przyznawali, że nie istnieje jedno typowe dziecko i w związku z tym uznawali za słuszne uwzględnianie jego indywidualności podczas analizy procesu rozwoju. Jedynym ustępstwem ze strony Wygotskiego był jego komentarz podczas omawiania współpracy z dorosłymi w SNR, mówiący że: „działanie dziecka ograniczone jest tylko przez limity nałożone przez stan jego rozwoju i potencjału intelektualnego" (Wygotski, 1987). W żadnym innym przypadku nie przedstawił w sposób należyty roli czynników indywidualnych.

To samo dotyczy zaniedbania przez Wygotskiego roli wieku. Jego teoria, w przeciwieństwie do teorii Piageta, nie jest tak do końca teorią rozwojową*. Wyobrażał on sobie prototypowe dziecko, które w wieku 2. i 12. lat funkcjonuje podobnie, bez względu na związane z dojrzewaniem zmiany i zebrane dotychczas doświadczenia. SNR ulega wraz z wiekiem przesunięciu, jednak w ujęciu Wygotskiego charakter i rola dorosłego oraz dziecka pozostają takie same, brak jest porównań między grupami wiekowymi. Wraz z wiekiem pojawiają się przecież nowe potrzeby i zdolności, ale Wygotski pominął to, że zmienić się może, na przykład, pojęcie dziecka co do tego, co stanowi jego kontekst społeczny lub sposób reakcji na ten kontekst. Podobnie, nie wspomina też o tym, jak wraz z wiekiem zmieniają się tkwiące u podstaw uczenia się procesy (zdolności sensoryczne, uwaga, pamięć i myślenie) i w jaki sposób wpływa to na charakter interakcji w czasie tutoringu. Z tych samych względów nie wspomina on również o zmianach zachodzących w tożsamości osób, które dzieci akceptują jako tutorów. Grupa ta w miarę rozwoju dziecka się powiększa: oprócz rodziców zaczyna także obejmować innych bliskich dorosłych, nauczycieli i rówieśników.

Innym niedociągnięciem tej teorii jest pominięcie aspektów emocjonalnych. Mimo iż poznanie przyjęło tutaj społeczne oblicze, to jednak traktowanie dziecka przez Wygotskiego jest tak samo „chłodne", jak w teorii Piageta. Brak jakichkolwiek informacji o wysiłku podczas uczenia się, frustracji z powodu porażki lub

---

* Nie jest to prawdą. Por. przypis na s. 224 – szczególnie tekst pt: „Problem wieku rozwojowego" w cytowanej pracy (s. 61–90) (przyp. red. nauk.).

radości z sukcesu. Nie mówi się nic o motywacji dziecka do dążenia do określonego celu, ani o zadowoleniu i irytacji towarzyszących próbom osiągnięcia go. To poważne uchybienie, chociaż inni ważni teoretycy też je popełniają. Wygotski pisał o istocie emocji i sposobach ich wyrażania, lecz nie starał się połączyć ich ze społeczno-kulturową teorią rozwoju poznawczego, która w tej sytuacji nie stanowi tak pełnego ujęcia, jakie pragnął stworzyć.*

Podsumowanie

Wygotskiego teoria rozwoju poznawczego, tak jak teoria Piageta, ma charakter *konstruktywistyczny*, co oznacza, że dzieci nie polegają biernie na okruchach wiedzy, którymi karmią je dorośli, lecz aktywnie interpretują otaczający je świat. Jednak, w przeciwieństwie do Piageta, jego ujęcie zasługuje również na miano *kontekstualnego*. Dzieci stanowią element swej kultury społecznej i ich rozwój w sposób nierozerwalny związany jest z tą kulturą.

Rozwój poznawczy jest więc zasadniczo procesem społecznym i należy go pojmować jako połączenie trzech aspektów: kulturowego, interpersonalnego i indywidualnego.

1. Główną rolę w teorii Wygotskiego pełni kultura. Jego zdaniem charakter człowieka jest zasadniczo produktem społeczno-historycznym, uzyskiwanym dzięki *narzędziom kulturowym*. Są to środki psychologiczne, takie jak język i umiejętność uczenia się oraz środki techniczne, takie jak książki, zegarki i komputery. Narzędzia te wzmacniają pewne sposoby myślenia i umożliwiają dzieciom pojmowanie świata w taki sam sposób, jak czynią to inni członkowie ich społeczności.
2. Aspekt interpersonalny dotyczy konkretnych mechanizmów, dzięki którym kultura przekazywana jest dzieciom na drodze kontaktów z jednostkami dysponującymi większą wiedzą. Korzenie wiedzy, zdaniem Wygotskiego, tkwią

w społeczeństwie. Rozwój poznawczy polega na zmianie sposobu pojmowania z *interpsychicznego* na *intrapsychiczny*, co oznacza, że każda zdolność intelektualna pojawia się najpierw we współpracy z osobą bardziej kompetentną, później dziecko ją przejmuje i internalizuje. Praktykując u boku takiej osoby, dzieci mogą funkcjonować na wyższym poziomie niż mogłyby tego dokonać same. Dopiero wtedy można rzetelnie ocenić ich prawdziwy potencjał. Różnica pomiędzy wynikiem samodzielnym, a uzyskiwanym w efekcie współpracy nosi nazwę *strefy najbliższego rozwoju* – jest to obszar, w którym dzieci mogą najlepiej wykorzystać kierowane do nich instrukcje, i w którym dorośli powinni podejmować wysiłki instruktażowe.
3. Wygotski przyznawał, że dziecko też ma swój indywidualny wkład w proces uczenia się, lecz poświęcił temu niewiele uwagi. Poza uznaniem dzieci za czynnik aktywnie kształtujący własny rozwój nie starał się wyjaśnić tego, jak wiek i indywidualność dziecka wpływają na przebieg wspólnego uczenia się.

Prace Wygotskiego stały się pretekstem do ogromnej liczby badań, a celem większości z nich było dalsze wyjaśnianie, w jaki sposób wiedza jest przekazywana dzieciom przez dorosłych. Dysponujemy wieloma opisami strategii rusztowań, z jakich korzystają dorośli, by pomóc dzieciom w na-

---

* Trudno zgodzić się z tak surową oceną – por. cytowana w przypisie na s. 224 praca L. S. Wygotskiego oraz jego wykład pt: „Emocje i ich rozwój w okresie dzieciństwa" (t. II, cz. II: *Sobranie soczinienij*, Moskwa (1982, wyd. Pedagogika) (przyp. red. nauk.).

bywaniu umiejętności rozwiązywania problemów. Wiele dowodów badawczych potwierdza podstawową hipotezę Wygotskiego, że zdolności dzieci do rozwiązywania problemów wzrastają dzięki wspólnej pracy, nawet jeśli korzyści te można zaobserwować tylko w określonych warunkach.

Wartość teorii Wygotskiego polega, przede wszystkim, na tym, że największą wagę przywiązuje do tego, by patrzeć na dziecko w kontekście społeczno-kulturowym i by nie traktować go jako całkowicie wyizolowanej jednostki. Jednakże nie da się ukryć dwóch głównych mankamentów. Po pierwsze, jest to pominięcie wpływu wieku i indywidualności dziecka na rozwój, a także – po drugie – pominięcie aspektów emocjonalnych w analizie czynników poznawczych i społecznych.

Literatura dodatkowa

Gauvain, M. (2001). *The Social Context of Cognitive Development*, New York: Guilford Press. Książka opiera się na tezie Wygotskiego, że tło społeczno-kulturowe określa nie tylko to, czego dziecko się uczy ale i to, w jaki sposób zdobywa wiedzę. Prezentując najnowsze prace badawcze, których przedmiotem były takie procesy poznawcze, jak rozwiązywanie problemów, uwaga oraz pamięć. Gauvain wykazała, że otoczenie społeczne dziecka dostarcza mu zarówno okazji, jak i ograniczeń rozwoju społecznego.

Miller, P. H. (2002). *Theories of Developmental Psychology* (wyd. 4). New York: W. H. Freeman. Przejrzysty i zwięzły opis zawarty w rozdziale „Teoria Wygotskiego a kontekstualiści". Stanowi przegląd wszystkich głównych cech teorii, dokonuje jej oceny w świetle innych teorii i odzwierciedla jej wpływ na późniejsze badania.

Rogoff, B. (1990) *Apprenticeship in Thinking: Cognitive Development in Social Context*. New York: Oxford University Press. Mimo, że Rogoff pozostaje pod bardzo dużym wpływem teorii Wygotskiego, opatrzyła ją własnym komentarzem i szczególny nacisk kładzie na czynniki kulturowe. Książka ta pozwala poznać zarówno jej stanowisko teoretyczne, jak i jej aktywność badawczą.

Veer, R. van der, Valsiner, J. (1991). *Understanding Vygotsky: A Quest for Synthesis*. Oxford: Blackwell. Bardzo szczegółowy, obszerny, choć czasem raczej techniczny opis prac Wygotskiego. Prezentując kontekst jego własnego pochodzenia i edukacji, książka ukazuje związki między jego poglądami a ówczesnym rosyjskim społeczeństwem i polityką.

Literatura uzupełniająca w języku polskim

Brown, A. L., Ferrara, R. A. (1994). Poznawanie stref najbliższego rozwoju. W: A. Brzezińska, G. Lutomski (red.). *Dziecko w świecie ludzi i przedmiotów* (tłum. A. Brzezińska, K. Warchoł). (s. 217–258). Poznań: Zysk i S-ka Wydawnictwo.

Shotter, J. (1994). Psychologia Wygotskiego: wspólna aktywność w strefie rozwoju. W: A. Brzezińska, G. Lutomski (red.), *Dziecko w świecie ludzi i przedmiotów* (tłum. A. Brzezińska, K. Warchoł). (s. 13–44). Poznań: Zysk i S-ka Wydawnictwo.

Wygotski, L. S. (1978). *Narzędzie i znak w rozwoju dziecka*. (tłum. B. Grell). Warszawa: PWN.

Wygotski, L. S. (1995). Wczesne dzieciństwo. W: A. Brzezińska, G. Lutomski, T. Czub, B. Smykowski (red.), *Dziecko w zabawie i w świecie języka* (tłum. A. Brzezińska, K. Warchoł). (s. 16–53). Poznań: Zysk i S-ka Wydawnictwo.

Wygotski, L. S. (1995). Kryzys siódmego roku życia. W: A. Brzezińska, G. Lutomski, T. Czub, B. Smykowski (red.), *Dziecko w zabawie i w świecie języka* (tłum. A. Brzezińska, K. Warchoł). (s. 54–66). Poznań: Zysk i S-ka Wydawnictwo.

Wygotski, L. S. (1995). Zabawa i jej rola w rozwoju psychicznym dziecka. W: A. Brzezińska, G. Lutomski, T. Czub, B. Smykowski (red.), *Dziecko w zabawie i w świecie języka* (tłum. A. Brzezińska, K. Warchoł). (s. 67–88). Poznań: Zysk i S-ka Wydawnictwo.

Wygotski, L. S. (2002). Problem wieku rozwojowego. W: L. S. Wygotski, *Wybrane prace psychologiczne II: dzieciństwo i dorastanie* (tłum. A. Brzezińska, M. Marchow). (s. 61–90). Poznań: Zysk i S-ka Wydawnictwo.

Wygotski, L. S. (2002). Kryzys trzeciego roku życia. W: L. S. Wygotski, *Wybrane prace psychologiczne II: dzieciństwo i dorastanie* (tłum. A. Brzezińska, M. Marchow). (s. 131–140). Poznań: Zysk i S-ka Wydawnictwo.

Rozdział 8

Dzieci jako osoby przetwarzające informacje

Modelowanie czynności umysłowych 247

Czy umysł to komputer? 247

Istota myśli 252

Problem dostępu 253

Reprezentacja symboliczna: język, zabawa,
rysowanie 257

Organizacja umysłu 268

Formowanie pojęć 269

Tworzenie skryptów 273

Zapamiętywanie 274

Istota pamięci 275

Rozwój pamięci 276

Pamięć autobiograficzna 281

Dzieci jako naoczni świadkowie 284

Myślenie o ludziach 285

Opisywanie innych ludzi 285

Wyjaśnianie zachowań innych ludzi 287

Podsumowanie 291

Literatura dodatkowa 292

Literatura uzupełniająca w języku polskim ... 292

Modelowanie czynności umysłowych

Chcąc zrozumieć pracę umysłu, psycholodzy wpadli na pomysł, by zapożyczyć do tego celu takie czy inne modele, które odzwierciedlać będą określone funkcje i pomogą zgłębić sposób jego działania. Jednym z takich przykładów jest centrala telefoniczna, przywołana z nadzieją, że pomoże poznać sposoby, jakimi mózg odbiera docierające do niego informacje i dokonuje właściwych połączeń; innym przykładem jest termostat, który odzwierciedla inne zasadnicze funkcje człowieka, a mianowicie, zdolność wykorzystania informacji zwrotnych w drodze do celu. Modele te stanowią metafory: umysł jest tu spostrzegany jako urządzenie, przy założeniu, że pomoże to lepiej zrozumieć jego rzeczywiste działanie.

Czy umysł to komputer?

Ostatnio posłużono się modelem komputera, co wynika z *podejścia przetwarzania informacji* (szczegóły zob. Boden, 1988; Klahr, MacWhinney, 1998; Miller, 2002). Podejście to ujmuje czynności umysłowe przede wszystkim jako proces radzenia sobie z informacjami, rozpoczynający się od sygnału wejściowego, odebranego za pomocą zmysłów, a kończący się danymi wyjściowymi w postaci działań celowych. Zrozumienie poznania polegać więc będzie na prześledzeniu przepływu informacji od jednego do drugiego końca i na określeniu istoty procesów zachodzących pomiędzy nimi. Należą do nich, na przykład, kodowanie informacji odebranych w postaci symboli, takich jak obrazy lub określenia słowne (nazwy); przechowywanie tych symboli w mózgu; ich interpretacja w świetle innego zgromadzonego materiału; procesy odzyskiwania, prowadzące do refleksji i przetworzenia nabytych informacji; operacje dokonywane na takich danych po to, by doprowadzić do określonych form informacji wyjściowych. Dzięki eksperymentalnemu manipulowaniu rodzajem informacji wejściowych oraz analizie sposobu radzenia sobie w rozmaitych warunkach końcowych, możliwe jest wnioskowanie na temat zachodzących procesów i stworzenie diagramu blokowego ilustrującego porządek tych procesów (przykład, zob. ryc. 8.1).

Komputery, tak jak system poznawczy człowieka, są także urządzeniami przetwarzającymi dane. One również przyjmują określone informacje wstępne i tak samo, jak umysł ludzki, przetwarzają je na formy symboliczne, reprezentujące bodźce zewnętrzne, dlatego też by móc zarejestrować i przechowywać dane, komputery muszą przekształcić dane wejściowe na symbole. Tak samo, jak ludzki umysł, korzystają ze zmagazynowanych symboli jako treści myśli. Dlatego komputer jest w stanie przeprowadzić szereg operacji na jakimkolwiek materiale, jaki znajdzie w swoim systemie. Przynajmniej w pewnym względzie, umysł to rzeczywiście komputer. O ile dla niektórych zwolenników teorii przetwarzania informacji jest to tylko metafora, o tyle inni idą dalej w porównaniach i, na przykład,

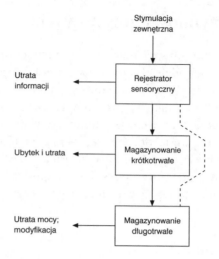

Diagram blokowy: informacja odebrana i przechowana (za: Atkinson, Shiffrin, 1968)

tworzą programy komputerowe mające na celu odzwierciedlenie naszego sposobu myślenia. Mogą później dzięki temu badać hipotezy dotyczące takich funkcji, jak uwaga, pamięć i rozwiązywanie problemów. Uważa się, że tym sposobem poznamy, co jednostka rzeczywiście robi, kiedy myśli.

Tak jak komputery opisuje się w kategoriach hardware'u (komponentów fizycznych) i software'u (działającego oprogramowania), tak zwolennicy podejścia przetwarzania informacji uważają, że badając ludzkie poznanie należy odróżnić struktury od procesów.

- *Struktury* to klocki, z których zbudowany jest system poznawczy (stąd określenie „architektura poznawcza", który też jest stosowany w tym kontekście). Są to bloki zawarte w diagramie na ryc. 8.1, z takimi podpisami jak rejestrator sensoryczny, magazynowanie krótkotrwałe, magazynowanie długotrwałe. Mimo, iż jest to tylko hipoteza, mają one zwrócić uwagę na istnienie określonych elementów aparatury do przetwarzania danych, spełniających określone funkcje. Struktur tych jest stosunkowo niewiele. Ponadto mają one charakter trwały i nie zmieniają się ani w wyniku rozwoju, ani z jednej sytuacji na drugą. Mają także charakter uniwersalny i stanowią element wyposażenia psychologicznego każdej istoty ludzkiej. Stanowią one hardware umysłu, a ich cechy stawiają pewne ograniczenia, co do typu oprogramowania, jakie może być użyte w systemie poznawczym danej jednostki.

- *Procesy* są analogiczne do software'u komputerowego – oprogramowania wymaganego do uruchomienia systemu. W przeciwieństwie do struktur, są one liczne i różne w rozmaitych grupach wiekowych oraz inne u poszczególnych ludzi. Także dostosowują się do wszelkich okoliczności, w jakich znajdzie się jednostka. Szczególnie z rozwojowego punktu widzenia warto rozróżnić procesy *kontrolowane* (czyli wysiłkowe) od *automatycznych* (czyli bezwysiłkowych) – różnica polega na zakresie uwagi potrzebnej do przeprowadzenia procesu. Procesy kontrolowane wymagają całej naszej uwagi: są one powolne, żmudne i zajmują sporo „przestrzeni poznawczej". Natomiast procesy automatyczne zachodzą szybko, bez trudu i dotyczą znanych, wyćwiczonych, zwykłych procedur oraz szybko asymilowanych bodźców. Rozwój poznawczy w większości polega na przejściu od przetwarzania kontrolowanego do automatycznego. Porównajmy pięcio- i dziesięciolatka, poproszonych o rozwiązanie zadania: „5 + 4 =?". Pierwszy spędzi mnóstwo czasu na rozpoznawaniu problemu, wypróbowywaniu różnych sposobów znalezienia rozwiązania i sprawdzania uzyskanego wyniku. Drugi, natomiast, poda prawie natychmiast odpowiedź na podstawie poprzednich niezliczonych prób, i ponieważ poświęci na to minimalną ilość wymaganej uwagi, będzie mógł szybko zwolnić swój umysł, by móc przejść do kolejnych wyzwań umysłowych.

Wielokrotnie próbowano zastosować podejście przetwarzania informacji do badań nad poznaniem u dzieci. Badania te polegały, między innymi, na analizie podejmowanych przez dzieci prób rozwiązywania zadań piagetowskich, takich jak badające zachowanie stałości lub szeregowanie. Podejście to zastosowano także w odniesieniu do problemów edukacyjnych w zakresie czytania, pisania i arytmetyki. Wiele badań nad dziecięcą pamięcią korzystało z technik i pojęć tworzonych przez zwolenników tego sposobu analizowania procesów poznawczych. Ogólny cel tych badań polegał na możliwie najprecyzyjniejszym określeniu mechanizmów umysłowych wykorzystywanych przez dzieci podczas myślenia: w jaki sposób przyjmują i reprezentują informacje, ile przestrzeni posiadają dla celów magazynowych, jakie operacje uruchamiają, by wyciągnąć i przetworzyć zmagazynowane informacje i czym małe dzieci różnią się od osób dorosłych w sposobie wypełniania tych zadań. Ta ostatnia kwestia wzbudziła szczególne zainteresowanie. Usiłuje ona bowiem rzucić nieco światła na kierunek postępu rozwoju poznawczego. Jak już się przekonaliśmy, Piaget używał w tym celu pojęcia stadiów. Natomiast większość opisów w podejściu przetwarzania informacji unika odniesienia do stadiów, w zamian za to określa następujące wraz z wiekiem przemiany w kategoriach takich aspektów, jak prędkość przetwarzania, przestrzeń magazynowa oraz liczba i elastyczność strategii używanych do przechowywania, odzyskiwania i wykorzystywania informacji (tab. 8.1 wymienia niektóre przykłady zmian rozwojowych). Wiele z tych zmian zostało udokumentowanych. Nie ma, na przykład, wątpliwości, że wraz z wiekiem wzrasta zdolność dzieci do powtarzania ciągów cyfr lub słów, co wskazuje na coraz większą zdolność zapamiętywania informacji i magazynowania ich w pamięci krótkotrwałej

TABELA 8.1

Przykłady postępu rozwojowego w przetwarzaniu informacji

Aspekt przetwarzania informacji	Charakter zmiany rozwojowej
Zdolność przetwarzania	Wraz z wiekiem wzrasta liczba informacji odbieranych przez rejestrator sensoryczny
Prędkość przetwarzania	Wzrasta prędkość, z jaką działają różne części aparatu poznawczego
Strategie przetwarzania	Gdy dzieci stają się starsze, pojawiają się coraz liczniejsze strategie radzenia sobie z takimi zadaniami, jak zapamiętywanie i rozwiązywanie problemów
Podstawy wiedzy	Wraz z wiekiem wzrasta zakres wiedzy zdobywanej dzięki nowym doświadczeniom. Ułatwia ona (ale niekiedy opóźnia) przetwarzanie informacji
Przetwarzanie równoległe	Małe dzieci zajmują się jedną rzeczą w danym czasie; starsze dzieci są zdolne do odbierania kilku aspektów bodźców jednocześnie i łączenia ich w jedno doświadczenie

(ryc. 8.2). Mniej jednak wiadomo o tym, które elementy aparatu przetwarzania danych są odpowiedzialne za ten postęp. Czy, na przykład, dzieci wraz z wiekiem coraz lepiej zapamiętują informacje, ponieważ wzrasta ich przestrzeń magazynowania (tj. różnica w „hardwarze") czy też dzieci są coraz bardziej skuteczne w stosowaniu różnych strategii przetwarzania (tj. różnica w „softwarze")? To oczywiste, że prawdopodobnie dochodzi do obu tych typów zmian, tj. następuje rozrost mózgu, który z kolei pozwala na większy rozwój funkcjonalny. Jednak na dzień dzisiejszy więcej wiemy na temat tego *jak*, niż *dlaczego* dochodzi do zmiany, ale to całkiem normalne w psychologii rozwojowej.

Czego w takim razie mamy się dowiedzieć z teorii przetwarzania informacji? Czy pomaga ona traktować mózg jak komputer? Wybuchła zaciekła debata i nadal wokół tego tematu panuje atmosfera wzburzenia, a niektórzy autorzy są wobec niego bardzo sceptyczni. Jednym z nich jest filozof John Searle (1984), który doszedł do wniosku, że:

> Komputer nie jest prawdopodobnie ani lepszą, ani gorszą metaforą mózgu niż poprzednie metafory mechaniczne. Nazywając mózg komputerem, dowiadujemy się o nim tyle samo, ile dowiadywaliśmy się mówiąc, że jest centralą telefoniczną, systemem telegraficznym, pompą do wody lub maszyną parową.

Inni prezentowali bardziej pozytywne stanowisko. Margaret Boden (1988), po skrupulatnym przeanalizowaniu rozmaitych stwierdzeń i uwag krytycznych dotyczących stosowania komputera jako modelu mózgu, doszła do wniosku, że przyjęcie takiego podejścia przyniosło psychologii istotne korzyści. Zwłaszcza:

Psychologowie komputerowi przywykli już do poszukiwania odpowiedniego stopnia precyzji podczas opisywania nawet wielce złożonych procesów umysłowych, co (w najgorszym przypadku) wskazuje na luki teoretyczne, ale też (w najlepszym przypadku) pomaga je wypełnić. Waga przywiązywana do precyzji szczegółów teoretycznych to nie przelotna zachcianka, czy przelotna moda, która zrodziła się w społeczeństwie technologicznym i skazana jest na dezaktualizację, lecz trwały wkład do psychologii. Określiła ona standardy rygoru i klarowności, które sprawiają, że wciąż jesteśmy niezadowoleni z ich niedostatku.

Boden odrzuca obawę, że porównanie umysłu z komputerem na pewno odczłowiecza psychologię i nie uważa za uzasadnione stwierdzenia, że model komputerowy jest zbyt mechaniczny, by poradzić sobie z takim pojęciem, jak intencjonalność – a była to jedna z głównych uwag krytycznych wysuniętych przez Searle'a. Oczywiście, komputer taki, jakim znamy go dziś, nie jest już biernym urządzeniem mechanicznym. Gdy stworzy mu się możliwość autoewaluacji i automodyfikacji, nie będzie powodów by zakładać, że nie jest on w stanie imitować bardziej psychodynamicznych aspektów funkcjonowania psychicznego, jak motywacja, a szczególnie emocje. Przyznać trzeba, że niemal wszystkie dotychczasowe koncepcje przetwarzania informacji traktowały człowieka w sposób „chłodny". Opisywały go jako układ czysto poznawczy i pomijały wszelkie odwołania do aspektów społeczno-emocjonalnych. Właściwie brak jednak powodów, dla których nie

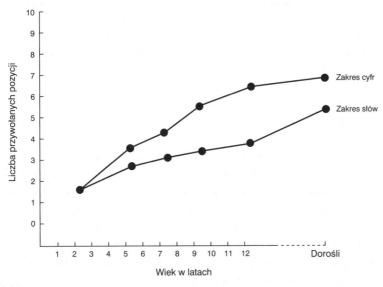

RYCINA 8.2

Zmieniająca się wraz z wiekiem zdolność przetwarzania informacji: zakres cyfr i słów (za: Dempster, 1981)

można by tych aspektów włączyć. Spójrzmy, na przykład, na wysiłki w odnalezieniu związków pomiędzy rozwojem przywiązania a umiejętnością przetwarzania informacji. Opierają się one na założeniu, że dzieci z przywiązaniem bezpiecznym częściej niż dzieci z przywiązaniem pozabezpiecznym posiadają odpowiednio dużą „przestrzeń poznawczą", by podejmować i radzić sobie z wyzwaniami stawianymi przez środowisko. Jednak dowodów na tego typu związki nie mamy zbyt dużo (przegląd zob. Goldberg, 2000) i nie są one jednoznaczne. Przypominają jednak, że istnieje społeczny wymiar przetwarzania danych, który powinien być uwzględniony w każdym całościowym opisie poznawczego rozwoju dziecka.

Tymczasem, nie mam tu wątpliwości, że tak, jak wskazała na to w powyższym cytacie Boden, jedną z głównych zalet podejścia przetwarzania informacji jest precyzja metodologiczna i pojęciowa. Szczegółowa analiza sposobów myślenia wraz z równie szczegółowym opisem wszelkich zadań, jakie jednostka usiłuje rozwiązać, przynoszą korzyści nie tylko teoretyczne, ale i praktyczne. Na przykład, analiza błędów, stosowana wobec dziecięcych prób zmagania się z zadaniami edukacyjnymi, może z powodzeniem wykraczać poza ogólne stwierdzenia „nie można", wskazując w zamian ze znaczną precyzją konkretne powody niepowodzenia, a zwłaszcza określając konkretny etap w przetwarzaniu danych, w którym nastąpiły trudności. Czy stało się to z powodu ograniczonych zdolności dziecka do przyswojenia i przechowania w umyśle zbyt wielu różnych informacji? Czy z powodu słabo rozwiniętej zdolności magazynowania? Czy z powodu słabo rozwiniętych strategii odzyskiwania danych? Czy z braku zdolności reprezentacji? Takie podejście i jego wymaganie jawnej diagnozy natury zadania i sposobu jego wykonania oraz ich wzajemnych związków u poszczególnych dzieci, daje o wiele większą szansę zastosowania efektywnych środków zaradczych w porównaniu z wysiłkami opartymi na podejściach o wiele bardziej ogólnych (Siegler, 1998).

Istota myśli

Przetwarzanie informacji u człowieka jest mniej więcej tożsame z tym, co zwyczajowo określa się mianem myślenia. Mimo, iż wcale niełatwo określić granice myśli, uznano powszechnie, że obejmuje ona takie działania umysłowe, jak rozumowanie, symbolizację, rozwiązywanie problemów i planowanie – wszystkie te wyrażenia dotyczą wyższych, intelektualnych aspektów umysłu, które podejście przetwarzania informacji darzy szczególną uwagą.

Zdolność myślenia to bez wątpienia *wyróżnik* gatunku ludzkiego. Istnieją dane mówiące o procesach myślowych obecnych też u innych naczelnych. Jednak te obserwowane u człowieka są o wiele bardziej złożone, elastyczne, dalekosiężne, szczególnie w sposobie, w jakim wykraczają poza to, co tu i teraz oraz obejmują abstrakcje i uogólnienia. Mimo że dobrze znamy myślenie z własnego doświadczenia, określenie istoty myśli stanowi nie lada wyzwanie. Wygląda na to, że jest to coś, co dzieje się w naszych głowach, coś, co toczy się mniej więcej bez ustanku i nad czym możemy uzyskać przynajmniej jakiś stopień kontroli. Waga tego czegoś polega na tym, że umożliwia nam indywidualne i twórcze przetwarzanie informacji pochodzących ze środowiska. I dlatego tak oczywiste jest wspieranie rozwoju tego procesu w okresie dzieciństwa. Uchwycenie tego ulotnego fenomenu u dzieci i jego systematyczne badanie nie jest łatwe, jednak możliwe okazało się określenie sporej liczby właściwości procesów myślowych nawet w najwcześniejszych latach życia.

Problem dostępu

Zastanówmy się najpierw, jak możemy badać coś tak prywatnego i nie dającego się obserwować, jak myślenie dziecka. Jakimi środkami możemy dotrzeć do *wewnętrznego* świata dziecka? Oczywiście, nie możemy zobaczyć ani usłyszeć czyichś myśli. Jednak obserwując czyjeś zachowanie w konkretnych sytuacjach, możemy *wnioskować*, co ta osoba myśli, a nawet domniemywać na temat istoty i treści jej procesów myślowych. Niżej przedstawiamy, jak najczęściej prowadzono dotychczas badania nad rozwojem poznawczym dzieci.

- *Analiza rozmów*. Uczestniczenie dzieci w rozmowach z dorosłymi lub rówieśnikami stanowi bogate źródło spostrzeżeń. Zastanówmy się nad poniższą rozmową czterolatki z matką (za: Eisenberg, 1992):

DZIECKO: Czy możemy pójść do parku?
MATKA: Cóż, nie założyłaś butów. Założyłaś baletki.
DZIECKO: No, to dobrze.
MATKA: Nie, bo twoje baletki nie są zrobione do tego, by się bawić w nich na dworze. Zniszczą się.
DZIECKO: Ale czy mogę założyć buty?
MATKA: No, nie zrobimy tego w ten weekend, zaczyna się ściemniać i w niektórych miejscach, nawet w parkach, kiedy się ściemni jest dość niebezpiecznie.
DZIECKO: Dlaczego?
MATKA: Bo czasami źli ludzie wychodzą w nocy i robią różne rzeczy.

Mamy tu obraz dziecka, które nie zadowala się dyktatami kładzionymi mu do głowy przez innych, ale przeciwnie – usiłuje aktywnie myśleć o zasadach społecznych poprzez dopytywanie się, spieranie i zmuszanie matki do wyjaśniania przyczyn konkretnego biegu wydarzeń i dzięki temu nabywa umiejętności tworzenia własnych zbiorów takich zasad. Już zadawanie pytań „dlaczego" (niekiedy powtarzanych z irytującą częstotliwością przez dzieci w wieku przedszkolnym) wskazuje na to, że dziecko poszukuje przyczyn i porządku w otaczającym je świecie i nie jest skłonne do powierzchownej akceptacji wydarzeń. Dunn (1988) wskazuje, że już dwuletnie dzieci nie stosują się biernie do zakazów i nakazów ze strony rodziców, a aktywnie myślą o oczekiwaniach innych ludzi i próbują zrozumieć, dlaczego mają się zachowywać tak, a nie inaczej.

- *Rejestrowanie monologów.* To, jak dzieci mówią do siebie, może być tak samo wartościowe, jak to, co mówią do innych, a niekiedy mogą one wtedy ujawniać o wiele więcej, co Kathrine Nelson (1989) wykazała w fascynującym opisie monologów dwuletniej dziewczynki (Emily), która zostawała na jakiś czas sama przed zaśnięciem. W porównaniu z jej rozmowami z rodzicami, monologi okazały się o wiele bogatsze, dłuższe, niosące więcej informacji i bardziej zaawansowane pod względem językowym, gdy mówiła o swoich doświadczeniach z danego dnia i opowiadała o tym, co miało miejsce i co jej zdaniem jeszcze się wydarzy. Oto fragment dotyczący oczekiwanej wizyty u lekarza:

> Może lekarz wziął moją piżamkę – nie wiem. Może, może my zdejmiemy piżamkę. Ale zostawię pieluchę, zdejmę piżamkę i zostawię je, u lekarza. Będę badana, więc zdejmę piżamkę... Taa, może my zdejmiemy piżamkę. Nie wiem, co zrobimy z moją – może doktor zdejmie moją piżamkę, ja zdejmę, bo może będę badana, muszę, muszę wziąć piżamkę.

Emily była wcześniej u lekarza (chociaż nigdy nie była tam w piżamce) i wygląda na to, że jej niesamowite wspomnienie dotyczy konieczności zdjęcia ubrania. Usiłuje połączyć to z tym, co ma na sobie w tej chwili, choć nie potrafi uwzględnić zmiany na ubranie dzienne. Jak podkreśla Nelson, powtarzanie: „może zdjąć piżamkę" wskazuje na pojawienie się zdolności wnioskowania na podstawie poprzednich doświadczeń. Ponadto wygląda na to, że rozumie ona związek pomiędzy lekarzem a zdejmowaniem ubrania. Jest to tylko jeden przykład spośród wielu prób myślenia i interpretowania przez Emily tego, co dzieje się względem niej w ciągu dnia, i dlatego, jak mówi Nelson: „konstruuje w swym umyśle zrozumiały świat, w którym zaczyna zajmować swoje miejsce" (więcej szczegółów na temat monologów Emily, zob. ramka 8.1).

RAMKA 8.1

Wieczorne monologi Emily

Emily to pierwsze dziecko pary wykładowców akademickich. Jest to dziecko o wysokim poziomie inteligencji, a rozwój jego języka jest dalece ponadprzeciętny. Rytuał chodzenia spać obejmuje rozmowy z rodzicami, a po ich wyjściu, przed samym zaśnięciem dziecko rozmawia samo ze sobą. Przez okres 15 miesięcy, tj. od 21. do 36.

miesiąca życia Emily, na prośbę Katherine Nelson, psychologa zajmującego się wczesnym stadium rozwoju języka, rodzice nagrywali te dialogi i monologi za pomocą magnetofonu umieszczonego tak, by w pełni rejestrować mowę dziecka. Nagrania i ich transkrypcje były następnie analizowane przez wielu naukowców o różnych zainteresowaniach, a ich raporty ukazały się w książce Nelson zatytułowanej *Narratives from the Crib* („Opowieści z łóżeczka") (1989).

Największym zaskoczeniem dla Nelson podczas pierwszego odsłuchania był kontrast pomiędzy mową Emily, kiedy rodzice byli przy niej, a tą, kiedy zostawała sama. Od zawsze uważano, że by wydobyć pełnię kompetencji językowych dziecka, potrzebne jest wsparcie ze strony partnera rozmowy. Jednak formalna analiza wykazała, że monologi Emily były o wiele bardziej zaawansowane pod względem rozwojowym niż to, co prezentowała podczas rozmowy z rodzicami. Szczególne wrażenie robiła jej zdolność do łączenia, mniej lub bardziej spójnych, długich ciągów komentarzy na pojedynczy temat. Były one o wiele dłuższe niż zwykłe krótkie reakcje na pytania lub komentarze dorosłych. Widać było, że jednym z najczęstszych tematów jej wypowiedzi było angażowanie się w opowiadanie, kiedy relacjonowała to, co jej się przydarzyło lub co sobie wyobrażała, że może się stać. Opowiadania te znakomicie umożliwiają wgląd w procesy myślowe Emily i odkrycie znaczeń, jakie nadaje ona swoim doświadczeniom.

Nagrania te wskazują przede wszystkim na to, że dziecko aktywnie angażuje się w nadawanie sensu otoczeniu, w którym żyje. *Myśli* o swoich przeżyciach i przez to, że o nich opowiada, próbuje je uporządkować, rozważa przyczyny i skutki. Dzięki temu, że ubiera je w słowa, może nimi manipulować w swoim umyśle – nazywa je, kategoryzuje, generalizuje, aż w końcu to, co było problemem lub sprawiało trudności staje się dla niego jasne. Wygląda to tak, jakby umysł wymagał swego rodzaju uporządkowania nowych doświadczeń, a większość wypowiedzi była próbą stworzenia spójnego świata psychicznego.

Zdaniem Nelson tym, co tu ważne jest odkrycie, że jest się osobą myślącą, czującą i aktywną, pozostającą w kontaktach z innymi ludźmi, którzy myślą, czują i działają. Przez cały ten piętnastomiesięczny okres nagrań coraz częściej pojawiały się odniesienia do własnej osoby: „Emily", „ja", „mnie" – jak gdyby wzrastała jej świadomość własnej osoby i zdolność spostrzegania siebie jako osoby odrębnej. Pod względem rozwojowym nastąpiły także inne zmiany. Po pierwsze, Emily stawała się coraz bardziej zdolna do opowiadania nie tylko o tym, co się stało i co się stanie, ale również o tym, co powinno się stać. Wskazuje to na pojawienie się standardów regulujących zachowanie jej i innych osób. Po drugie, coraz bardziej umiejętnie włączała do swych wypowiedzi elementy fantazji: zamiast trzymać się faktów, przedstawiała wymyślone scenariusze, przez co znacznie wzbogacała swój świat psychiczny. Po trzecie, Emily coraz bardziej zdawała sobie sprawę z tego, że doświadczenia pojawiały się w określonym czasie, gdyż coraz częściej używała słów „jutro", „później" i „wkrótce". Były one czymś, co pomagało jej umieścić wydarzenia w czasie i spostrzegać je w określonej kolejności.

Być może Emily nie była typowym dwulatkiem – na pewno nie, gdy weźmiemy pod uwagę jej zaawansowanie w rozwoju werbalnym, ponadto zaskakująca analiza wielu własnych przeżyć wskazuje na podziwu godną wrażliwość. Z drugiej strony, jej ciekawość, dążenie do zrozumienia i potrzeba poznania sensu poszczególnych wydarzeń to cechy charakterystyczne dla niemal wszystkich małych dzieci. Dzięki werbalizacji tych potrzeb, zwłaszcza w sytuacji pozbawionej większych ograniczeń, możemy zobaczyć, jak procesy myślowe dziecka pomagają mu radzić sobie z wyzwaniami, jakie stawiają przed nim codzienne sytuacje życiowe.

- *Techniki zabawowe.* Psychoterapeuci od dawna doceniali wartość zabawy jako środka poznawania wewnętrznego życia dzieci. Dzieci mają bujną fantazję, której w codziennych sytuacjach mogą normalnie nie werbalizować; w zabawie mogą jednak ujawniać niektóre swoje właściwości, które mają zbyt duży ładunek emocjonalny, by im stawić czoło bezpośrednio. Dlatego też, by poznać dziecięcą reprezentację relacji w rodzinie, często używa się zabaw z lalkami. Podobnie też, poprzez opowiadanie bajek stwarza się dzieciom okazję do pośredniego ujawnienia ich sposobu myślenia o innych ludziach, o wzajemnych relacjach i o sobie samym w prawdziwym życiu (Waldinger, Toth, Gerber, 2001). Poprzez połączenie opowiadania i zabaw lalkami można zbadać, w jaki sposób np. doświadczenia znęcania się, wykorzystywania seksualnego i zaniedbania wpływają na kształtowanie się u dziecka pojęcia siebie samego i innych ludzi, oraz w jaki sposób ta wewnętrzna reprezentacja wzajemnych relacji wiąże się z rzeczywistym traktowaniem dziecka przez rodziców. Autorzy jednego z badań stwierdzają, że: „To samo dziecko, które odpowiada:»jest dobrze«, na pytanie podczas wywiadu klinicznego o rodzaj związku z maltretującą je matką, jednocześnie przez cały czas trwania rozmowy opowiadało szczegółowo o incydentach zaniedbania, odrzucania i karania" (Buchsbaum i in., 1992).

- *Ujawnianie zachowań w warunkach eksperymentalnych.* Powyższy przykład dotyczy *treści* myśli, tj. tego, jak dziecko reprezentuje doświadczenia wobec siebie samego. Inne techniki skupiają się na *formie* myśli, tj. na sposobie, w jaki dziecko korzysta ze swych zdolności poznawczych. Weźmy przykład, jaki przytacza DeLoache (1987). Dzieci w wieku od $2^1/_2$ do 3 lat obserwowały, jak miniaturowy pies-zabawka został ukryty w pomniejszonym modelu pokoju. Następnie poproszono te dzieci o znalezienie dużego wypchanego psa w tym samym miejscu w pełnowymiarowym pokoju. By tego dokonać, dziecko musiało posłużyć się modelem pokoju jako reprezentacją prawdziwego pokoju. Było to wyzwanie, z którym jak donosi DeLoache, większość dwuipółlatków nie mogła sobie poradzić, natomiast trzylatki nie miały z tym żadnych problemów. Mamy tu – po raz kolejny – możliwość wglądu w dziecięce procesy myślowe: w młodszym wieku dzieci nie potrafiły potraktować modelu pokoju ani jako przedmiotu jako takiego, ani jako reprezentacji czegoś innego. Jednak później następuje zmiana i zaczyna pojawiać się zdolność myślenia reprezentacyjnego.

Tego typu techniki pozwalają zerknąć w umysły dzieci, nawet bardzo małych, które mają niewielkie zdolności wyrażania się za pomocą słów. Konkluzje, jakie na tej podstawie snujemy, są oczywiście oparte na wnioskowaniu: dzieci zachowują się tak, *jakby* myślały. Tak jednak postępujemy również w zwykłym życiu. Nie ma wątpliwości, że otaczają nas istoty myślące, gdyż zachowują się tak, jak my byśmy się zachowali myśląc. W tym sensie dzieci wykazują, że już w bardzo wczesnym wieku są zdolne do myślenia, choć w wyniku rozwoju zdolność ta wkrótce stanie się o wiele bardziej złożona.

Reprezentacja symboliczna: język, zabawa, rysowanie

Sedno myślenia stanowi zdolność do reprezentowania przedmiotów, ludzi, wydarzeń i doświadczeń w formie symbolicznej. Podejście przetwarzania informacji traktuje zdolności reprezentacyjne jako wyróżnik ludzkiego poznania, a Piaget (jak się przekonaliśmy w rozdz. 6.) uważał przejście ze stadium sensoryczno-motorycznego do przedoperacyjnego za krok doniosły, ponieważ wiązało się z tym pojawienie się *ukrytego*, a nie *jawnego* planu funkcjonowania psychicznego. Oznacza to, że dzieci nie muszą już działać na przedmiotach, by osiągnąć określony cel, ale mogą reprezentować je w umyśle i manipulować nimi w formie symbolicznej.

Reprezentację symboliczną można określić jako zdolność zrozumienia, że jedna rzecz oznacza drugą. Zamiast rzeczywistego przedmiotu używa się symbolu, choć często ta sama rzecz może być reprezentowana przez różnorodne symbole. Zastanówmy się, jak reprezentowane może być jabłko: werbalnie – przez słowo „jabłko" lub „apple", lub „Apfel", lub odpowiednik w jakimkolwiek innym języku; obrazowo – poprzez rysunek lub malunek na wiele różnych sposobów; gestem, za pomocą ruchów, które przekazują istotę jabłka; lub w zabawie przez nazwanie jakiegoś przedmiotu, który nieco przypomina jabłko, takiego jak np. piłka lub grudka gliny. Związek pomiędzy symbolem a rzeczą, którą reprezentuje, jest pod wieloma względami umowny, ponieważ nie ma żadnego *powiązania* pomiędzy symbolem a przedmiotem odniesienia. Na przykład: znaki używane w języku dla głuchoniemych nie muszą mieć żadnego podobieństwa do rzeczy, które oznaczają. Jednakże symbole, co do których panuje ogólna zgoda i są określone przez konwencje społeczne są zazwyczaj najwygodniejsze, więc (w przypadku języka) można je przekazywać innym.

Podsumujmy główne właściwości reprezentacji symbolicznej:

- Reprezentacja to prywatne narzędzie myślenia: można ją zmieniać i wykorzystywać wedle uznania, a nic w rzeczywistych przedmiotach nie zostanie zmienione. Dlatego też dziecko może mieć najbardziej złośliwe fantazje dotyczące swego nowo narodzonego braciszka, a mimo to zachowywać się względem niego zupełnie poprawnie, nie wzbudzając gniewu rodziców.

- Dzięki reprezentacji można przywoływać przeszłość i przewidywać przyszłość. Jednostka nie jest ograniczona do tego, co tu i teraz, lecz może też myśleć o rzeczach nieobecnych, korzystając z uprzednich doświadczeń i jednocześnie przygotować się na wydarzenia nadchodzące.
- Jak widać, szczególnie w przypadku określeń werbalnych, reprezentacje mogą być ekonomicznym sposobem odnoszenia się do rzeczy poprzez ustanowienie kategorii abstrakcyjnych. Słowo „zabawki", na przykład, obejmuje cały zakres konkretnych przedmiotów, zgrupowanych razem na podstawie pewnej wspólnej cechy, przez co dziecko nie musi wymieniać wszystkich, by o nich mówić.
- Reprezentacje są bardzo elastyczne. Jak widzieliśmy w przypadku „jabłka", jedna rzecz może być symbolizowana na wiele różnych sposobów. Tak samo w fantazji – każdy przedmiot może służyć wielu celom: w zabawie na niby kawałek drewna w jednej chwili może być dla dziecka łódką, a za chwilę pistoletem. Rzeczywistość nie stanowi żadnego ograniczenia.
- Symbole służące do reprezentacji mogą być albo podzielane z innymi, albo czysto osobiste. Wspólne symbole zostały społecznie zaakceptowane i dlatego mogą być używane w celach komunikacyjnych: taki gest, jak pokazywanie palcem jest powszechnie rozumiany jako próba skierowania na coś uwagi; podobnie sygnał SOS w alfabecie Morse'a jest używany z założeniem, że inni na niego w oczekiwany sposób zareagują. Symbole osobiste, z kolei, stanowią własność indywidualną: dziecko może wynaleźć sekretny typ pisma i spokojnie zapisywać w pamiętniku swoje najskrytsze myśli lub para bliźniąt może stworzyć język, którym może się między sobą porozumiewać, lecz nikt inny go nie będzie rozumiał.

Reprezentacje symboliczne przyjmują różne formy, ale najczęściej w dzieciństwie dotyczą one trzech obszarów: języka, zabawy i rysowania.

1. Język

Zdecydowanie najczęstszym i najskuteczniejszym sposobem odnoszenia się do rzeczy jest słowo. Każde słowo, z jednego punktu widzenia jest po prostu określoną kombinacją dźwięków, z drugiego jednak jest ono najwygodniejszym sposobem symbolizowania rzeczy w realnym świecie. Dzieci zaczynają mówić mniej więcej w okresie swoich pierwszych urodzin, używając pojedynczych słów; na drugich urodzinach potrafią łączyć słowa we frazy i zdania, a język gwałtownie staje się wysoce złożonym systemem reprezentacji symbolicznej (szczegółowy opis rozwoju języka zob. rozdz. 9.). Najbardziej intrygującym krokiem rozwoju jest jednak sam początek, kiedy to dziecko dokonuje niezwykłego odkrycia, że rzeczy mają nazwy.

Pierwsze „słowo" wypowiadane przez dziecko może nie stanowić konwencjonalnego elementu naszego słownika, a mimo to można je uznać za słowo, ponie-

TABELA 8.2

Słownictwo pewnego czternastomiesięcznego dziecka

Słownictwo	Znaczenie
aw u	Chcę; nie chcę
nau	Nie
d di	Tata; dzidzia
d yu	Na dół; lalka
nene	Mleko; sok; mama; spać
e	Tak
maeme	Jedzenie stałe (nie do picia)
ada	Następny; inny

Źródło: Scollon (1976).

waż użyte jest w taki sposób, by nazwać konkretną rzecz. Na przykład Brenda, mała dziewczynka, której rozwój języka pomiędzy 1. a 2. r. ż. opisuje Scollon (1976), miała w wieku 14 miesięcy całkowicie własne słownictwo. Dźwięki były konsekwentnie używane w sensowny sposób, lecz inni musieli się domyślać ich znaczenia z jej zachowania lub kontekstu (zob. tab. 8.2). Dźwięki i przedmioty odniesienia nie zawsze pozostają w relacji jeden do jednego, czego oczekiwaliby dorośli: „nene", na przykład, odnosiło się do określenia mleka, soku i butelki, ale sporadycznie było używane także względem matki i spania. Tego typu idiosynkrazja odzwierciedla niepewność dzieci w pierwszym momencie zetknięcia się z procesem przypisywania nazw przedmiotom. Jednak już 5 miesięcy później słownictwo Brendy liczyło kilkadziesiąt słów, każde z nich było konwencjonalnie i konsekwentnie stosowane wobec konkretnych przedmiotów.

Kiedy dzieci używają słów po raz pierwszy, robią to tylko w obecności nazywanego przedmiotu, tj. w sposób czysto asocjacyjny, jak gdyby jeszcze nie zdawały sobie sprawy, że słowo zastępuje przedmiot i może być użyte do nazwania go także wtedy, gdy go nie ma. Przejście od asocjacji do symbolizacji następuje nieco później – w 2. r. ż. i przez niektórych jest uważane za przyczynę nagłego wzrostu zasobu słownictwa, który wówczas obserwuje się u wielu dzieci (McShane, 1991). Słownictwo poszerza się ponad dwukrotnie pomiędzy 18. a 21. miesiącem, a później jeszcze raz pomiędzy 21. a 24. Czy jest to związane z uzmysłowieniem sobie, że rzeczy mają nazwy, czy też nie, bez wątpienia dzieci ulegają nagłej fascynacji nazywaniem. Pytanie „co to?" zaczyna charakteryzować ich rozmowy z dorosłymi, gdy wskazują na nowe (lub czasami na niektóre dobrze znane) przedmioty. Nawet wymyślają własne określenia, kiedy nie mogą doczekać się odpowiedzi: „naprawiacz" na mechanika, „nosowa broda" na wąsy (Clark, 1982). Uczenie się języka na pewno nie jest biernym przedsięwzięciem!

Większość pierwszych słów to rzeczowniki, które są przedmiotem szczególnego zainteresowania dziecka: „butelka", „piłka", „mleko", „kotek", lub nazwami ludzi: „tatuś", „mama" i imię dziecka. Trudno się temu dziwić, bowiem łatwiej zidentyfikować przedmioty niż działania lub zależności, choć niektóre czasowniki, takie jak „dać" lub „tupać" i terminy, takie jak „więcej" lub „tam" też pojawiają się dość wcześnie. Nacisk na rzeczowniki może być do pewnego stopnia określony przez istotę języka, którego dzieci się uczą. Na przykład, dzieci chińskie zaczynają od czasowników, a nie od rzeczowników, ponieważ ten język bardziej akcentuje czasowniki (Tardiff, 1996). Nawet wśród dzieci angielskich istnieją różnice w preferencjach dotyczących rzeczowników. Niektóre dzieci (prawdopodobnie większość) skupiają swoje wysiłki na pojedynczej strategii – nauce nazw przedmiotów – i u nich wzrost zakresu słownictwa jest największy, podczas gdy inne przyswajają sobie bardziej zróżnicowany leksykon i czynią to bardziej stopniowo (Goldfield, Reznick, 1990). Ogólnie jednak najwcześniejsze odniesienia dotyczą konkretnych przedmiotów: zabawek, pożywienia, ludzi, ubrań, jedzenia, zabaw, spania, płaczu. Dotyczą tych aspektów życia dziecka, które są dla niego ważne, a możliwość werbalnego odnoszenia się do nich otwiera przed dzieckiem różne nowe możliwości zarówno w sferze myślenia, jak i komunikowania się z innymi. Potrzeba nazwania czegoś tak abstrakcyjnego, jak „szczęście" czy „wolność" pojawi się później, gdy jednostka stanie się na poziomie poznawczym zdolna do myślenia w kategoriach takich pojęć.

2. Zabawa

W tym samym czasie, gdy język zaczyna rozkwitać, zmienia się charakter zabawy. Zabawa pozwala na najlepszy wgląd w zdolności poznawcze dziecka. Można wyróżnić kilka schematów rozwojowych ukazujących zmiany w charakterze zabawy u coraz starszych dzieci (przykłady zob. tab. 8.3). Najbardziej godnym uwagi krokiem jest pojawienia się zabawy na niby. Jak twierdzi Piaget, wskazuje ona na przejście ze stadium sensoryczno-motorycznego na poziom funkcjonowania reprezentacyjnego. Istota zmiany polega na tym, iż dziecko nie jest już związane z rzeczywistym przedmiotem, ale posługuje się wyobraźnią i udaje, że jest on czymś zupełnie innym. Patyk, którym się wymachuje jest mieczem, ale wciśnięty między nogi staje się koniem; kawałek rurki raz jest stetoskopem lekarskim, a za chwilę staje się wężem. Dzieci same też przyjmują szereg fikcyjnych ról: kowboj, książę lub kierowca rajdowy; gwiazda estrady, królewna lub modelka.

Dzieci udając, zawieszają swą wiarę w rzeczywistość, którą zmieniają w wyobraźni. Banan jest doskonałym telefonem i przez jakiś czas po prostu *jest* telefonem. Jednak z łatwością potrafią powrócić do rzeczywistości; kiedy ich fantazja się wyczerpie, bez wahania zjedzą telefon. Trzeba przyznać, że niekiedy fantazje są tak widoczne i długotrwałe, że zaniepokojeni rodzice przejmują kontrolę nad dzieckiem. Najczęściej dotyczy to przypadków wymyślonych przyjaciół. Kiedy słyszy

TABELA 8.3

Poziomy zabawy

Poziom	Typ zabawy
Zabawa sensoryczno-motoryczna (dominująca do 18. miesiąca)	Badanie i manipulowanie przedmiotami poprzez np. dotykanie, potrząsanie, ssanie, rzucanie, uderzanie.
Zabawa konstrukcyjna (pojawia się w 2. r. ż.)	Przedmioty coraz częściej służą do budowania, np. klocki tworzą wieże lub rzędy, układa się puzzle, z plasteliny lepi się figurki.
Zabawa na niby (również pojawia się w 2. r. ż.)	Zabawa staje się „wehikułem" dla dziecięcej wyobraźni: przestaje już być związana z rzeczywistością a przedmioty zaczynają reprezentować wszystko, co tylko dziecko zechce.
Zabawa tematyczna, czyli w role (od ok. 4. r. ż.)	Dzieci przyjmują role: kowbojów i Indian, lekarza i pacjenta, nauczyciela i ucznia.
Zabawa według reguł (od wczesnych lat szkolnych)	Dzieci rozumieją, że zabawa może być określona zasadami, do których trzeba się stosować, zwłaszcza, gdy jest to zabawa z innymi. Coraz częściej zajmuje miejsce zabawy na niby.

Źródło: Belsky, Most (1981); Nicolich (1977); Rubin, Fein, Vandenberg (1983).

się, że nie wolno usiąść na pustym krześle, bo Kacper tam siedzi, można stracić cierpliwość i zastanawiać się, czy dziecko nie nazbyt zatapia się w świecie fantazji. Jeśli nawet dziecko wydaje się być całkowicie pochłonięte fantazją, nie ma problemów z zachowaniem granic pomiędzy tym, co udawane, a tym, co realne. Powszechny pogląd, że dziecko żyje w świecie, w którym wyobraźnia miesza mu się z rzeczywistością niezmiennie rzadko potwierdzany jest przez badania empiryczne (Woolley, 1997), a jeśli fantazje zaczynają być groźne, dziecko potrafi się z nich wycofać. Garvey (1990) cytuje przykład dwóch chłopców, którzy zaczęli od dość realistycznej zabawy, polegającej na tym, że zepsuł się wóz strażacki. Odgrywając prace naprawcze musieli znów włączyć go do ruchu, jednak odchodząc w świat fantazji musieli zwalczyć „wszystkojedzącą owcę", która wsiadła do wozu i zaczęła pożerać silnik. Kiedy zaczęli nową zabawę, w której byli straszeni przez ducha chcącego pożreć ich narzędzia naprawcze, dla jednego z nich było to już za dużo – zatrzymał się i przypomniał koledze: „Tak przy okazji, to tylko udajemy". Za chwilę drugi z nich wycofał się, by zauważyć: „Nie ma czegoś takiego, jak duchy" zanim powrócił do zabawy, by zadzwonić do Pogromców duchów o pomoc.

Bez wątpienia zabawa na niby – jak wszystkie czynności z użyciem wyobraźni – pełni wiele funkcji: emocjonalną, poznawczą, społeczną (P. Harris, 2000). Jeśli chodzi o aspekt emocjonalny, umożliwia samotnemu dziecku zaludnienie świata przyjaciółmi i kompensację tego, czego rzeczywistość mu nie oferuje. Podobnie też dziecko odrzucone może stworzyć pozorny świat, w którym zostaje odnalezione przez „prawdziwych" rodziców (zwykle z rodziny królewskiej, a przynajmniej bogatych i sławnych, ale zawsze łagodnych i kochających) i przeniesione w inne środowisko. Fantazja może więc pełnić funkcję substytutu rzeczywistości,

co widać również u dzieci podejmujących w wyobraźni zakazane przez dorosłych
działania. Piaget (1951), na przykład, cytuje pięciolatkę, wściekłą na swego ojca,
która prosi wyimaginowanego towarzysza Zoubaba, by odciął jej tacie głowę:
„ale on ma bardzo silny klej i częściowo przykleił ją z powrotem. Jednak już nie
tak mocno." Nawet tu rzeczywistość pojawia się w postaci winy – chociaż niezu-
pełnej! Na dodatek, fantazje dają okazję do przygotowania się do czegoś nieprzy-
jemnego lub przerażającego, takiego jak oczekiwana hospitalizacja. Jeśli dziecko
przyjmuje rolę lekarza, a rolę pacjenta przypisuje misiowi, zachowuje jakąś kontrolę nad wydarzeniami i ma okazję oswoić się z czekającą je rzeczywistością.

Do konsekwencji zabawy na niby należy zaliczyć przede wszystkim znaczny
rozwój wyobraźni. Garvey (1990) stwierdza: „Pomysłowe, bawiące się na niby
dziecko, zdobywa wiele doświadczeń poprzez manipulację, łączenie i przenosze-
nie skojarzeń pomiędzy słowami i przedmiotami oraz pomiędzy przedmiotami,
ludźmi i działaniami. Dlatego można snuć uzasadnione domysły, że zabawa na
niby jest jednym z ważnych doświadczeń umożliwiających rozwój myślenia abstrakcyjnego". Dziecko, które silnie i często angażuje się w zabawę na niby ma
większą zdolność koncentracji, uczy się formować liczniejsze i bardziej zróżnicowane myśli, jest elastyczniejsze w poszukiwaniu rozwiązań, a w bardziej zawanso-
wanych stadiach tej zabawy ujawnia wyższą zdolność planowania w organizowaniu swych działań w zabawie.

Wymiar społeczny widać szczególnie, jeśli porównamy zabawę na niby w różnych grupach wiekowych. Kiedy dzieci zaczynają angażować się w bardziej złożone i dłuższe działania, ich uspołecznienie również postępuje krok naprzód: podczas gdy początkowo dzieci angażują się głównie w zabawy samotne, to później
najbardziej radosne i owocne wydają się być zabawy z rówieśnikami. Jednakże
zintegrowanie dwóch lub trzech fantazji pochodzących od różnych osób to bardzo skomplikowane zadanie. Pięknie ujęli to Furth i Kane (1992) w opisie zabawy na niby trzech dziewczynek w wieku od $4^{1}/_{2}$ do 6 lat, które postanowiły ode-
grać „Bal królewski" – teatrzyk odgrywały przez dwa dni, a występowały w nim
królowe i księżniczki z rekwizytami właściwymi dla uroczystości królewskich.
Wymagało to długiego planowania i przygotowań, a wiele z nich dotyczyło przypisania ról (kto będzie królową, a kto tylko księżniczką) oraz przyborów, takich
jak płaszcze i telefony (!). Wszystko to wymagało wielu uzgodnień i negocjacji
i stanowiło doskonałą okazję do nauczenia się, jak rozwiązać konflikt w sposób
akceptowany przez wszystkich. Częste używanie takich fraz, jak: „a co z...?",
„OK?" i „dobrze?" pokazywało, że dzieci te usilnie poszukiwały zgody, chociaż
ich „targi" niekiedy przyjmowały dziwaczne formy:

DZIECKO A: (wskazując na kamizelkę na krzesełku dziecka B): Annie, czy ponie-
waż znalazłam ją pierwsza, to mogę ją założyć?
DZIECKO B: Jeśli chcesz, możesz ją założyć na królewski bal.
DZIECKO A: Tylko na bal.

DZIECKO B: Możesz ją założyć na królewski bal, ale na drugi królewski bal. Bo na pierwszy bal ja ją założę, na drugi ty ją założysz, a potem znowu ja. Będziemy się zamieniać. Ale teraz ja ją zakładam.

Tak więc większość wysiłków dzieci poświęcona była najpierw na określenie pewnych formalnych zasad dotyczących organizacji balu królewskiego. Chodziło głównie o właściwe użycie tytułów i pierwszeństwa. Zabawa mogła się odbyć dopiero wtedy, gdy wszystko to zostało ustalone i zatwierdzone z jasno określonym rozpoczęciem i zakończeniem. W takim wspólnym przedsięwzięciu udawanie nie ogranicza się tylko do wyrażenia różnych prywatnych fantazji, ale stanowi okazję do nauczenia się, jak łączyć kilka różnych pomysłów i pragnień w taki sposób, by efekt końcowy zadowalał wszystkich uczestników.

W zabawie na niby dzieci mają także okazję skupić się na ćwiczeniu różnego rodzaju umiejętności. Mogą rozwijać swoje wyobrażenia i przez to uczyć się reprezentacji symbolicznej. Mogą rozwiązywać problemy natury emocjonalnej i próbować dojść do porozumienia. Mogą znaleźć sposoby łączenia się w grupy dla wspólnego celu – a wszystko to w kontekście wesołej zabawy. W początkowych latach szkoły podstawowej zabawa na niby stopniowo znika z repertuaru jawnych zachowań dziecka, gdyż dominować zaczynają gry z zasadami (piłka nożna, kulki, gra w klasy itd.). Jednak wewnętrzne fantazje będą jeszcze długo zajmowały i angażowały dziecko. Dziewczynka, która udawała księżniczkę może wyrosnąć na kobietę angażującą się w bardziej prozaiczne marzenia o zostaniu np. szefową firmy, w której jest tylko zwykłą pracownicą.

3. Rysowanie

Rysunek, tak jak słowo lub zabawka, stanowi symbol reprezentujący prawdziwy przedmiot. Jest on charakterystyczny z dwóch powodów. Po pierwsze, przedstawia graficznie i w jakimś stopniu odzwierciedla trójwymiarową rzeczywistość na dwuwymiarowej powierzchni. Po drugie, rysunek nie stanowi tak umownej reprezentacji, jak słowo czy zabawka, lecz na ogół oczekuje się od niego pewnego podobieństwa do prawdziwej rzeczy.

Dość wcześnie, bo już od końca 2. r. ż. dzieci zdają sobie sprawę z tego, że rysunki niosą ze sobą jakieś znaczenie. Patrzą na swoje zdjęcie i z radością oznajmiają: „to ja" lub pokazują jabłko w książeczce z ilustracjami i po chwili wyjmują prawdziwy przedmiot z miski na owoce mówiąc: „jabłko". Jednak podobnie, jak w przypadku języka, zrozumienie czegoś pojawia się szybciej niż wykonanie. Mija trochę czasu, zanim dzieci same z siebie, intencjonalnie zaczną tworzyć rysunki reprezentujące prawdziwe przedmioty. Pierwsze zetknięcie z papierem i kredką polega na bazgraniu, i mimo wielu prób dopatrywania się w tych bazgrołach jakiejś formy i znaczenia, dowody na to są mało przekonujące. Prawdopodobnie dzieci bazgrzą dla samej radości bazgrania. Jest to czynność dla samej czynności, chociaż pozwala to również dziecku na poznanie medium, czyli tego, czym rysują, a w efekcie dokonuje się rozwój złożonej kontroli percepcyjno-motorycznej potrzebnej do rysowania.

Zdolność rysowania po to, by stworzyć reprezentację przedmiotu pojawia się stopniowo i zazwyczaj w określonym porządku. By w pełni przedstawić ten postęp możemy odnieść się do schematu rozwojowego – zaproponowanego przez Luqueta (1927), pierwszego badacza rysunków dziecięcych – który okazał się niezwykle użyteczny dla kolejnych badaczy. Schemat ten mówi o czterech stadiach:

1. *Realizm przypadkowy*. Począwszy od około 2. r. ż., dzieci nagle zaczynają uświadamiać sobie, że któryś z ich gryzmołów przypomina jakiś prawdziwy przedmiot – piłkę, ptaka, stół, cokolwiek, co dziecko w tym zauważy, mimo że inni mogą widzieć niewielkie podobieństwo. Chociaż dziecko nie zaczyna z tym zamiarem rysować rzeczywistego przedmiotu, jednak takie interpretacje *post hoc* stanowią pierwszą oznakę pojawiającej się zdolności uważania rysunków za symbole reprezentacyjne. A kiedy ta zdolność już się pojawi, zaczyna być wspierana przez komentarze dorosłych: „Czy to dom?", „Czy rysujesz babcię?"

2. *Nieudany realizm*. Nieco później dzieci zaczynają rysować z konkretnym celem stworzenia określonego obrazu. Jednak, jak na razie, nie potrafią zbyt długo utrzymać tej intencji, szczególnie, gdy zawodzą ich własne zdolności i rysunek ani trochę nie przypomina prawdziwego przedmiotu. Mogą wówczas zmienić zamiar – „babcia" zmienia się w „krzak" i powracają do bazgraniny udając, że nie chciały niczego przedstawić.

3. *Realizm intelektualny*. Począwszy od 4. r. ż. zarówno intencje, jak i zdolności do reprezentacji graficznej stają się solidniejsze. Dzieci chcą już, by ich rysunki były rozpoznawalne przez innych. Jednakże to, co rysują jest nie tyle kopią prawdziwego przedmiotu, ile jedynie symbolem, choć trzeba przyznać, że zadowalającym. Poproszone o narysowanie domu, w którym mieszkają, nie narysują prawdziwego bungalowu lub „bliźniaka", lecz stereotypowy domek, czyli coś, co posiada podstawowe cechy domu i jest raczej wyrażeniem tego, co ogólnie wiedzą o domach, niż tym, co widzą w konkretnym budynku.

4. *Realizm wizualny*. W końcu, w wieku około 7 czy 8 lat, dzieci oddają wiernie rzeczywistość rysując coś, co stanowi kopię prawdziwego przedmiotu. Domy mają cechy charakterystyczne, ludzie nie są już portretowani w stereotypowej formie, pojawia się coraz więcej szczegółów, a także próby kopiowania z takimi szczegółami technicznymi, jak perspektywa liniowa i relacja wielkość–dystans.

Wśród wszystkich rysowanych przez dzieci obrazów najczęstsza jest postać ludzka. W tym przypadku również mamy do czynienia z określonym porządkiem rozwoju sposobu, w jaki dzieci radzą sobie z tym zadaniem. Porządek ten został opisany przez Maureen Cox (1992, 1997) na podstawie analizy wielu setek takich rysunków wykonanych przez dzieci w różnym wieku. Gdy dzieci wyjdą ze stadium bazgrania, niemal od razu zaczynają rysować „głowonogi" – składające się po prostu z okrągłego kształtu opartego na dwóch pionowych liniach (zob. ryc. 8.3). Z czasem do tego koła dodawane są szczątkowe elementy twarzy, a w końcu dołączone zostają także ramiona, choć zazwyczaj wprost do głowy. Brak jest tułowia: jego funkcję pełni głowa lub ewentualnie przestrzeń między nogami, co ujawnia się wtedy, gdy dzieci mają wskazać miejsce pępka. Dzieci w wieku od 3 lat wiedzą sporo o brzuchu i klatce piersiowej, ale stworzenie wieloczęściowej postaci stanowi dla nich zbyt duże wyzwanie, dlatego i głowa, i nogi pojawiają się wcześniej niż pozostałe części ciała.

Głowonóg z punktu widzenia dorosłego może wydawać się prymitywną ilustracją człowieka, ale nawet tu dziecko korzysta z symbolicznych środków reprezentacji. Dlatego proste linie *zastępują* kończyny, dwa małe kółeczka – oczy, pozioma linia – usta itd. Nie ma jeszcze prób reprezentacji fotograficznej; paradoksalnie, te najwcześniejsze rysunki są najbardziej symboliczne. Jednakże, jak widzimy na ryc. 8.3, z czasem stają się coraz bardziej realistyczne. Dlatego po stadium głowonogów dzieci przechodzą do, jak to określa Cox, stadium *przejściowego*, kiedy to przestrzeń między nogami konsekwentnie oznacza tułów, a ramiona zgodnie z tym przesuwają się z głowy w kierunku nóg. Możemy wnioskować, że to właśnie wtedy dziecko przestaje traktować pojedyncze linie jako symbole takich elementów, jak kończyny, a ujmuje je jako granice przestrzeni, które z kolei mogą zostać wypełnione. Począwszy od 5. r. ż. postęp w kierunku realizmu staje się coraz bardziej wyraźny, gdyż dzieci zaczynają przyswajać sobie *powszechnie stosowany* sposób rysowania, tj. usiłują rysować ludzi i przedmioty w taki sposób, by były jak najłatwiej rozpoznawalne. Poproszone o narysowanie filiżanki narysują ją z uchem, mimo że ucho było niewidoczne, ale jest to cecha definicyjna tego przedmiotu. Z tego samego powodu ludzie są rysowani z całą twarzą, gdyż to ona przekazuje najwięcej informacji o człowieku, a postać będzie miała dwie ręce, dwie nogi i dwoje oczu. Obrócenie postaci zasłoniłoby niektóre z części ciała i udaremniłoby cel, jakim jest przekazanie wszystkich koniecznych informacji o tym człowieku. W końcu jednak około 7. i 8. r. ż. zaczyna przeważać *realizm wizualny*, kiedy to dzieci próbują przedstawiać ludzi takimi, jakimi są naprawdę, czyli dołączając coraz dokładniejsze szczegóły, takie jak palce i brwi, a rozmaite części ciała są poprawnie rozmieszczone względem siebie i mają właściwe proporcje.

W przypadku wszystkich reprezentacji istnieją pewne konwencje kulturowe, które dzieci muszą poznać – konwencje, które w przypadku rysunku stają się jasne dopiero wtedy, gdy porównamy malowidła takich społeczności, jak Starożytni Egipcjanie i Chińczycy, z naszymi własnymi. Jako dorośli nie zawsze zdajemy sobie sprawę, jak powszechne są te konwencje i jak ważne jest to, by dzieci miały okazję je poznać. Nam te konwencje wydają się „naturalne" i według nas nie trzeba zbytniego wysiłku, by je sobie przyswoić. Jedną z takich konwencji jest

(1) Stadium „głowonogów" (ok. 2$^1/_2$–4 lat)

(2) Stadium przejściowe (ok. 4–5 lat)

(3) Stadium kanoniczne (ok. 5–7 lat)

(4) Stadium realistyczne (od ok. 8 lat)

RYCINA 8.3

Zmiany rozwojowe w dziecięcych rysunkach postaci ludzkich

ustawienie postaci pionowo na kartce, by pokazać, że ona stoi, a poziomo, by pokazać, że leży. Początkowo dzieci nie zwracają na to uwagi, ale jeśli doświadczają deprywacji doznań wzrokowych, jak w przypadku dzieci niewidzących, mogą nie przyswoić sobie tych nawyków (zob. ramka 8.2).

RAMKA 8.2
Niewidome dzieci rysują postaci ludzkie

Poniżej zamieszczono kilka rysunków ludzi. Są one szczególnie godne uwagi, bo zostały stworzone przez dzieci z wrodzoną ślepotą, które nigdy nie widziały człowieka. Dzieci te należą do grupy 30 dzieci, w wieku od 6 do 10 lat, przebadanych przez Susan Millar (1975) i porównanych z grupą dzieci widzących. Wszystkie z nich poproszono o narysowanie postaci ludzkich i był to pierwszy raz, kiedy dzieci niewidome podjęły takie zadanie.

Nic dziwnego, że dzieci widzące stworzyły o wiele lepsze rysunki niż dzieci niewidome. W tych drugich szczególnie brakowało powiązania części ciała i wielu szczegółów. Zaskakujące było jednak to, że dzieci niewidzące potrafiły narysować coś, co jednak przypominało wyglądem inną osobę. Głowy narysowane były jako kółka, oczy jako kropki lub małe kółka, a kończyny jako linie. Przyznać trzeba, że było tak przeważnie tylko w grupie dziesięciolatków (zob. ryc. 8.4). W młodszym wieku, około 6–8 lat, dzieci z mniejszym powodzeniem tworzyły cokolwiek, co przypominało istotę ludzką. Dlatego pomiędzy dziećmi niewidomymi a widzącymi była ogromna różnica w realizacji tego zadania. Ale nawet najmłodsze dzieci podejmowały zasadniczo sensowne próby. Pewien sześcioletni chłopiec powiedział na początku: „Nie wiem, jak powinna iść głowa, ale myślę, że narysuję kółko". To, w jaki sposób niewidome dzieci poznały zasady reprezentowania trójwymiarowego ciała ludzkiego na dwuwymiarowej kartce i jaką rolę w tym względzie odgrywał na przykład dotyk, pozostaje zagadką.

RYCINA 8.4
Rysunki ludzi wykonane przez niewidomych dziesięciolatków

Pod jeszcze jednym względem dzieci niewidome wypadały w tym zadaniu gorzej od dzieci widzących: nie wiedziały, że rysowaną postać należy umieścić pionowo, w pozycji wyprostowanej, „na ziemi". Niemal wszystkie dzieci widzące, nawet najmłodsze, zastosowały tę konwencję. Natomiast wiele niewidomych dzieci rysowało postaci odwrócone, w pozycji poziomej lub prawie poziomej (zob. ryc. 8.5). Wygląda na to, że dzieci po prostu nie znały zasad ich umiejscawiania. Poproszone o wskazanie podłogi na obrazku albo rysowały wokół postaci gryzmoły, albo pokazywały ręką na całą kartkę i mówiły, że podłoga „to wszystko wokół". Jednak, gdy zapoznano je z konwencją, szybko zaczęły ją stosować odwzorowując podłogę jako poziomą linię u dołu strony. Jeden z chłopców, który nigdy wcześniej nie rysował postaci ludzkiej, na początku umieścił ją w pozycji poziomej, a później odwróconej. Jednak, gdy mu powiedziano, że „podłogę" zazwyczaj rysuje się jako poziomą kreskę równoległą do dolnej krawędzi, natychmiast narysował poprawnie ustawioną postać. Opanowywanie takich „zasad przekładu" może być zatem uważane za niezbędny element uczenia się symbolicznego reprezentowania przedmiotów za pomocą znaków na płaskiej kartce.

(a)   (b)

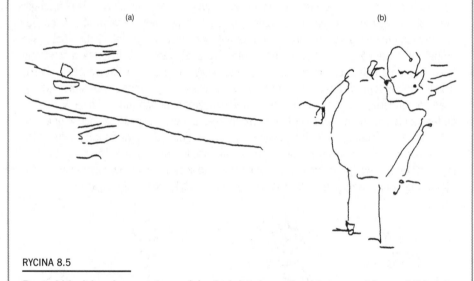

RYCINA 8.5

Rysunki ludzi wykonane przez (a) ośmioletniego niewidomego chłopca i (b) dziewięcioletnie niewidome dziecko

Organizacja umysłu

Kiedykolwiek napotykamy nowe doświadczenie natychmiast próbujemy je zrozumieć poprzez odniesienie do poprzednich doświadczeń. Rzadko postrzegamy je jako coś zupełnie odrębnego. Gdyby tak było, przytłoczyłaby nas wielka różnorodność tych wszystkich unikatowych rzeczy, jakie napotykamy. Zamiast tego próbujemy pojąć każde doświadczenie jako takie samo, jak (lub podobne do, lub inne niż) niektóre zbiory innych doświadczeń, nadając temu, co nieznane, znaczenie poprzez odniesienie do już znanego. Umysł automatycznie interpretuje nasze nowe doświadczenia, organizując je i modyfikując tak, by pasowały do ogólnej ramy, w ten sposób upraszczając i porządkując naszą umysłową reprezentację świata. U młodszych dzieci jest to tendencja z pewnością ograniczona, niemniej jej początki można zaobserwować zaskakująco wcześnie. Zbadamy ją w odniesieniu do dwóch rodzajów czynności organizacji pracy umysłu, mianowicie, formowania się pojęć i tworzenia skryptów.

Formowanie pojęć

Jednym ze sposobów sprawiania, by świat nie był tak skomplikowany, jest grupowanie przedmiotów, które mają wspólne cechy. Efektem końcowym takiego działania są **pojęcia** – kategorie umysłowe, które umożliwiają nam traktowanie jako jedno rzeczy bardzo różnych, tworząc jednostkę słu-   **Pojęcia** są to kategorie
żącą do konkretnego celu. Tak więc „zwierzęta" to pojęcie, które   umysłowe służące
umożliwia łączne klasyfikowanie much, psów i słoni: stworzeń,   klasyfikacji różnych
które są od siebie całkowicie różne z wyjątkiem cech, które tworzą   przedmiotów
wspólny rdzeń. Tego typu pojęcia służą podzieleniu świata na kate-   podobnych ze względu
gorie zdatne by nimi operować; umożliwiają nam organizację na-   na pewną wspólną
szych doświadczeń w sensowne wzorce, przechowywanie ich   cechę.
w sposób ekonomiczny i wyciąganie wniosków na temat nowych doświadczeń bez potrzeby każdorazowego poznawania ich wszystkich na nowo.

Pojęcia są ściśle powiązane z językiem, ponieważ są zwykle identyfikowane z jakąś nazwą. Mimo to zdolność kategoryzowania może pojawić się już w bardzo wczesnym wieku, nawet przed rozpoczęciem nauki języka. Dajmy osiemnastomiesięcznym dzieciom do zabawy zbiór przedmiotów, z których część służy do jedzenia, inne do mycia, a dzieci spontanicznie podzielą je według ich przeznaczenia, mimo iż przedmioty w jednej grupie wyglądać będą różnie (Fivush, 1987). Za pomocą innej metody można wykazać posługiwanie się kategoryzacją nawet w jeszcze wcześniejszym wieku; jest to *technika preferowania nowości*. Polega ona na wielokrotnym prezentowaniu dziecku określonego bodźca, tak, by się do niego przyzwyczaiło, co spowoduje, że będzie on coraz mniej przyciągał uwagę dziecka. Kiedy pojawi się potem razem z innym, nieznanym bodźcem, dziecko powinno chętniej zareagować na ten drugi – nowy bodziec. W ten sposób można ustalić, co nawet bardzo małe niemowlę uważa za to samo, a co za coś innego. Korzystając z tej techniki Paul Quinn wraz z zespołem (np.: Quinn, Eimas, 1996; Quinn i in., 2001) odkrył podczas serii eksperymentów, że już trzymiesięczne dzieci uważają za „te same" cały zakres zróżnicowanych pod względem percepcyjnym bodźców. Na przykład, wszystkie obrazki koni w różnych kolorach, różnej orientacji w przestrzeni i w różnych pozach zostały uznane za jednakowe; podobnie było w przypadku różnych obrazków kotów – wyglądało to tak, jak gdyby dzieci od razu stworzyły kategorię „koni" i „kotów".

Wraz z wiekiem dzieci dokonują coraz bardziej wyrafinowanych kategoryzacji. Jest to widoczne przede wszystkim w dwóch trendach rozwojowych – w zmianie podstawy kategoryzacji z percepcyjnej na konceptualną i w rosnącej zdolności hierarchizowania kategorii.

- *Od cech percepcyjnych do pojęciowych.* Pierwsze kategorie opierają się głównie na cechach czysto wizualnych. Dzieci poproszone o uszeregowanie przedmiotów na podstawie tego, „co do siebie pasuje", czapkę połączą z piłką, bo obie są jaskrawo czerwone, a nie czapkę z szalikiem, bo są częściami garderoby. Druga kombinacja wymaga zastosowania kryterium abstrakcyjnego i dlatego stanowi bardziej skomplikowane pod względem umysłowym zadanie, które opanowane zostanie w późniejszym wieku. Jeszcze bardziej abstrakcyjne pojęcia, takie jak czas, przestrzeń, wolność, życie i śmierć pojawiają się znacznie później (badania dotyczące życia i śmierci zob. ramka 8.3). Jednak łatwo przesadzić z tym poleganiem małych dzieci tylko na cechach percepcyjnych. Zdaniem Piageta, abstrakcja jakiegokolwiek rodzaju jest niemożliwa zanim dziecko nie wyjdzie ze stadium przedoperacyjnego na progu okresu szkolnego. Tyle tylko mówi teoria Piageta. Jednak bardziej współczesne dane empiryczne świadczą o tym, że już o wiele młodsze dzieci są zdolne do klasyfikowania przedmiotów na podstawie wcale nie oczywistych cech. Gopnik i Sobel (2000) stwierdzili to pokazując dzieciom – jak to nazwali „wykrywacz blicketów" – maszynę, która świeciła i odtwarzała muzykę za każdym razem, kiedy umieszczono na niej pewien określony przedmiot (nazwany „blicketem"), natomiast inne przedmioty (niektóre podobne, inne o odmiennym wyglądzie) nie dawały takiego efektu. Dzieci w wieku przedszkolnym, a nawet niektóre trzylatki szybko uczyły się właściwej klasyfikacji przedmiotów do grupy „blicketów" i „nie-blicketów". Innymi słowy, wykazały, że potrafią nazwać i skategoryzować przedmioty pod kątem ich mocy sprawczej, tj. cech funkcjonalnych z pominięciem cech percepcyjnych.
- *Powstanie układu hierachicznego.* Jak widać na ryc. 8.6, nasz świat pojęć układa się w określoną hierarchię. Im wyższy poziom, tym obszerniejsza i bardziej abstrakcyjna kategoria. Według Eleanor Rosch i jej zespołu (1976) należy wyróżnić trzy poziomy: *podstawowy, podrzędny* i *nadrzędny.* Dzieciom najłatwiej jest określić kategorie na poziomie podstawowym – z powodu istnienia szeregu wspólnych dla różnych przedmiotów cech. Dlatego „pies" to kategoria podstawowa; takie pojęcie kształtuje się o wiele bardziej naturalnie i szybciej niż nadrzędne pojęcie „zwierzęcia" lub podrzędne, takie jak np. „owczarek collie", bo na obu tych poziomach grupowanie cech w umyśle nie jest łatwe. Nie wszyscy jednak zgadzają się z tym, że proces formowania się pojęć przebiega według tak

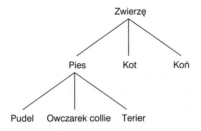

RYCINA 8.6

Hierarchia pojęć na poziomach nadrzędnym, podstawowym i podrzędnym

określonego porządku. Pewne jest jednak, że dzieci stopniowo uczą się, iż możliwe jest „układanie" reprezentacji umysłowych w czytelne, uporządkowane hierarchie i że pomagają im one myśleć o świecie w sposób sensowny.

RAMKA 8.3

Dziecięce rozmyślania na temat życia i śmierci

Najważniejszymi spośród wszystkich tworzonych przez nas koncepcji są koncepcje życia i śmierci. Należą one również do – przynajmniej z punktu widzenia dzieci – najtrudniejszych. Trudno więc się dziwić, że wielu psychologów pragnęło zgłębić to, w jaki sposób dzieci o tym myślą. Należał do nich m.in. Piaget (1929). W swoich pierwszych pracach chciał określić, czy dzieci potrafią rozróżnić to, co ożywione od tego, co nieożywione i badał to poprzez pytanie ich, jakiego rodzaju zjawiska kojarzą one z życiem i świadomością. Jak przekonaliśmy się już w rozdz. 6., doszedł do wniosku, że małe dzieci początkowo automatycznie niemal wszystko uznają za żywe. Tendencję tę określił mianem *animizmu*. Dzięki temu, że same posiadają świadomość, automatycznie przypisują ją prawie wszystkim przedmiotom: toczącym się kamieniom, rowerowi, wiatrowi – wszystkie te przedmioty ich zdaniem wiedzą, co robią. Wraz z wiekiem jednak stopniowo liczba przedmiotów uznawanych za żywe zmniejsza się. Jednak dopiero w średnim dzieciństwie dzieci zaczynają zdawać sobie sprawę z tego, że tylko ludzie i zwierzęta posiadają świadomość.

Późniejsze badania podważyły tę opinię. Uważa się, że Piaget zadawał błędne pytania. Wychodził on z założenia, że życie to pojęcie absolutne, i że dzieci potrafią wyraźnie określić, co żyje, a co nie. Jednak późniejsze prace wskazują na to, że ani życie, ani śmierć pojęciami absolutnymi nie są, a każde z nich składa się z rozmaitych elementów, które nie pojawiają się równocześnie.

Zajmijmy się pojęciem życia. Jak wynika z niektórych badań (np. Inagaki, Hatano, 1996; Rosengren i in., 1991), ważne jest rozróżnienie poszczególnych subpojęć zawartych w pojęciu życia, takich jak wzrost, rozmnażanie, samoczynne ruchy, dziedziczenie i zmiany rozwojowe, oraz indywidualne ich rozpatrywanie. Jeśli się to zrobi, uzyskamy obraz zupełnie odmienny od tego, jaki nakreślił Piaget. Na przykład wygląda na to, że nawet trzylatki zdają sobie sprawę, iż z czasem zwierzęta stają się coraz większe, a inne przedmioty nie. Wygląda na to, że nawet najmłodsze z badanych dzieci dysponują prymitywnym pojęciem wzrostu jako spontaniczną zmianą rozmiarów. A jest to cecha wyłącznie ludzi i zwierząt. Podobnie jest z samoczynnymi ruchami. Ten problem już bardzo wcześnie staje się kryterium odróżniania przedmiotów ożywionych od nieożywionych. W okresie przedszkolnym dzieci zaczynają dostrzegać pewne cechy wspólne zwierząt i roślin, według których można je klasyfikować razem. Na przykład, w wieku 4 lat dzieci rozumieją, że posiadają one wspólne cechy, takie jak potrzeba odżywiania, natomiast wyroby człowieka jej nie posiadają i dlatego stanowią zjawisko innej klasy. Nawet pojęcie dziedziczenia, przynajmniej w ograniczonej formie, pojawia się już u bardzo małych dzieci. Wiedzą one, że psy-mamusie będą miały psy-dzidziusie, a nie kotki-dzidziusie, i że zarówno zwierzęta, jak i rośliny biorą swoją barwę lub umaszczenie od rodziców, natomiast przedmioty wytworzone przez człowieka będą miały taki kolor, jaki nada im człowiek. Prześledzenie rozwoju dziecięcej koncepcji „życia" wymaga więc zwrócenia uwagi na te poszczególne elementy, a nie łącznego ich potraktowania jako cechy ogólnej.

Podobne wnioski wynikają z prac nad pojęciem śmierci (np. Lazar, Torney-Purta, 1991). Można tu rozróżnić cztery elementy tego pojęcia: nieodwracalność (nieżywi nigdy nie powracają do życia), zaprzestanie (wszystkie funkcje biologiczne i psychiczne kończą się), przyczynowość (śmierć powodują pewne obiektywne czynniki) i nieuchronność (śmierć ma charakter uniwersalny i dotyczy również dzieci). Jeśli każdy z tych elementów jest badany osobno, można zauważyć, że moment ich pojawienia się i przebieg rozwoju jest różny. Jako pierwsze pojawia się pojęcie nieodwracalności i nieuchronności śmierci: w wieku 6 lat dzieci już w pełni je rozumieją. Dwa pozostałe komponenty, tj. zaprzestanie i przyczynowość, opanowywane są nieco później. Ich zrozumienie zależy od zrozumienia przynajmniej jednego z dwóch poprzednich pojęć. Ale mimo to, poproszone o podanie bardziej szczegółowych wyjaśnień, dzieci często udzielają dziwnych odpowiedzi. Wielu z zapytanych o przyczyny śmierci sześcio- i siedmiolatków, których badali Lazar i Torney-Purta, wymieniało raka, atak serca i AIDS, ale niektóre mówiły także, że „od jedzenia mydła" i „od śniegu". Co ciekawe, stosunkowo niewiele dzieci wspomniało o starości jako o przyczynie śmierci.

Możemy zatem dojść do wniosku, że dzieci nawet w okresie przedszkolnym potrafią odróżnić to, co żywe od tego, co nieożywione. Jednakże ich sposób pojmowania nadal nie jest pełny. Początkowo dotyczy tylko pewnych aspektów, pozostałe aspekty pojawiają się później. Wiadomo, że osobiste doświadczenia kształtują przebieg rozwoju. Narodziny rodzeństwa lub śmierć dziadka ujawniają dziecku realia życia i stanowią doskonałą okazję uzyskania informacji obiektywnych. Piaget miał rację, że osiągnięcie pełnego zrozumienia w tej kwestii to proces długotrwały: przed ukończeniem 8.–9. r. ż. dzieci nie rozumieją w pełni prawdziwego znaczenia życia i śmierci. Jednak skupiając się na ogólnie ujętym, niezróżnicowanym pojęciu życia i śmierci, przeoczył pewne wcześniejsze oznaki rozumienia ich określonych elementów, przez co nie docenił tego, że nawet u całkiem małych dzieci kształtują się już pewne pojęcia.

Tworzenie skryptów

Myślimy o świecie nie tylko w kategoriach nieruchomych przedmiotów, ale również jako o sekwencjach zachodzących w nim wydarzeń. Podróż rano do pracy lub szkoły, zakupy w miejscowym supermarkecie, obiady rodzinne, wizyty u krewnych – te i wiele innych czynności pojawiają się w regularnych sekwencjach w naszym codziennym życiu. Nadają mu strukturę, która jest przewidywalna i daje poczucie bezpieczeństwa. Reprezentacje umysłowe tych wydarzeń określamy nazwą **skryptów**.

Skrypt to umysłowa reprezentacja określonych wydarzeń życia codziennego oraz właściwych im zachowań i emocji.

Skrypty mówią nam „jak poszczególne sprawy powinny się toczyć, czego możemy się spodziewać". Są to modele często powtarzanych, stereotypowych doświadczeń i dlatego można je wykorzystać jako przewodniki zachowania niezależnie od tego, co się konkretnie wydarzy. Warto zwrócić uwagę na trzy cechy skryptów (Nelson, 1978):

- Skrypt zawiera pewne działania obowiązkowe w danej sekwencji.
- Jest otwarty jednak na nowe wydarzenia.
- Ponadto, wyznacza pewne role, które są pełnione przez różnych aktorów.

Na przykład, obiad rodzinny zakłada tak podstawowe czynności, jak gotowanie, nakrywanie do stołu, jedzenie i sprzątanie, które ujęte razem definiują to wydarzenie. To jednak, co jest gotowane i jedzone oraz kto bierze w tym udział może się od czasu do czasu zmieniać. Niemniej jednak, musi być określone, kto gotuje, kto nakrywa i kto sprząta. Dlatego całe wydarzenie ma spójną strukturę czasową, która jest za każdym razem powtarzana, chociaż względem pewnych jego cech dopuszcza się jakiś stopień zmienności.

Dzieci przynajmniej od 3. r. ż. potrafią już formować skrypty na temat sporego zakresu czynności codziennych. Nie tylko wiedzą, jak się zachować w odpowiednim momencie, co świadczy o tym, że wiedzą „co będzie potem", ale potrafią także lepiej lub gorzej słownie opisać daną czynność. Wygląda na to, że przechowują ten opis w pamięci jako określoną sekwencję działań. Sporo oryginalnych badań nad skryptami u dzieci przeprowadziła Katherine Nelson ze współpracownikami (1986; Nelson, Gruendel, 1981). Prosiła ona dzieci w wieku przedszkolnym, by opowiedziały różne znane im wydarzenia, takie jak zakupy lub wizyta w McDonaldzie. Oto jedna z relacji:

Wchodzę do środka i, i, i proszę tatusia, a wtedy tatuś prosi tę panią i ta pani idzie po to. Jedna mała cola, jeden cheeseburger... Chcą jeść na miejscu, więc nie potrzebują tacki. Wtedy idziemy, szukamy stolika. Zjadam wszystko. I wyrzucam... i papier, rzucam cheeseburgery do śmietnika. Do widzenia. Do widzenia. Wskakuję do samochodu... Brrum! Brrum!

Godne uwagi jest to, że trzylatki opowiadają swoje historie we właściwym porządku czasowym. Widać, że są wrażliwe na punkcie tego, co następuje po czym, i że przechowują w pamięci reprezentację tego. Pogwałcenie przez dorosłych tego „należytego" porządku może być dla dziecka bardzo niepokojące. Dwuletnia dziewczynka, która wyjątkowo została wykąpana przed, a nie po kolacji, obawiała się w rezultacie, że tego dnia nie dostanie już nic do jedzenia (Hudson, 1990). Porządek czasowy jest dla dzieci tak ważny, że gdy opowie się im historyjkę, w której pewne czynności zaprezentowane zostaną w niewłaściwej kolejności, opowiedzą później tę historię po prostu opuszczając ten fragment z niewłaściwą kolejnością. Doświadczane wydarzenia posiadają więc swój wymiar czasowy, i jest to tak ważne, że po doświadczeniu „nieporządku" dzieci od razu tworzą własny opis tego wydarzenia we właściwej kolejności.

Wraz w wiekiem istota skryptów zmienia się w różny sposób. Najważniejszą zmianą jest to, że stają się one coraz bardziej rozbudowane, dłuższe i bardziej szczegółowe. Starsze dzieci są w stanie stworzyć i przedstawić opis zawierający sporo elementów i dlatego ich opowiadanie jest bardziej rozbudowane. Ponadto, starsze dzieci dopuszczają więcej odchyleń od zasadniczego planu. W wieku około 3 lat widać, iż dzieci przechowują głównie podstawową strukturę wydarzenia, natomiast w wieku 5 lat potrafią już wprowadzić do niej wiele pozaprogramowych dodatków („można zamówić hamburgera lub cheeseburgera"). Jeszcze jedna zmiana rozwojowa: opowiadania młodszych dzieci skupiają się niemal wyłącznie na działaniach, natomiast około 5. r. ż. dzieci zaczynają opowiadać również o celach i odczuciach wykonawców czynności.

Skrypty odgrywają ważną rolę poznawczą i społeczną. Nelson określała je mianem „podstawowych klocków", z jakich buduje się poznanie. Każdego rodzaju informacje o świecie porządkowane są wokół tych podstawowych struktur umysłowych. Z czasem posłużą one za fundament bardziej złożonych i abstrakcyjnych kompetencji poznawczych, takich jak rozumienie historii oraz posługiwanie się pismem. Jeśli zaś chodzi o zastosowania społeczne, skrypty stanowią środek przechowywania wiedzy o świecie podzielanej z innymi ludźmi. Dotyczą bowiem zazwyczaj czynności codziennych, dając dzieciom możliwość wymiany doświadczeń z innymi, czerpania wiedzy z ich opowiadań oraz dyskutowania, z różnych punktów widzenia, o tym, co powinno, a co nie powinno mieć miejsca.

Zapamiętywanie

Istotną część przetwarzania informacji stanowi dostęp do wiedzy zgromadzonej w wyniku wcześniejszych doświadczeń i przechowywanej w naszej pamięci w formie reprezentacji przeszłości. Czym jest pamięć i jak rozwija się ona w okresie dzieciństwa?

Istota pamięci

Najpopularniejszym wyobrażeniem naszej pamięci jest pojemnik, do którego bardziej czy mniej automatycznie wrzucamy wszystkie kolejne doświadczenia. Od czasu do czasu decydujemy się na wyciągnięcie z tego pojemnika jakiegoś wspomnienia, gdy jednak wspomnienia te są przechowywane w nim przez dłuższy czas bez „odświeżania", mogą się zepsuć lub nawet zupełnie zniknąć. Uważa się, że zapamiętywanie u dzieci przebiega w taki właśnie sposób. Jedyna różnica w stosunku do dorosłych polega na tym, że ich pojemniki są mniejsze.

Dzięki ogromnym zbiorom wyników badań (przegląd zob. Tulving, Craik, 2000), wiemy już, że pogląd ten jest w wielu punktach mylący. Z jednej strony, system pamięci to niezwykle skomplikowana struktura, na którą składa się nie jeden, ale wiele „pojemników", i każdy z nich pełni swoją odrębną funkcję. Z drugiej, w przechowywaniu naszych doświadczeń brak jakiegokolwiek automatyzmu. Wręcz przeciwnie, jest to czynny, twórczy proces, na który ma wpływ wiele czynników, takich jak cele, jakie sobie jednostka stawia, poprzednio zdobyta wiedza i cele społeczne. Jeśli chodzi o pamięć dziecięcą, to może ona mieć nieco ograniczoną pojemność (choć niekoniecznie we wszystkich aspektach), ale również pod względem jakościowym działa niezupełnie tak samo, jak pamięć osób dorosłych.

Jeśli chodzi o strukturę systemu pamięci, to pokazuje ją, choć w sposób znacznie uproszczony, diagram blokowy na ryc. 8.1 (s. 248). Widać tam trzy podstawowe struktury:

- *Rejestrator sensoryczny*, którego funkcja polega, mówiąc w skrócie, na podtrzymaniu zewnętrznej stymulacji w momencie jej odbioru za pomocą narządów zmysłów*.
- *Magazyn pamięci krótkotrwałej*, który otrzymuje informacje z rejestratora sensorycznego, lecz ma ograniczaną pojemność (niekiedy zaledwie do ok. 7 obiektów). Jego zdolności do przechowania informacji przez jakikolwiek dłuższy czas są także ograniczone. Na przykład numer telefonu zniknie po kilku sekundach lub co najwyżej kilku minutach, jeśli jednostka nie zastosuje jakiejś strategii, takiej jak np. powtarzanie, by go „utrzymać". Pamięć krótkotrwała nie jest jednak strukturą jednolitą. Składa się z trzech komponentów: magazynu *wzrokowo-przestrzennego* odpowiedzialnego za informacje odbierane za pomocą systemu wzrokowego; magazynu *fonologicznego*, który ogranicza się do informacji dźwiękowych, oraz *centralnego wykonawcy*, który pełni rozmaite funkcje wyższego rzędu, takie jak koordynacja informacji przepływających

---

* Jest to tzw. pamięć sensoryczna – por. T. Maruszewski (2000). Pamięć jako podstawowy mechanizm przechowywania doświadczenia. W: J. Strelau (red.), *Psychologia. Podręcznik akademicki* (s. 137–164). Gdańsk: GWP (patrz s. 143, 152) (przyp. red. nauk.).

przez magazyn krótkoterminowy czy stosowanie powtarzania lub innych strategii zapamiętywania.

- *Magazyn pamięci długotrwałej* odbiera informacje początkowo funkcjonujące w pamięci krótkotrwałej i może przechować je przez miesiące i lata. I tu – podobnie jak wyżej – jest to struktura składająca się z odrębnych elementów. Szczególnie warto rozróżnić pamięć *epizodyczną* i *semantyczną*. Pamięć epizodyczna odnosi się do naszych przeżyć osobistych – wczorajsze wieczorne spotkanie, wakacje w Turcji dwa lata temu, egzamin na prawo jazdy, do którego podchodziliśmy (i prawie zdaliśmy) w zeszłym miesiącu, lub jakiekolwiek inne znaczące wydarzenie w przeszłości, które może być zachowane w formie skryptów i zmagazynowane w określonym porządku chronologicznym. Pamięć semantyczna odnosi się natomiast do wiedzy o faktach, uporządkowanej w różne kategorie, takie jak pojęcia, lecz bez żadnego odniesienia do czasu, kiedy wiedza ta została nabyta. Wiemy, jaka jest stolica Szwecji, ale nie pamiętamy, kiedy się o tym dowiedzieliśmy.

Uzasadnione jest przekonanie, że wszystkie te rozmaite struktury są odrębne, zarówno pod względem ich umiejscowienia w mózgu, jak i drogi rozwoju. Uszkodzenia neurologiczne pewnych obszarów mózgu mogą, na przykład, skutkować upośledzeniem układu fonologicznego, ale już nie wzrokowo-przestrzennego (Gathercole, 1998). Podobnie, różnicę pomiędzy pamięcią krótko- i długotrwałą można wykazać obserwując, jak w starszym wieku ta pierwsza pogarsza się o wiele szybciej niż druga.

Rozwój pamięci

Biorąc pod uwagę złożoność systemu pamięci, istotą zadania rozwojowego stojącego przed dziećmi wcale nie jest stopniowa „poprawa w zapamiętywaniu rzeczy". Istnieją cztery ważne aspekty rozwoju, jakie należy tu wyróżnić, odnoszące się odpowiednio do zmian pojemności, wiedzy, strategii i metapamięci.

1. Pojemność

Wydaje się być najbardziej oczywistą przyczyną zachodzących wraz z wiekiem zmian w dziecięcym zapamiętywaniu. Gorsze wyniki małych dzieci mogą być spowodowane mniejszą przestrzenią dostępną dla aparatu przetwarzania informacji, co prawdopodobnie wynika z niedojrzałości układu nerwowego. Jednak dowody nie są tak jednoznaczne i wskazują, że z wiekiem wcale nie zmienia się pojemność rejestru sensorycznego ani pamięci długotrwałej. Tylko pamięć krótkotrwała wykazuje pewną zmianę, co ilustruje ryc. 8.2 (s. 251), dotycząca zakresu odtwarzania zapamiętanych cyfr i słów. Nawet i to jednak wcale nie musi wynikać z samego wzrostu pojemności, lecz ze sposobu korzystania z tej pojemności. Na przykład, starsze dzieci posiadają większą wiedzę i większy zakres słów i liczb, a to z kolei może wynikać z większej prędkości identyfikowania przedmiotów i skuteczniejszego ich zapamiętywania. Ponadto, starsze dzieci posiadają lepszą zdolność stosowania rozmaitych strategii zapamiętywania materiału. Potrafią też myśleć o pamięci jako o czynności umysłowej i dzięki temu same wypracowują skuteczne sposoby jej wykorzystywania. Dlatego pojemność jest nierozerwalnie związana z wiedzą, strategiami i metapamięcią. Jakikolwiek postęp w rozwoju tej zdolności jest raczej odzwierciedleniem wszystkich tych wpływów, niż po prostu zmian ilościowych pojemności mózgu.

2. Wiedza

To, co wiemy wpływa na to, co pamiętamy. Im bardziej jest nam znany temat, tym łatwiej zachowujemy dodatkowe o nim informacje. Ogólnie mówiąc, starsze dzieci wiedzą więcej niż młodsze i dlatego można oczekiwać, że będą zapamiętywały więcej.

A co, jeśli zdarzy się, że młodsze dzieci są bardziej obeznane w jakimś temacie niż starsi od nich? W jednym z klasycznych eksperymentów Chi (1978) prosiła ośmio- i dziesięcioletnich ekspertów szachowych, by odtworzyli na szachownicy układ, który oglądali jedynie przez 10 sekund, i porównała ich wykonanie z wykonaniem osób dorosłych, które niewiele wiedziały o tej grze. Dzieci te znacznie przewyższały dorosłych w zapamiętywaniu pozycji pionków. Jednak w standardowym teście powtarzania cyfr, dzieci uzyskały gorsze wyniki (zob. ryc. 8.7). Większa u nich zdolność zapamiętywania ograniczała się zatem tylko do szachów. To ich fachowa wiedza zniwelowała efekt wieku.

3. Strategie

Dzieci w miarę dorastania stają się coraz bardziej sprawne w stosowaniu różnorakich strategii, które pomagają im na każdym etapie zapamiętywania – kodowania, przechowywania i przypominania sobie informacji. Są to techniki stosowane celowo, a dzieci najczęściej dochodzą do nich same i traktują jako użyteczne sposoby wzmocnienia swych zdolności (lista najpopularniejszych technik zob. tab. 8.4). Najczęściej stosowana jest strategia powtarzania. Kiedy dziecko wie, że będzie musiało przypomnieć sobie ciąg słów lub cyfr, często słychać jak po cichutku powtarza je sobie lub widać ruch warg, gdy powtarza je sobie bezgłośnie w czasie oczekiwania na odtworzenie. Jednakże rzadko można to zauważyć przed 7. r. ż. Mimo że małe dzieci są często zachęcane do wykorzystywania określonych strategii w konkretnej sytuacji, to jednak nie potrafią przenieść tej umiejętności na nowe zadanie. Jednakże począwszy od 7. r. ż. zarówno częstotliwość, jak i elastyczność stosowanych strategii wzrasta. W wyniku tego dziecko staje się coraz bardziej kompetentne w korzystaniu ze swej pamięci, bez względu na jej pojemność.

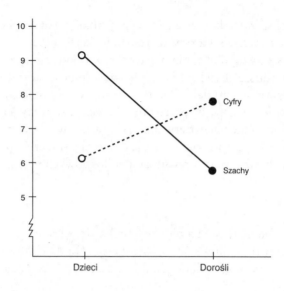

RYCINA 8.7

Liczba ustawień szachowych i cyfr poprawnie zapamiętanych przez dziecięcych ekspertów szachowych i dorosłych nowicjuszy (za: Chi, 1978)

TABELA 8.4

Strategie zapamiętywania stosowane przez dzieci

Strategia	Operacja	Przykład
Powtarzanie	Powtarzanie w kółko danej informacji	Bezgłośne powtarzanie ujawniane poprzez ruch warg
Organizowanie	Przestawianie informacji i nadawanie im bardziej znanej formy	Przypadkowo zestawiona lista zwierząt, jedzenia i mebli jest dzielona zgodnie z tymi trzema kategoriami
Przepracowywanie	Tworzenie związków pomiędzy informacjami, które w innych sytuacjach pozostawałyby bez związku	Stworzenie zdania zawierającego podane informacje, np. *„Kot* wypił butelkę *wina* pod *sofą"*
Uwaga selektywna	Wybiórcze zwracanie uwagi na informacje, które później mają być przywołane	Wiedząc, że później pojawią się pytania dotyczące zabawek, dziecko będzie celowo ich poszukiwało i nazywało w trakcie okresu oczekiwania.
Odzyskiwanie informacji	Szukanie sposobów, by zachowane wiadomości były łatwiejsze do zapamiętania, jeśli wiadomo, że muszą być później przywołane	Podzielenie trudnej nazwy na elementy, które łatwiej zapamiętać

4. Metapoznanie

Pojęcie **metapoznania** odnosi się do świadomości i wiedzy jednostki o własnych procesach poznawczych. Obejmuje ono *metapamięć*, czyli zrozumienie, że własna pamięć funkcjonuje w określony sposób, ma pewne ograniczenia, w niektórych sytuacjach spisuje się lepiej niż w innych, i w ten, czy inny sposób można ją wspomagać. To wszystko zakłada pewien dystans wobec siebie i obiektywne spojrzenie na sposób działania własnych procesów umysłowych. Taką zdolność świadomej refleksji dzieci nabywają z wiekiem, i im są starsze, tym bardziej szczegółowa i trafna będzie ich wiedza o własnej pamięci. Dzięki takiej samowiedzy dzieci stają się większymi realistami w tym, co usiłują zapamiętać. Małe dzieci są często zbyt optymistycznie nastawione, jeśli chodzi o przekonanie o własnych zdolnościach, natomiast dzieci starsze stają się już bardziej obiektywne w samoocenie.

Metapoznanie to świadomość i wiedza na temat własnych procesów poznawczych. Obejmuje np. metapamięć i metakomunikację.

Z analizy pamięci pod kątem jej rozwoju wyłania się kilka wniosków. Z jednej strony staje się jasne, że pamięć nie jest jakimś odizolowanym od innych aspektem funkcjonowania umysłu. Kuhn (2000) stwierdza: „to, co pamiętamy stanowi integrację tego, co aktualnie przeżywamy, co już wiemy i o czym możemy wnioskować". Nasze zainteresowania, cele, różne sprawności i wgląd w siebie odgrywają swoją rolę w zapamiętywaniu. W proces zapamiętywania i odtwarzania jest więc zaangażowana cała osoba, a nie jej poszczególne kawałki. Ponadto, pamiętanie, bez względu na to, czy mówimy o przechowywaniu, czy o odtwarzaniu z pamięci, nie jest operacją mechaniczną czy rutynową, jest to wysiłek twórczy, do którego wypracowaliśmy cały szereg strategii służących za narzędzia, pomagające nam osiągnąć cele, dla których korzystamy z pamięci. Wreszcie, jeśli chodzi o te cele, ludzie rzadko pamiętają coś dla samego pamiętania. Raczej jest tak, że (znów Kuhn): „ich pamięć służy innym celom zawartym w tym, czego się podejmują". Jak widzimy w ramce 8.4, dzieci są niekiedy zdolne do nieoczekiwanych wyczynów pamięciowych, jeśli mają do tego powód; bez takiego powodu, zapamiętywanie dla samego zapamiętywania będzie o wiele mniej skuteczne.

RAMKA 8.4

Zdolności pamięciowe u dzieci Aborygenów australijskich

Wiele badań poświęcono badaniu zdolności poznawczych aborygeńskich mieszkańców Australii. Wykorzystywano różnorodne techniki oceniania, takie jak: testy inteligencji, testy osiągnięć szkolnych i zadania piagetowskie. Prawie we wszystkich przypadkach wyniki tych testów były na niższym poziomie w porównaniu z wynikami dzieci białych. Różnica ta często była bardzo duża i można ją było zaobserwować zarówno u dzieci, jak i u dorosłych. Czy znaczy to, że zdolności poznawcze Aborygenów są zawsze „gorsze" od wyników białych?

Istnieje inna możliwość wyjaśnienia tego zjawiska, mianowicie, że testy zastosowane w tych badaniach nie były „odpowiednie kulturowo", gdyż nie zostały dostosowane do zdolności jednostek wychowujących się w całkowicie odmiennych niż kultura zachodnia środowiskach. Judith Kearins (1981, 1986) zdecydowała się na inne podejście – przyjęła, że sposoby zachowania, które są najważniejsze z punktu widzenia przeżycia w naturalnym środowisku danej społeczności najprawdopodobniej najlepiej ujawniają zdolności jednostki. Tradycyjnie, Aborygeni zamieszkiwali rozległe wewnętrzne obszary pustynne Australii, krajobrazy wokół nich prawie zupełnie pozbawione były cech charakterystycznych i brakowało im wyróżników, które umożliwiałyby ludziom nawigację podczas przenosin z jednego miejsca na drugie. Mimo to Aborygeni, by móc przeżyć w takich warunkach musieli potrafić zlokalizować źródła wody i to w miejscach, które niemal nie mają cech charakterystycznych, i po całodziennym poszukiwaniu pożywienia na pustkowiu przenieść obóz w inne miejsce. By tego dokonać, musieli posiadać precyzyjną pamięć relacji przestrzennych. Dlatego Kearins stworzyła test badający zdolności poznawcze właściwe dla takiego stylu życia, przeprowadziła go wśród dzieci aborygeńskich i dla porównania wśród dzieci białych.

Dzieciom w wieku od 7 do 16 lat przedstawiono serię zadań polegających na zmianie ustawień przestrzennych, z których każda polegała na ustawieniu do dwudziestu przedmiotów na prostopadłej siatce. Dzieci poproszono o zapamiętanie tych przedmiotów w ciągu 30 sekund, następnie pomieszano je i dzieci miały je ustawić w poprzednim układzie. Niektóre z tych przedmiotów były bardziej znane dzieciom aborygeńskim (np. strąk, pióro, kość), inne były znane bardziej dzieciom białym (np. gumka do ołówka, naparstek, pudełko). Kiedy podliczono punkty za prawidłowo rozmieszczone przedmioty okazało się, że w każdym zadaniu to dzieciom aborygeńskim udawało się zebrać o wiele więcej punktów niż dzieciom białym, nawet, jeśli przedmioty były im mniej znane. Widać więc wyraźnie, że pamięć przestrzenna była u małych Aborygenów dużo lepsza niż u dzieci białych. Ponadto Kearins zauważyła, że obie grupy zachowywały się podczas zadania zupełnie inaczej. Dzieci białe poruszały się, podnosiły przedmioty, przez cały czas mamrocząc coś do siebie i komentując to, co robią. Natomiast dzieci aborygeńskie siedziały nieruchomo, kierując uwagę wzrokową na zbiór przedmiotów przy zupełnym braku głośnej lub cichej wokalizacji. Wygląda na to, że obie grupy stosowały odmienne strategie zapamiętywania: dzieci aborygeńskie polegały przede wszystkim na pamięci wzrokowej, natomiast dzieci białe na strategii powtarzania werbalnego. Potwierdził to fakt, że białym dzieciom przedmioty znane łatwiej było zapamiętać od nieznanych, prawdopodobnie dlatego, że umiały dołączać do nich określenia słowne. Natomiast dzieci Aborygenów z jednakową łatwością zapamiętywały wszystkie przedmioty.

Znaczące jest to, że całkiem podobne wyniki uzyskano w badaniach dzieci eskimoskich, które wzrokową pamięcią przestrzenną również przewyższały dzieci białe (Kleinfeld, 1971). Dzieci te również pochodzą ze społeczeństwa, które mieszka na terenach raczej pozbawionym cech ułatwiających identyfikację przestrzenną, dlatego niezwykle istotne jest rozwijanie cech poznawczych umożliwiających przeżycie. Na podstawie wyników tych badań widać wyraźnie, że społeczności uważane przez białych za „prymitywne", niejednokrotnie uzyskują w badaniu pewnych poznawczych aspektów rozwoju znacznie lepsze wyniki.

Pamięć autobiograficzna

Nawet w początkowych tygodniach życia dzieci są zdolne przynajmniej do bardzo szczątkowych form pamięci. Pierwsza pojawia się pamięć *rozpoznawania*: zaraz po narodzinach dzieci potrafią rozpoznawać głos matki i wkrótce potem jej twarz. *Przypominanie*, bardziej wyrafinowana forma pamięci, pojawia się nieco później. Dlatego w wieku 8 lub 9 miesięcy dzieci mogą płakać, gdy matka jest *nieobecna* i poszukiwać brakujących przedmiotów, a jeśli zademonstruje im się pewne sekwencje działania, potrafią je po jakimś czasie odtworzyć. Te i wiele innych przykładów stanowią dowód na to, że zdolność przechowywania informacji charakteryzuje dzieci już od samego początku życia.

Ciekawe więc, dlaczego w późniejszym wieku na ogół nie pamiętamy tego, co działo się przed mniej więcej 2. r. ż. i dlaczego wspomnienia z okresu od 2 do 3 lat są tak kruche. Zjawisko to, określone mianem **amnezji dziecięcej**, dało powody do wielu spekulacji. Zdaniem Freuda, odzwierciedla ono wyparcie wspomnień o charakterze seksualnym, natomiast inni na różne sposoby odwołują się do niedojrzałości mechanizmów mózgu, fragmentarycznego charakteru pierwszych zdolności pamięciowych, braku samowiedzy w okresie niemowlęcym oraz niezdolności dzieci do kodowania informacji w formie umożliwiającej zrozumienie ich przez dorosłych. Jednakże, mimo iż nie możemy narzekać na brak teoretycznych propozycji wyjaśnienia tego zjawiska, brakuje nam ciągle ich potwierdzenia empirycznego i siłą rzeczy wszystkie takie wyjaśnienia pozostają w sferze spekulacji.

> **Amnezja dziecięca** to niezdolność przypomnienia sobie wydarzeń, jakie zaszły w początkowych latach życia.

Pewne jest jednak to, że około 3. r. ż. dzieci zaczynają fascynować się przeszłością i mówić o niej w dość spójny sposób. Zaczyna tworzyć się **system pamięci autobiograficznej**. Pamięć autobiograficzna dotyczy zasadniczo historii życia osobistego jednostki. Jest to swego rodzaju pamięć epizodyczna, składająca się z wydarzeń z przeszłości, które miały dla jednostki duże znaczenie i dlatego stają się elementem rodzącego się u niej poczucia Ja (Nelson, 1993). Dzieci zaczynają mówić o przeszłości niemal natychmiast, gdy w ogóle nauczą się mówić, chociaż z początku dotyczy to wydarzeń, które dopiero się zakończyły. Pomiędzy 2. a 3. r. ż. znacznie wzrasta liczba odwołań do bardziej odległej przeszłości, co wskazuje na to, że dzieci zaczynają już kształtować określone poczucie sensu historii osobistej.

> **Autobiograficzny system pamięci** to zbiór wspomnień odnoszących się do przeszłości jednostki, którego funkcja polega na dawaniu jednostce poczucia ciągłości życia i dlatego ma on zasadnicze znaczenie dla powstawania u dziecka pojęcia samego siebie.

Postęp ten początkowo można zaobserwować we wspomnieniach, o których dzieci rozmawiają z rodzicami. Spójrzmy na następującą rozmowę matki z Rachel, dwudziestojednomiesięczną córeczką (za: Hudson, 1990):

MATKA: Czy widziałaś w zeszłym tygodniu ciocię Gail i wujka Tima?
RACHEL: Tak, tak, wujek Tim.

MATKA: Co robiliśmy z ciocią Gail i wujkiem Timem?
RACHEL: Mówiliśmy pa-pa.
MATKA: Powiedziałaś pa-pa cioci Gail i wujkowi Timowi?
RACHEL: Tak, idą do samochodu, do samochodu.
MATKA: Do samochodu?
RACHEL: Tak, Tim poszedł do samochodu.
MATKA: Tim poszedł do samochodu?
RACHEL: Ciocia Gail i wujek Tim.

Fragment ten pokazuje, że Rachel ma różne wspomnienia z różnych aspektów tego wydarzenia, jak również pewne trudności z przejrzystym opisem tego doświadczenia. W dużym stopniu wygląda na to, że dzieje się tak z powodu braku właściwych umiejętności językowych, wyrażających się nie tyle ograniczonym słownictwem, ile trudnościami w prowadzeniu rozmowy i ciągłej narracji. Widzimy tu jednak również wysiłki matki, by stworzyć dziecku dobre „rusztowanie" dla jego udziału w rozmowie, takie jak rozpoczęcie rozmowy, podsuwanie trafnych podpowiedzi i powtarzanie wypowiedzi dziecka oraz ogólną zachętę do mówienia o tym wydarzeniu i do dzielenia się tymi wspomnieniami z matką. Jest to ten aspekt *podzielania znaczeń*, który jest kluczowy w procesie rozwoju wczesnych wspomnień osobistych. To z rozmowy z matką dziecko dowiaduje się, że przeszłość ma znaczenie, że do dzielenia się wspomnieniami z innymi potrzebne są pewne techniki narracyjne, i że wspomnienia mogą się przydać, gdy mówimy o swych osobistych nadziejach i aspiracjach. Reese (2002) stwierdza, że: „dzieci nie uczą się, co zapamiętywać ani jak to zapamiętywać, ale dlaczego to zapamiętywać." Pomoc rodziców sprawia, że dzieci uzyskują coraz większe kompetencje w organizowaniu własnych wspomnień i przywoływaniu ich w formie zrozumiałej dla innych.

Rodzice podchodzą jednak do zadania, jakim jest wspominanie przeszłości, w różnoraki sposób. Wyróżniono dwa style: wysoce-elaboratywny i nisko-elaboratywny (Hudson, 1990):

- *Wysoce-elaboratywni* rodzice często mówią o przeszłości, a kiedy to robią, przywołują wiele szczegółów dotyczących najważniejszych wydarzeń. Zachęcają dzieci do prezentowania równie szczegółowych narracji, zadając im dużo pytań i znacznie poszerzając ich wypowiedzi.
- *Nisko-elaboratywni* rodzice wykazują mniej zainteresowania przeszłością, stosunkowo mało rozmawiają o wydarzeniach, które oni i ich dzieci przeżyły, i zniechęcają je do długich rozmów na ten temat. W odpowiedzi na wspomnienia dzieci, sami opowiadają mało i zadają pytania zamknięte, wymagające pojedynczej poprawnej odpowiedzi.

Warto przywołać wyniki, mówiące o tym, że dzieci tych dwóch grup rodziców również opanowują i wypracowują sobie różne sposoby mówienia o przeszłości.

Te, które mają rodziców wysoce-elaboratywnych, podają bardziej szczegółowe opisy zapamiętanych wydarzeń, organizują to, co pamiętają w spójne i zrozumiałe opowiadania oraz częściej korzystają z przeszłości, jako przewodnika po swych aktualnych działaniach. Wygląda na to, że sposób, w jaki rodzice wspólnie z dziećmi wspominają przeszłość, w jaki organizują rozmowę i w jaki wspierają wysiłki dzieci, by mówiły o swoich doświadczeniach, ma głęboki wpływ na sposób, w jaki dzieci wspominają i myślą o swoich osobistych przeżyciach. Jest to *model społecznych interakcji* w rozwoju pamięci autobiograficznej – pogląd, że dziecięce wspomnienia osobiste zależą od rodzicielskich praktyk socjalizacyjnych (Nelson, 1993). Jak pisał Wygotski, umiejętności poznawcze, takie jak np. zapamiętywanie, mają swe korzenie w kontaktach społecznych z bardziej kompetentnymi niż dziecko rodzicami. Pamięć rodzi się więc poprzez narrację, jaką rodzice i dziecko wspólnie tworzą i to wtedy, gdy dorosły zaczyna wspomagać dziecko „zacinające się" podczas opowiadania o przeszłości. W wyniku takiego wsparcia dziecko w końcu uzyskuje niezależność i biegłość we wspominaniu – najpierw w otwartych rozmowach z innymi, później w formie zinternalizowanej, stosowanej w skrytości przed innymi. Kierowana przez rodzica rozmowa o przeszłości stanowi zatem glebę, na której wyrasta osobista dziecięca zdolność zapamiętywania.

Język, jak widać, odgrywa kluczową rolę w przejściu od jawnych do ukrytych czynności pamięciowych. Rodzice dostarczają dzieciom narzędzia językowe, umożliwiające im opisywanie i myślenie o tym, „co się stało". Słowa służą skupieniu uwagi dziecka na znaczących aspektach dawnych doświadczeń, nadaniu znaczenia tym wydarzeniom i ułatwiają powstanie reprezentacji pamięciowej. Lecz nie tylko rozmowy o przeszłości wpływają na sposób, w jaki rozwija się u dziecka zdolność zapamiętywania. W trakcie trwania różnych wydarzeń też zdarzają się rozmowy, a sposób, w jaki są prowadzone odgrywa ważną rolę. Gdy w badaniach Tessler i Nelson (1994) nagrywano, o czym rozmawiają matka i dziecko podczas wizyty w muzeum, odkryto, że te eksponaty i czynności, które były omawiane *wspólnie* przez matkę i dziecko, były częściej zapamiętywane niż te, do których odnosiło się albo tylko dziecko, albo tylko matka, lub które w ogóle nie zostały wspomniane. Potwierdzili to w swych późniejszych badaniach Haden i in. (2001). Zachowania matki i dziecka były rejestrowane podczas takich wydarzeń, jak podglądanie ptaków czy otwarcie lodziarni. Te elementy wydarzenia, które były w tym czasie *wspólnie* omawiane, najlepiej utkwiły w pamięci dziecka. Ponadto, interakcje werbalne (takie jak nazwanie przez matkę, a następnie powtarzanie i komentowanie przez dziecko wydarzeń) przynosiły dość interesujące efekty. Porównanie tego z interakcjami niewerbalnymi (np. gdy matka i dziecko wspólnie trzymali jakimś przedmiot) pokazuje, że rozmowa jest znacznie skuteczniejsza z punktu widzenia zarejestrowania wydarzenia w pamięci dziecka i jego przywołania w późniejszym czasie (Nelson, 2000). Wniosek jest więc taki, że język w sposób wyjątkowy służy za narzędzie reprezentowania doświadczeń w pamięci. Organizuje on doświadczenia w sposób zrozumiały, pomaga dziecku przechowywać je w spójny sposób i ułatwia późniejsze przywołanie wspomnień oraz podzielenie się nimi z innymi. Pewnie nie ma się co dziwić, że amnezja dziecięca dotyczy okresu, w którym dzieci nie mają lub mają ograniczone możliwości zwerbalizowania swych doświadczeń.

Dzieci jako naoczni świadkowie

Jednym z praktycznych następstw badań nad osobistą pamięcią dzieci jest to, że dziś wiemy o wiele więcej o możliwościach występowania dzieci w roli świadka. Ponieważ dzieci coraz częściej powoływane są, by złożyć zeznania w sądzie, rzetelność dowodów uzyskanych od nich i zakres zmian, do jakich dochodzi wraz z wiekiem, stały się ważnym problemem w badaniach nad pamięcią (przegląd zob. Bruck, Ceci, 1999; Ceci, Bruck, 1995).

Większość prac na ten temat przyjęła formę badań eksperymentalnych. Polegały one na odgrywaniu scenek, które dzieci po upływie określonego czasu miały sobie przypomnieć – samodzielnie lub odpowiadając na pytania. Podsumujmy główne wyniki:

- Zakres tego, co dzieci przypominają sobie samodzielnie, jest różny w zależności od ich wieku. Małe dzieci na ogół przypominają sobie niewiele; zmienia się to zdecydowanie po ukończeniu około 5. r. ż.
- Jeśli chodzi o trafność tego, co dzieci sobie przypominają, to począwszy od 6. r. ż. odnotowano zaskakująco niewiele różnic związanych z wiekiem, przynajmniej jeśli chodzi o bardzo ważne sprawy, które są osobiście dla dziecka znaczące. Trafność samodzielnych wspomnień dzieci w wieku szkolnym jest tak samo wysoka, jak osób dorosłych.
- Wiele jednak zależy od przerwy, jaka trwała od momentu zaistnienia sytuacji do momentu przypomnienia jej sobie. Jeśli przekracza ona jeden miesiąc, pojawiają się związane z wiekiem różnice w trafności przekazu. Małe dzieci zapominają więcej niż starsze.
- Małe dzieci są bardziej podatne na sugestie podczas przesłuchania. Kiedy pytanie wprowadza je w błąd, znacznie częściej czują się onieśmielone przez osobę je zadającą i odpowiednio zmieniają swoje zeznania.
- Jednakże podatność na sugestie zależy od wielu czynników, między innymi od sposobu prowadzenia przesłuchania, typu zadawanych pytań i spostrzeganej roli pytającego.

Ogólnie zatem nie potwierdza się powszechne przekonanie, że dzieci są niewiarygodnymi świadkami. To, co sobie przypominają, może zawierać mniej szczegółów, ponieważ po prostu przyswajają one sobie mniej informacji w trakcie wydarzenia. Są też bardziej podatne na sytuację społeczną, w jakiej zeznają i dlatego szybciej ulegają sugestiom. Jednakże wiadomo dziś o wiele więcej o warunkach, które ułatwiają zeznania nawet całkiem małych dzieci i dzięki zastosowaniu specjalnie opracowanych dla takich dzieci technik, wzrastają możliwości uzyskania rzetelnego zeznania od wszystkich, za wyjątkiem dzieci najmłodszych.

Myślenie o ludziach

Inne istoty ludzkie są najbardziej fascynujące, jak również najważniejsze w życiu wszystkich dzieci. Nic więc dziwnego, że próby zrozumienia innych zajmują je w tak wielkim stopniu. Widać to w pytaniach zadawanych już od najmłodszych lat: „Dlaczego tatuś dziś się złości?", „Czy John mnie lubi?", „Co mamusia powie na podarte spodnie?". Tak jak dorośli, dzieci chcą rozumieć innych i w tym celu tworzą pojęcia opisujące ludzi oraz teorie wyjaśniające ich zachowania. Ale czy są to takie same pojęcia i teorie, jakie stosują dorośli? Czy świat społeczny małego dziecka przypomina świat osób starszych od niego? Przyjrzymy się tym problemom w dwóch kategoriach: pierwsza dotyczy sposobu, w jaki dzieci *opisują* innych, tj. odpowiadają na pytanie „Jaki on jest?"; druga dotyczy prób *wyjaśnienia* zachowań innych ludzi, tj. odpowiedzi na pytanie „Dlaczego on tak się zachowuje?"

Opisywanie innych ludzi

Podczas wsłuchiwania się w dziecięce spontaniczne opisy znanych dzieciom ludzi od razu widać, że istnieją znaczne różnice indywidualne, jeśli chodzi o rodzaje cech, jakie zauważają u innych oraz o rodzaje określeń, jakie stosują, by ich scharakteryzować. Livesley i Bromley (1973) przeprowadzili badania, które doskonale to ilustrują. Poproszono 300 dzieci w wieku od 7. do 15. lat o sporządzenie opisów różnych znanych im ludzi i o to, by koncentrowały się one na tym, jaka dana osoba jest, a nie jak wygląda. Poniżej przedstawiamy dwa opisy – jeden stworzony przez dziecko młodsze, drugi przez starsze:

> Jest bardzo wysoki. Ma ciemnobrązowe włosy i chodzi do naszej szkoły. Myślę, że nie ma brata ani siostry. Jest w naszej klasie. Dziś ma ciemnopomarańczowy sweter i szare spodnie i brązowe buty. (siedmiolatek)

> Andy jest bardzo skromny. Jest nawet bardziej nieśmiały ode mnie w obecności obcych, a mimo to jest gadatliwy w towarzystwie ludzi, których zna i lubi. Zawsze sprawia wrażenie pogodnego i nigdy nie widziałem go w złym humorze. Zawsze lekceważy osiągnięcia innych, ale też nigdy nie chwali się swoimi. Chyba nikomu nie wyznaje swoich opinii. Łatwo się denerwuje. (piętnastolatek)

Obydwa opisy radykalnie się od siebie różnią i wskazują na niektóre zmiany, jakie zachodzą wraz z wiekiem u dzieci w sposobie spostrzegania ludzi. Scharakteryzujmy wymiary, których te zmiany dotyczą:

- *Od cech zewnętrznych do wewnętrznych.* Mimo, że polecenie brzmiało odwrotnie, dzieci, które badali Livesley i Bromley, pisały głównie o wyglądzie, posiadaniu i innych cechach zewnętrznych; wiele nawet nie wspomniało o cechach psychicznych. Cechy te stawały się ważne w późniejszym wieku, jak gdyby dzieci stopniowo zdawały sobie sprawę z tego, że prawdziwa tożsamość kryje się raczej w cechach umysłowych, niż w fizycznych.
- *Od cech ogólnych do konkretnych.* Początkowo dzieci korzystają z „szerokich" określeń lub terminów wartościujących typu „dobry" lub „zły". Później stają się coraz bardziej precyzyjne, używając takich słów, jak „skromny" lub „nerwowy", które dostarczają o wiele dokładniejszych informacji na temat opisywanej osoby.
- *Od cech prostych do bardziej złożonych.* W młodszym wieku dzieci wyrażają radykalne opinie o ludziach. Nie rozumieją, że ktoś może być zarówno zły, jak i dobry: jeśli jest dobrym sportowcem, nie może być kłamcą. Wraz z wiekiem zdają sobie sprawę ze złożoności osobowości i dopuszczają istnienie sprzeczności w charakterze danej osoby.
- *Od cech globalnych do zróżnicowanych.* Młodsze dzieci wyrażają się w kategoriach absolutnych (np.: „on jest straszny"), starsze (jak piętnastolatek z powyżego przykładu) uwzględniają okoliczności (np.: nieśmiały, ale tylko wśród obcych) i wprowadzają stopniowanie (wyrażenie „raczej"). Opis staje się więc bardziej precyzyjny.
- *Od podejścia egocentrycznego do socjocentrycznego.* Im młodsze dziecko, tym częściej ludzie spostrzegani są w kategoriach ich wpływu na to dziecko (np.: „ona jest bardzo miła, bo daje mi cukierki"). Później opisy stają się bardziej obiektywne. Dziecko przestaje już być centralną postacią przekazywanych wrażeń, ponadto uznaje, że różni ludzie mogą mieć różne opinie o tej samej osobie.
- *Porównanie społeczne.* Starsze z cytowanych dzieci użyło w swoim opisie wyrażenia „nawet bardziej nieśmiały ode mnie". Takie porównania, z sobą lub innymi ludźmi, stają się zauważalne w wieku około 10 lub 11 lat, podczas gdy wcześniej należały do rzadkości.
- *Zorganizowanie.* W opisach u młodszych dzieci różne cechy podawane są bez ładu. Natomiast u dzieci starszych obserwujemy starania o stworzenie spójnego obrazu, więc wyjątkowość danej osoby staje się wyraźna.
- *Stabilność.* Wraz z wiekiem dzieci coraz bardziej doceniają, że można spodziewać się, przynajmniej w pewnym stopniu, konsekwencji w czyimś zachowaniu, więc można przewidzieć przyszłe zachowanie na podstawie zachowań wcześniejszych. U małych dzieci rzadko można zauważyć oznaki myślenia o takiej

regularności zachowania i raczej ograniczają one swoje opisy do przeszłości lub teraźniejszości.

Najwięcej uwagi przyciągnęła pierwsza ze wspomnianych zmian: od cech zewnętrznych do wewnętrznych. Uważano, iż wskazuje ona na to, że małe dzieci nie są świadome cech psychicznych i zwracają uwagę tylko na cechy zewnętrzne. Nowsze badania wykazały jednak, że to znaczna przesada, i że w dużej mierze jest to wynikiem metod użytych do badania sposobów spostrzegania innych osób przez dzieci. Procedura swobodnych opisów, jaką zastosowali Livesley i Bromley („powiedz mi o...") jest bardzo trudna dla dzieci z ograniczonymi zdolnościami językowymi. Kiedy zastosuje się łatwiejsze i bardziej przystępne metody, to nawet u dzieci w wieku przedszkolnym można zauważyć zdolność uwzględniania cech psychicznych, takich jak predyspozycje osobowościowe, motywacje i stany emocjonalne (Yuill, 1993). Proporcje aspektów wewnętrznych względem zewnętrznych mogą być u nich rzeczywiście mniejsze niż u starszych dzieci i świadomość tych cech jest, ogólnie rzecz biorąc, szczątkowa. W tym sensie trend rozwojowy od cech zewnętrznych do wewnętrznych zdaje się potwierdzać. Jednak, jak się zaraz przekonamy, od bardzo wczesnego wieku dzieci przynajmniej w jakimś stopniu uwzględniają wewnętrzne przymioty innych ludzi i nie myślą o nich tylko i wyłącznie w kategoriach cech fizycznych i cech zachowania.

Wyjaśnianie zachowań innych ludzi

Uświadomienie sobie, że inni ludzie mają umysł, może wydawać się wielkim osiągnięciem, choć już maluchy mają szczątkową świadomość zjawisk umysłowych i wiedzą, czym różnią się one od zjawisk fizycznych. Na przykład, trzylatkom opowiedziano o dwóch głodnych chłopcach, z których jeden myślał o ciasteczkach, podczas gdy drugi rzeczywiście miał ciasteczko. Gdy spytano „Który chłopiec widzi ciasteczko?" i „Który chłopiec nie może dotknąć ciasteczka?" większość trzylatków nie miała trudności z poprawną odpowiedzią (Wellman, Estes, 1986). Podobnie też było, kiedy trzylatkom pokazano człowieka z zawiązanymi oczyma i zapytano, co taka osoba może, a czego nie może robić i myśleć. Większość dzieci poprawnie uznała, że może pomyśleć o jakimś przedmiocie, ale nie może go zobaczyć (Flavell, Green, Flavell, 1995). Dzieci te wiedziały, że zjawiska umysłowe mają szczególne cechy, zwłaszcza, że odnoszą się do wewnętrznych działań człowieka, i że myśli, w przeciwieństwie do przedmiotów, nie można ani dotknąć, ani zobaczyć. Zgodnie z komentarzem jednego z badanych dzieci: „Ludzie nie mogą zobaczyć mojej wyobraźni", dzieci w wieku przedszkolnym pokazują, że wiedzą, iż zjawiska umysłowe mają charakter prywatny i nie są ogólnodostępne. Weźmy taką wypowiedź przedszkolaka: „Twój umysł jest do tego, żeby poruszać przedmiotami i przyglądać się im, kiedy w pobliżu nie ma ani kina, ani telewizji". Wyraźnie wskazuje ona na to, że małe dzieci mają jakiś pogląd na isto-tę aktywności umysłowej i zdają sobie sprawę, że umysł stanowi środek do przy-woływania obiektów nie istniejących w rzeczywistości. Dlatego ich pojęcie czło-wieka nie ogranicza się jedynie do działań zewnętrznych. Rozumieją, że ludzie składają się także z cech psychicznych i że należy je brać pod uwagę podczas wy-jaśniania ich zachowania.

To samo wynika z dziecięcych opisów innych ludzi, kiedy są one elementem spontanicznej rozmowy, a nie sesji pytanie–odpowiedź. Jedno z badań (Miller, Aloise, 1989) wykazało, że określenia „miły", „dobry" i „zły" zostały użyte od-powiednio przez 70, 93 i 87 % dwulatków. Jak pamiętamy z rozdz. 5., dotyczą-cego rozwoju emocjonalnego, począwszy do wieku $2^1/_2$ lat, dzieci coraz częściej odnoszą się do odczuć doświadczanych przez innych. Mimo to nadal istnieją pew-ne ograniczenia tego, co dzieci wiedzą na temat innych ludzi. Określenia, jakich używają, są nieliczne, nieprecyzyjne i bardzo subiektywne. Odnoszą się one głów-nie do przejściowych stanów umysłowych, a nie do stałych rysów osobowościo-wych. Również dzieci w wieku od 3 do 4 lat nie rozpoznawały związku przyczy-nowego pomiędzy cechami a zachowaniem, np.: że ludzie będą zadowoleni, kiedy dostaną to, czego chcą, a smutni, jeśli się tak nie stanie, lub że dane działanie wy-nika z tego, że ktoś chciał, by wystąpiło. Być może małe dzieci widzą w ludziach coś więcej niż zbiór cech zewnętrznych, lecz ich koncepcji brak spójności. A przede wszystkim muszą one stworzyć *teorię umysłu*.

Jak widzieliśmy w rozdz. 5., *teoria umysłu* jest to termin opisujący świadomość, że inni ludzie mają swój wewnętrzny świat, który dla każdej osoby jest inny. Posia-danie takiej teorii ułatwia dzieciom wyjaśnianie zauważanych wydarzeń (ludzkich działań) poprzez odwoływanie się do niezauważalnych sił (pragnień, przekonań itd.). Jest to więc narzędzie pozwalające zrozumieć, dlaczego ludzie zachowują się tak, jak się zachowują. O ile zdolność przypisywania innym osobom stanów umy-słowych polega na wnioskowaniu, co jest później wykorzystywane do przewidywa-nia ich zachowań, o tyle zastosowanie terminu *teoria* wskazuje na fakt, że dzieci anga-żują się w czynności analogiczne do tych, jakie podejmują naukowcy, którzy formu-łują hipotezy, by przewidzieć dające się zaobserwować wydarzenia: jeśli X, to Y. Dziecięce teorie umysłu nie są oczywiście tak wyraźne, jak teorie tworzone przez naukowców. Niemniej jednak, w swej pełnej wersji również służą wyjaśnianiu dają-cych się zaobserwować zjawisk na podstawie założeń hipotetycznych.

Znaczne zmiany w sposobie pojmowania umysłu zachodzą w okresie od 3. do 5. r. ż. (Flavell, 2002). Dzieci coraz bardziej zdają sobie sprawę z subiektywności stanów umysłowych: na przykład, że obraz, który oglądają na stole, przez osobę siedzącą naprzeciw jest widziany odwrotnie; że jedzenie, którego nie znoszą, może innym bardzo smakować, i że ukochany pies może być źródłem lęku dla innego dziecka. Na ogół pojmowanie aspektów emocjonalnych pojawia się wcześ-niej niż pojmowanie aspektów poznawczych. Kiedy Bartsch i Wellman (1995) analizowali spontaniczne wypowiedzi dzieci na temat innych ludzi zauważyli, że począwszy od 3. r. ż. dzieci mówiły o pragnieniach innych, używając takich słów, jak: *chce*, *życzy sobie* i *lubi*. Jednak dopiero od 4. r. zaczęły stosować takie słowa, jak: *myśleć*, *wiedzieć*, *zastanawiać się*, które odzwierciedlały świadomość istnienia poglądów i myśli innych ludzi, a dopiero od 5. r. ż. przy wyjaśnianiu działań innych osób zaczęły odwoływać się do poglądów i myśli.

Podczas gdy dziecięca zdolność czytania w myślach rozwija się stopniowo w początkowych latach życia, to poziom zrozumienia *fałszywych przekonań* stanowi na ogół papierek lakmusowy, badający zakres przyswojenia sobie przez dziecko teorii umysłu. Pojęcie rozumienia fałszywych przekonań odnosi się do świadomości dziecka, że czyjeś przekonanie o pewnym rzeczywistym wydarzeniu jest zjawiskiem wewnętrznym i umysłowym, które może różnić się od rzeczywistości i od przekonania samego dziecka, oraz że przekonania mogą być trafne lub fałszywe i różne u różnych ludzi. Zastanówmy się nad następującą historią o dwóch dziewczynkach, Sally i Anne, przedstawioną z użyciem lalek i zabawek (zob. ryc. 8.8). Sally wkłada szklaną kulkę do koszyka i wychodzi z pokoju, natomiast Anne przekłada kulkę w inne miejsce. Sally wraca i szuka kuleczki. Badanym dzieciom zadaje się wówczas pytanie: „Gdzie Sally będzie szukać kulki?". Niemal wszystkie trzylatki stwierdzą, że zajrzy w to nowe miejsce, o którym wiedzą, że znajduje się w nim kulka. Nie potrafią przypisać Sally fałszywego przekonania i wykorzystać go do przewidzenia jej działań. Jednak począwszy od 4. r. ż. dzieci udzielają poprawnej odpowiedzi: wiedzą, że inni mogą posiadać przekonania, które niezupełnie odzwierciedlają rzeczywistość, i że ich zachowanie będzie odzwierciedlać te fałszywe przekonania.

Młodsze dzieci nie rezygnują więc z założenia, że jest tylko jeden świat, mianowicie ten, który jest zgodny z ich własnymi doświadczeniami, i że inni będą postępować tak, jak one. Nie są w stanie pojąć, że mogą istnieć alternatywne modele danego wydarzenia: jeden ich własny i drugi – nie pasujący do niego i opisujący fałszywe przekonanie innych osób na temat tego wydarzenia. Począwszy od 4. r. ż. dzieci uzyskują zdolność reprezentowania poglądów innych osób, nawet jeśli są sprzeczne z ich własnymi. Muszą zdać sobie sprawę, że to, co jest w naszych umysłach, to tylko *reprezentacja* rzeczywistości, która niekoniecznie musi być właściwa, ale mimo to wpływa na sposób zachowania. Dlatego teoria umysłu u starszych dzieci jest o wiele bardziej złożona i lepiej służy rozumieniu innych osób niż ta teoria u dzieci młodszych. Zdolności czytania w umysłach stają się u starszych bardziej wyrafinowane, a w związku z tym ich zdolność przewidywania zachowań innych osób trafniejsza. Teorie umysłu po 5. r. ż. ulegają dalszemu rozwojowi i są coraz bardziej złożone, a zmiana jaka zachodzi między 3. a 5. r. ż., potwierdzona testem badającym fałszywe przekonania, zwiastuje najważniejszy krok w rozwoju rozumienia umysłów innych ludzi (Wellman, Cross, Watson, 2001).

Czytanie w myślach jest bez wątpienia najważniejszą umiejętnością potrzebną do pomyślnych kontaktów z innymi. Jak jest ważna, łatwo ocenić na przykładzie osób autystycznych, którym brak takiej zdolności (Baron-Cohen, 1995). A ponie-

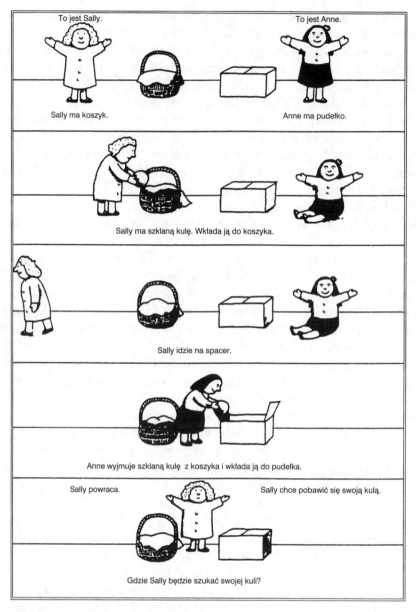

To jest Sally.

To jest Anne.

Sally ma koszyk.   Anne ma pudełko.

Sally ma szklaną kulę. Wkłada ją do koszyka.

Sally idzie na spacer.

Anne wyjmuje szklaną kulę z koszyka i wkłada ją do pudełka.

Sally powraca.   Sally chce pobawić się swoją kulą.

Gdzie Sally będzie szukać swojej kuli?

RYCINA 8.8

Test „Sally–Anne" badający rozumienie fałszywego przekonania (za: Frith, 1989)

waż jest taka ważna, może okazać się, że jej rozwój jest biologicznie wymuszony, to znaczy, że zdolność ta należy do repertuaru zachowań charakterystycznego dla istot ludzkich. Jednak, jak twierdzą Hughes i Leekam (w druku)*, istnieją dowo-

* Artykuł ukazał się w 2004 r. (przyp. red. nauk.).

dy, że na różne aspekty rozwoju teorii umysłu wpływ mają doświadczenia społeczne. Wykazano, że styl wychowania, wzorzec przywiązania, liczba starszego rodzeństwa i liczba rozmów z innymi ludźmi o stanach wewnętrznych wpływają na szybkość i zakres, w jakim dziecko uzyskuje wgląd w umysły innych ludzi. Jak w przypadku wielu innych aspektów rozwoju psychicznego, to biologia kładzie podwaliny, ale potrzebne jest wychowanie, by wspomóc to, co dała natura.

Podsumowanie

Jedno z podejść do zrozumienia rozwoju poznawczego dzieci polega na zastosowaniu modelu przetwarzania informacji. Ujmuje on umysł jako urządzenie do opracowywania informacji, których przepływ nadzorowany jest od momentu odebrania danych wejściowych za pomocą zmysłów do produktu wyjściowego w postaci określonego działania. W tym czasie zachodzą następujące operacje: asymilacja, magazynowanie, transformacja i odzyskiwanie. Według niektórych autorów łatwiej myśleć o tych procesach porównując je do sposobu funkcjonowania komputerów – tak, jak w komputerze, funkcjonowanie umysłu zależy od określonych struktur (*hardware*) i procesów (*software*). Żeby pojąć zasady myślenia, konieczne jest zrozumienie współdziałania obu tych aspektów.

Myślenie zależy od zdolności symbolicznego reprezentowania przedmiotów. U dzieci zdolność ta objawia się głównie w trzech obszarach: języka, zabawy i rysunku. Język umożliwia dziecku użycie słowa dla oznaczenia przedmiotu, a odkrycie, że przedmioty mają nazwy, stanowi szczególnie ważny krok w rozwoju poznawczym. Podobnie dzieje się w zabawie: kiedy dziecko potrafi udawać, nie ma już potrzeby kurczowego trzymania się rzeczywistości i może używać swojej wyobraźni, by jedna rzecz zastąpiła inną, przez co znacznie poszerza granice własnego życia wewnętrznego. W rysunku także rzeczywistość zostaje zamieniona w symbol, w tym wypadku w obraz, a sposób, w jaki dzieci odwzorowują przedmioty i ludzi w rysunkach, pozwala lepiej zgłębić ich procesy myślowe.

Myślenie jest łatwiejsze, jeśli poukładamy swoje doświadczenia w sposób uporządkowany i ekonomiczny. Jednym ze sposobów na to jest tworzenie pojęć, tj. łączenie różnych przedmiotów w jedną kategorię. Innym sposobem jest tworzenie skryptów – nazwa ta określa sposób, w jaki reprezentujemy w swoich umysłach regularnie występujące wydarzenia w ich stereotypowej formie („sposób, w jaki rzeczy będą przebiegać"). Skrypty tworzone są co najmniej od 3. r. ż.; dają one dzieciom strukturę porządkującą ich codzienne czynności i ukazują, jak ważny jest dla dzieci porządek czasowy.

To, jak myślimy, ściśle wiąże się z tym, jak zapamiętujemy. System pamięci ludzkiej to bardzo złożona całość. Jej rozwój nie polega po prostu na „doskonaleniu" W analizie należy uwzględnić cztery aspekty, odnoszące się do zmian w pojemności rozmaitych struktur pamięciowych, istniejącej wiedzy bazowej dziecka, strategii wykorzystywanych podczas zapamiętywania i dziecięcej metapamięci, tj. świadomości i rozumienia własnych funkcji pamięciowych. Szczególnie ważny jest rozwój pamięci autobiograficznej – środka, dzięki któremu dziecko tworzy poczucie własnych dziejów. Duże zainteresowanie, jakie wykazują dzieci w stosunku do własnej przeszłości, widoczne począwszy od 3. r. ż., po raz pierwszy przejawia się w dzieleniu się wspomnieniami z rodzicami. Sposób, w jaki „stworzą" oni rusztowanie do dyskusji o przeszłości, wpłynie na rozwój zdolności do jej wspominania i na sposób, w jaki dzieci będą myśleć o swych osobistych wspomnieniach.

Coraz większa wiedza na temat dziecięcego zapamiętywania rzuciła nieco światła na możliwości dziecka jako świadka. Małe dzieci przypominają sobie mniej niż starsze, zwłaszcza po dłuższym czasie, bardziej też ulegają sugestiom. Jednak pogląd, że dziecko jest całkowicie niewiarygodne jako świadek, nie znalazł potwierdzenia. Jeśli zastosuje się właściwe techniki przesłuchania, od wszystkich, za wyjątkiem dzieci najmłodszych, można uzyskać przydatne zeznania.

Sposób, w jaki dzieci myślą o innych badano w dwóch kategoriach: jak opisują innych ludzi i jak wyjaśniają ich zachowania. Sposób, w jaki dzieci opisują innych zmienia się wraz z wiekiem. Wyraźnie widać zwłaszcza to, że starsze dzieci wykazują większą świadomość cech psychicznych innych osób i nie skupiają się tylko na cechach zewnętrznych, takich jak wygląd i zachowanie. Ale nawet zupełnie małe dzieci zdają sobie sprawę, że inni ludzie też mają „wnętrze", co pokazano w badaniach nad przypisywaniem różnych stanów umysłowych innym ludziom. Przede wszystkim jednak najważniejsze dla dzieci jest stworzenie „teorii umysłu", tj. uświadomienie sobie, że każda jednostka posiada odmienną umysłową reprezentację rzeczywistości i działa raczej na podstawie swych przekonań, niż samej realnej rzeczywistości. Szczególnie istotnym krokiem w kierunku rozwoju umiejętności czytania w myślach jest zrozumienie, że inni opierają swoje działanie na przekonaniach, które mogą być odmienne od przekonań dziecka, a nawet mogą być błędne. Pozwala to dzieciom na precyzyjniejsze przewidywanie działań innych ludzi.

Literatura dodatkowa

Bennett M. (red.) (1991). *The Child as Psychologist*. Hemel Hempsted: Harvester Wheatsheaf. Zawiera wiele ciekawych rozdziałów odnoszących się bezpośrednio do omawianych tu tematów, między innymi do rozwoju skryptów, dziecięcych opisów osobowości innych ludzi i tworzenia teorii umysłu.

Bjorklund D. F. (2000). *Children's Thinking: Developmental Function and Individual Differences*. (wyd. 3). Belmont, CA: Wadsworth. Pełny opis, który wykracza poza dziecięce myślenie i obejmuje jeszcze takie kwestie, jak percepcja i rozwój języka oraz badanie inteligencji.

Cowan N., Hulme, C. (red.) (1997). *The Development of Memory in Childhood*. Hove: Psychology Press. Zawiera szereg artykułów w sposób wyczerpujący przedstawiających to, czego dowodzą najnowsze badania w dziedzinie rozwoju pamięci dziecka.

Mitchell, P. (1997) *Introduction to Theory of Mind*. London: Arnold. Zwięzły, a mimo to pełen opis prac nad dziecięcym pojmowaniem tego, co myślą i czują inni ludzie, ze szczególnym uwzględnieniem rozwoju tej zdolności. Zawiera szczegółowy opis prac nad dziećmi autystycznymi i nad ewolucyjnymi korzeniami teorii umysłu („Czy małpy posiadają teorie umysłu?").

Siegler, R. S. (1998) *Children's Thinking* (wyd. 3). Upper Saddle River, NJ: Prentice-Hall. Napisana przez jednego z najsłynniejszych obecnie autorów badań nad rozwojem myślenia, książka ta prezentuje przekonujący i przejrzysty raport w tej dziedzinie.

Literatura uzupełniająca w języku polskim

Schaffer, H. R. (1994). Epizody wspólnego zaangażowania jako kontekst rozwoju poznawczego. W: A. Brzezińska, G. Lutomski (red.), *Dziecko w świecie ludzi i przedmiotów* (tłum. A. Brzezińska, K. Warchoł). (s. 150–188). Poznań: Zysk i S-ka Wydawnictwo.

Wygotski, L. S. (1971). Geneza wyższych funkcji psychicznych. W: L. S. Wygotski, *Wybrane prace psychologiczne* (tłum. A. Brzezińska, M. Marchow). (s. 118–158). Warszawa: PWN.

Wygotski, L. S. (1971). Problem nauczania i rozwoju umysłowego w wieku szkolnym. W: L. S. Wygotski, *Wybrane prace psychologiczne* (tłum. A. Brzezińska, M. Marchow). (s. 531–547). Warszawa: PWN.

Wygotski, L. S. (1971). Problem rozwoju wyższych funkcji psychicznych. W: L. S. Wygotski, *Wybrane prace psychologiczne* (tłum. A. Brzezińska, M. Marchow). (s. 18–64). Warszawa: PWN.

Rozdział 9

Posługiwanie się językiem

Czym jest język? 294

Natura i funkcje języka 294

Czy to wyłącznie ludzka zdolność? 298

Przebieg rozwoju języka 301

Pierwsze słowa 302

Powstawanie zdań 305

Czy istnieją okresy krytyczne
dla uczenia się języka? 309

Kompetencja komunikacyjna 313

Kilka słów o umiejętności czytania i pisania 316

Wyjaśnienie procesu przyswajania sobie języka 319

Podejście behawiorystyczne 319

Podejście natywistyczne 320

Podejście społeczno-interakcyjne 322

Podsumowanie 329

Literatura dodatkowa 330

Literatura uzupełniająca w języku polskim . . . 331

W poprzednich rozdziałach niejednokrotnie wspominaliśmy o tym, jak dzieci korzystają z języka – w myśleniu, w rozwiązywaniu problemów, w rozmowach z dorosłymi albo rówieśnikami lub po prostu z sobą, w mowie towarzyszącej działaniu lub będącej działaniem samym w sobie. Język idzie w parze z wieloma funkcjami człowieka: bez niego stanowilibyśmy zupełnie inne istoty. Bylibyśmy mniej kompetentni umysłowo, mniej twórczy, mniej komunikatywni społecznie. W tym rozdziale skupimy się, zatem, przede wszystkim na języku i przyswajaniu go sobie w okresie dzieciństwa. Omówimy jego istotę i przebieg rozwoju.

Czym jest język?

Przyjrzyjmy się dwóm niesłyszącym osobom podczas rozmowy. Stoją naprzeciw siebie. Na ich twarzach maluje się skupienie i ożywienie, gdy przypatrują się ruchom rąk rozmówcy, a ręce i palce wysyłają ciąg wiadomości, które dla obu są wzajemnie zrozumiałe. Oczywiście, ani razu nie wydały z siebie żadnego dźwięku. Czy zatem posługują się językiem? Wszak termin ten często kojarzony jest z mową, choć, jak się przekonamy, nie jest to cecha definicyjna. Kanał głosowy to jeden ze środków ekspresji językowej, lecz nie jedyny. Dłonie też do tego służą, a znaki dawane za pomocą rąk pod wieloma względami przypominają słowa – dlatego z pewnością można mówić o używanym przez głuchoniemych *języku* migowym.

Natura i funkcje języka

Język został określony jako *umowny system symboli* (R. Brown, 1965). Jak już zauważyliśmy w poprzednim rozdziale, pojedyncze słowa „reprezentują" rzeczy – przedmioty, wydarzenia, ludzi – a zadaniem dziecka jest rozpoznać związek pomiędzy symbolem, a tym do czego się on odnosi, oraz zgromadzić słownictwo, którym będzie się posługiwać. Rzeczywiste słowa (to samo dotyczy gestów rąk i symboli stosowanych w piśmie) mają w dużym stopniu charakter umowny: nie istnieją, na przykład, żadne przekonujące powody, by *psów* nie określać mianem *kotów*, albo by któraś kombinacja dźwięków była preferowana. Jest jednak jeden warunek – symbol musi być zrozumiały dla innych członków danej społeczności. Język jest przecież podstawowym narzędziem komunikacji z innymi ludźmi. Umożliwia dzielenie się z nimi wiedzą i uczuciami. Musi, zatem, istnieć zgodność pomiędzy członkami społeczności, co do tego, jak nazywać określone rzeczy. Jeśli chodzi o dziecko uczące się języka, to musi ono zdać sobie sprawę z tego, że rzeczy mają swoje określone nazwy, które należy „poprawnie" stosować. Jednak nie wszystko jest takie proste. Dzieci muszą nauczyć się jeszcze innych rzeczy. Po pierwsze, nazwy, jakich dziecko używa wcale nie muszą być takie same, jak stosowane przez innych ludzi. Ojciec to dla dziecka „tatuś", dla swojej żony to „John", dla listonosza „Pan Smith", dla kolegów z pracy „Smithy", a dla babci dziecka (najbardziej mylące) to „synek". Nazwa jest symbolem, który zależy nie tylko od osoby, względem której jest stosowana, ale również od osoby, która ją stosuje. Ponadto to, co jest „właściwe" w jednej społeczności, nie będzie rozumiane w innym środowisku – dzieci w Japonii uczą się japońskiego, a w Hiszpanii hiszpańskiego. Nawet zbiór znaków migowych przyswajanych przez dzieci niesłyszące w Stanach Zjednoczonych (Amerykański Język Migowy, ASL) jest inny od tego, którego uczą się mali Brytyjczycy (Brytyjski Język Migowy, BSL). Dzieci muszą więc nauczyć się, że zdolność porozumiewania się za pomocą określonego kodu obłożona jest pewnymi ograniczeniami, i że jeżeli pragną porozumiewać się z ludźmi spoza własnej społeczności, muszą osiągnąć biegłość w innych językach. Wreszcie, najważniejsza uwaga, język to coś więcej niż tylko zbiór słów; jest to również spójny system, w którym panują reguły mówiące o tym, w jaki sposób łączyć te słowa. Dziecko, by stać się biegłym użytkownikiem języka musi przyswoić więc nie tylko słownictwo, ale także gramatykę.

Język pełni wiele funkcji, w szczególności jest środkiem komunikacji, myślenia i autoregulacji.

1. Komunikacja

Użyteczność języka w procesie komunikacji jest bezsporna. Jednakże, rozmowa z inną osobą wymaga o wiele więcej niż tylko jego znajomości. Przyswojenie sobie słownictwa i gramatyki to jedno, a ich stosowanie w życiu codziennym to drugie. By porozmawiać z drugim człowiekiem, trzeba koniecznie mieć świadomość, że słuchacz będzie w stanie pojąć to, o czym mowa. Innymi słowy, należy dostosować do niego to, co, kiedy i jak mu przekazać. Być może dzieci nie są tak egocentryczne, jak zakładał to Piaget, ale ich zdolność uwzględniania punktu widzenia innych osób nie jest w pełni rozwinięta. Dzieci zwykle przyjmują, że inne osoby je rozumieją, ponieważ one same się rozumieją. Często nie są świadome, że ich przekaz jest niewłaściwy i popadają we frustrację, gdy okazuje się, że to, co mówią jest dla słuchacza pozbawione sensu. Muszą się więc również nauczyć, że istnieją pewne reguły korzystania z języka w interakcjach społecznych, takie jak zmiana ról, gdy dziecko i jego partner wymieniają się rolami słuchacza i mówiącego, przez co unikają mówienia równocześnie. A więc umiejętności społeczne idą w parze z umiejętnościami językowymi; obie są konieczne, by komunikacja była skuteczna.

2. Myślenie

Jak już zauważyliśmy w poprzednim rozdziale, symbole werbalne są znaczącymi narzędziami procesu myślowego. Umożliwiają nam między innymi przywoływanie przeszłości, przewidywanie przyszłości, łączenie rzeczy, które w rzeczywistości są odrębne, formułowanie pojęć i innych abstrakcji. Jednak to, w jaki sposób język i myśl wiążą się ze sobą w procesie rozwoju, nadal jest źródłem kontrowersji. Z jednej strony mamy pogląd Piageta: myśl jest wcześniejsza niż język, ponieważ rozwój myślenia za pomocą reprezentacji umożliwia posługiwanie się słowami. Język jest jedynie pewnym sposobem wyrażania myśli, i w związku z tym Piaget poświęcał mu niewiele miejsca w swoich pracach nad rozwojem poznawczym. Jest to całkowicie sprzeczne z punktem widzenia Wygotskiego, który ujmował język jako zdecydowanie najważniejsze narzędzie psychologiczne, jakim dysponuje gatunek ludzki, zdolne do przekształcenia sposobu myślenia o świecie i zmiany (jak to określa) „całego systemu działania i struktury funkcji umysłowych" (Wygotski, 1981b). A zatem to język jest rzeczą nadrzędną względem myśli: rozwój zdolności posługiwania się słowami umożliwia pojawienie się myślenia za pomocą reprezentacji.

Piaget i Wygotski różnili się także w kwestii istoty początków mowy. Obaj zgadzali się, że w początkowych latach mowa ma charakter egocentryczny, tzn. jest w swej istocie osobista i raczej skierowana do siebie niż do innych, mimo iż wyrażana na głos. Zdaniem Piageta, nie ma ona żadnej konkretnej funkcji, jeśli chodzi o myślenie, i zanika po wykształceniu się myślenia reprezentacyjnego. Wygotski natomiast traktował mowę wewnętrzną jako uzewnętrznioną myśl, którą małe dzieci posługują się w trakcie rozwiązywania problemów, by ukierunkowywać swoje myślenie i planować działanie. Jednak po 3. r. ż., dzieci uczą się odróżniać mowę komunikacyjną od egocentrycznej: obie nadal mają charakter zewnętrzny, z tym, że pierwsza jest wyraźnie skierowana do innych ludzi, natomiast druga jest bieżącym komentarzem, za pomocą którego dziecko monitoruje swoje działania. Pod koniec okresu przedszkolnego mowa egocentryczna powoli zanika – nie po to, jak myślał Piaget, by zniknąć w ogóle, lecz by „zejść do podziemia" i stać się cichym myśleniem za pomocą słów. W początkach okresu szkolnego nadal słychać jeszcze wypowiedzi kierowane do siebie, zwłaszcza, gdy dziecko stoi przed trudnym zadaniem, słowa są jednak skrótowe, słabiej słyszalne i zdecydowanie kierowane tylko do siebie.

Wiele badań nad mową do siebie potwierdza stanowisko Wygotskiego i ukazuje, w jak dużym stopniu język i myślenie splatają się w procesie rozwoju. Wykazano, że mowa do siebie często towarzyszy rozwiązywaniu problemów nawet u małych dzieci. Jednak wraz z wiekiem przestaje być wyrażana na głos, jest coraz mniej słyszalna, aż w końcu staje się zupełnie bezgłośna. Bivens i Berk (1990) opisali ten postęp. Obserwowano dzieci w wieku od 6. do 7. lat, jak w klasie rozwiązywały samodzielnie problem matematyczny. Odnotowywano każdy przypadek mowy do siebie i sposób jej wyrażania, tzn. to, czy były to wyraźne komentarze nie odnoszące się do zadania, czy jawne uwagi dotyczące zadania, czy też odnoszące się do zadania oznaki mowy wewnętrznej, takie jak niesłyszalne mamrotanie lub ruchy warg. Tę samą procedurę powtórzono rok i 2 lata później.

TABELA 9.1

Zmiany częstotliwości występowania mowy do siebie w różnych przedziałach wiekowych

Rodzaj mowy do siebie	6–7 lat	7–8 lat	8–9 lat
Zewnętrzna, nie związana z zadaniem	4,6	1,4	1,2
Zewnętrzna, związana z zadaniem	23,8	10,3	6,9
Wewnętrzna, związana z zadaniem	31,9	48,7	50,8

Źródło: Bivens, Berk (1990).

Okazało się, że ogólny wskaźnik występowania mowy do siebie podczas pracy dzieci był bardzo wysoki; ponadto w ciągu 3 lat obserwacji utrzymał się na podobnym poziomie. Znacznej zmianie uległ jednak charakter tej mowy. Jak przedstawiono w tab. 9.1, wskaźnik zarówno mowy odnoszącej się do zadania, jak i mowy zewnętrznej, nie odnoszącej się do zadania, zmalał. Wzrosła natomiast w znacznym stopniu częstotliwość występowania mowy wewnętrznej. Zatem, gdy dzieci stopniowo wyzbywają się słyszalnych, mniej dojrzałych form jawnej mowy do siebie, coraz częściej korzystają z uwewnętrznionej mowy do siebie. Wskazuje to wyraźnie na fakt, że zewnętrzna mowa zastąpiona zostaje przez ukryte myślenie, co spójne jest z poglądem Wygotskiego na temat znacznej roli mowy do siebie w rozwoju.

3. Autoregulacja

Język ma wpływ nie tylko na myślenie, ale i na działanie. Gdy Furrow (1984) obserwował dwulatki podczas zabawy w domu zauważył, jak raz za razem wydawały same sobie polecenia: „Nie, nie tam", „Położę to tam", „Połóż" itd. Warto odnotować, że w zacytowanych powyżej badaniach (Bivens i Berk, 1990) rozwój mowy wewnętrznej szedł w parze z rosnącą zdolnością hamowania ruchów zewnętrznych i niepokoju oraz poświęcania większej uwagi zadaniu – w myśl przekonania Wygotskiego, że mowa taka w coraz większym stopniu sprzyja samokontroli. Zdaniem Łurii (1961), jednego z kolegów i zwolenników Wygotskiego, istnieją 3 etapy w rozwoju u dzieci zdolności wykorzystywania języka do kierowania własnym zachowaniem. W 1., do około 3. r. ż., słowne instrukcje innych ludzi mogą pobudzać do działania, lecz nie mogą go hamować. Jeśli dziecku damy do ściskania gumową zabawkę, poprawnie zareaguje ono na polecenie „ściśnij"; natomiast na polecenie „przestań" ściśnie ją ponownie. W etapie 2., do około 4.–5. r. ż., dzieci reagują na polecenia w sposób impulsywny: gdy powie się im, by ścisnęły zabawkę dopiero wtedy, gdy zapali się światełko, będą ją ściskały kilka razy, reagując nie tyle na treść polecenia, ile na jego pobudzający charakter – dlatego, im głośniejsza instrukcja, tym częściej będą ściskać. W końcu, po 5. r. ż.

zareagują na treść wypowiedzi i będą potrafiły ją wykorzystać zarówno do podjęcia, jak i do powstrzymania działania. Słowna regulacja zachowania, czy to przez same dzieci czy przez inne osoby, zaczyna więc odgrywać wielką rolę, choć musi ona rozwinąć się stopniowo we wczesnym dzieciństwie.

Czy to wyłącznie ludzka zdolność?

Używanie języka jest powszechnie uważane za zdolność ograniczającą się jedynie do gatunku ludzkiego. Oczywiście, inne gatunki mają rozmaite sposoby komunikacji ze swoimi towarzyszami i czasem przybiera to dość rozbudowane formy, jak na przykład taniec pszczół, którym informują inne pszczoły o dokładnej lokalizacji kwiatów bogatych w pyłek. Jednak tego typu komunikaty nie mogą równać się z językiem; działania te mogą coś reprezentować, lecz nie są oparte na leżącym u ich podłoża systemie reguł, który pozwala jednostce na różnorodne łączenie poszczególnych elementów składowych. Oznacza to, że zwierzęta mogą posiadać (najczęściej bardzo ograniczony) zakres słownictwa, lecz brak im gramatyki.

Podjęto wiele prób, by ustalić, czy małpy człekokształtne są w stanie nauczyć się języka (zob. Savage-Rumbaugh i in., 1993, krótki przegląd historyczny). Większość tych badań polegała na wychowywaniu młodych szympansów w domach badaczy, niekiedy razem z ich własnymi dziećmi, w celu wykształcenia u nich pewnego zasobu ludzkich umiejętności: jedzenia za pomocą łyżki, otwierania drzwi kluczem, rozpoznawania i segregowania obrazków itd. W rezultacie okazało się, że szympansy wykazują, większe niż się tego spodziewano, możliwości przyswojenia tych umiejętności. Jednak próby nauczenia ich języka dawały niejednoznaczne rezultaty. Szczególnie uczenie szympansów posługiwania się mową okazało się fiaskiem – nic dziwnego, gdyż małpy człekokształtne wyposażone są w inny niż ludzie aparat głosowy. Z drugiej jednak strony, wykorzystanie manualnych zdolności szympansów i nauka operowania przez nie językiem migowym, takim, jakim posługują się dzieci niesłyszące, przyniosło nieco lepsze wyniki. Jednej z najsłynniejszych prób dokonali Gardner i Gardner (1971), którzy wzięli do siebie szympansicę o imieniu Washoe i uczyli ją Amerykańskiego Języka Migowego (ASL). Już od okresu niemowlęctwa ASL był jedynym środkiem komunikacji z Washoe. Nikt w jej obecności nie miał prawa używać języka mówionego, a wszystkie znaki były zintegrowane z jej codziennym porządkiem zajęć. Washoe nie potrafiła przyswoić sobie znaków poprzez naśladowanie tak, jak potrafią to dzieci. Kiedy jednak Gardnerowie układali jej własne dłonie tak, by otrzymać właściwy znak, szybko zaczęła gromadzić słownictwo, osiągając w wieku trzech lat poziom 85 różnych znaków. Jej zdolność do łączenia znaków pozostała jednak ograniczona. Tworzenie zdań opartych na kombinacji podmiotu i orzeczenia ("Washoe jeść") lub orzeczenia i dopełnienia ("Pić sok") raczej wykraczało poza jej możliwości. Późniejsze wysiłki pracujących z różnymi gatunkami małp innych badaczy, którzy zamiast gestów manualnych wykorzystywali klawiatury leksykalne i skupiali się nie tylko na wytwarzaniu, ale i na rozumieniu znaków, wskazały na szerszy, niż wcześniejsze badania, zakres zdolności językowych, między innymi na zdolność łączenia znaków w sensowne zdania i korzystania z nich w celu porozumiewania się (Savage-Rumbaugh i in., 1993). Niemniej jednak praca ta stała się źródłem kontrowersji. Sukces zwierząt interpretowano na wiele innych sposobów, zaprzeczających ich zdolnościom językowym. Ponadto, każde osiągnięcie zwierzęcia okazało się o wiele bardziej ograniczone oraz zdobywane wolniej i mozolniej niż w przypadku nabywania tych zdolności przez dzieci. I nie ma się czemu dziwić: korzystanie z języka w jakiejkolwiek formie nie jest naturalną zdolnością wykorzystywaną przez zwierzęta w ich prawdziwym środowisku. A to, czy można im wpoić choć odrobinę tej umiejętności, nie jest dla nich wcale tak ważne.

Istnieje wiele innych argumentów wskazujących na to, że język jest przywilejem ludzi. Szczegółowo omówił je Lenneberg (1967), a brzmią one następująco (podsumowanie zob. w: Bjorklund, 2000):

- *Język jest jednakowy dla całego gatunku.* Wszystkie normalne istoty ludzkie, wychowywane w normalnych warunkach, opanowują język. Nawet „najprymitywniejsze" społeczności posługują się językami jednakowo zaawansowanymi, jak te spotykane w społecznościach bardziej rozwiniętych.
- *Rozwój języka trudno spowolnić.* Tylko w wyjątkowych okolicznościach, takich jak znaczna izolacja lub deprywacja, możliwe jest nieopanowanie mowy. Nawet głuchota lub inne formy niepełnosprawności nie mogą zakłócić potrzeby komunikowania się. W takich przypadkach stosuje się inne kanały porozumiewania się, takie jak język migowy.
- *Rozwój języka odbywa się zgodnie z pewną regułą i w regularnych sekwencjach.* Kolejność i czas pojawiania się kamieni milowych w rozwoju języka jest podobny u wszystkich typowo rozwijających się dzieci. Nawet u dzieci opóźnionych w rozwoju porządek jest ten sam, choć realizowany w wolniejszym tempie. Wskazuje to na wpływ procesu dojrzewania: innymi słowy, rozwój języka, tak samo, jak na przykład rozwój ruchowy, określony jest przez wrodzony plan biologiczny.
- *Język ma swoje podstawy w rozmaitych wyspecjalizowanych strukturach anatomicznych.* Zalicza się do nich aparat głosowy, mieszczący się na odcinku od ust do gardła, który u ludzi jest rozwinięty tak, by służyć mowie, czego nie spotyka się u innych ssaków naczelnych. Ponadto zalicza się do nich centralne struktury mózgu, przy czym to lewa półkula jest głównym ośrodkiem funkcji językowych. Wskazuje się głównie na dwa obszary – Broki i Wernickego (zob. ryc. 9.1); chorzy z uszkodzeniami w obrębie tych obszarów mają ograniczone zdolności językowe, ale nie obserwuje się u nich innych symptomów.

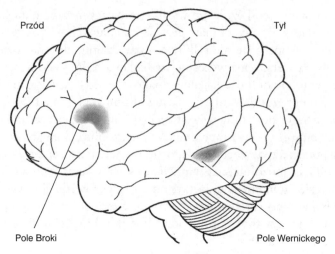

Przód   Tył

Pole Broki   Pole Wernickego

RYCINA 9.1

Umiejscowienie obszarów mowy w mózgu

- *Język powstaje z preadaptacyjnych zdolności obserwowanych już we wczesnym niemowlęctwie.* Jest to wniosek oparty na dwóch liniach badań przeprowadzonych w następstwie publikacji Lenneberga, potwierdzający jego wiarę w znaczenie czynników biologicznych w rozwoju mowy ludzkiej. Po pierwsze, chodzi o wyniki wspomniane w rozdz. 3., wskazujące na to, że niemowlęta bardziej zwracają uwagę na ludzki głos niż na jakikolwiek inny dźwięk, co oznacza, że są genetycznie przygotowane do tego, by reagować na mowę innych osób. Po drugie, ustalono, że niemowlęta na długo zanim zaczną rozumieć mowę, potrafią rozdzielać złożone, składające się na nią sygnały dźwiękowe, co potwierdza wrażliwość na wyróżniki akustyczne (Eimas i in., 1971). Wygląda na to, że już od urodzenia istnieje jedyna w swoim rodzaju zgodność pomiędzy wrażliwością słuchową dzieci a mową, którą słyszą z ust otaczających ich ludzi.

Można zatem sformułować wniosek, że ludzie mają potencjał rozwoju języka, stanowiący nieodłączną część dziedzictwa naszego gatunku (szczegółowy opis, zob.: Pinker, 1994). Dzieci wykazują „gotowość językową" już od momentu urodzenia i w każdych warunkach będą ją rozwijać zarówno w zakresie rozumienia, jak i mówienia. Oczywiście, nie chodzi tu o pomniejszanie roli tych warunków. Jak zdołaliśmy się wielokrotnie przekonać, natura nie wyklucza wpływów wychowania. Surowy materiał, jakim jest zdolność rozwoju języka musi bowiem zaistnieć w określonym środowisku. Wielce znaczącą rolę w przyswajaniu języka odgrywa więc to, jak i w jakiej ilości dorośli dostarczą tego materiału w postaci stymulacji werbalnej.

Przebieg rozwoju języka

Kiedy dzieci zaczynają przyswajać sobie umiejętności językowe? Nie ma na to pytanie prostej odpowiedzi, zależy to bowiem od kryteriów, jakie zastosujemy mówiąc o przyswajaniu języka. Skoro dzieci posiadają w pewnym sensie biologiczne predyspozycje, by nauczyć się i używać mowy, to rozwój tej umiejętności rozpoczyna się już w momencie urodzenia. Jeśli natomiast za kryterium przyjmiemy rozumienie konkretnych słów, to dowody świadczą, że rozpoczyna się to około 9. miesiąca życia. Jeśli – z drugiej strony – przyjmiemy najpopularniejsze kryterium, jakim jest wymawianie słów zrozumiałych dla innych – będzie to wiek 12 miesięcy.

Jednakże, żeby nie było tak łatwo, istnieją cztery różne aspekty języka, a rozwój każdego z nich przebiega według odrębnego kalendarza:

- **Fonologia** dotyczy sposobu wymawiania dźwięków mowy. Rozwój fonologiczny jest rozciągnięty w czasie. W początkowych miesiącach życia wokalizacje niemowlęcia ograniczają się do głużenia i płaczu, a ich zróżnicowanie następuje dopiero około 5. lub 6. miesiąca, gdy dziecko zaczyna gaworzyć. Wtedy dźwięki te zaczynają łączyć się w sekwencje przypominające mowę. Gdy tylko pojawią się „prawdziwe" słowa, zakres dźwięków produkowanych przez dziecko znacznie się poszerza. Jednak pełnię kompetencji fonologicznych osiąga ono dopiero w wieku szkolnym. Nawet dzieci w wieku przedszkolnym same uznają niektóre dźwięki za trudniejsze do wymówienia od innych, więc, mimo iż są już zdolne do wypowiadania właściwych słów, ich mowa nadal może być trudna do zrozumienia.

  > **Fonologia** bada systemy dźwięków tworzących języki.

- **Semantyka** dotyczy znaczenia słów. Podczas gdy w fazie gaworzenia dźwięki są produkowane dla czystej przyjemności i dziecko przez długi czas z radością powtarza *bababab*, to na początku 2. r. ż. zauważa, że konkretne dźwięki, takie jak *mama*, rzeczywiście coś znaczą. Rozwój w tym aspekcie jest również długotrwały i to nie tylko dlatego, że dziecko musi nauczyć się dużego zakresu słów, ale również dlatego, że ich znaczenie może być złożone, abstrakcyjne i splecione ze znaczeniem związanym z innymi desygnatami.

  > **Semantyka** to dziedzina językoznawstwa badająca znaczenia słów i sposób ich przyswajania.

- **Składnia** dotyczy umiejętności łączenia słów w zdania. Dzieci muszą nauczyć się nie tylko pojedynczych słów tworzących elementy zdań, ale również reguł gramatycznych, dzięki którym przekazuje się konkretne znaczenie poprzez różną kombinację słów; „tatuś pocałuj" znaczy co innego, niż „pocałuj tatusia". Jednak kolejność wyrazów to nie jedyny aspekt składni. Pozostaje do nauczenia się wiele więcej reguł, takich jak zasady tworzenia pytań, wyrażania przeczenia i używania strony biernej. I w tym przypadku przyswojenie od-

  > **Składnia** opisuje gramatykę języka, tj. zasady, według których wyrazy łączą się w sensowne zdania.

powiedniej wiedzy zajmuje okres sięgający lat szkolnych, a niektórym ludziom nigdy w pełni się to nie uda, głównie dlatego, że jest to wiedza ukryta, a nie jawna.

- **Pragmatyka** dotyczy używania języka w kontekście społecznym. Język jest podstawowym narzędziem komunikacji z innymi ludźmi i musi być dostosowany do konkretnych osób, z jakimi rozmawiamy, sytuacji, w jakiej się znajdujemy oraz powodów, dla których cokolwiek mówimy. Dlatego też dzieci muszą poznać cały szereg zasad konwersacji, jeśli mają stać się ludźmi, z którymi można się dogadać. Muszą, na przykład, dowiedzieć się, że informacja przekazywana innej osobie musi być dostosowana do aktualnego stanu wiedzy tej osoby, że do osoby oddalonej trzeba mówić głośniej niż do stojącej obok, oraz że oprócz samej treści ton głosu też może wyrażać konkretne znaczenie, takie jak tajemniczość czy wrogość, a to znaczy, że dzieci muszą nauczyć się nie tylko tego, jak rozmawiać, ale także tego, jak wynieść korzyści z rozmowy.

> **Pragmatyka** bada zasady określające, jak korzystać z języka w sposób praktyczny.

Nabywanie języka polega na nabywaniu kompetencji we wszystkich czterech aspektach, a każdy z nich obejmuje spory zakres różnych umiejętności. Biorąc pod uwagę złożoność tego zadania, zaskakuje szybkość, z jaką dzieci stają się kompetentne. W wieku 5 lat posiadają już prawie wszystkie zasadnicze kompetencje, mimo że ich rozwój zabierze jeszcze trochę czasu. Poniżej bardziej szczegółowo przyjrzymy się pewnym podstawowym cechom tego rozwoju.

Pierwsze słowa

Kiedy dzieci zaczynają mówić, a następuje to w większości przypadków w okolicach pierwszych urodzin, ich pierwsze „prawdziwe" słowa przypominają sekwencje gaworzenia, które produkowały już od dłuższego czasu. Wybierają słowa najłatwiejsze pod względem fonologicznym, co jak wskazuje Siegler (1998), wyjaśnia, dlaczego słowa określające matkę i ojca są w tylu różnych językach tak do siebie podobne (zob. tab. 9.2). Zważywszy na to, że gaworzenie dzieci na całym świecie jest niemal identyczne bez względu na język, pod jakiego wpływem pozostają, podobieństwu temu trudno się dziwić.

Również przedmioty, do których odnoszą się pierwsze słowa dziecka są na całym świecie podobne. Stanowią one elementy najistotniejszych doświadczeń rocznego dziecka: rodzice, rodzeństwo, zwierzęta, zabawki, ubrania i jedzenie. Przedmioty poruszające się zostaną nazwane wcześniej niż nieruchome: *samochód* wcześniej niż *lampa*, *autobus* wcześniej niż *ulica*. Nie można jednak z góry zakładać, że dzieci używają słów zupełnie tak samo, jak czynią to dorośli, gdyż z początku wykazują skłonność zarówno do nadmiernego rozszerzania, jak i nadmiernego zawężania znaczenia wyrazów. *Nadmierne rozszerzanie* polega na uogólnie-

TABELA 9.2

Słowa określające matkę i ojca używane przez małe dzieci w różnych językach

Język	Matka	Ojciec
Angielski	mama	dada
Hebrajski	eema	aba
Navajo	ama	ataa
Północnochiński	mama	baba
Rosyjski	mama	papa
Hiszpański	mama	papa
Tajwański	amma	aba

Źródło: Siegler (1998).

niu znaczenia wyrazu na inne rzeczy niż zakłada to jego konwencjonalne użycie. Gdy dzieci poznają słowo *piesek*, określają tym mianem koty, króliki, owieczki i wiele innych małych zwierząt. *Nadmierne zawężenie*, z kolei, polega na ograniczeniu konwencjonalnego zastosowania, jak wtedy, gdy dziecko myśli, że *piesek* to określenie rodzinnego pupila i dlatego jest nieodpowiednie do nazywania innych psów, lub wtedy, gdy wyraz odnosi się do określonego obiektu tylko w konkretnej sytuacji, a nie w innej. Na przykład, Martyn Barrett (1986) cytuje swojego rocznego synka, który słowa *kaka* używał wtedy, gdy walił gumową kaczką o brzeg wanny, ale nie wtedy, gdy bawił się nią w innych sytuacjach, ani też wtedy, gdy widział prawdziwe kaczki. Zarówno nadmierne zawężenie, jak i rozszerzenie wskazują na to, że zrównanie się w sposobie używania słów z innymi ludźmi wymaga czasu i doświadczenia społecznego. Pewne dziwactwa w mowie dzieci mogą mieć swój urok, chociaż rodzice raczej nie chcą zbyt długo biernie się temu przyglądać.

Inną nie do końca jasną sprawą jest sposób, w jaki dzieci poznają konkretne słowa. Nawet, jeśli dorośli ułatwiają im to udzielając „lekcji słownictwa", na przykład pokazując psa i jednocześnie nazywając go *piesek*, to nie wiadomo, czy dane słowo odnosi się do całego zwierzęcia, czy do jego części, czy do koloru lub do konkretnej czynności, jaką wykonuje. Przyjęto, że w takiej sytuacji działa *zasada całości przedmiotu*, która mówi, że w przypadku braku jakichkolwiek dodatkowych informacji, dziecko uczące się języka automatycznie zakłada, że dane określenie odnosi się do przedmiotu jako całości (Markman, 1989). Wyjaśniałoby to, dlaczego nauka rzeczowników postępuje tak szybko i wskazywałoby na szereg strategii stosowanych w przyswajaniu słownictwa (pełny opis, zob.: Messer, 1994).

Jednakże, rzadko się zdarza, by dzieci słyszały słowa podczas przystępnych lekcji słownictwa, częściej słyszą je jako szybko wypowiadany nieprzerwany potok słów. W jaki sposób udaje się im podzielić ciąg dźwięków na wyrazy w przypadku rzadko stosowanych pauz? I w jaki sposób uczą się tych słów, nadal będąc w fazie jednowyrazowej? Jedną z odpowiedzi jest to, że dorośli w sposób dość automatyczny i nieświadomy dostosowują swój język do dziecięcych zdolności przetwarzania słyszanych dźwięków, a uczącemu się dziecku udzielają dodatkowego wsparcia i pomocy. Na przykład, rozdzielają słowa pauzami, spowalniają mowę, szczególnie akcentują niektóre części zdania, dbają o właściwe ukierunkowanie uwagi dziecka, jak również prezentują słowa w kontekście gestów i innych wskazówek niewerbalnych. Dzięki temu dostarczają dziecku dodatkowych informacji i tym samym ułatwiają mu zrozumienie słów i naśladowanie ich. Za chwilę dokładniej zajmiemy się rodzajami pomocy udzielanej przez dorosłych. Tymczasem zauważmy, że nabywanie języka jest bez wątpienia procesem społecznym i interaktywnym i wszelkie próby zrozumienia tego tylko z punktu widzenia samego uczącego się dziecka skazane są z góry na niepowodzenie. Niemniej jednak, jak wskazuje na to poniższy przykład, umiejętność dzielenia zdań na poszczególne wyrazy jest u dziecka z początku mało rozwinięta (Bernstein-Ratner, 1996):

OJCIEC: Jeśli chcesz, na deser dam ci mango?
DZIECKO: A co to jest cimango?

Godne uwagi jest jednak nie to, że dzieci od czasu do czasu popełniają tego typu błędy, ale to, że tak wiele razy udaje się im ich uniknąć.

Rozwój słownictwa jest z początku powolny. W pierwszej połowie 2. r. ż. dzieci uczą się około 8 wyrazów na miesiąc, jednakże później następuje wielka erupcja słownictwa. Dzieci przekształcają się, jak to określa Pinker (1994), w „odkurzacze" do słów, przyswajając sobie do 9 słów dziennie (zob. ryc. 9.2). Przez większość wczesnego dzieciństwa rozwój słownictwa postępuje w zadziwiającym tempie (zob. tab. 9.3). Susan Carey (1978) stwierdza co następuje:

TABELA 9.3

Rozwój słownictwa w sześciu początkowych latach życia dziecka

Wiek (rok-miesiąc)	Zakres słownictwa
1-0	3
1-6	22
2-0	272
2-6	446
3-0	896
4-0	1 540
5-0	2 072
6-0	14 000

Źródło: według różnych publikacji.

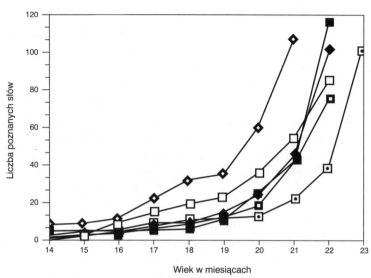

Rozwój słownictwa sześciorga dzieci w ciągu 2. r. ż.

W wieku 6 lat przeciętne dziecko zna około 14 000 słów. Przy założeniu, że właściwa nauka słów nie zaczyna się wcześniej niż przed mniej więcej 18. miesiącem życia, daje to średnią około 9 słów na dzień, czyli prawie 1 na każdą godzinę czuwania.

Gdyby uczenie się nowych słów było procesem powolnym i trudnym, wymagającym wielu prób i powtórek, jak wtedy, gdy dzieci uczą się drugiego języka, takie tempo nie byłoby możliwe. Jednak, w większości przypadków zaledwie kilkakrotne, a niekiedy pojedyncze usłyszenie pozwala dziecku w początkowych 5 latach życia na nauczenie się znaczenia słowa i samodzielne jego użycie. Znaczenie jest często niepełne i wymaga w ciągu kolejnych miesięcy i lat stopniowej modyfikacji i dookreślania, w jaki sposób danego słowa używać. Niemniej jednak pierwszy krok wskazuje na ogromną dziecięcą zdolność nauki języka. Tak szybkie nabywanie słownictwa znane jest pod nazwą *natychmiastowego odwzorowywania* i najczęściej widoczne jest już u dzieci w wieku lat 2; w końcu ulega jednak spowolnieniu i coraz rzadziej pojawia się w późniejszych latach dzieciństwa.

Powstawanie zdań

Począwszy od 18. miesiąca dzieci zaczynają łączyć ze sobą wyrazy i tworzyć „zdania". Początkowo wiele się one różnią od zdań używanych przez dorosłych – stąd użyto tu cudzysłowu. Są one krótkie, proste i często gramatycznie nieprawidłowe, jednak w większości ich znaczenie jest zaskakująco jasne. „Więcej mleka", „Usiąść krzesło", „Krowa muuu", „Zobaczyć dziecko", „Pa, pa samochód" – w każdym z tych przypadków dziecko chce coś przekazać, i mimo że wypowiedzi te mają charakter *mowy telegraficznej* (R. Brown, 1973), zazwyczaj mu się to udaje. Racja, że niekiedy, by określić, które z potencjalnych znaczeń dziecko miało na myśli, potrzebne jest odniesienie do kontekstu. Weźmy często przywoływany przykład: Lois Bloom (1973) obserwowała dzieci wypowiadające frazę *mama skarpetka* w dwóch różnych sytuacjach. Raz, podnosząc skarpetkę matki, drugi raz, gdy matka zakładała dziecku skarpetkę. Za pierwszym razem znaczenie było następujące: „to jest skarpetka mamy.", natomiast w drugim przypadku pełne zdanie brzmiałoby: „mama zakłada mi skarpetkę". Jednak w obydwu sytuacjach fakt, że dziecko umie tworzyć kombinacje wyrazów świadczy o tym, że potrafi ono wyrażać bardziej złożone znaczenia niż w przypadku, gdy posługuje się pojedynczymi słowami. Zamiast zwykłego odnoszenia się lub nazywania, dziecko jest teraz na poziomie poznawczym zdolne do wyrażenia związku pomiędzy, dajmy na to, matką i skarpetką.

Począwszy od 3. r. ż., następuje gwałtowny wzrost długości, złożoności i gramatycznej poprawności zdań. Co do złożoności zasad tworzenia zdań, dzieci (w przeciwieństwie do małp) są w stanie opanować je już w bardzo wczesnym wieku. Szybko zdają sobie sprawę z tego, że zdanie to nie tylko ciąg słów, i że dla przekazania znaczenia istotny jest szyk wyrazów. „Tatuś pocałuj" znaczy zupełnie, co innego niż „Pocałuj tatusia", lecz tego dzieci nie trzeba uczyć, pojmują to w sposób spontaniczny i dochodzą do tego bez pomocy innych. Kreatywna natura nabywania języka przez dziecko w żadnym innym momencie nie jest tak uderzająca, jak wtedy, gdy gorliwie opanowuje ono zasady określające budowanie sensownych zdań. Weźmy na przykład zasadę, która mówi o tym, że aby w języku angielskim wskazać na czas przeszły na ogół do czasowników dodajemy końcówkę „-ed". Początkowo dzieci lekceważą tę zasadę; kiedy opisują minione wydarzenia mówią na przykład: *Granny play piano this morning* („Babcia grać pianino rano"), lub *I sleep last night in big bed* („Ja spać ostatnią noc w dużym łóżku"). Mniej więcej w 3. r. ż. poznają zasadę dotyczącą końcówki „-ed", ale stosują ją we *wszystkich* przypadkach, kiedy mowa o czasie przeszłym: „play" daje „played" a „sleep" daje „sleeped" (powinno być „slept"). Najważniejsze jest to, że w ogóle poznały tę zasadę, nikt im jej nie objaśniał i, jak wykazały obserwacje, rodzice rzadko poprawiają gramatykę wypowiedzi dziecka. Wygląda na to, że dzieci same aktywnie i całkowicie spontanicznie angażują się w poznawanie zasad, co – jak się wydaje – odgrywa najważniejszą rolę w opanowywaniu języka. *Nadmierna regularność*, tj. tendencja do bezkrytycznego stosowania zasad w każdej sytuacji użycia języka, oznacza, że użyte zostaną takie wyrazy jak *goed*, *wented* i *comed* (powinno być: *went*, *went* i *came*) – są to wyrazy, których dzieci, oczywiście, nie słyszały w mowie dorosłych, nie da się zatem wytłumaczyć tego prostym naśladownictwem. Wynikają one z twórczych wysiłków, jakie podejmują dzieci, próbując dowiedzieć się, jak mówić. Z czasem nauczą się, że niekiedy występują odstępstwa od reguły mówiącej o końcówce „-ed". Jednakże, jak wykazuje Kuczaj (1978) w swoich badaniach, czasami nawet sześciolatki są nadal niepewne, co do konkretnych przypadków: gdy miały określić, który z wyrazów brzmi dobrze, a który głupio, większość uznała *eated* za wyraz głupi, ale określiła *ate* i *ated* za równie dopuszczalne (poprawnie jest *ate*).

Istnieją także inne konwencje językowe, które dzieci muszą sobie przyswoić, jak na przykład tworzenie przeczeń lub zadawanie pytań. Początkowo radzą sobie z tym dość prosto. Przeczenia tworzą dodając *nie* (ang. *no*, *not*) na początku wypowiedzi („nie ja dostać lekarstwo" lub „nie ja iść"). Pytania zaś zaznaczają tylko przez wznoszącą intonację pod koniec zdania. Z czasem jednak uczą się, że wymaga to bardziej złożonych konstrukcji i zaczynają tworzyć zdania poprawne pod względem gramatycznym. Dodawanie końcówki *-s* do rzeczowników, by zaznaczyć (w j. angielskim) ich liczbę mnogą, stanowi inny przykład nadmiernej regularności. Raz poznawszy tą zasadę, dzieci stosują ją bezkrytycznie i zanim przyswoją sobie wyjątki od niej mówią *foots* (poprawnie *feet*), a następnie przekształcają to i tworzą wyraz *feets*.

W kolejnych latach dzieci uczą się różnych innych rodzajów zdań złożonych – zdań ze spójnikami współrzędnymi np.: „Dziecko płakało, ale mama je pocałowała i przestało."; strony biernej: „Okno zostało rozbite."; zdań z frazą wtrąconą: „Czy będę mógł wyjść się pobawić, jak przestanie padać?"; pytań rozłącznych: „Zrobiłem najlepszy rysunek, prawda?". W każdym z tych przypadków obserwuje się stopniowy postęp w kierunku tworzenia poprawnych zdań. Zastanówmy się nad pytaniami. Początkowo dzieci zaznaczają pytania jedynie rosnącą intonacją („Jadę na rowerze?"), począwszy od 3. r. ż. potrafią tworzyć pytania szczegółowe, choć w bardzo uproszczonej formie („Gdzie misiu?"). Później uczą się, że należy użyć czasownika posiłkowego *does*, choć nadal nie są pewne, jak poprawnie wstawić go do zdania i mówią na przykład, „Why does Annie cries?" (poprawnie: Why does Annie cry?"). W końcu pytania są formułowane poprawnie pod warunkiem, że są to zdania krótkie. Natomiast bardziej skomplikowane pytania stanowią problem jeszcze na początku nauki szkolnej. Postęp w tej kwestii ma charakter spontaniczny. Rzadko uczy się dzieci, jak zadać pytanie. Tego typu próby zazwyczaj nie przynoszą żadnych rezultatów. Poprawne tworzenie niektórych typów zdań wymaga bowiem pewnej sprawności poznawczej – wraz z jej nabywaniem mowa dziecka staje się coraz bardziej poprawna. Jeśli uwzględnimy tu kwestię rozwoju poznawczego, to stanie się jasne, że zarówno porządek pojawiania się różnych form konstrukcji gramatycznych, jak i czas różnych kamieni milowych w rozwoju u wszystkich dzieci jest zazwyczaj jednakowy, nawet do tego stopnia, że u dzieci niesłyszących używających języka migowego dostrzec można te same prawidłowości rozwoju, co u dzieci posługujących się językiem mówionym (zob. ramka 9.1).

RAMKA 9.1

Nabywanie języka migowego

Dzieci urodzone z poważnym lub głębokim upośledzeniem słuchu mają ogromne trudności z nauczeniem się mowy i dlatego częściej uczą się manualnych sposobów komunikacji, takich jak Amerykański Język Migowy (*American Sign Language*, ASL) lub Brytyjski Język Migowy (*British Sign Language*, BSL). Jak wskazuje na to wiele badań, zwłaszcza dotyczących ASL, są to „rzeczywiste" systemy językowe, różniące się od języków mówionych jedynie formą przekazu, która korzysta ze znaków manualnych, a nie dźwiękowych. Każdy język migowy posiada jasno określoną strukturę, której cechy pod wieloma względami ani nie są identyczne, ani nie wywodzą się z języka mówionego. Język migowy nie jest, zatem, bezpośrednim tłumaczeniem mowy; na przykład pytanie: „Jak masz na imię?" w języku migowym ma formę: „Imię twoje jakie?". Jednakże, podobnie jak w przypadku systemów mówionych, wszystkie znaki są oparte na symbolach i podlegają pewnym regułom (więcej szczegółów zob.: Bishop, Mogford, 1993 oraz Klima, Bellugi, 1979).

Podobnie jak jest ze słowami, poszczególne znaki mają charakter umowny i stanowią połączenie sposobu ułożenia dłoni, miejsca jej ułożenia względem ciała i sposobu poruszania nią (zob. ryc. 9.3). Wyrazy twarzy i ruchy ciała również mogą odgrywać pewną rolę. W kilku przypadkach znak ma charakter ikoniczny – znaczy to, że sposób

Ile?   Nie wiem.

E-mail   Lekarz

RYCINA 9.3

Język migowy: przykłady

wyrażania go jest wskaźnikiem jego znaczenia. Na przykład, w ASL płacz pokazuje się przesuwając palce w dół po policzkach tak, jak spływają łzy, natomiast znak drzewa przypomina drzewo kołysane wiatrem. Jednak bez względu na istotę znaku ma on charakter konwencjonalny, jest uznany przez wszystkich członków określonej wspólnoty językowej i używany jako środek komunikacji z innymi.

Jeśli rodzice też są ludźmi niesłyszącymi (choć zdarza się to w jednym przypadku na dziesięć) i znają język migowy, dzieci przyswajają sobie ten język jednakowo łatwo, jak dzieci słyszące przyswajają sobie mowę ustną. Pierwsze znaki pojawiają się pod koniec 1. r. ż., mniej więcej w tym samym czasie, co pierwsze słowo u dzieci normalnie słyszących. W ciągu 2. r. ż. pojawiają się kombinacje dwuznakowe, znów w porównywalnym czasie, co dwuwyrazowe wypowiedzi u dzieci słyszących, a w kolejnych miesiącach zauważyć można dłuższe i coraz bardziej rozbudowane kombinacje. Jednak porównywalne są nie tylko czas, ale i charakter tych zestawień. Na przykład, poszczególne znaki są często łączone w sekwencje podmiot-orzeczenie-dopełnienie (takie jak: „Ja tulę dziecko."). Oznacza to, że dziecko nauczyło się stosować zasady składni w przejrzysty i spójny sposób, innymi słowy, w odpowiednim wieku przyswoiło sobie podstawy gramatyki. Nawet błędy składniowe w języku migowym są popełniane w tym samym czasie, co błędy składniowe u dzieci mówiących. Dzieci niesłyszące mają, na przykład, tę samą tendencję do nadmiernej regularności, co powoduje, że podczas pierwszych prób stosowania tworzą migowe błędne wersje czasowników, takie jak *goed* i *sleeped* (poprawnie *went* i *slept*).

Szczególne zainteresowanie badaczy budzą dzieci niesłyszące, których rodzice nie znają języka migowego, i które w najwcześniejszym okresie życia nie mają dostępu do żadnego języka – ani mówionego, ani migowego. Jak wykazała Susan Goldin-Meadow wraz z zespołem (np. Goldin-Meadow, Morford, 1985), potrzeba komunikacji jest tak silna, że dzieci same tworzą swój własny język migowy, oparty przede wszystkim na naturalnych gestach i naśladowaniu działań (np. piąstka trzymana przy ustach jako znak jedzenia). Zatem bez żadnego instruktażu czy przykładu, dzieci spontanicznie tworzą własny zasób słownictwa, by wskazywać na ludzi, przedmioty i działania, które w późniejszym czasie łączą się w „zdania", zawierające znaki konsekwentnie już łączone według zasad gramatyki. Odcięcie od źródła języka ogranicza jednak dalszy jego rozwój, co znów ukazuje bliskie podobieństwo rozwoju dzieci pozbawionych zwykłych możliwości wyrażania się do rozwoju dzieci mogących korzystać z mowy.

Czy istnieją okresy krytyczne dla uczenia się języka?

Jak już zauważyliśmy, rozwój języka przebiega w określonym porządku i w określonym czasie. Większość umiejętności językowych pojawia się w okresie od $1^1/_2$ r. do 5. r. ż. i rozwija się regularnie w podobny sposób, jak zdolności ruchowe. Podobnie, jak to się dzieje w przypadku rozwoju motorycznego – uzależnienie rozwoju języka od wieku wskazuje na działanie procesów dojrzewania, a to oznacza, że dzieci wychowywane w przeciętnych warunkach przyswajają sobie język zgodnie z programem wbudowanym w układ nerwowy, stanowiący element wyposażenia genetycznego.

Co jednak się stanie, gdy z jakichś powodów proces ten zostanie zakłócony i dziecko nie będzie miało okazji opanować języka mówionego we właściwym przedziale wiekowym? Czy później będzie to niemożliwe? Czy istnieją jakieś okresy krytyczne dotyczące uczenia się języka? Pojęcie **okresu krytycznego** stworzono, by wskazać, że określone funkcje psychiczne pojawią się tylko wówczas, jeśli w określonych momentach rozwoju dzieci będą miały okazję zdobycia konkretnych doświadczeń. Bez nich funkcje te się nie pojawią. Dowody na to są nieco niejednoznaczne. Z jednej strony, w przypadku widzenia obuocznego istnieją wyraźne dowody na to, że dzieci do 2–3 lat muszą prawidłowo widzieć obojgiem oczu. Dlatego tak ważna jest w tym okresie korekcja zeza, by dzieci mogły nauczyć się koordynować pracę obu gałek ocznych (Banks, Aslin, Letson, 1975). Natomiast, jeśli chodzi o tworzenie przywiązania, istnieje obecnie uzasadnione przekonanie, że dzieci pozbawione takiej możliwości w odpowiednim czasie, mogą nadrobić powstałe braki w późniejszym okresie życia – przynajmniej w pewnym zakresie (Schaffer, 1998).

> **Okres krytyczny** to czas w trakcie rozwoju, w którym jednostka musi zostać poddana pewnemu doświadczeniu, by przyswoić sobie określone umiejętności.

Dowody na istnienie okresu krytycznego w uczeniu się języka pochodzą przede wszystkim od Erica Lenneberga (1967), który powoływał się na biologiczne podstawy budowy języka. Okres ten miałby trwać od wieku $1^1/_2$ r. do okresu dojrzewania, kiedy to mózg jest szczególnie przystosowany do przyswajania sobie umiejętności językowych; dlatego nauka języka jest łatwiejsza we wczesnym dzieciństwie i może być trudna, jeśli nie niemożliwa, dla nastolatków i dorosłych. Locke (1993) twierdzi, że istnieją cztery źródła dowodów mogących potwierdzać ten pogląd:

- *Nauka drugiego języka.* Kiedy Johnson i Newport (1989) badali kompetencje językowe chińskich i koreańskich imigrantów w Stanach Zjednoczonych, zauważyli, że ich znajomość gramatyki była ściśle związana z wiekiem, w którym zaczęli uczyć się angielskiego. Ci, którzy przybyli do USA przed 7. r. ż. posiadali taką samą biegłość, jak rodowici amerykanie. Natomiast ci, którzy przybyli tam mając ponad 15 lat mieli już znaczne braki umiejętności, nawet jeśli żyli w społeczności angielskojęzycznej tak samo długo, jak młodsi imigranci. Znajdujemy więc potwierdzenie uzależnienia nauki języka od wieku, przynajmniej nauki drugiego języka, choć nic nie wskazuje na to, że nauczenie się drugiego języka w późniejszym wieku jest zupełnie niemożliwe.

- *Opóźnione oddziaływanie języka na dzieci niesłyszące.* Niektóre dzieci niesłyszące przez długi okres dzieciństwa pozbawione są szans nauczenia się formalnego języka, mówionego lub migowego. Badania nad takimi dziećmi (np. Newport, 1990) dają wyniki podobne od tych uzyskanych w badaniach nad uczeniem się drugiego języka; im później rozpocznie się kontakt z językiem, tym trudniej o biegłość. Lecz i tym razem nie określono żadnej konkretnej granicy możliwości przyswajania umiejętności językowych.

- *Skutki uszkodzeń mózgu w różnym wieku.* Niejednokrotnie wykazywano, że skutki określonych uszkodzeń obszarów językowych lewej półkuli mózgu zależą od wieku, w jakim uszkodzenie nastąpiło. Im młodsze dziecko, tym większe szanse na to, że inne obszary przejmą określone funkcje i umożliwią dziecku odzyskanie utraconej kompetencji. Wraz z wiekiem plastyczność mózgu maleje i jednostce jest coraz trudniej osiągnąć odpowiednie kompetencje językowe.

- *Dzieci wychowujące się w odosobnieniu.* Na przestrzeni wieków donoszono o znacznej liczbie przypadków dzieci, które nie miały żadnego, lub miały ograniczony kontakt z ludźmi, a tym samym z językiem (Newton, 2002). Najsłynniejszy jest przypadek Dzikiego Chłopca z Aveyron (tak został nazwany), który zimą 1800 r. wyszedł z lasu w okolicach Aveyron we Francji, i który prawdopodobnie jako maluch został porzucony i od tamtego czasu nie miał żadnych kontaktów z ludźmi. W chwili znalezienia jego wiek oszacowano na 12 lat, był nagi, niekiedy chodził na czworakach, na jego dietę składały się żołędzie i korzenie i oczywiście nie potrafił mówić. Zabrano go do Paryża i oddano pod opiekę dra Itarda, młodego lekarza z Instytutu Głuchoniemych, który przez kilka kolejnych lat codziennie poświęcał większość czasu na to, by przywrócić chłopca do świata ludzi. Uczył go umiejętności społecznych, a przede wszystkim języka. Jednak mimo wielu lat usilnych starań, Itard musiał przyznać się do porażki. Chłopiec nigdy nie opanował więcej niż kilku słów, i chociaż dożył około 40 lat, umiejętność mówienia wykraczała poza jego możliwości. Istniały również inne przypadki dzieci, w podobny sposób pozbawionych możliwości przyswojenia sobie języka, choć działo się to w innych warunkach. Jednym z najbardziej interesujących jest przypadek „Genie", który opisano w latach 70. minionego stulecia; począwszy od 18. miesiąca życia była ona przetrzymywana w zamkniętym pomieszczeniu i rzadko kiedy słyszała mowę. Kiedy ją znaleziono miała 13 lat i w ogóle nie potrafiła mówić. W wyniku trwającej kilka lat intensywnej nauki poczyniła pewne skromne postępy, ale nigdy nie przyswoiła sobie normalnego języka (więcej szczegółów zob. ramka 9.2). Podobnie jak w przypadku Dzikiego Chłopca z Aveyron, wygląda na to, że było za późno, by nadrobić stracony czas.

Czy w takim razie mamy do czynienia z okresem krytycznym w nauce języka? Nikt nie jest w stanie udzielić jednoznacznej odpowiedzi, ponieważ, niestety, można opierać się tylko na „eksperymentach natury", a na wynik wpływać mogą także czynniki inne niż brak dostępu do języka, takie jak izolacja społeczna, niedożywienie czy okrucieństwo. Pojęcie okresu krytycznego pochodzi z badań nad zwierzętami, w których możliwe jest manipulowanie takimi czynnikami, jak odizolowanie, długość takiego traktowania i wiek zwierzęcia poddanego badaniom.

Ale nawet wyniki tych eksperymentów nie są tak jednoznaczne, jak się spodziewano. Przede wszystkim okazało się, że przedział wiekowy podatności jest dość elastyczny i w niektórych warunkach może być znacznie rozciągnięty. W zamian stosuje się pojęcie **okresu wrażliwości,** które mówi o tym, że w niektórych okresach życia pewne nowe osiągnięcia rozwojowe są *bardziej prawdopodobne* niż w innych. Jest to także jeden z bezpiecznych (nie tak przerażających) wniosków z powyższych dowodów dotyczących rozwoju języka u ludzi: dzieciństwo jest okresem optymalnym dla nauki języka. Dostrzega się jednak pewną elastyczność, jeśli chodzi o wiek, w którym dzieci powinny zacząć podejmować to zadanie, a ponadto nie ma konkretnych wskazań przemawiających za twierdzeniem Lenneberga, że okres dojrzewania jest granicą, poza którą dalsza nauka staje się niemożliwa.

Okres wrażliwości to czas w trakcie rozwoju, w którym jednostka ma szanse łatwiej przyswoić sobie określone umiejętności niż w jakimś innym okresie.

RAMKA 9.2

Historia Genie

Trudno o przykład większej tragedii, okrucieństwa i zaniedbania niż historia Genie (dokładniejszy opis zob.: Rymer, 1994). Począwszy od 18. miesiąca życia dziecka, ojciec, człowiek chory umysłowo, pałający nienawiścią do dzieci, uwięził ją w małym pokoju, gdzie większość czasu spędzała przywiązana do dziecięcego nocnika i prawie nie mogła się poruszać. Przez ten czas nie dostała żadnych zabawek. Jej otocznie było tak skromne, że właściwie nie miała czego dotykać ani na co patrzeć. Pozbawiona została stymulacji słuchowej, radia, telewizji czy chociażby mowy ojca i zastraszonej, niedowidzącej matki, a gdy sama próbowała wydawać jakieś dźwięki, była bita. W nocy była uwięziona w łóżeczku, w którym znów jej działania były znacznie ograniczone. Kiedy w końcu, w latach 70., matka zdobyła się na odwagę, by opuścić dom, Genie miała $13^1/_2$ roku. Nie potrafiła prosto stanąć, nie potrafiła trzymać moczu ani stolca i była tak niedożywiona, że wymagała hospitalizacji. Ponadto była skrajnie zaburzona emocjonalnie, nieprzystosowana społecznie i była prawie niemową.

Podjęto wiele prób (które, niestety, w wyniku rywalizacji zajmujących się nią fachowców były nieskoordynowane, a przez to nieskuteczne) mających na celu pomoc Genie w rozwiązaniu jej licznych problemów psychicznych i fizycznych. Przede wszystkim fakt, że nie mówiła, stanowił wyzwanie dla psychologów, pragnących ustalić, czy po osiągnięciu dojrzałości płciowej dziecko jest jeszcze w stanie nauczyć się języka. Ogromny wysiłek i starannie zaplanowane działania w celu nauczenia dziewczynki mówienia podjęte zostały przez Susan Curtiss (1977), słuchaczkę studium podyplomowego, specjalizującą się w psycholingwistyce. W ciągu kolejnych kilku lat Curtiss poświęciła wiele czasu i wysiłku, próbując skłonić Genie do nauczenia się porozumiewania z innymi ludźmi za pomocą mowy. Jednocześnie badała i szczegółowo rejestrowała każdy postęp dziecka. Genie stopniowo zaczęła zarówno rozumieć, jak i wymawiać słowa, rozbudowując swoje słownictwo; po przejściu przez okres jednowyrazowy w końcu zaczęła łączyć słowa i tworzyć bardziej złożone wypowiedzi, tak samo, jak obserwuje się to u innych dzieci. Jednakże jej postęp był bardzo wolny; na przykład po 4 latach treningu, w standardowych testach osiągnęła poziom zaledwie pięciolatka, a jej zasób dwuwyrazowych zwrotów nie przekraczał 2500 wypowiedzi. Jej postęp nie tylko był powolny, ale również bardzo ograniczony, zwłaszcza, jeśli chodzi o reguły gramatyczne. Nigdy nie opanowała struktury zdań przeczących, pytań, zdań złożonych i strony biernej. A zatem jej mowa pozostała nietypowa, pełna takich zdań jak: „Ja chcę Curtiss grać pianino.", „Lubić iść jechać żółty autobus szkolny.", „W szkole gryzmolić twarz." Podczas, gdy większość dzieci uczy się formułować poprawne zdania angielskie w wieku $2^1/_2$ roku, mowa Genie nawet 4 lata po tym, jak zaczęła łączyć słowa w zdania, nadal była w tym względzie niedoskonała.

Jeden z wyników wielu testów, jakie przeszła Genie, jest chyba szczególnie ważny z punktu widzenia istoty zaobserwowanych u niej ograniczeń. Podczas gdy funkcje językowe są zlokalizowane zazwyczaj w lewej półkuli, w przypadku Genie główny ośrodek aktywności elektrycznej podczas mowy zlokalizowany był w prawej półkuli mózgu. I rzeczywiście, warto tu odnotować, że charakter braków w gramatyce podobny był do rodzaju braków spotykanych u ludzi powracających do zdrowia po zabiegu usunięcia lewej półkuli, kiedy to kontrolę nad wszystkimi procesami przejmuje „nienaturalna" część mózgu. Nie wiemy jednak, dlaczego taka zmiana zaszła w mózgu Genie, choć możliwe, że jednym ze skutków złego traktowania w dzieciństwie było uszkodzenie niektórych obszarów mózgu.

W momencie, gdy piszę te słowa, Genie nadal żyje. Jest bardzo nieszczęśliwą, zaburzoną emocjonalnie kobietą w średnim wieku, która pozostaje odizolowana od innych ludzi z powodu swych ograniczonych zdolności komunikacji. To, czy jej niepowodzenie w przyswojeniu sobie języka wynika z faktu, że było na to za późno, nadal pozostaje nie wyjaśnione. Po prostu zbyt dużo było niekorzystnych czynników oddziałujących na Genie, żeby z całą pewnością stwierdzić, że decydujące było nieprzyswojenie sobie języka we właściwym czasie.

Kompetencja komunikacyjna

Kompetencja językowa musi iść w parze z kompetencją komunikacyjną. Perfekcyjne mówienie to nie wszystko. Ważne jest dopasowanie tego, co się mówi, do konkretnego kontekstu społecznego, w którym funkcjonujemy. Wiadomość kierowana do dorosłego może nie być właściwa, gdy ją skierujemy do małego dziecka. Rozmowa z nieznajomym musi przyjąć inną formę niż rozmowa ze znajomym. Ktoś zupełnie nie obeznany z tematem będzie potrzebował innych informacji niż ktoś znający się na rzeczy. Tak samo jak reguły gramatyczne, istnieją reguły komunikacyjne i dzieci muszą poznać zarówno jedne, jak i drugie.

Grice (1975) uważa, że istnieje *szereg zasad konwersacyjnych*, które wyrażają reguły rządzące dialogiem. Należą do nich:

- *Ilość*. Koniecznie trzeba przekazać innej osobie tyle informacji, ile potrzeba do zrozumienia wiadomości – ani mniej ani więcej. Dzieci muszą zatem nauczyć się, jak uwzględniać aktualny stan wiedzy drugiej osoby i właściwie dopasować do niej swoją wypowiedź.
- *Jakość*. Na ogół zakładamy, że to, co się mówi jest wiarygodne. Dzieci muszą się więc nauczyć, że oczekuje się od nich mówienia prawdy, choć muszą jednocześnie wiedzieć, że istnieją od tego uzasadnione odstępstwa, takie jak żarty, droczenie się i sarkazm.
- *Trafność*. W każdym dialogu ważne jest, by obaj rozmówcy mówili na ten sam temat i śledzili to, co wnosi druga osoba, gdy przychodzi jej kolej mówienia. Niekiedy brak tego w prowadzonych przez małe dzieci rozmowach, które przypominają raczej dwa monologi niż jeden dialog.
- *Sposób*. Dla dobra dialogu ważne jest, by rozmówcy wymieniali się rolami mówiącego i słuchacza. Przerywanie jest niegrzeczne, ponadto nie służy przekazowi informacji drugiej osobie.

Małe dzieci początkowo nie są w stanie przestrzegać tych zasad. Warren i Tate (1992) nagrywali dzieci w wieku od 2 do 6 lat podczas rozmowy telefonicznej z dorosłymi. Zarejestrowali następującą rozmowę trzyletniej Alice z babcią:

ALICE: „Mam zieloną" (zaczyna rozmowę)
BABCIA: „Masz co?"
ALICE: „Zieloną".
BABCIA: „Zieloną..."
ALICE: „Tam jest dziecko". (pokazuje na okno)
BABCIA: „Jest..."
ALICE: „Czy tam jest dziecko".
BABCIA: „O Boże".

Alice wyraźnie łamie szereg zasad konwersacyjnych, ale głównie pierwszą. Nie dostarcza babci po drugiej stronie kabla telefonicznego wystarczających informacji, gdyż nie określa, do czego odnosi się „zielona", ani gdzie jest dziecko, na które wskazuje. Jak zauważyli Warren i Tate, są to powszechne u przedszkolaków niedociągnięcia, zdarzające się częściej podczas rozmów telefonicznych niż twarzą w twarz. Niektóre z nagranych dzieci często potrząsały głową nie mówiąc „nie" lub kiwały nie mówiąc „tak", wskazywały na coś nie udzielając dodatkowych informacji werbalnych i wypowiadały uwagi typu „popatrz na to", jak gdyby słuchacz był fizycznie obecny. W wieku 6 lat było już o wiele mniej takich przypadków. W tym wieku dzieciom łatwiej było przyjąć cudzy punkt widzenia i rzadziej dały się przyłapać na własnym egocentryzmie.

Podczas gdy egocentryzm, bez wątpienia, znacznie ogranicza kompetencje komunikacyjne dziecka, istnieje również wiele obserwacji wykazujących, że przekonanie Piageta, o tym, iż przedszkolaki zupełnie nie są w stanie prowadzić dialogu z inną osobą, było znaczną przesadą. Eleanor Keenan (1974) nagrała rozmowę własnych bliźniąt w wieku 2 lat i 9 miesięcy, gdy rano leżały jeszcze w łóżeczku. Oto przykład:

TOBY:(dzwoni budzik) „O, o, o, dzwonek".
DAVID: „Dzwonek".
TOBY: „Dzwonek, to naszej mamy".
DAVID: (mamrocze niezrozumiale)
TOBY: „Był mamy budzik. Był mamy budzik".
DAVID: „Budzik".
TOBY: „Taa, idzie tak, ding dong, ding dong".

W tym dialogu mamy bez wątpienia do czynienia ze spójnością, której z pewnością służy bliskość bliźniąt, a mimo to jest ona imponująca u dzieci w tym wieku. Z jednej bowiem strony, wymieniają się naprzemian uwagami i każdy czeka, aż drugi skończy. Z drugiej strony, dzieci wyraźnie słuchają treści uwag rozmówcy, powtarzając lub rozwijając to, co przed chwilą usłyszały, dzięki temu zachowując ciągłość poprzez stałe odnoszenie się do tego samego tematu. Są to niezwykle ważne umiejętności, jeśli dzieci chcą się komunikować z innymi. Innym przykładem jest umiejętność przystosowania mowy jednego rozmówcy do poziomu wiedzy drugiego, co, jak wykazują Shatz i Gelman (1973), jest również widoczne przed końcem wieku przedszkolnego. Czterolatki połączono w pary z czterolatkami i dwulatkami i miały one wyjaśnić partnerowi, jak działa zabawka. Analiza ich mowy wykazała, że dzieci w sposób systematyczny modyfikują sposób mówienia. W rozmowie z młodszymi używają krótszych, prostszych zdań i więcej zwrotów przyciągających uwagę niż w rozmowie z rówieśnikami. Wyraźnie widać tu ich imponującą wrażliwość na potrzeby rozmówcy.

Podobnie, jak w przypadku kompetencji językowych, rozwój kompetencji konwersacyjnych jest sprawą złożoną, długotrwałą, obejmującą niemal cały okres dzieciństwa. W czasie jego trwania dzieci uczą się najrozmaitszych *aktów mowy*, tj. zastosowań języka w określonym celu, jak np. uzyskanie informacji, prośba, wyrażenie zdecydowania, zmiana czyjegoś zachowania, wyrażenie uczuć, wzmocnienie lub zerwanie związku. Zatem uczą się, że można wiele uzyskać za pomocą słów, i że to, co się mówi, może wywołać określone konsekwencje. Istnieją jednak pewne konwencje, co do wyrażania aktów mowy, stosowane by uzyskać optymalny efekt. Jeśli, na przykład, dziecko chce pić, prosta wypowiedź jednowyrazowa, która przez większość jest uważana za dopuszczalną u dziecka półtorarocznego, nie będzie raczej tolerowana u sześciolatka. Od takich dzieci oczekuje się, by poznały pewne konwencje grzecznościowe i wiedziały, że właściwym sposobem wyrażenia prośby jest zdanie: *Czy mógłbym dostać pić?* Wiedzą one, że zdanie to ma formę pytania, a celem dziecka jest sprowokowanie matki do działania i nalania mu napoju, a nie uzyskanie odpowiedzi „tak". Co ciekawe, o ile rodzice rzadko poprawiają gramatykę i wymowę dziecka, o tyle wiele wysiłku wkładają w nauczenie go zasad grzeczności. Prawdopodobnie zdają sobie sprawę, że w przypadku tych pierwszych aspektów mają nikłe szanse powodzenia, podczas gdy w sprawie grzeczności instruktaż prowadzi do oczekiwanych zmian.

Przyswajanie sobie aktów mowy jest częścią o wiele ogólniejszego procesu rozwoju, mianowicie nabywania umiejętności *metakomunikacji*. Przynajmniej od wczesnych lat szkolnych dzieci zaczynają myśleć o słowach tak, jak należy: traktują je jak przedmioty, planują, jak ich użyć w określonym celu i coraz częściej zwracają uwagę na własną mowę. Widać to, gdy zdają sobie sprawę, że wiadomości, jakie przekazują mogą być nietrafne i wymagają poprawienia lub podania dodatkowych informacji. Jeśli siedmiolatka mówi „Poszłyśmy – eee... ja i Jane poszłyśmy do sklepu, wiesz, tego na rogu, gdzie sprzedają słodycze i te rzeczy." Zdaje sobie sprawę, że jej rozmówca nie wie, kto to „my" i musi powiedzieć, o który sklep chodzi. Jak gdyby słuchała samej siebie, myśli o skuteczności własnej komunikacji i potrafi podjąć właściwe działanie, by dokonać koniecznych poprawek werbalnych. Umiejętności metakomunikacyjne rozwijają się w okresie szkolnym. Pomagają dzieciom, między innymi, bawić się słowami w układanie kalamburów lub słów nonsensownych, zrozumieć metaforę i sarkazm, dają możliwość umyślnego wywołania zakłopotania u innych. To wygląda tak, jakby dzieci potrafiły oddzielić się od własnej mowy i spojrzeć na nią obiektywnie, przez co mogą skuteczniej wykorzystywać język do celów komunikacyjnych.

Kilka słów o umiejętności czytania i pisania

Język, oprócz mówionej, przybiera formę pisaną. Pismo, tak jak mowa, służy tworzeniu i przekazywaniu wiadomości. Jednak, w przeciwieństwie do mowy ustnej, nie jest integralną częścią istoty ludzkiej i pojawiło się w stosunkowo późnym okresie historii naszego gatunku. Jest zatem osiągnięciem kulturowym, chociaż takim, które dziś uważamy za konieczne dla naszego życia społecznego i intelektualnego – stąd nacisk, jaki kładzie się na naukę czytania i pisania.

Związek pomiędzy językiem mówionym a pisanym wcale nie jest prosty, ani jednoznaczny. Nie jest bowiem tak, że jeden jest po prostu wersją drugiego, wyrażoną w inny sposób (Wood, 1998). Nie ma tu prostej odpowiedniości. Nie piszemy tak, jak mówimy i jest to jeden z powodów, dla których poznanie pisma sprawia dzieciom więcej kłopotów niż opanowanie mowy ustnej. Język mówiony przyswajany jest w sposób naturalny w trakcie kontaktów społecznych. Dzieci rozumieją, co znaczą wypowiedzi innych ludzi dzięki ich gestom i wskazówkom ze strony otoczenia, w które wtopiona jest mowa. Ich własne wypowiedzi wywołują natychmiastowe reakcje zwrotne od innych, którzy określają, czy są one zrozumiałe, czy nie. I nie ma potrzeby tworzenia wypowiedzi idealnych pod względem składniowym, gdyż niepełne wypowiedzi często wystarczą rozmówcy, który domyśla się, co dziecko chce powiedzieć. Natomiast pismo to sprawa bardziej przemyślana i zaplanowana. Dzieci muszą świadomie posługiwać się strukturą języka, by budować zdania. Muszą być świadome konwencji pisania (od lewej do prawej, rozdzielanie wyrazów, wielkie litery, interpunkcja itd.). A wszystko to odbywa się w kontekście, w którym dziecko jest samo i brak natychmiastowej reakcji zwrotnej ze strony partnera. Poznawanie pisma stawia, zatem, dziecku większe wymagania niż uczenie się mowy. Nic więc dziwnego, że pismo pojawia się w rozwoju kilka lat później i wymaga fachowej pomocy dorosłych.

Umiejętność czytania i pisania to nie tylko przyswojenie sobie umiejętności technicznych w zakresie rozpoznawania liter, ich kreślenia i ortografii. Szczegółowo opisuje to wiele pozycji literatury (np.: Adams, 1990; Harris, Hatano, 1999; Oakhill, 1995). My skupimy się jednak tylko na początkowej fazie tego procesu, mianowicie na czymś, co zwane jest **tworzeniem się mowy pisanej** – termin ten oznacza najwcześniejszą świadomość dziecka co do istoty pisma i jego postawę wobec języka pisanego (Whitehurst, Lonigan, 1998).

Pojęcie tworzenia się mowy pisanej kieruje naszą uwagę na najważniejszą tu myśl, że umiejętność czytania i pisania nie obejmuje jedynie wiedzy na temat czytania i pisania, ale także *zainteresowanie* czytaniem i pisaniem, czyli coś, co pojawia się na długo przed rozpoczęciem nauki szkolnej (McLane, McNamee, 1990). We współczesnych społeczeństwach dzieci rodząc się wchodzą w środowisko pełne druku: na plakatach wiszących w ich pokojach; na koszulkach z napisami, jakie noszą; na butelkach coca-coli, którą piją; w gazetach i magazynach rozłożonych w domu; na sklepach i reklamach, jakie oglądają. Szybko odkrywają, że symbole drukowane nie są tylko obrazami – inni ludzie zwracają na nie uwagę i rozpoznają ich znaczenie. Jednak najistotniejsza motywacja do zainteresowania słowem pisanym pochodzi z bezpośrednich kontaktów z nim, zazwyczaj z inicjatywy rodziców. Wspólne czytanie książek z obrazkami jest tu najlepszym przykładem. Czynność ta była przedmiotem wielu badań (zob. Snow, Ninio 1986). Kiedy rodzice i dzieci wspólnie oglądają książeczki, na ogół angażują się w wysoce interaktywny, oparty na współpracy proces. Rodzic nie tylko czyta, a dziecko nie tylko słucha. Często angażują się oboje w rozmowę o tym, co się wydarzyło lub w wymianę pytań i odpowiedzi w celu wyjaśnienia przebiegu narracji. Tak więc rodzic pokazuje obrazek i pyta: „Co to?", lub komentuje coś: „Pamiętasz, jak jechaliśmy takim samym pociągiem?". Dzieci są, zatem, zmuszone do odpowiadania i stają się w ten sposób aktywnymi uczestnikami pewnego wspólnego przedsięwzięcia. Zwiększa się ich zainteresowanie i jednocześnie dowiadują się, do czego służą książki i jak z nich korzystać – książki są do czytania, a nie do zabawy, strony obraca się po kolei, obrazki i tekst zwykle do siebie pasują, a przede wszystkim: zadrukowe kartki przynoszą jakieś treści i mogą być źródłem ogromnej przyjemności.

Tworzenie się mowy pisanej odnosi się do samego początku nabywania umiejętności czytania i pisania, czyli uświadomienia sobie, że język pisany ma sens i jest to coś ciekawego.

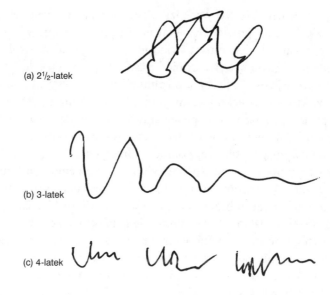

(a) 2½-latek

(b) 3-latek

(c) 4-latek

RYCINA 9.4

„Pismo" w wieku 2½, 3 i 4 lat

Im większą wzbudzą rodzice u dzieci motywację do uczenia się czytania i pisania, tym większy postęp poczynią one później w szkole, w sformalizowanym procesie nauki tych umiejętności (Senechal, LeFevre, 2002). Pewną rolę odgrywa tu również samo zainteresowanie rodziców książkami. Ich liczba w domu, czas, jaki poświęca się na czytanie, częstotliwość odwiedzania bibliotek, wszystko to są wskaźniki ułatwiające przewidywanie powodzenia dziecka w nauce szkolnej. Dzieci czerpią korzyści z przykładu; korzystne jest także udostępnianie przez rodziców materiałów, takich jak kartki i kredki świecowe do rysowania, czy książki z obrazkami do oglądania. Około 3. r. ż. dzieci włączają te materiały do swych zabaw „na niby": przyjmują, na przykład, rolę spikera telewizyjnego odczytującego wiadomości (chociaż z pustej kartki) lub strażnika miejskiego, wypisującego mandat, czy kelnera przyjmującego zamówienie na kolację. Bazgraniny, jakie wówczas tworzą, mówią nam wiele o ich sposobie rozumienia tekstu: jak ukazuje to ryc. 9.4, dwuipółlatki mają niewielkie pojęcie o tym, jaką formę ma tekst, trzylatki tworzą ciągłe zakrętasy; czterolatki wiedzą już, że pisze się od strony lewej do prawej i że pomiędzy wyrazami pozostawia się przerwy, choć nadal nie potrafią stworzyć słów w rozpoznawalnej formie literowej.

A zatem dzieci wiele dowiadują się o pisaniu i czytaniu zanim rzeczywiście zaczną uczyć się, *jak* się pisze i czyta. Umiejętności te biorą swój początek z domowych interakcji społecznych, a zwłaszcza z obserwacji tego, jak bardzo cenioną, użyteczną i przede wszystkim przyjemną czynnością jest czytanie. Przy takich podstawach rozwój dziecka z pewnością będzie szedł w kierunku „właściwych" kompetencji edukacyjnych.

Wyjaśnienie procesu przyswajania sobie języka

Teraz przejdziemy od opisu do objaśnień, czyli od tego, *kiedy* i *co* do tego, *jak* i *dlaczego*. Co do mechanizmów umożliwiających dzieciom rozwój umiejętności językowych, nadal brak pewności. Rozmaite teorie formułowane w celu zrozumienia tego aspektu rozwoju pod wieloma względami różnią się sposobami podejścia do problemu. Istnieją trzy główne typy teorii: behawioralna, natywistyczna i społeczno-interakcyjna.

Podejście behawiorystyczne

Mniej więcej w połowie XX w. w psychologii panowała tradycja behawiorystyczna, zwłaszcza w Stanach Zjednoczonych. W większości zawdzięczamy to pracom B. F. Skinnera, który w 1957 w książce *Verbal Behavior* („Zachowanie werbalne") zaproponował zastosowanie koncepcji behawiorystycznej do analizy procesu nabywania języka. W myśl tej propozycji dzieci uczą się języka tak samo, jak uczą się innych form zachowania, mianowicie poprzez **warunkowanie instrumentalne**, to znaczy poprzez wzmacnianie działań, które dorośli uznali za poprawne. Wzmacnianie zachowań werbalnych dokonuje się poprzez taką nagrodę, jak pochwała ze strony rodziców lub poprzez okazanie, że wypowiedź dziecka została zrozumiana, dzięki czemu wzrasta prawdopodobieństwo powtórzenia tego zachowania przez dziecko w przyszłości. Jeśli więc dziecko powie „ma", matka może zareagować uradowana: „Mama, tak, ja jestem mama.", przez co zarówno akceptuje tę wypowiedź, jak i próbuje ukształtować ją we właściwe słowo, by dziecko to powtórzyło. Dziecko może też spontanicznie naśladować mowę dorosłych, i jeśli spotka się to ze wzmacnianiem, może nastąpić proces uczenia się.

> **Warunkowanie instrumentalne** odnosi się do procedury, podczas której jednostka nabywa określonych wzorców zachowania w wyniku nagradzania za ich przejawianie lub karania za nieprzyswajanie.

    Poglądy te nie są już powszechnie uznawane. Oto główne powody, dla których uważa się je za niesatysfakcjonujące:

- Brak dowodów na to, że rodzice pełnią rolę nauczycieli języka, jak zakładał to Skinner. Przeciwnie, są bardzo tolerancyjni dla wczesnych wokalizacji dziecięcych, bez względu na ich formę. Zatem, jeśli dziecko powie „Ja większy niż Joe" rodzice częściej zastanawiają się nad zgodnością treści z rzeczywistością niż próbują poprawiać gramatykę. Takie błędy jak nadmierna regularność (np.: *goed* zamiast *went*) są niemal zawsze przez nich dopuszczane, a przez to wzmacniane, a jednak dzieci nie zachowują tych form na zawsze, ale z własnej inicjatywy uczą się form poprawnych.

- Kiedy rodzice próbują wejść w rolę nauczycieli, rozwój języka ich dzieci zwalnia, zamiast przyspieszać. Im bardziej rodzic stara się ingerować w naturalne wypowiedzi swego dziecka i kierować nimi, tym bardziej jest prawdopodobne, że skutek będzie niezgodny z jego intencjami, ponieważ takie działanie hamuje dalszy rozwój dziecka.

- Naśladowanie może odgrywać pewną rolę w nauce pojedynczych słów, ale nie może odpowiadać za przyswajanie struktur gramatycznych. Brak jest dowodów na to, że dzieci próbują naśladować zdania wypowiadane przez dorosłych. Jak się przekonaliśmy, dzieci tworzą swoje własne zdania i czynią to w sposób naturalny i właściwy dla stadium rozwoju, w jakim się znajdują.

- Przede wszystkim jednak, Skinner kładzie cały ciężar odpowiedzialności na barki dorosłych i podkreśla ich rolę jako źródła wzmocnień oraz nauczycieli, a dzieci są tylko biernymi odbiorcami ich działań. Jednak opisy przebiegu procesu uczenia się języka ukazują wyraźnie, jak aktywnie dzieci usiłują opanować sposoby komunikacji i jak usilnie starają się rozpoznać zasady rządzące językiem. Ten twórczy aspekt rozwoju jest zupełnie pomijany w mechanistycznym podejściu, jakie przyjęli behawioryści, co pogrążyło całą teorię bardziej niż jakakolwiek inna krytyka.

Podejście natywistyczne

Głównym założeniem natywizmu jest to, że wyjaśnień procesu rozwoju języka szukać należy przede wszystkim we wrodzonych zdolnościach dziecka, a nie w czynnikach środowiskowych, takich jak nauczanie czy modelowanie. Najważniejszym głosicielem takiego poglądu był niewątpliwie Noam Chomski (1986). To właśnie on jest najbardziej odpowiedzialny za upadek podejścia behawiorystycznego. Dokonał tego w 1959 r. poprzez krytykę pracy *Verbal behavior* – bez wątpienia była to jedna z najbardziej druzgocących recenzji, jakie zostały kiedykolwiek napisane*. Jak mówił: „Nie potrafię znaleźć żadnego uzasadnienia dla tej doktryny... że powolne i staranne kształtowanie zachowań werbalnych poprzez zróżnicowane wzmocnienia jest absolutną koniecznością". Szczególnie krytykował Skinnera za to, że nie był on w stanie uwzględnić *produktywności językowej* – zdolności do wykorzystania każdego słowa, jakie dziecko pozna poprzez łączenie go na różne sposoby i tym samym tworzenie zdań nigdy wcześniej nie słyszanych. To, zdaniem Chomsky'ego, stanowi sedno języka, i żaden opis oparty na warunkowaniu instrumentalnym nie jest w stanie wyjaśnić, w jaki sposób dzieci poznają zasady rządzące budową zdań.

* Polski przekład w: B. Stanosz (red.) (1977). *Lingwistyka a filozofia* (s. 23–81). Warszawa: PWN (przyp. red. nauk.).

Dlatego, zdaniem Chomsky'ego, to opanowywanie gramatyki musi być w centrum zainteresowania każdej próby wyjaśnienia rozwoju języka. Uważał on, że istnieją dwa aspekty języka, które należy rozróżnić:

- *Struktura powierzchniowa*, mianowicie mowa, którą dziecko rzeczywiście słyszy w wypowiedziach rodziców i innych dorosłych. Jednak samo w sobie nie pomoże to zbytnio dziecku poznającemu język, gdyż mowa dorosłych jest zbyt wieloznaczna i skomplikowana, by umożliwić dziecku wnioskowanie na temat zasad, na których się opiera.
- *Struktura głęboka*, mianowicie tkwiący u podstaw tej pierwszej system określający, jak łączymy słowa, by stworzyć zrozumiałe wypowiedzi. Jest to wiedza, którą dziecko musi opanować i jest to główne zadanie w procesie nabywania języka. Jednak biorąc pod uwagę z jednej strony złożoność języka, a z drugiej szybkość, z jaką dzieci mimo wszystko się go uczą, trzeba przyjąć, że począwszy od momentu narodzin działa jakiś wrodzony mechanizm, który kieruje tym procesem.

Dlatego Chomsky uważał, że ludzie przychodzą na świat wyposażeni w **wewnętrzny mechanizm przyswajania języka** (*language aquisition device* – LAD), który umożliwia stosunkowo łatwy rozwój umiejętności językowych. Przewidywał, że ten hipotetyczny twór jest jakąś strukturą mózgu każdego człowieka (i tylko człowieka), która zawiera wrodzoną znajomość **gramatyki uniwersalnej**, czyli tych aspektów języka, które są powszechne dla wszystkich języków świata (np. rozróżnienie na rzeczowniki i czasowniki). Język, który dziecko słyszy z ust innych, jest filtrowany przez to urządzenie, które wychwytuje wszystkie regularności (np. zawsze dodaj *s*, by zaznaczyć liczbę mnogą) i tym samym daje zestaw reguł potrzebnych do rozumienia i produkcji zrozumiałej dla innych mowy. LAD jest zatem swoistym programem, właściwym dla gatunku ludzkiego, który umożliwia dziecku opanowanie wszelkich zawiłości gramatycznych języka – z pewnością o wiele bardziej skutecznie niż zależne od dorosłych nauczanie i modelowanie.

Wewnętrzny mechanizm przyswajania języka to zdaniem Noama Chomsky'ego wrodzona struktura umysłowa, która umożliwia dzieciom zaskakująco szybkie nabycie wiedzy dotyczącej gramatyki w całej swej złożoności.

Gramatyka uniwersalna to zasady tworzenia struktur językowych wspólne dla wszystkich możliwych języków człowieka.

Jak już zdążyliśmy się przekonać, bez wątpienia różne aspekty rozwoju języka zależą od naszego biologicznego wyposażenia. Ponadto, zadziwiająca zgodność, z jaką wszystkie dzieci (również używające języka migowego) przechodzą przez wszystkie stadia rozwoju w procesie nabywania języka, zdecydowanie wskazuje na działanie procesów dojrzewania, które decydują o kolejności i tempie tego rozwoju. Jednak uznanie koncepcji LAD Noama Chomsky'ego jest sprawą dość kontrowersyjną. Wątpliwości budzi, na przykład, idea gramatyki uniwersalnej: Slobin (1986) wykazał, że języki świata charakteryzują się o wiele większym zróżnicowaniem pod względem gramatyki niż zakładał to Chomsky. Ponadto Chomsky'ego krytykować można za zbytnie oddalenie się do Skinnera na osi od wychowania do natury: o ile jeden zupełnie pomijał czynniki biologiczne, o tyle drugi nie mówił niemal nic o roli czynników środowiskowych i prawie w ogóle nie próbował uwzględnić ich w swej teorii.

Podejście społeczno-interakcyjne

Autorzy trzeciej koncepcji rozwoju języka zgadzali się, że ludzie są przygotowani pod względem biologicznym do nabywania umiejętności językowych, ale uważali, że o wiele więcej uwagi należy poświęcić czynnikom społecznym, ze szczególnym uwzględnieniem kontaktów komunikacyjnych, jakie dzieci mają z dorosłymi w najwcześniejszym okresie swego życia. Przeprowadzono wiele badań, by potwierdzić ten pogląd. My również więcej czasu poświęcimy temu podejściu niż dwóm poprzednim.

Najważniejsze były prace Jerome'a Brunera (np. 1983). Twierdził on: „Nie posuniemy się naprzód, jeśli trzymać się będziemy niemożliwych przypadków skrajnego empiryzmu lub cudownego czystego natywizmu". Należy to wypośrodkować i uwzględnić skomplikowany splot wrodzonych predyspozycji dziecka z jego doświadczeniami społecznymi w posługiwaniu się językiem. Doświadczenia te zaczynają się w okresie przedwerbalnym, kiedy dzieci mają wiele okazji, by poznawać język w kontekście dialogów ze znanymi, wrażliwymi na jego potrzeby dorosłymi. Popatrzmy na następującą „konwersację" matki z niemowlęciem (zob. Snow, 1977):

NIEMOWLĘ: (uśmiecha się)
MATKA: O, co za śliczny mały uśmieszek!
Tak, czyż nie jest śliczny?
Jest.
Jaki mały śliczny uśmieszek.
NIEMOWLĘ: (beka)
MATKA: No i jaki miły wiaterek.
Tak, już lepiej, Prawda?
Tak.
O, tak.

Matka odgrywa obydwie kwestie, dziecka i własną, ale robi między nimi przerwy, jakby oczekiwała reakcji dziecka, a nawet zadaje pytania. Traktuje dziecko jakby było pełnoprawnym uczestnikiem rozmowy i w ten sposób zapoznaje je ze sztuką konwersacji. A więc zapoznawanie się z językiem rozpoczyna się na długo przed pojawieniem się pierwszego słowa. Odbywa się to w kontekście znanych, codziennych czynności i jest ułatwiane przez sposób, w jaki matka i inni dorośli przedstawiają język dziecku. Pogląd Chomsky'ego, że dziecko otoczone jest przez masę dezorientujących je wypowiedzi, z których jego LAD próbuje „wyłapać" abstrakcyjne zasady tkwiące u podstaw języka, zostaje przez Brunera odrzucony. Dzieci przyswajają sobie język dzięki **systemowi wsparcia przyswajania języka** (*language aquisition support system* – LASS), jak Bruner określił oferowane przez dorosłych rozmaite formy pomocy i wsparcia. To one, a nie tylko wrodzone mechanizmy akwizycji języka warunkują jego naukę. LASS działa więc wspólnie z LAD*.

Wsparcie ze strony dorosłych w procesie uczenia się języka przyjmuje różne formy. Możemy wyróżnić dwie, które zdaniem wielu osób odgrywają szczególnie istotną rolę i dlatego zostały dokładnie rozpoznane przez badaczy. Dotyczą one *stylu* mowy dorosłych oraz jej *dopasowania czasowego* do zachowania dziecka.

System wsparcia przyswajania języka
Jerome Bruner zaproponował taki termin jako kontrpropozycję do ujęcia Chomsky'ego, który kładł nacisk na wiedzę wrodzoną. Zwraca on uwagę na zbiór strategii stosowanych przez dorosłych, by pomóc i wspierać nabywanie języka przez dzieci.

1. Styl mowy dorosłych

Dorośli mówią do dzieci inaczej niż rozmawiają między sobą. Nie chodzi tu tylko o to, *co* mówią, ale również *jak* mówią. Zupełnie nieświadomie przyjmują różne style, dzięki którym sposób mówienia dostosowany jest do dziecięcej zdolności rozumienia (Snow, Ferguson, 1977). Początkowo styl ten nosił nazwę „mowy matczynej", ponieważ badano tylko matki. Później okazało się, że prawie wszyscy – ojcowie, mężczyźni i kobiety z niewielkim doświadczeniem w opiece nad dziećmi, a nawet starsze dzieci – przyjmują ten sam styl w kontaktach z małymi dziećmi. Mowa dorosłego-do-dziecka (D-d), jak ją się nazywa, cechuje się wieloma właściwościami; niektóre z nich przedstawiono w tabeli 9.4. Podsumowując, jest to mowa prostsza, krótsza, bardziej kompletna, pełna powtórzeń i bardziej przyciągająca uwagę niż mowa kierowana do dorosłych. Zdania są krótsze, proste i poprawne gramatycznie, przerwy między wypowiedziami są długie, intonacja przesadna, ton wysoki i zmienny, a wypowiedzi odnoszą się głównie do tego, co tu i teraz. Cechy te odnotowano w bardzo wielu językach, zaobserwowano je także u rodziców mówiących językiem migowym do swych głuchych dzieci (Masataka, 1993). Im młodsze dziecko tym wyraźniejsze były wspomniane tu cechy mowy dorosłego do dziecka. Dorośli niejako „dostrajają" swą mowę do spostrzeganych przez siebie kompetencji językowych dziecka (Snow, 1989).

---

* Proponuję pozostanie przy oryginalnych skrótach stosowanych przez Brunera. Podobnie zrobiły redaktorki pracy zbiorowej: G. W. Shugar, M. Smoczyńska (red.). (1980). *Badania nad rozwojem języka dziecka. Wybór prac.* Warszawa: PWN (por. s. 22 – wrodzony mechanizm przyswajania języka – LAD). (przyp. red. nauk.).

TABELA 9.4

Niektóre cechy mowy dorosłych do dzieci

Fonologia	Semantyka
Wyraźna wymowa	Ograniczone słownictwo
Wyższy ton	Słowa „dziecięce"
Przesadna intonacja	Odniesienie do tego, co tu i teraz
Wolniejsza mowa	
Dłuższe przerwy	
Składnia	**Pragmatyka**
Krótsze wypowiedzi	Więcej poleceń
Zdania poprawnie zbudowane	Więcej pytań
Mniej zdań podrzędnych	Więcej kierowania uwagi
	Powtarzanie wypowiedzi dziecka

Taka mowa powinna być, przynajmniej w teorii, doskonałą pomocą w nauce języka. Lecz czy tak jest naprawdę? Badania dostarczają sprzecznych wyników: niektóre potwierdzają związek tego rodzaju mowy D-d z rozwojem języka dziecka; inne nie odnotowują takiego związku; jeszcze inne odnotowują jego istnienie tylko w określonym wieku lub w odniesieniu do niektórych aspektów języka; a jeszcze inne pokazują, że upraszczanie języka kierowanego do dziecka może opóźnić jego rozwój (podsumowanie zob. Messer, 1994). Ten brak pewności jest zaskakujący; w końcu, na zdrowy rozum nauka powinna być łatwiejsza, jeśli zadanie jest ułatwione. Problem ten ma po części podłoże metodologiczne, większość badań bowiem opiera się na korelacjach, a te nie pozwalają na wnioskowanie w kategoriach przyczynowo-skutkowych. A być może kierunek jest nie od dorosłego do dziecka, tylko od dziecka do dorosłego. Może to nie dorosły jest odpowiedzialny za postępy w rozwoju językowym dziecka, ale dzieje się tak, że im bardziej kompetentne dziecko, tym mniej dorosłych rozmawia z nim w sposób uproszczony. Tak, jak w wielu obszarach socjalizacji, tak i tu prawdopodobne jest, że wpływ jest dwukierunkowy: dorośli i dzieci oddziałują na siebie w trudnym do rozpoznania procesie wzajemnych wpływów.

Jest jeszcze jedna sprawa. Bez względu na to, jak rozpowszechniona jest specyficzna mowa dorosłego do dziecka, nie jest ona uniwersalna. W niektórych społecznościach jest zupełnie nieobecna w kontaktach rodziców z małymi dziećmi – w jednych rodzice mówią do dzieci tak, jak do dorosłych, w innych w ogóle nie mówi się do niemowlęcia. Ramka 9.3 zawiera więcej szczegółów, jednak nic nie wskazuje na to by, w porównaniu z normami zachodnimi, rozwój języka u tych dzieci pozostawał w tyle. Jeśli o to chodzi, to mowa matek pogrążonych w depresji również nie posiada cech specyficznej mowy dorosłych do dzieci, a dzieci te wcale nie sprawiają wrażenia upośledzonych (Bettes, 1988). Być może, modyfikacje obserwowane w mowie dorosłych do dzieci ułatwiają naukę języka, ale nie są konieczne. Dalsze badania mogłyby doprowadzić do bardziej konkretnych wniosków. Tymczasem, aż trudno uwierzyć, by pojawiający się spontanicznie, całkowicie nieświadomie dostosowywany i powszechny wzorzec komunikacji z małymi dziećmi nie przynosił korzystnych skutków.

RAMKA 9.3

Mowa rodziców w kontekście kulturowym

Różne modyfikacje, jakich dokonują rodzice podczas mówienia do dzieci są tak powszechnie spotykane w społeczeństwach zachodnich, że zaczęto je traktować jako zjawisko uniwersalne – jako element bycia wrażliwym i pomocnym rodzicem. Zaskoczeniem więc było to, że obserwacje prowadzone w innych społecznościach dowiodły, że tak nie jest, i że w innych kręgach kulturowych przeważają inne praktyki i inne style mowy rodzicielskiej. Takie zróżnicowanie nie tylko obala mit uniwersalności, ale również stanowi swego rodzaju eksperyment natury, gdyż umożliwia nam zbadanie, czy mowa rodziców do dzieci jest koniecznym warunkiem wstępnym prawidłowego rozwoju ich języka.

Weźmy przykład rodziców samoańskich i ich dzieci, badanych przez Elinor Ochs (1982; Ochs, Schieffelin, 1984). Społeczeństwo samoańskie jest bardzo rozwarstwione. Każdy jest przypisany do określonego stanu, a życie społeczne wyznaczane jest względną hierarchią członków społeczności. Dlatego posiadanie tytułu lub nie, czy przynależność do starszego lub młodszego pokolenia znaczą bardzo dużo dla sposobu, w jaki ludzie odnoszą się do siebie i dla ról, jakie odgrywają we wszystkich aspektach życia – także w wychowaniu dzieci. Dziećmi na ogół zajmuje się wielu opiekunów. Zalicza się do nich matka, niezamężne ciotki i starsze rodzeństwo. Od samego początku dzieci mają nauczyć się, że ich zachowanie wobec tych osób musi zależeć od statusu tych osób, a ponadto tego, że one same znajdują się na najniższym szczeblu drabiny społecznej.

Ma to także odzwierciedlenie w sposobie odnoszenia się do dzieci. Przez sześć początkowych miesięcy na dzieci mówi się *pepemeamea* – dosłownie: „dzidziuś rzecz rzecz", jak gdyby nie do końca były ludźmi. W tym czasie kontakt fizyczny z nimi jest bardzo częsty. Dziecko niemal zawsze pozostaje przy matce, której pomagają inne osoby, natomiast prawie zupełnie brak z nim bezpośrednich kontaktów werbalnych. Często mówi się o dziecku, ale nie *do* niego, gdyż dzieci w tym wieku nie są traktowane jako partnerzy do rozmowy. Wypowiedzi językowe, jakie są do nich kierowane, ograniczają się do piosenek i rytmicznych wokalizacji; nie ma nawet prób bezpośredniego mówienia do nich.

Zmienia się to nieco, gdy dziecko zaczyna pełzać i może się samo przemieszczać. Od tego czasu nazywa je się *pepe*, „dzidziuś", jakby właśnie awansowało na wyższą pozycję. Rodzice nieco więcej do niego mówią. Zwykle są to wypowiadane głośnym, ostrym tonem polecenia, nadal nie próbuje się jednak uzyskać od dziecka żadnej odpowiedzi. Ponadto, mowa ta nie jest w żaden sposób uproszczona, dostosowana do dziecka, zupełnie nie ma cech mowy rodziców do dzieci, znanej w kulturze zachodniej; dorośli mówią do dzieci, jakby mówili do dorosłych. Ciężar uczenia się mowy nałożony jest na dziecko, jako na przedstawiciela niższej rangi. Podobnie też dzieje się, gdy wypowiedzi dziecka są niezrozumiałe – dorosły nie podejmuje wysiłku ich zrozumienia. Rodzice nie starają się, tak jak w krajach zachodnich, poprzez powtarzanie i rozbudowywanie wypowiedzi dziecka, wyklarować jej. I znów ciężar spada na dziecko – to ono musi nauczyć się budować zrozumiałe wypowiedzi. Zatem to dzieci mają dostosować się do innych, a nie inni do nich. Od samego początku dziecko uczone jest nie oczekiwać pomocy dorosłych w sprawach komunikacji, lecz polegać na własnych umiejętnościach. Mimo to dzieci samoańskie stają się kompetentnymi mówcami w normalnym czasie.

Podobne wyniki obserwacji uzyskano w innych krajach. Jeden z przykładów pochodzi ze społeczności Kaluli, zamieszkującej Papuę Nową Gwineę (Ochs, Schieffelin, 1984; Schieffelin, Ochs, 1983) – o społeczności tej wspomnieliśmy już w rozdziale 2. (s. 46). Tutaj nie widać wysiłków mających na celu zaangażowania małych dzieci w jakiekolwiek formy bezpośredniej komunikacji. Poza tym, że nazywane są po imieniu, przed ukończeniem przez nie 2. r. ż. rzadko mówi się do nich, a mowa dorosłych składa się głównie z uwag, które nie wymagają od dziecka odpowiedzi. Kolejny przykład podaje Pye (1986) – badano dzieci Majów uczące się języka Quiche w Ameryce Południowej. Również nie zauważono, by dorośli w jakikolwiek sposób dostosowywali własną mowę do potrzeb dziecka. W każdym przypadku matka, skądinąd troskliwa i dbająca o dziecko, rzadko odrywała się od poważnych zajęć, takich jak tkanie, by wciągnąć dzieci w „zabawowe" rozmowy, takie jak opowiadanie bajek, śpiewanie kołysanek lub różne gry. I znów, zarówno dzieci Kaluli, jak i dzieci Majów w sposób normalny i o czasie opanowują swój język.

Obserwacje te pokazują, po pierwsze, że styl mowy dorosłych do dzieci nie jest uniwersalny, a zatem proces uczenia się mowy jest uwarunkowany biologicznie. Po drugie, proces nabywania języka należy rozpatrywać zawsze jako powiązany z ogólnymi przekonaniami i praktykami kulturowymi. Po trzecie, nabywanie języka przez dziecko może przebiegać prawidłowo nawet bez żadnej specjalnej pomocy ze strony rodziców. Tylko jedno zastrzeżenie do trzeciego wniosku: zaprezentowane badania międzykulturowe nie były formalnymi obserwacjami ani ewaluacjami rozwoju języka u dzieci, prowadzonymi za pomocą standardowych testów, lecz opierały się na ogólnych wrażeniach. Zatem, u badanych dzieci nie można wykluczyć pewnego opóźnienia w rozwoju mowy w porównaniu ze społecznościami zachodnimi, choć takie opóźnienie z pewnością nie jest zbyt duże.

2. Dopasowanie czasowe mowy dorosłego

Ogromna liczba obserwacji wykazała, że mowa rodziców do małych dzieci jest zazwyczaj dopasowana w czasie do tego, czym dziecko akurat się zajmuje. Rozważmy następujący scenariusz. Matka i jej dwuletnie dziecko bawią się różnymi zabawkami. Dziecko przegląda zabawki, wybiera jedną, podnosi ją i zaczyna się nią bawić. Matka zaczyna opowiadać o tej zabawce: może ją nazwać, pokazać, jak się nią bawić i jakie ma cechy, komentować poprzednie sytuacje, w których dziecko bawiło się tą albo podobną zabawką. W ten sposób poszerza konkretny „temat", którym dziecko jest w tej chwili zajęte. Mówienie o innej zabawce, którą dziecko się nie zainteresowało byłoby wówczas niewłaściwe i niestosowne. Pozbawiłoby je świetnej okazji do przyswajania języka w konkretnej, mającej dla niego sens sytuacji. Stworzenie **epizodów wspólnej uwagi**, takich jak wyżej, stwarza kontekst dla postępu w rozwoju rozmaitych funkcji poznawczych (więcej szczegółów zob. Moore, Dunham, 1995).

Dzięki temu dziecko i dorosły podzielają to samo zainteresowanie i, jak wskazywał Wygotski, pozwala to dorosłemu na wyjście od pozycji dziecka i wprowadzanie nowych informacji w optymalnym czasie, w którym dziecko może najlepiej je przyswoić.

Epizody wspólnej uwagi mogą odgrywać kluczową rolę w inicjowaniu nauki języka. Zastanówmy się nad następującymi wynikami, pochodzącymi z licznych raportów z badań nad związkami tych epizodów z opanowywaniem języka:

> **Epizody wspólnej uwagi**
> to takie sytuacje,
> w których dorośli
> i dzieci równocześnie
> skupiają się na pewnym
> obiekcie i razem się
> nim zajmują.

- Spora liczba badań (podsumowanie zob. Schaffer, 1984) pokazała, że rodzice w zabawie z dziećmi, w sposób całkowicie naturalny i automatyczny śledzą uwagę dziecka i potrafią zidentyfikować to, czym dziecko w danym momencie się interesuje. Czynią to dzięki licznym sygnałom, jakie płyną od dzieci, takim jak kierunek spojrzenia, pokazywanie lub dotykanie. Ustaliwszy wspólny przedmiot uwagi, mogą o nim rozmawiać z dzieckiem, nazywać go, komentować jego cechy. Murphy (1978) podaje przykład matek oglądających książeczki z dziećmi w wieku od 1 do 2 lat. Dzieci często stosowały pokazywanie jako wyraz zainteresowania obrazkiem. Kiedy to robiły, matki na ogół zaraz reagowały odpowiednim komentarzem. Wspólna uwaga była więc okazją do dostarczenia dziecku informacji werbalnej w czasie spontanicznego zainteresowania dziecka, dzięki czemu słyszało ono język w połączeniu ze zrozumiałym dla siebie doświadczeniem. Charakter tego języka był dostosowany do etapu nauki dziecka. U jednolatków matki zazwyczaj nazywały badane przedmioty, za to starszym dzieciom często zadawały pytania szczegółowe takie, jak „Co to?", sprawdzając, czego już się nauczyły, a chwaląc za odpowiedź, wzmacniały wiedzę dziecka.
- Im więcej czasu dzieci spędzały na epizodach wspólnej uwagi, tym większy był ich postęp w nauce języka. Na przykład, Tomasello i Todd (1983) nagrywali od czasu do czasu na wideo sytuacje zabawy matki z dzieckiem. Zaczynali od 1. urodzin dziecka, a obserwacje trwały przez 6 miesięcy. Na koniec okazało się, że dzieci, które miały najdłuższy łączny czas sytuacji wspólnej uwagi z matką, miały też najbogatsze słownictwo. Podobnie Wells (1985) za pomocą mikrofonów radiowych nagrywał próbki mowy w domu. Wykryto związek pomiędzy zaawansowaniem znajomości języka w wieku $2^1/_2$ lat a liczbą wypowiedzi matki do dziecka w kontekście ich wspólnych działań, takich jak czytanie książki, rozmowy, zabawa i wypełnianie obowiązków domowych.
- Od dawna wiadomo, że rozwój języka u bliźniąt pozostaje w tyle za innymi dziećmi. Mimo iż istnieje wiele pomysłów na wyjaśnienie tego opóźnienia, jed-

TABELA 9.5

Mowa matek do jedynaków i bliźniąt

	Do jedynaka	Do jednego z bliźniąt	Do jednego z bliźniąt oraz do obydwu bliźniąt
Liczba wypowiedzi matki	198,5	94,9	141,0
Czas spędzony na wspólnej uwadze (w sekundach)	594,0	57,0	208,0

Źródło: Tomasello, Mannle, Kruger (1986).

ną z możliwości jest to, że bliźnięta rzadziej są angażowane w indywidualne wspólne zajęcia z rodzicami. Tomasello, Mannle i Kruger (1986) obserwowali w domu zarówno bliźnięta, jak i jedynaków – wszystkich w ciągu 2. r. ż. Zauważyli znaczne różnice pomiędzy tymi grupami, jeśli chodzi o zakres kierowanej do nich indywidualnie mowy i czas spędzony na epizodach wspólnej uwagi. Sytuacja ta niewiele się różniła nawet wtedy, kiedy analizowano uwagę poświęcaną bliźniętom równocześnie (zob. tab. 9.5). Wszystko to wskazuje na związek pomiędzy niedarzeniem dziecka uwagą i opóźnieniem w rozwoju języka.

- Matki znacznie różnią się między sobą pod względem poziomu wrażliwości wobec swoich dzieci, innymi słowy umiejętnością „dopasowania się" do sygnałów płynących od dzieci, takich jak kierunek spojrzenia, pokazywanie lub inne oznaki ich zainteresowania. Niejednokrotnie różnice te stanowiły czynnik pozwalający przewidzieć tempo rozwoju języka dziecka: im bardziej wrażliwa matka, tym większe szanse, że dziecko szybciej będzie przyswajało sobie język. Na przykład, Tamis-LeMonda, Bornstein i Baumwell (2001) nagrywali na wideo kontakty matek z około rocznymi dziećmi podczas swobodnej zabawy i otrzymali w ten sposób różne wskaźniki wrażliwości matki na działania dziecka. Następnie przez większą część 2. r. ż. dzieci oceniano ich postęp w rozwoju języka. Okazało się, że jest on ściśle związany ze stopniem wrażliwości matki – im ten stopień wyższy, tym rozwój języka u dziecka szybszy.
- Warto zwrócić uwagę na jeszcze jeden aspekt zachowania dorosłych, bezpośrednio wpływający na postępy dziecka w nabywaniu języka. Carpenter, Nagell i Tomasello (1998) prowadzili obserwacje dzieci od 9. do 15. miesiąca życia i zauważyli, że stosowane przez matki podczas wspólnej zabawy strategie „śledzenia uwagi" o wiele bardziej przyczyniały się do rozwoju języka u dziecka niż strategie „przekierowywania uwagi". Innymi słowy, kiedy matka pozwalała dziecku na wybór obiektu zainteresowania i jej późniejsze reakcje słowne dotyczyły właśnie tego obiektu, dziecko szybciej przyswajało sobie jego nazwę i inne istotne informacje językowe, niż wtedy, gdy sama określała obiekt i próbowała skierować nań uwagę dziecka. Matki w znacznym stopniu różnią się od siebie pod tym względem i stwarzają swym dzieciom bardzo zróżnicowane konteksty do nauki języka.

Nie ma chyba wątpliwości co do tego, że epizody wspólnej uwagi stanowią najlepszą okazję do opanowywania języka przez małe dzieci, zwłaszcza, gdy dorośli dbają o to, by to, co mówią do nich, było zgodne z zainteresowaniem dziecka w danym czasie. Wspólnota zainteresowania stanowi gwarancję tego, że słyszany język jest zrozumiały, a to, co jest zrozumiałe, łatwiej dziecku włączyć do własnego repertuaru. Wspólna uwaga jest szczególnie ważna we wczesnych stadiach rozwoju języka, gdy dzieci uczą się nazywać przedmioty i rozbudowują swoje słownictwo. Istnieją jednak dowody na to, że jest to także istotne w późniejszych okresach – podczas uczenia się składni (Rollins, Snow, 1999). Ponadto, jeśli wspólna uwaga prowadzi do wspólnych doświadczeń, to pomaga także rodzicom scementować więzi interpersonalne z dzieckiem, zatem pełni ogólniejsze funkcje społeczne niż tylko nauka języka.

Jeden wniosek końcowy: bez względu na to, jaką pomoc otrzyma dziecko od swych partnerów społecznych i jak ważne jest biologiczne wyposażenie, to nie są to jeszcze wszystkie warunki rozwoju języka. Istnieje niebezpieczeństwo, że wnioski oparte tylko na tych dwóch czynnikach spowodują traktowanie dziecka jako istoty biernej – kierowanej tylko przez kombinację czynników środowiskowych i biologicznych. Podobnie jak w przypadku innych aspektów, należy wziąć pod uwagę również aktywną rolę dziecka w kształtowaniu własnego rozwoju. Dzieci są istotami twórczymi, poszukującymi sensu i w żadnej innej dziedzinie ludzkiego funkcjonowania nie jest to tak oczywiste, jak w nauce języka. Nowsze podejścia teoretyczne coraz częściej to uwzględniają. Lois Bloom i jej współpracownicy (np. Bloom, Tinker, 2001), tworząc *model intencjonalności* w opanowywaniu języka, podkreślali zasadniczą rolę dziecka w nauce wszystkich aspektów mowy. Dotyczy to zwłaszcza intencji dziecka, by się komunikować z innymi i określić swoje miejsce w świecie społecznym, co motywuje je do jasnego wyrażania coraz bardziej złożonych stanów emocjonalnych za pomocą coraz bardziej wyszukanych form językowych. A zatem opanowanie języka dokonuje się nie tyle dzięki zewnętrznemu ukierunkowaniu, ile dzięki wewnętrznemu potencjałowi dziecka. Bez względu na to, jakie korzyści wynikną z precyzyjnego dopracowania tego modelu, wskazuje on już teraz na konstruktywną naturę umysłu dziecka, czyli na fakt, że rozwój jest końcowym rezultatem zarówno dokonywanych przez dziecko interpretacji i ewaluacji, jak i wpływów genetycznych i środowiskowych.

Podsumowanie

Język jest umownym zbiorem symboli, wykorzystywanych do komunikacji, myślenia i autoregulacji. Jego wyrażanie nie ogranicza się do form mówionych. Język migowy, używany przez osoby niesłyszące, stanowi przykład innej formy. Język to coś więcej niż tylko zbiór słów. Stanowi on spójny system zasad łączenia wyrazów na różne sposoby. By stać się biegłymi użytkownikami języka, dzieci muszą zatem przyswoić sobie nie tylko słownictwo, ale i gramatykę.

Posługiwanie się językiem to cecha wyłącznie ludzka. Potwierdzają to nieskuteczne próby nauczenia małp języka, chociażby w formie migowej. Fakt, że język wymaga istnienia konkretnych struktur mózgu, i że wybiórcza wrażliwość na język ludzki jest widoczna już od momentu narodzin, potwierdza, że język jest uwarunkowaną biologicznie zdolnością właściwą naszemu gatunkowi.

Droga rozwoju języka również wskazuje na to, że wiele zależy od biologicznego programu wpisanego w nasz gatunek. Na przykład, niemal wszystkie dzieci pod koniec 2. r. ż. zaczynają tworzyć ciągi słów. Zważywszy na złożoność zasad budowy zdań, opanowują niezbędne konwencje w zaskakująco krótkim czasie – mimo iż rzadko, jeżeli w ogóle, są w tym obszarze instruowane. Jednakże brak jednoznacznych dowodów potwierdzających istnienie okresu krytycznego dla nauki języka, tj. poglądu, że musi ona nastąpić w określonym przedziale wiekowym, po którego zakończeniu nie będzie już możliwa. Dowody na to pochodzą jedynie z „eksperymentów natury", takich jak badanie dzieci wychowywanych w odosobnieniu, przy czym w formułowaniu wniosków należy pamiętać, że na opóźnienie w nauce języka wpływ miało też wiele innych czynników.

Należy wyróżnić cztery aspekty języka: fonologię, semantykę, składnię i pragmatykę. Każdy z nich pojawia się według własnego rozkładu i każdy obejmuje inny zakres konkretnych umiejętności. Szczególnie godny uwagi jest fakt, że dziecko musi uzyskać kompetencje nie tylko językowe, ale i komunikacyjne. To drugie pojęcie dotyczy indywidualnych zdolności dostosowywania tego, co się mówi, do możliwości zrozumienia tego przez partnera. Rozwój tych kompetencji nie jest prosty. Jest to proces długotrwały, wymagający zdolności przejmowania cudzej perspektywy – co niekiedy, w wersji szczątkowej, zauważyć można już dość wcześnie, lecz pełnię tych możliwości zaobserwować można dopiero w średnim dzieciństwie. Kompetencje komunikacyjne zależą również od przyswojenia sobie umiejętności metakomunikacyjnych, tj. zdolności do myślenia o słowach samych w sobie i rozmyślań na temat struktury zdania. Zdolność ta jest ponadto konieczna do nauki pisania. Czytanie i pisanie to jednak coś więcej niż tylko umiejętności. Badania nad pierwszym stadium rozwoju tej umiejętności wykazały, że obejmuje ona również zainteresowanie i stosunek do czytania i pisania. Pierwsze postawy pojawiają się w latach przedszkolnych i w dużym stopniu zależą od motywacji rozbudzonej przez rodziców podczas czynności kształtujących tę umiejętność. Rodzice czynią to po części poprzez dawanie przykładu, po części poprzez zapewnienie dzieciom dostępu do odpowiednich materiałów, ale najbardziej poprzez angażowanie dzieci we wspólne czynności, takie jak oglądanie książeczek z obrazkami.

Podejmowano wiele prób wyjaśnienia, w jaki sposób dzieci opanowują język. Podejście behawiorystyczne, jak na przykład teoria Skinnera, ujmowało język jako coś, czego można się nauczyć stopniowo, głównie na drodze warunkowania instrumentalnego i naśladowania. Podejścia natywistyczne, najczęściej kojarzone z pracami Chomsky'ego, kładły nacisk na wrodzone mechanizmy, takie jak system akwizycji języka służący poznawaniu gramatyki. Podejścia społeczno-interakcyjne najwięcej uwagi poświęcały pomocy i instruktażowi ze strony dorosłych. Polegało to na dostosowaniu stylu mówienia do zdolności rozumienia przez dziecko i na angażowaniu dziecka w epizody wspólnej uwagi. Żadne z tych podejść nie okazało się wystarczająco dobre; ponadto konieczne jest docenienie własnego wkładu dziecka w aktywne dążenie do przyswojenia sobie środków językowych, którymi mogłoby wyrażać własne stany umysłu i opowiadać o nich innym ludziom.

Literatura dodatkowa

Cattell, R. (2000). *Children's Language: Consensus and Controversy*. London: Cassell. Lektura dla każdego, kto interesuje się rozwojem języka u dzieci, bez względu na posiadane poglądy. Porusza większość głównych tematów z tej dziedziny i prezentuje je w lekkim stylu.

Gleason, J. B. (red.) (1997) *The Development of Language* (wyd. 4). Boston. Allyn & Bacon. „Duży" i wyczerpujący zbiór pism, w którym różni eksperci zamieścili rozdziały z własnych dziedzin.

Hoff-Ginsberg, E. (1997). *Language Development*. Pacific Grove, CA: Brooks/Cole. Kolejna „duża" pozycja – wyczerpująca, szczegółowa i miarodajna. Dotyczy nie tylko najczęściej omawianych tematów, ale zawiera również opisy rozwoju języka w takich grupach specjalnych, jak dzieci opóźnione umysłowo, niewidome i autystyczne, jak również opisuje zmiany w zakresie języka w okresie dorosłości i w wieku starszym.

McLane, J. B., McNamee, G. D. (1990). *Early Literacy*. London: Fontana; Cambridge, MA: Harvard University Press. Krótki i wspaniały opis tego, jak dzieci w okresie przedszkolnym poznają istotę i funkcje czytania i pisania poprzez zabawy z ilustrowanymi książeczkami, kredkami i innymi materiałami związanymi z pisaniem i czytaniem.

Messer, D. J. (1994). *The development of Communication: from social Interaction to Language*. Chichester: Wiley. Książka ta dotyczy głównie ogólnego rozwoju komunikacji, jednak czyni to poprzez prześledzenie początków języka w dziecięcych kontaktach z innymi ludźmi i szczegółowy opis początku posługiwania się językiem w 3 początkowych latach życia.

Literatura uzupełniająca w języku polskim

Bernstein, B. (1983). Socjolingwistyczne ujęcie procesu socjalizacji: uwagi dotyczące podatności na oddziaływania szkoły. W: G. W. Shugar, M. Smoczyńska (red.), *Badania nad rozwojem języka dziecka* (s. 557–598). (tłum. Z. Babska). Warszawa: PWN.

Halliday, M. A. K. (1980). Uczenie się znaczeń. W: G. W. Shugar, M. Smoczyńska (red.), *Badania nad rozwojem języka dziecka* (tłum. Z. Babska). (s. 514–556). Warszawa: PWN.

Kurcz, I. (2000). Przyswajanie języka przez małe dziecko. W: I. Kurcz, *Psychologia języka i komunikacji* (s. 69–87). Warszawa: Wydawnictwo Naukowe Scholar.

Schaffer, H. R. (1995). Przyswajanie zasad dialogu. W: A. Brzezińska, T. Czub, G. Lutomski, B. Smykowski (red.), *Dziecko w zabawie i świecie języka* (tłum. A. Brzezińska, K. Warchoł). (s. 89–123). Poznań: Zysk i S-ka Wydawnictwo.

Schaffer, H. R. (1995). Rozwój języka w kontekście. W: A. Brzezińska, T. Czub, G. Lutomski, B. Smykowski (red.), *Dziecko w zabawie i świecie języka* (tłum. A. Brzezińska, K. Warchoł). (s. 164–192). Poznań: Zysk i S-ka Wydawnictwo.

Schieffelin, B. B., Ochs, E. (1995). Socjalizacja języka. W: A. Brzezińska, T. Czub, G. Lutomski, B. Smykowski (red.), *Dziecko w zabawie i świecie języka* (tłum. A. Brzezińska, K. Warchoł). (s. 124–163). Poznań: Zysk i S-ka Wydawnictwo.

Skinner, B. F. (1963/1987). Pół wieku behawioryzmu. *Przegląd Psychologiczny, 30 (1)*, 13–33.

Rozdział 10

Ku dojrzałości

Stawanie się człowiekiem dorosłym 333

Biologiczne uwarunkowania indywidualności 333

Tworzenie własnego Ja 335

Samoocena: jej istota i rozwój 338

Ja w okresie dorastania 342

Czynniki wpływające na samorozwój 345

Przyswajanie sobie poczucia przynależności
do płci 348

Ciągłość i zmiana 355

Badanie ciągłości 356

Przewidywanie na podstawie wczesnych
zachowań 358

Przewidywanie na podstawie wczesnych
doświadczeń 364

Śledzenie trajektorii rozwojowych 368

Podsumowanie 370

Literatura dodatkowa 371

Literatura uzupełniająca w języku polskim ... 372

Jak zasugerował to kiedyś William Damon (1983), podczas rozważań na temat rozwoju dzieci warto rozróżnić dwa odrębne trendy rozwojowe. Z jednej strony mamy do czynienia z **socjalizacją** – procesem, dzięki któremu dzieci coraz bardziej integrują się ze swoją społecznością, ucząc się i przyswajając sobie panujące w niej wartości i obyczaje – a z drugiej z **indywiduacją** – procesem umożliwiającym dzieciom stworzenie osobistej tożsamości, która wyraża ich własny, unikatowy wzorzec właściwości psychicznych. Oba te aspekty pozostają względem siebie w sprzeczności, choć są ze sobą ściśle powiązane. Socjalizacja służy temu, by dzieci stały się *takie jak* inni, a indywiduacja temu, by się od innych *różniły*. Paradoksalnie, obydwa trendy biorą swój początek z tej samej matrycy rozwoju psychicznego i z tego samego doświadczenia, a ich splatanie się stanowi podstawowy motyw rozwoju dziecka w kierunku dorosłości.

> **Socjalizacja** to ogólny termin dla wszystkich tych procesów, dzięki którym dzieci mogą przyswoić sobie wzorce zachowania i wartości wymagane do życia w określonym społeczeństwie.

Większość z tego, co już zostało powiedziane, dotyczyło socjalizacji. W tym rozdziale natomiast skupimy się przede wszystkim na zjawisku indywiduacji. Z czego bierze się psychologiczna indywidualność? W jaki sposób z przebiegu rozwoju w dzieciństwie w okresie dorosłości wyłania się dojrzała osobowość? Są to bardzo ważne kwestie. Po pierwsze, zbadamy, jak to się dzieje, że u dzieci kształtuje się pojmowanie siebie jako osoby. Później postaramy się określić wzajemne relacje pomiędzy dzieciństwem a dojrzałością, oraz zakres, w jakim wcześnie obserwowane właściwości pozwalają przewidzieć, jakiego typu osobą dorosłą będzie dziecko.

> **Indywiduacja** to ogólny termin obejmujący wszystkie procesy służące nabywaniu przez dzieci tożsamości osobistej (zob. **tożsamość społeczna**).

Stawanie się człowiekiem dorosłym

Całkiem do niedawna psychologowie rozwojowi w zadziwiająco małym stopniu zajmowali się różnicami pomiędzy poszczególnymi osobami. Głównie skupiali się na średnich i normach grupowych – co jest oczywiście użyteczne, ale czym szczególnym wyróżnić się może „przeciętne" dziecko! Tym, co ciekawe w człowieku bez względu na wiek, jest jego indywidualność, ale jak ją określić?

Biologiczne uwarunkowania indywidualności

Dzieci są jednostkami indywidualnymi już od momentu narodzin, a oznak tej indywidualności w niemalże każdym aspekcie zachowania doszukać się można już nawet u najmłodszych niemowląt. Początkowo różnice te odzwierciedlają wrodzony **temperament** dziecka – termin ten dotyczy tych aspektów zachowania, które opisują ogólny styl reagowania przez człowieka na otoczenie, zwłasz-

> **Temperament** dotyczy takiego zbioru wrodzonych właściwości, który odróżnia jedną osobę od drugiej pod względem ujawnianego stylu zachowania.

TABELA 10.1

Trzy schematy klasyfikacji temperamentu

Thomas, Chess (1977)

„Łatwy"	Wysoce przystosowawczy, pozytywny i o umiarkowanym nastroju; przyjmuje frustrację bez wielkiego problemu
„Trudny"	Brak możliwości adaptacyjnych, intensywne nastroje, często negatywne
„Wolno rozgrzewający się"	Nieufny i nieśmiały w nowych sytuacjach, stopniowo staje się coraz bardziej pozytywny i przystosowawczy

Buss, Plomin (1984)

Emocjonalność	Odnosi się do poziomu pobudzenia pod wpływem stymulacji, okazywanego zaniepokojeniem, lękiem lub gniewem
Aktywność	Odnosi się do szybkości ruchów i energii; nawet małe dzieci wykazują już spójne różnice pod tym względem
Towarzyskość	Zakres, w jakim jednostka woli towarzystwo innej osoby od samotności. Już małe dzieci różnią się np. poziomem poszukiwania uwagi i inicjowania kontaktu

Rothbart i in. (2001)

Afektywność negatywna	Obejmuje smutek, lękliwość, trudności w uspokajaniu się i frustrację – podobne do neurotyzmu
Kontrola	Zakres, w jakim jednostka potrafi stosować ograniczenia, potrafi się hamować i jest sumienna
Ekstrawersja	Zakłada brak nieśmiałości, impulsywność, intensywną przyjemność – podobny do towarzyskości

Pierwszy schemat opisuje kategorie ludzi, pozostałe dwa wymiary zachowania.

cza emocjonalności*, tempa i regularności przebiegu różnych czynności. Wiele wyników badań (podsumowanie zob. Molfese, Molfese, 2000; Rothbart, Bates, 1998), potwierdza, że cechy te stanowią element wrodzonego wyposażenia dziecka i niemal z całą pewnością są określone genetycznie. Można je dostrzec już w początkowych tygodniach życia i, przynajmniej w pewnym stopniu, oddziałują one na całe dalsze życie.

Niełatwo było precyzyjnie określić, jakie cechy składają się na temperament. Tabela 10.1 przedstawia szczegóły 3 podejść proponujących nieco odmienne klasyfikacje. Z czasem różnice z pewnością zostaną rozstrzygnięte i powstanie jeden wspólny schemat. Na razie panuje powszechna zgoda, że temperament, bez względu na to, jak jest określany, reprezentuje biologiczne podstawy indywidualności. Nadal nie ma jednak pewności, czy cechy temperamentu można uważać za „wcześnie ujawniające się cechy osobowości" (Buss, Plomin, 1984), ponieważ, jak

---

* W oryginale: *emotional vigour* (przyp. red. nauk.).

się później okaże, nie udało się jeszcze jednoznacznie określić, w jakim stopniu mają one charakter ciągły, jeśli chodzi o różnice indywidualne w okresie dorastania i dorosłości. Jednak bez względu na to, czym mogą być w istocie wrodzone źródła indywidualności, natura osobowości w sposób nieunikniony przechodzi w wyniku rozwoju rozmaite przemiany, takie jak:

- Wraz z wiekiem struktura osobowości dziecka staje się coraz bardziej złożona. Początkowo potrzeba stosunkowo niewielkiej liczby określeń do właściwego opisu konkretnej jednostki; raczej nie używa się określeń typu „uczciwy" lub „altruistyczny" w stosunku do niemowlęcia. Później jednak osobowość dziecka staje się coraz bardziej rozbudowana i zaczyna charakteryzować się przymiotami, które nie występowały we wcześniejszych okresach rozwoju.
- Wraz z wiekiem osobowość staje się coraz bardziej spójna. Samo pojęcie „osobowości" wskazuje na coś więcej niż tylko zbiór oddzielnych cech. Jest to pewien układ cech, który w coraz większym stopniu funkcjonuje jako całość, i w którym coraz większego znaczenia nabierają *wzajemne interakcje* pomiędzy różnymi cechami. Dla przykładu: chcąc przewidzieć skłonności przestępcze u dorosłych, Magnusson i Bergman (1990) musieli u 13-letnich dzieci wziąć pod uwagę kombinację agresji, nadpobudliwości, trudności w koncentracji uwagi i nieprawidłowych relacji z rówieśnikami. Żadna z tych cech z osobna nie pozwala na takie przewidywanie.
- Wraz z wiekiem zmianom ulega sposób wyrażania cech osobowości. Na przykład, w młodszym wieku agresja objawia się zwykle w formie fizycznej, później jest bardziej prawdopodobne, że w odpowiedzi na wymagania społeczne przybierze mniej otwarte i bardziej pośrednie formy.
- Wraz z wiekiem dzieci stają się coraz bardziej świadome swoich własnych cech osobowości. Pojawia się samoocenianie, a dzięki obserwowaniu własnych działań i porównywaniu się z innymi dziećmi, jednostka staje się coraz bardziej zdolna do tego, by uzyskać wgląd we własne motywy i skłonności, co pozwala jej na wprowadzanie pewnych zmian w zachowaniu w celu zmodyfikowania posiadanych cech osobowości.

Tworzenie własnego Ja*

Najważniejszy jest ostatni z przedstawionych przed chwilą punktów, gdyż wskazuje nam na kluczową rolę, jaką w rozwoju osobowości pełni pojęcie własnej osoby. Pytanie „Kim jestem?" jest pytaniem, które staje się wyzwaniem w okresie dorastania, a większa część dzieciństwa poświęcona jest takim czy innym próbom

---

* W oryginale: *self* (przyp. red. nauk.).

znalezienia na nie odpowiedzi. Lecz czym jest Ja? Jest to czysto hipotetyczny konstrukt, nie istniejący w rzeczywistości i nie odbierany drogą zmysłową. Prawdopodobnie najłatwiej myśleć o nim jako o „teorii", jaką tworzy każdy z nas na temat samego siebie, i która mówi o tym, kim jesteśmy i w jaki sposób potrafimy dostosować się do społeczeństwa. Jest to teoria, która w wyniku rozwoju poznawczego i doświadczenia społecznego ulega w okresie dzieciństwa ciągłym modyfikacjom. Z jednej strony dzieci wraz z wiekiem zyskują coraz większe kompetencje w zakresie samoświadomości i stają się coraz bardziej realistyczne, a z drugiej, sposób postrzegania dzieci przez innych ludzi i ich reakcje zaczynają odgrywać główną rolę w kształtowaniu charakteru tej świadomości. Tak więc teoria ta jest w okresie dzieciństwa stopniowo rozbudowywana i w kolejnych stadiach rozwojowych przybiera coraz to nowe formy. Ponadto jej tworzenie nigdy się nie kończy, gdyż w żadnym okresie Ja nie funkcjonuje jako całkowicie zamknięty system – wręcz przeciwnie, pozostaje on pod stałym wpływem doświadczenia, a w szczególności oceny ze strony innych. Posiadanie takiej teorii jest, bez wątpienia, bardzo pożyteczne. Z jednej strony daje ono bowiem poczucie ciągłości, a z drugiej, stanowi punkt odniesienia podczas prób organizowania swych zachowań względem innych ludzi i dokonywania wyboru spośród alternatywnych kierunków działania, czyli poszukiwania takich doświadczeń, które najlepiej pasują do obrazu własnego Ja.

Ja można traktować jako twór jednolity, choć warto rozróżnić jego elementy składowe, z których każdy posiada własną charakterystykę i drogę rozwoju. Warto szczególnie wspomnieć o takich elementach, jak:

- **Samoświadomość**: uświadomienie sobie przez dzieci, że każde z nich jest odrębną jednostką – istotą oddzielną od wszystkich pozostałych i posiadającą własną tożsamość.
- **Pojęcie Ja**: rodzaj obrazu, jaki dzieci tworzą na własny temat („Jestem dziewczynką", „Jestem hojna"; „Jestem leworęczna").
- **Samoocena**: ewaluacyjny aspekt Ja, odpowiadający na pytanie „Jak dobry jestem?", odnoszący się tym samym do poczucia własnej wartości i poczucia kompetencji, jakich jednostka doświadcza w stosunku do siebie samej.

Samoświadomość jest oczywiście pierwszym elementem, który się pojawia. We wczesnym niemowlęctwie dzieci nie mają poczucia Ja. Początkowo nie potrafią spostrzegać siebie jako osobnych jednostek, które żyją swoim życiem i mają własne cechy. Jedną z prostych technik, pozwalających sprawdzić, czy w repertuarze zachowań dziecka pojawiła się już świadomość Ja, jest *test rozpoznawa-*

Samoświadomość to pierwszy etap tworzenia własnego Ja, dotyczący uświadomienia sobie przez dzieci, że są one odrębnymi osobami, istniejącymi samodzielnie.

Pojęcie samego siebie jest to obraz własnej osoby, jaki dzieci same tworzą. Obraz ten ma stanowić odpowiedź na pytanie: „Kim jestem?".

Samoocena dotyczy wartości, jakie dziecko przypisuje swoim osobistym cechom, i stanowi odpowiedź na pytanie „Jak dobry jestem?". Jej zakres rozciąga się od wysoce pozytywnej do wysoce negatywnej.

nia wzrokowego – stworzony początkowo dla szympansów – który Lewis i Brooks--Gunn (1979) zastosowali później względem małych dzieci. Badacze poprosili matki, by dyskretnie naniosły na nos dziecka różową plamkę, a następnie posadziły dziecko przed lustrem, aby zobaczyć, jak zareaguje na ten widok. Założenie było następujące: jeśli dziecko potrafi rozpoznać siebie w lustrze, wówczas sięgnie do plamki na swoim nosie, a nie do nosa widzianego w lustrze. Wtedy można przyjąć, że ma już samoświadomość. Jednakże takie zachowanie rzadko się zdarzało przed 15. miesiącem życia. Około 1. r. ż. dzieci były rozbawione tym, że – jak się zdaje – myślały, iż jest to inne dziecko, ale nie wykazywały zbytniego zainteresowania plamką. Dopiero w połowie 2. r. okazywały wyraźne zainteresowanie plamką *i* zdawały sobie sprawę, że należy ona do nich. Rozpoznawanie wzrokowe to oczywiście jeden ze wskaźników samoświadomości; do innych należy umiejętność nazwania siebie, gdy widzi się siebie na zdjęciu (Bullock, Lutkenhaus, 1990) i posługiwania się określeniami związanymi z własną osobą typu „ja" i „mi" (Bates, 1990) – to też pojawiało się w 2 r. ż. Pewne jest to, że pod koniec 2. r. ż. dzieci czynią pierwszy i najważniejszy krok w rozwoju pojęcia własnej osoby, zdobywają poczucie odrębnej i odmiennej od innych tożsamości.

Tabela 10.2 podsumowuje szereg zmian rozwojowych w sposobie myślenia o sobie, do jakich dochodzi przed wejściem w okres dorastania. W pewnym sensie zmiany te przypominają zmiany, które widać w dziecięcym sposobie opisywania innych ludzi (zob. rozdz. 8., s. 286–287). Tak więc opisy te stają się coraz bardziej konkretne, uwzględniają coraz bardziej wyrafinowane niuanse. Z sytuacji na sytuację stają się coraz bardziej spójne, jak gdyby dzieci stopniowo uczyły się doceniać stabilność Ja. Stają się też coraz bardziej socjocentryczne, tzn. uwzględniają coraz więcej odniesień porównawczych wobec innych ludzi, a poza tym wyraźnie widać trend odchodzenia od właściwości fizycznych do częstszego uwzględniania cech psychicznych. Zatem małe dzieci będą spostrzegać siebie głównie w kategoriach wyglądu i posiadania („mam niebieskie oczy", „mam rower"), a dopiero później w kategoriach tego, co robią („umiem jeździć na łyżwach", „pomagam przy zakupach"). Na początku szkoły zaczynają wspominać o cechach psychicznych („nie boję się ciemności", „umiem dobrze czytać"), a te stają się stopniowo coraz bardziej rozbudowane i oparte na porównaniach („nie martwię się tak, jak inne dziewczynki w klasie", „Inni przychodzą do mnie ze swymi problemami, ponieważ widzą, że chętnie pomagam i daję im dobre rady."). W tym samym czasie dzieci stają się coraz bardziej realistyczne względem siebie. Podczas gdy w wieku przedszkolnym samoopisy dziecka na ogół pokazują bardzo optymistyczny obraz, który odwołuje się tylko do cech pozytywnych, to samoopisy dzieci starszych są o wiele bardziej wyważone, gdyż zawierają zarówno zalety, jak i słabsze strony.

Należy zwrócić szczególną uwagę na jeszcze jeden trend rozwojowy, a mianowicie, na to, że starsze dzieci dostrzegają to, co wielu uważa za sedno poczucia Ja, tj. jego prywatny charakter. Jest to stosunkowo późne osiągnięcie rozwojowe.

TABELA 10.2

Zmiany rozwojowe w zakresie pojęcia własnej osoby

Od	Do	Istota zmian
Proste	Zróżnicowane	Młodsze dzieci tworzą pojęcia ogólne; starsze dokonują subtelniejszych rozróżnień i uwzględniają okoliczności
Niespójne	Spójne	Młodsze dzieci mają tendencję do częstszej zmiany samooceny; starsze mają poczucie stabilności własnego Ja
Konkretne	Abstrakcyjne	Młodsze dzieci skupiają się na widocznych, zewnętrznych aspektach: starsze na niewidocznych aspektach psychologicznych
Absolutne	Względne	Młodsze dzieci skupiają się na Ja bez odniesienia się do innych; starsze opisują się w porównaniu z innymi
Optymistyczne	Realistyczne	Młodsze dzieci opisują się w różowych kolorach; starsze są bardziej wyważone, wspominają tak o słabościach, jak i o swych mocnych stronach
Ja publiczne	Ja prywatne	Młodsze dzieci nie rozróżniają zachowań prywatnych od publicznych; starsze dzieci za „prawdziwe" Ja uważają Ja prywatne

Zdaniem Roberta Selmana (1980), dzieci przed 6. r. ż. nie potrafią odróżnić prywatnych uczuć od zachowań publicznych, uważając to rozróżnienie za pozbawione sensu. Dopiero dzieci w wieku od 8 lat akceptują wewnętrzny charakter Ja i zaczynają uznawać to za „prawdziwe" Ja. Prawdę mówiąc, niektóre aspekty Ja uważane są za prywatne już we wcześniejszym wieku. Na przykład, już dzieci w wieku 3 lat zdają sobie sprawę, że ich myśli są niewidzialne dla kogoś, kto patrzy im prosto w oczy, chociaż ich wyjaśnienia są następujące: „Myślenia nie można zobaczyć, bo skóra je zakrywa". Idea Ja jako czegoś prywatnego będzie się rozwijać aż do okresu dorastania. Dopiero wtedy, zdaniem Selmana, młodzi ludzie stają się „świadomi swej samoświadomości" i wiedzą, że mogą świadomie kontrolować swoje własne doświadczenie. Ale nawet wtedy nastolatki początkowo mają raczej naiwną wiarę w zdolność kontrolowania publicznych zachowań za pomocą prywatnych myśli. Dopiero w późniejszych latach okresu dorastania zaczynają doceniać rolę czynników nieświadomych i dostrzegać granice efektywności samokontroli.

Samoocena: jej istota i rozwój

Mówiąc o poczuciu Ja, odnosimy się nie tylko do sposobu, w jaki siebie spostrzegamy, ale także do sposobu, w jaki się oceniamy. Szczególnie przydatna definicja samooceny pochodzi z prac Coopersmitha (1967), jednego z pierwszych wartych uwagi, twórców badań w tej dziedzinie:

Samoocena odnosi się do ewaluacji, jakiej dokonuje jednostka i do tego, jak zwyczajowo zachowuje się w odniesieniu do własnej osoby; wyraża ona postawę aprobaty lub dezaprobaty oraz wskazuje na zakres, w jakim jednostka przekonana jest o swoich zdolnościach, znaczeniu, powodzeniu i wartości.

Samoocena to wyraz rozbieżności pomiędzy Ja *idealnym* a Ja *rzeczywistym*, spostrzeganym przez jednostkę. Kiedy ta rozbieżność jest niewielka, jednostka doświadcza poczucia własnej wartości i satysfakcji; kiedy rozdźwięk jest duży, pojawia się poczucie porażki i braku własnej wartości. Zainteresowanie badaniami tego zjawiska wynika z przekonania, że samoocena jest ściśle związana ze zdrowiem psychicznym w późniejszych okresach życia. Dlatego też poziom średni do wysokiego uważa się za źródło szczęścia i satysfakcji, natomiast niska samoocena kojarzona jest z depresją, lękiem i nieprzystosowaniem. Na uwagę zasługują również wysiłki wkładane w podwyższenie zbyt niskiej samooceny, gdyż ma to chronić przed późniejszymi problemami psychicznymi (Harter, 1999).

Jednakże okazało się, że również samoocena nie powinna być traktowana jako twór jednolity, coś, co można przedstawić jako jeden punkt na kontinuum niska–wysoka. Jest raczej tak, że ludzie oceniają się inaczej w rozmaitych konkretnych obszarach, a ich ocena w jednej kwestii nie musi mieć żadnego wpływu na ocenę w pozostałych. Susan Harter (1987, 1999) w pewnym niezwykle ambitnym programie badawczym dotyczącym samooceny stwierdziła, że warto rozróżnić pięć odrębnych obszarów oceniania przekonań dzieci o sobie samych:

- *Kompetencje szkolne:* za jak zdolne uważa się dziecko w pracy szkolnej.
- *Kompetencje sportowe:* odczucia dziecka względem swych kompetencji sportowych.
- *Akceptacja społeczna:* czy dziecko czuje się popularne wśród rówieśników.
- *Wygląd zewnętrzny:* za jak atrakcyjne z wyglądu uważa się dziecko.
- *Postępowanie:* jak dziecko ocenia akceptowanie swego postępowania przez innych.

Harter połączyła te pięć dziedzin i stworzyła jedno narzędzie pomiarowe, *Self-perception Profile for Children* (Profil autopercepcji dla dzieci), do którego dodano jeszcze jeden aspekt, mianowicie, ogólną skalę samooceny, w której zadaje się pytanie, jak bardzo dzieci lubią siebie jako ludzi. W każdej z kategorii zadaje się szereg pytań (dla przykładu zob. ryc. 10.1) i na podstawie odpowiedzi dziecka tworzy się profil, ilustrujący samoocenę w każdym obszarze. Hipotetyczne przykłady przedstawione na ryc. 10.2 ukazują, że profile mogą przyjąć rozmaite kształty: w sposób spójny wysoki, w sposób spójny niski lub na wiele sposobów zróżnicowany, kiedy samoocena w różnych dziedzinach jest zupełnie inna. Odrębne wskaźniki dla poszczególnych kategorii bez wątpienia pomagają stworzyć obraz odczuć dziecka na własny temat. Jednakże, wraz z wiekiem, trze-

Tak	Raczej tak	Niektóre dzieci chciałyby wyglądać inaczej	ALE	Inne dzieci lubią swój rzeczywisty wygląd zewnętrzny	Raczej tak	Tak
☐	☐				☐	☐

RYCINA 10.1

Przykładowa pozycja z Profilu autopercepcji dla dzieci Harter (*Self-Perception Profile for Children*)

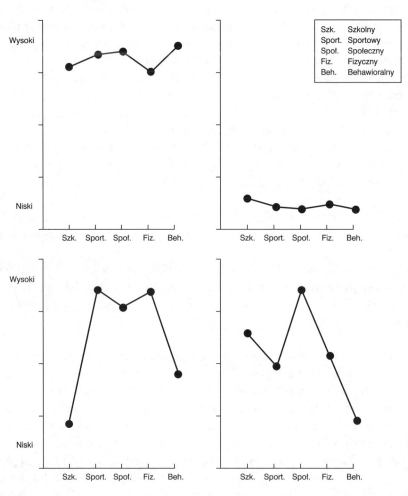

RYCINA 10.2

Profile samooceny czworga dzieci

ba dodawać coraz więcej dziedzin. Na przykład, w przypadku nastolatków uwzględnić trzeba bliskie przyjaźnie, romantyczne związki, kompetencje zawodowe, a żeby oszacować samoocenę dorosłych należałoby rozpatrzyć jeszcze inne dziedziny.

W okresie dzieciństwa zachodzą znaczne zmiany w sposobie oceniania dzieci przez samych siebie. Oto jak czyni to dziecko w wieku przedszkolnym:

> Mam cztery lata i znam alfabet. Posłuchaj jak mówię: A, B, C, D, E, F, G, H, J, L, K, O, M, P, R, Q, X, Z. Umiem biegać szybciej od innych. Lubię pizzę i mam miłą nauczycielkę. Umiem policzyć do 100, chcesz posłuchać? Uwielbiam mego psa, Skippera. Umiem wejść na szczyt drabinki. Mam brązowe włosy i chodzę do przedszkola. Jestem naprawdę silny, poradzę sobie z tym krzesłem, zobacz!
>
> (za: Harter, 1987)

Z pewnością w autoportrecie tego małego chłopca nie ma niczego negatywnego! Jego opis jest też bardzo chaotyczny, składa się z listy cech wymieszanych ze sobą jak groch z kapustą; wskazuje to na brak organizacji, co także jest charakterystyczne dla Ja przedszkolaka. Dzieci w tym wieku nadal koncentrują się na odrębnych czynnościach, a formułowanie ogólnych sądów o sobie wykracza poza ich możliwości.

Na początku okresu szkolnego następuje znacząca zmiana w charakterze i organizacji samooceny. Dobrze ilustrują to w swoich badaniach Marsh, Craven i Debus (1998). Blisko 400 australijskich dzieci w wieku od 5 do 7 lat poddano badaniu samooceny, a następnie przebadano je ponownie po roku. Wyniki pokazały po pierwsze, że nawet w tym stosunkowo niewielkim przedziale wieku starsze dzieci charakteryzowała większa stabilność oceny w okresie pomiędzy testami niż dzieci młodsze; wraz z wiekiem ocena własnej osoby stawała się coraz spójniejsza. Po drugie, starsze dzieci były bardziej zróżnicowane w swoich szacunkach i nie dawały sobie tylko wysokich ocen. Po trzecie, prawdopodobnie w wyniku tego ostatniego trendu, samoocena dzieci o wiele bardziej związana była ze wskaźnikami zewnętrznymi, takimi jak ocena nauczyciela czy wyniki w nauce. Na ogół, począwszy od 7. r. ż. dzieci stawały się coraz bardziej realistyczne i o wiele bardziej spójne w sposobie oceniania siebie. Powoduje to w efekcie ogólny spadek samooceny, bo od tego czasu dzieci są w stanie uwzględniać zarówno osiągnięcia, jak i porażki, cechy pozytywne, i negatywne. Trendy te utrzymują się przez cały okres szkolny. W tym samym czasie niektóre obszary zachowania stają się dla dzieci ważniejsze od innych. W środkowym okresie dzieciństwa, na przykład, w samoocenie większości dzieci ważniejsze stają się akceptacja rówieśników i kompetencje sportowe, a od okresu dojrzewania płciowego prawie dla wszystkich nastolatków najistotniejszy jest wygląd zewnętrzny.

Ja w okresie dorastania

Okres dorastania to czas znacznych zmian tak psychologicznych, jak i fizycznych, nic więc dziwnego, że został określony mianem czasu chaosu. Przeobrażenia fizyczne są takie, że wygląd dzieci znacznie się zmienia pod wieloma względami. Badając swój wizerunek w lustrze (a który nastolatek nie robi tego raz po raz?), odkrywają, że naprawdę są inne, ale też że trzeba dokonać drastycznych modyfikacji swego wyglądu. Z jednej strony, na początku okresu dojrzewania płciowego następuje wyraźny wzrost ciała – około 25 cm u chłopców i 18 cm u dziewczynek w ciągu kolejnych 3 lat. Jednakże, wzrost ten nie jest równomierny w całym ciele; ręce i stopy rosną szybciej niż wszystko inne, co powoduje niezdarność, tak typową dla wczesnej fazy okresu dorastania. Ponadto u chłopców następuje znaczny rozrost pasa barkowego i ogólny przyrost mięśni; u dziewczynek głównie przyrost tkanki tłuszczowej, zwłaszcza w okolicach bioder. Pojawiają się oczywiście drugorzędowe cechy płciowe, jak na przykład rozrost piersi u dziewcząt, obniżenie się głosu u chłopców oraz pojawienie się owłosienia ciała u obu płci. Istnieje zapewne wiele powodów tak znacznego w tym czasie wzrostu samoświadomości, kiedy to dzieci nagle znajdują się w tak zmienionym ciele. Uczucie to jest dodatkowo spotęgowane przez różnicę w wieku, w jakim dochodzi do tych wszystkich zmian. U dziewcząt dojrzewanie płciowe to okres od 8. do 14. r. ż., u chłopców dzieje się to pomiędzy rokiem 10. a 16. W rezultacie zróżnicowanie samego wzrostu dzieci w tym samym wieku jest w tym czasie większe niż kiedykolwiek indziej, co sprawia, że zarówno ci bardziej zawansowani w rozwoju, jak i ci nieco spóźnieni czują się w szczególny sposób „inni".

W takich warunkach prawdopodobie nieunikniony jest wzrost introspekcyjności. Pytanie: „Kim jestem?" nabywa nowej mocy. Ale jeszcze jedno pytanie wymaga odpowiedzi: „Czy ja się sobie podobam?". Większość nastolatków posiada *idealne Ja*, po części kształtowane przez standardy wyznaczone przez grupę rówieśniczą, po części przez konkretnych idoli ze świata sportu, muzyki pop, życia publicznego i innych cenionych sfer życia. Są przy tym wyraźnie świadomi rozbieżności pomiędzy tym ideałem a *Ja rzeczywistym*, przynajmniej spostrzeganym przez siebie. Niezadowolenie z *rzeczywistego* Ja w tym czasie jest powszechne i widać to niekiedy w drastycznym spadku samooceny na początku okresu dorastania. Spadek ten jest wyraźniejszy wśród dziewcząt i dotyczy głównie odczuć związanych z atrakcyjnością. A ponieważ szczupłość uważana jest przez młode dziewczyny za coś pożądanego w dzisiejszym świecie, przyrost tkanki tłuszczowej, który zwykle następuje w tym czasie, jest powodem niezadowolenia wielu z nich, u niektórych prowadzi wręcz do drastycznego odchudzania się, a nawet do anoreksji. Mimo tak wielkiego nagłośnienia problemu anoreksji, jest to stosunkowo rzadkie zjawisko i jeśli dłużej się utrzymuje, to na ogół wiąże się to z zaburzonymi relacjami rodzinnymi lub istniejącymi wcześniej problemami emocjonalnymi (Attie, Brooks-Gunn, 1989). Ogólnie mówiąc, spadek samooceny to raczej zjawisko przejściowe. W późniejszej fazie okresu dorastania zdecydowana większość nastolatków potrafi dostosować się do zmian, jakie w nich zaszły i zaakceptować nowy wygląd ciała, a w związku z tym samoocena ponownie wzrasta do poprzedniego poziomu.

Za sprawą prac Erika H. Eriksona (np. 1965, 1968) okres dorastania uważany jest za czas **kryzysu tożsamości**. Tożsamość to, zdaniem Eriksona, „subiektywne poczucie krzepiącej identyczności i ciągłości", a kryzys należy traktować jako wydarzenie normatywne, którego nastolatek musi doświadczyć na swej drodze ku dorosłości. Erikson włączył swoje poglądy na temat okresu dorastania w ogólne rozważania na temat rozwoju psychicznego od urodzenia aż po śmierć i przedstawił go jako serię etapów z charakterystycznym **zadaniem rozwojowym**, które należy wykonać, by przejść do kolejnych stadiów (zob. tab. 10.3). Tak więc w pierwszym stadium zadanie małego dziecka polega na ustanowieniu „podstawowej ufności" – odkryciu, że świat jest dobrym miejscem, w którym można się czuć bezpiecznie i być pewnym miłości i zrozumienia. Jeśli dziecko nie będzie miało szansy zdobyć takiej wiedzy, powstanie w nim poczucie ogólnej nieufności, co będzie miało wpływ na wszystkie jego późniejsze próby nawiązywania kontaktu ze światem, a szczególnie z innymi ludźmi.

> **Kryzys tożsamości**
> to, kojarzone głównie z pracami Erika H. Eriksona, pojęcie opisujące okres dezorientacji i niskiej samooceny, który (mimo kontrowersji) uznany został za typowy dla okresu dorastania.

Poszukiwanie tożsamości stanowi, zdaniem Eriksona, motyw przewodni życia i w różnej formie można to obserwować we wszystkich etapach. Jednakże to w okresie dorastania, kiedy dzieci uświadamiają sobie, że są rozwijającymi się ludźmi, którzy potrafią objąć kontrolę nad własnym życiem, głównym wyzwaniem staje się ustanowienie spójnej tożsamości. Wszystkie nastolatki muszą przejść przez kryzys tożsamości – nazywa się go „kryzysem", ponieważ stanowi źródło wewnętrznych konfliktów jednostki. Rozwiązawszy ten konflikt, młody człowiek może wkroczyć w okres wczesnej dorosłości i zmierzyć się z kolejnym zadaniem. Z drugiej jednak strony, porażka skutkuje pomieszaniem tożsamości, co objawia się względnie trwałym zagubieniem, co do własnej roli w życiu. Taka porażka może wynikać z problemów tego okresu, takich jak brak wsparcia ze strony rodziców lub nadmierne wymagania szkolne; może także wynikać z niepowodzeń w wypełnieniu zadań rozwojowych w poprzednich okresach życia.

> **Zadanie rozwojowe**
> – według niektórych autorów, takich jak Erik H. Erikson, dzieciństwo można podzielić na szereg etapów; każdy z nich stawia przed jednostką specyficzne wyzwanie (zadanie rozwojowe), któremu musi ona sprostać, by pomyślnie przejść do następnego stadium.

Chociaż późniejsze badania nie potwierdziły szczegółów etapowego modelu rozwoju według Eriksona i choć istnieją wątpliwości, co do tego, czy kryzys jest zjawiskiem tak powszechnym i poważnym jak on uważał, jego prace intuicyjnie przyciągają uwagę. Pomagają przyjrzeć się niepewnościom i wysiłkom okresu dorastania, a także próbom czynionym przez młodych ludzi, by na nowo zdefiniować własną rolę w życiu i cele, do jakich dążą. Jest to okres, w którym, w naszej kulturze, od młodych ludzi oczekuje się dokonania wyboru, co do nauki i pracy,

TABELA 10.3

Eriksonowskie stadia cyklu życia

Wiek w przybliżeniu	Zadania rozwojowe
0–1¹/₂	*Ufność – nieufność:* Rozwój zaufania do niezawodności innych
1¹/₂–3	*Autonomia – wstydliwość:* Rozwój pewności siebie i samokontroli
3–6	*Inicjatywa – poczucie winy:* Rozwój poczucia celu w samodzielnym działaniu
6–11	*Pracowitość – poczucie niższości:* Rozwój motywacji do uczenia się i nabywania umiejętności
Adolescencja	*Tożsamość – pomieszanie ról:* Rozwój poczucia Ja jako unikatowej jednostki
Wczesna dorosłość	*Intymność – izolacja:* Rozwój emocjonalnego zaangażowania wobec innych ludzi
Wiek średni	*Generatywność – stagnacja:* Rozwój poczucia zaangażowania w pracę
Wiek starszy	*Integralność – rozpacz:* Akceptacja życia i śmierci

co może mieć długotrwałe następstwa. Młodzi ludzie wiedzą, że są to wybory kluczowe, i często obawiają się skutków drogi, jaką obiorą. Zdaniem Eriksona dochodzą do wniosku, że: „Nie jestem, kim powinienem być, nie jestem, kim mam być, ale nie jestem już tym, kim byłem".

Biorąc pod uwagę te napięcia, nietrudno zrozumieć, że okres dorastania jest często określany mianem okresu kryzysowego. Jednocześnie z wyraźnym w tym czasie wzrostem różnych form zaburzeń, łatwo w tym okresie wyolbrzymia się niepowodzenia. Jak stwierdzają Rutter i Rutter (1993), to nie ogólny wskaźnik problemów psychicznych ulega znacznej zmianie, zmienia się raczej szczególny układ czynników. Zaburzenia zachowania związane z dzieciństwem, takie jak moczenie nocne czy zaburzenia snu ustępują, pojawiają się za to takie problemy, jak depresja, zwłaszcza u dziewcząt, problemy z używkami i rozmaite zaburzenia psychotyczne. Jednakże rozstrojenie emocjonalne, które miałoby wynikać z rozchwiania wywołanego dojrzewaniem płciowym nie jest wcale *nieuniknionym* towarzyszem dorastania. W niektórych społecznościach, jak Pigmeje z Pustyni Kalahari, okres dorastania w ogóle nie jest uznawany za odrębny etap. Dzieci, kiedy tylko osiągną wiek dojrzewania płciowego, zostają uznane za dorosłe i gotowe nie tylko do ekonomicznego działania dla dobra ogółu, ale również do tego, by zawierać związki małżeńskie i stawać się rodzicami (Shostak, 1981; za: Cole, Cole, 2001). Nie mamy tu więc do czynienia z „burzą i naporem" tradycyjnie kojarzonymi z okresem dorastania na Zachodzie. Natomiast w naszej społeczności nastolatki znajdują się na swego rodzaju ziemi niczyjej – ani dziecko, ani dorosły, ale coś innego, gatunek nieokreślony, gotowy do prokreacji, ale nie wolno mu tego robić, nakłaniany do dalszej edukacji, bez względu na to czy tego chce, czy nie, zależny od rodziców, chociaż wolałby towarzystwo rówieśników. Okres dojrzewania, jak z tego wynika, jest zjawiskiem kulturowym, a dojrzewanie płciowe, mimo tego, że powszechnie uznane za ważny kamień milowy rozwoju, ma swe tak społeczne, jak i emocjonalne następstwa, które w różnych kulturach bywają różne.

Czynniki wpływające na samorozwój

Poczucie Ja stanowi mechanizm, dzięki któremu rodzi się u dziecka poczucie własnej odrębności. Jak zauważyliśmy, sposoby wyrażania się tego poczucia są na każdym poziomie rozwoju inne. Gdy dzieci stają się bardziej rozwinięte poznawczo, Ja staje się bardziej spójne, stabilne i realistyczne. Skąd jednak na każdym z poziomów bierze się tak wielkie zróżnicowanie, jeśli chodzi o treść tych poczuć – skąd, na przykład, biorą się różnice indywidualne w zakresie i sposobie wyrażania samooceny? Dlaczego niektóre dzieci są bardziej pewne siebie? Dlaczego niektóre uważają się za pomocne, za zdolne, za niechciane, albo też za hojne?

Jedna z odpowiedzi wskazuje na kontekst społeczny rozwoju dziecka – postawy, oczekiwania i sposób spostrzegania go przez innych ludzi, zwłaszcza tych, którzy są dla niego ważni. W skrajnych przypadkach może to prowadzić do powstawania *Ja odzwierciedlonego**, jak to określił Cooley (1902). Oznacza to, że Ja jest odbiciem tego, jak spostrzegają nas inni. Bardzo mało prawdopodobne, by było to aż tak proste i by dzieci tworzyły swoje Ja tylko na podstawie tego, co inni o nich myślą. Bez wątpienia wiadomo jednak, że czynniki interpersonalne odgrywają nie budzącą wątpliwości i prawdopodobnie niemałą rolę. Coopersmith (1967) w swoim badaniu nad samooceną 10- i 11-letnich chłopców zauważył, że rodzice chłopców u wysokiej samoocenie znacznie różnili się od rodziców chłopców o niskiej samoocenie. Ci pierwsi charakteryzowali się większą akceptacją i, przy jednoczesnym wyznaczaniu wyraźnych granic, pozostawiali synom wiele swobody w tych granicach, tym samym zwiększając ich pewność siebie. Natomiast drudzy ujawniali wobec dzieci odrzucenie lub dystans. Byli albo autokratyczni, albo nadmiernie pobłażliwi w swych postawach, dlatego z pewnością chłopcy nie czuli się doceniani i tworzyli negatywne opinie na temat swojej osoby.

Tego typu wyniki potwierdzają oczekiwania wynikające z teorii przywiązania. Jak widzieliśmy w rozdz. 4., integralną częścią tej teorii jest to, że poczu-

---

* W oryginale: *looking-glass self* (przyp. red. nauk.).

cie Ja dziecka związane jest ściśle z jakością jego relacji interpersonalnych, i że
wewnętrzne modele operacyjne, jakie powstają na temat Ja i innych ludzi pełnią funkcję pewnego rodzaju wzorca przywiązania, wyrastającego z tych pierwszych doświadczeń. Dlatego dziecko akceptowane stworzy zasadniczo pozytywny model Ja. Z drugiej strony, dziecko odrzucone będzie uważało się za mało
wartościowe i niekochane, aż w końcu utraci bezpieczeństwo i pewność siebie.
Dotychczasowe dowody łączące typy przywiązania z tworzeniem obrazu własnej osoby są nieliczne i niespójne (Goldberg, 2000); jednakże badania nad
dziećmi maltretowanymi rzeczywiście wskazują na to, że znacznie zaburzone
relacje z innymi mają ogromny wpływ na rozwój Ja u dziecka. Kiedy Bolger,
Patterson i Kupersmidt (1998) porównali dzieci, które doświadczyły ze strony
rodziców różnego rodzaju maltretowania, z dziećmi, które nie miały takich
doświadczeń, odkryli w tej pierwszej grupie różne rodzaje i stopnie upośledzenia samooceny. Dotyczyło to zwłaszcza tych dzieci, które doświadczyły mole-
stowania seksualnego, mimo iż były to przypadki odosobnione. Pośród dzieci
maltretowanych fizycznie skutek zależał w pewnym stopniu od częstotliwości
tych doświadczeń: gdy działo się to stale i systematycznie, u dzieci powstał
obraz siebie jako osoby zasługującej na karę i niekompetentnej. Natomiast dzieci krzywdzone emocjonalnie i zaniedbywane nie wykazywały oznak zaburzeń
samooceny; skutki takiego traktowania można było u nich zauważyć w innych
obszarach.

Rodzina jest bez wątpienia kolebką poczucia Ja u dziecka, jednak wraz z wiekiem wzrasta liczba osób znaczących, wpływających na sposób, w jaki dzieci
spostrzegają siebie i oceniają. W okresie szkolnym niezwykle ważna staje się
akceptacja ze strony rówieśników: bycie popularnym i lubianym, lub przeciwnie
– bycie odrzuconym, ma ogromny wpływ na rozwój wszystkich rozwijających
się cech psychicznych, ale największy na odczucia dziecka względem własnej
osoby. Tak więc odrzucenie i izolacja ze strony grupy rówieśniczej niejednokrotnie wiążą się – w każdym wieku, począwszy od okresu średniego dzieciństwa
– z obniżoną samooceną (Harter, 1998). Przynajmniej w tym względzie możemy więc uznać pojęcie *Ja odzwierciedlonego* za uzasadnione. Jest to także jeden
z powodów, dla których poważnie trzeba traktować zjawisko dręczenia słabszych; dość obszerny materiał badawczy świadczy o tym, że dzieci tyranizowa-
ne są szczególnie narażone na spadek samooceny (szczegóły zob. ramka 10.1).
I jeszcze jedno – dzieci spotykające się z odrzuceniem lub dzieci-ofiary niekoniecznie reagują na taką sytuację biernie przyjmując to, co płynie od grupy.
Odrzucenie przez własną grupę, na przykład ze względu na destrukcyjne zachowanie, może spowodować, że dziecko będzie szukało towarzystwa w gangu
przestępczym, w którym tego typu zachowania stanowią normę – nie jest to, co
prawda, krok pożądany ze społecznego punktu widzenia, ale z punktu widzenia
jednostki jest on konstruktywny, gdyż pozwala jej na zachowanie i wzmocnienie
własnej reputacji.

RAMKA 10.1

Ofiary dręczenia przez silniejszych i ich poczucie Ja

Dręczenie dzieci przez dzieci to zjawisko ogólnoświatowe, które dla ofiar może mieć poważne, niekiedy długotrwałe konsekwencje. Szacunki, co do zakresu tego procederu są zróżnicowane. Częściej ma on miejsce w szkole podstawowej niż średniej, częściej wśród chłopców niż dziewczynek i w pewnych społecznościach częściej niż w innych. Wiele zależy od tego, jak zdefiniujemy dręczenie słabszych. Czy na przykład należałoby do niego zaliczyć także dokuczanie i prowokowanie? Wiele też zależy od sposobu mierzenia, a ponieważ trudno je obserwować, polegać trzeba tylko na doniesieniach. Jednak relacje poszkodowanego i relacje obserwatorów nie zawsze są takie same. Z grubsza rzecz biorąc, szacuje się, że aż do 20% dzieci jest ofiarami dręczenia, a sprawcy tych zdarzeń to grupa sięgająca 10% ogółu dzieci, co z pewnością jest wystarczającym powodem do podjęcia działań zapobiegawczych.

Nic dziwnego, że wielokrotnie wykazywano wpływ gnębienia na samoocenę ofiary. Kiedy dzieci zostają wskazane jako cel ciągłej agresji ze strony innych, mogą zinterpretować ten fakt jako stawiający je w złym świetle, wskazujący, że w grupie rówieśniczej stoją na niższej pozycji, a to wpływa na sposób spostrzegania przez nie własnej osoby. Na przykład, Boulton i Smith (1994) badali zjawisko gnębienia w dużej grupie 8- i 9-latków i stwierdzili, że 13% z nich można sklasyfikować jako tyranów, a 17% jako ofiary (a dalsze 4% zarówno jako tyranów, jak i jako ofiary). Wypełniając Profil autopercepcji dla dzieci Harter, ofiary w niektórych częściach testu uzyskały niższe noty od pozostałych dzieci. Były to punkty dotyczące wysportowania, akceptacji społecznej i skali ogólnej własnej wartości. Ich pogląd na własną osobę, jeśli chodzi o inne aspekty, jak na przykład kompetencje szkolne, nie miał znaczenia, co jest ważne, bo potwierdza doniesienia, że samoceny nie należy ujmować całościowo. W przeglądzie wszystkich istotnych badań dotyczących psychologicznych następstw dręczenia, które ukazały się w ciągu 20 lat, Hawker i Boulton (2000) potwierdzili związek bycia dręczonym z obniżoną samooceną. Ogólny trend, jaki wyłonił się z tych publikacji pokazuje, że ofiary uzyskują niskie wskaźniki ogólnego poziomu samooceny, jak również niektórych konkretnych jej aspektów – najniższe w zakresie akceptacji społecznej. To dlatego w dziedzinie kontaktów interpersonalnych dzieci te najczęściej spostrzegają siebie w negatywnym świetle. Przegląd ten ujawnił jednak jeszcze jedną rzecz: pewne inne aspekty osobistego przystosowania wypadły jeszcze gorzej. Szczególnie widocznym u tych dzieci symptomem była depresja.

Zatem jak ofiary znęcania się interpretują to, co się im przydarza? Czy pytają, „Dlaczego ja?" Czemu, ich zdaniem, zawdzięczają to, że zostały „wybrane"? Graham i Juvonen (1998) na podstawie własnych badań zauważyli, że najczęściej winę przypisują sobie. Znaczna część ofiar zamiast obarczyć winą tyranów raczej siebie postrzega jako tego, który budzi agresję u innych. Dotyczy to głównie tych, którzy winy upatrują w swoim ogólnym charakterze („To, dlatego, że jestem taki."), a nie w swoim konkretnym, najczęściej chwilowym zachowaniu („To przez to, co wtedy zrobiłem".). W pierwszym przypadku, gdy przypisywanie winy sobie dotyczy całej osobowości dziecka, a przez to rzutuje na jego poczucie Ja, zauważono, że dzieci te cierpią na szereg trudności przystosowawczych, łącznie z niską samooceną. Natomiast w drugim przypadku sytuacje znęcania się są interpretowane jako wynik czegoś, czemu dziecko łatwo może zaradzić, i nie prowadzi to do późniejszych problemów psychicznych.

Można prawdopodobnie przyjąć, że związek pomiędzy byciem ofiarą znęcania się a niską samooceną ma charakter przyczynowo-skutkowy. Jednak większość badań miała charakter korelacyjny, co oznacza, że można było jedynie określić, czy te dwa zjawiska ze sobą współwystępują, czy nie. Czy jest możliwe jednak, by zależność przyczynowo-skutkowa przebiegała w odwrotnym kierunku? A zatem, czy dzieci z niską samooceną mogą charakteryzować się cechami, które zachęcają innych do znęcania się nad nimi? Ofiary określono jako dzieci bez poczucia humoru i pewności siebie, skłonne do płaczu, samotne i nielubiane przez inne dzieci, jako osoby, którym brakowało umiejętności w określonych sytuacjach społecznych. O innych zaś mówiono, że są destrukcyjne, agresywne i kłótliwe (Perry, Perry, Kennedy, 1992). W badaniach podłużnych zatytułowanych „Czy niskie poczucie własnej wartości prowokuje prześladowanie?" Egan i Perry (1998) zbadali 10- i 11-latków w dwóch różnych momentach ich życia, a ponieważ mogli prześledzić rozwój ich samooceny i incydenty znęcania się, odkryli, że relacja przyczynowo-skutkowa ma charakter dwukierunkowy. Z jednej strony, poczucie własnej niedoskonałości u dziecka może prowadzić do wytypowania go do roli ofiary, ale z drugiej bycie gnębionym przez rówieśników prowadzi do dalszego obniżania poczucia własnej wartości. Niska samoocena jest, zatem, zarówno przyczyną, jak i skutkiem bycia ofiarą – a to ukazuje, jak bardzo skomplikowanym zjawiskiem jest dręczenie słabszych.

Podkreślmy jeszcze, że tak, jak w przypadku innych aspektów rozwoju, tak i kształtowanie się Ja to nie tylko sprawa poddania się siłom środowiska; wpływ na to ma także rosnąca intencjonalna rola dziecka. Dzieci są aktywnymi, samookreślającymi się istotami, które monitorują, oceniają, konstruują i interpretują swoje własne zachowania i ich skutki, i na tej podstawie stopniowo tworzą obraz jednostek, za jakie się uważają. Poprzez zastanawianie się nad sobą, porównywanie siebie z innymi oraz poprzez akceptację i odrzucenie poglądów innych na temat własnego charakteru, tworzą szereg hipotez w celu osiągnięcia zrozumienia własnej osoby. Hipotezy te z czasem łączą się w mniej lub bardziej spójną koncepcję, która ma im umożliwić odpowiedź na pytanie „Kim jestem?".

Przyswajanie sobie poczucia przynależności do płci

Zwyczajowo rozróżnia się **tożsamość osobistą** i **tożsamość społeczną**. Pierwsza odnosi się do wszystkich tych specyficznych cech jednostki, które odróżniają jedną osobę od drugiej. Druga określa przynależność do szerszych kategorii społecznego grupowania ludzi, jak płeć, pochodzenie etniczne, status społeczno-ekonomiczny i zawód, które podzielamy z wieloma innymi osobami, chociaż także odróżniają nas od innych grup osób. Poczucie przynależności do tych różnych grup również jest zawarte w dziecięcym obrazie własnej osoby.

Najważniejszą z tych kategorii jest „przynależność do płci"* (określająca w tym wypadku psychologiczne różnice pomiędzy kobietami a mężczyznami, podczas gdy „płeć"** odnosi się do różnic fizycznych). Dziecko rodzi się chłopcem lub dziewczynką, a to, jak jest traktowane później, zależy w dużej mierze właśnie od jego płci. W wyniku tego dzieci szybko przyswajają sobie poczucie tożsamości przynależności do płci („Jestem chłopcem".; „Jestem dziewczynką".), szybko też zdają sobie sprawę, że innych także można w ten sposób klasyfikować. Jednak aż do okresu średniego dzieciństwa brak jest pełnego zrozumienia, na czym polega pojęcie przynależności do płci. Jest to proces stopniowy, zdaniem Lawrence'a Kohlberga (1966) odnoszący się do trzech różnych aspektów, z których każdy ujawnia się w innym czasie:

> **Tożsamość osobista** odnosi się do tych aspektów osobowości jednostki, które wyróżniają ją spośród innych osób.

> **Tożsamość społeczna** odnosi się do charakteryzującego jednostkę poczucia przynależności do konkretnych kategorii społecznych, np. wyróżnionych ze względu na płeć lub pochodzenie etniczne.

- *Tożsamość przynależności do płci* (rodząca się w wieku od ok. $1^1/_2$ do 2 lat). Dziecko zyskuje świadomość, że wszyscy, łącznie z nim, należą do jednej z dwóch grup – chłopców lub dziewczynek, mężczyzn lub kobiet. Przynajmniej począwszy od końca 2. r. ż. dziecko na pytanie „Jesteś chłopcem czy dziewczynką?" potrafi udzielić poprawnej odpowiedzi; na początku 3. r. ż. widząc inne dziecko potrafi poprawnie określić jego płeć, opierając się na pewnych oczywistych cechach, jak fryzura czy ubranie, choć z początku są to jakby etykiety przyczepiane ludziom, tak jak imiona, bez większego dlań znaczenia.
- *Stabilność przynależności do płci* (od 3. lub 4. r. ż.). Dziecko uświadamia sobie teraz, że płeć człowieka jest cechą stałą przez całe życie. Począwszy od 4. r. ż. (lecz nie wcześniej) potrafi poprawnie odpowiedzieć na pytania, „Kiedy byłeś mały, to byłeś chłopcem czy dziewczynką?" lub „Jak dorośniesz, to zostaniesz mamą czy tatą?". Jednakże możliwości zrozumienia istoty pojęcia rodzaju są nadal znacznie ograniczone. Na przykład na pytanie: „Czy jeśli chłopiec założy sukienkę, to zostanie dziewczynką?", większość dzieci w wieku przedszkolnym odpowie twierdząco, w przekonaniu, że płeć określają cechy powierzchowne i dlatego można ją zmienić.

---

* W oryginale: *gender*, czyli rodzaj (przyp. red. nauk.).
** W oryginale: *sex*, czyli płeć (przyp. red. nauk.).

- *Trwałość przynależności do płci* (od 5. lub 6. r. ż.). Od tego czasu dzieci zaczynają zdawać sobie sprawę, że męskość i kobiecość to cechy niezależne od czasu lub kontekstu i wcale nie są określane przez wygląd lub działania jednostki. Dziewczyna jest nadal dziewczyną, nawet, jeśli zetnie włosy i założy chłopięce ubranie. Pojęcie przynależności do płci jest więc już pełne.

Wiedza dotycząca roli związanej z płcią jest to świadomość dzieci, że pewne rodzaje zachowania są uważane za „właściwe" dla chłopców, a inne za „właściwe" dla dziewczynek.

Od bardzo wczesnych lat swego życia dzieci wiedzą również, że pewne zachowania są uważane za właściwe dla dziewczynek, a inne dla chłopców. Taka **wiedza dotycząca roli związanej z płcią** ujawnia się w wieku około $2^1/_2$ lat, gdy zapyta się dziecko o rodzaj czynności, w jakie angażują się chłopcy lub dziewczynki. Oto kilka przykładów odpowiedzi, jakich udzielają:

„Chłopcy biją ludzi".
„Dziewczynki dużo gadają".
„Dziewczynki często potrzebują pomocy".
„Chłopcy bawią się samochodami".
„Dziewczynki dają buziaki".

Stereotypy, na temat tego, co jest właściwe dla mężczyzn, a co dla kobiet, pojawiają się dość wcześnie i mimo wielkich zmian, jakie dokonały się w ciągu ostatniego półwiecza w zakresie ról płciowych, są nadal widoczne, a wyrażają się zarówno w samym zachowaniu dzieci, jak i w działaniach oraz oczekiwaniach tych, którzy są odpowiedzialni za ich socjalizację.

Badania różnic indywidualnych związanych z płcią w zachowaniu dziecka toczyły się w trzech obszarach: rozwoju cech osobowości, preferencji określonych zabawek i zabaw oraz wyboru towarzyszy zabaw. Oto podsumowanie wyników badań w tych obszarach:

- *Cechy osobowości.* Nadal utrzymują się stereotypy kulturowe, na temat tego, co jest „właściwym" zachowaniem dla płci męskiej (bycie aktywnym, dominującym, agresywnym, pewnym siebie), a co dla żeńskiej (wychowywanie, opiekuńczość, bierność, uległość). Jednakże porównanie zachowań chłopców i dziewczynek w sposób bardzo ograniczony potwierdza taką dychotomię. Istnieją dowody (by zacytować choć jeden przykład), że niemowlęta płci męskiej są nieco bardziej aktywne niż niemowlęta płci żeńskiej (Eaton, Yu, 1989) – różnica ta może odpowiadać za większą skłonność do przepychanek u chłopców w wieku późniejszym. Kiedy jednak Maccoby i Jacklin dokonali w 1974 roku przeglądu 1600 opublikowanych do tamtego czasu artykułów na temat różnic związanych z płcią, trudno było znaleźć cechy rozróżniające obie płci – był to wniosek, który potwierdziły dalsze prace badawcze (Ruble, Martin, 1998). Istnieją pewne dowody na to, że chłopcy przewyższają dziewczynki, jeśli chodzi o poziom agresji, jednak, jeśli weźmie się pod uwagę agresję nie tylko fizyczną, ale także niefizyczną, różnice zdają się być minimalne. Wiele wskazuje również na to, że dziewczynki lepiej wypadają, jeśli chodzi o zadania werbalne, za to chłopcy lepiej w zadaniach przestrzennych. Jednakże ogólnie różnice osobowościowe i poznawcze są mniejsze niż się powszechnie uważało, a jeśli istnieją, to zakres tych różnic jest raczej niewielki i staje się coraz mniejszy w wyniku przedefiniowywania przez społeczeństwo ról obu płci.

- *Preferencje dotyczące zabawek.* Najbardziej znaczące różnice związane z płcią odkryto analizując wybierane przez dzieci zabawki i typy zabaw. Na ogół chłopcy bawią się ciężarówkami, klockami i pistoletami, a dziewczynki lalkami, pluszakami i artykułami gospodarskimi (Golombok, Fivush, 1994), i czynią to zanim jeszcze uświadomią sobie, że niektóre zabawki są bardziej właściwe dla jednej płci niż dla drugiej. Chłopcy angażują się w bardziej aktywne i mniej delikatne zabawy, jak w policjantów i złodziei lub Indian i kowboi; dziewczynki zaś wolą bawić się w dom, skakać na skakance i lubią gry z piłką. Być może, takie różnice wynikają z wrodzonych cech dzieci: chłopcy są bardziej aktywni i agresywni; dziewczynki bardziej bierne i opiekuńcze, a każda z płci dobiera sobie takie zabawki i zabawy, jakie najlepiej pasują do tych typów zachowania. Jednak może to także wynikać z nacisków socjalizacyjnych. Rodzice, rówieśnicy, szkoła i media wysyłają do dzieci w różnym wieku szereg sygnałów, dotyczących tego, co w naszej społeczności jest uważane za właściwe dla danej płci. Tabela 10.4 podsumowuje nie-

TABELA 10.4

Kilka przykładów zróżnicowanych ze względu na płeć zachowań dorosłych wobec dzieci

Obszar socjalizacji	*Obserwacje*	*Źródło*
Wybór zabawki	Dorośli zachęcają dzieci, zwłaszcza chłopców, do zabawy typowymi dla ich płci zabawkami (np. ciężarówkami, a nie lalkami)	Fagot, Hagan (1991)
Styl zabawy	Chłopcy są zachęcani, a dziewczynki zniechęcane, do aktywnej i żywej zabawy	Fagot (1978)
Przydzielanie zadań	Chłopcom daje się „męskie", a dziewczynkom „kobiece" zajęcia w gospodarstwie domowym	White, Brinkerhoff (1981)
Agresja	Większą uwagę przywiązuje się do agresywnych i asertywnych zachowań chłopców niż dziewczynek	Fagot, Hagan (1991)
Kontrola	Więcej zakazów werbalnych i fizycznych stosuje się wobec chłopców niż dziewczynek	Snow, Jacklin, Maccoby (1983)
Autonomia	Rozmowa rodziców z chłopcami zawiera więcej zachęt do autonomii niż rozmowa z dziewczynkami	Leaper (1994)
Świadomość emocji	Rodzice częściej dyskutują na temat uczuć z dziewczynkami niż z chłopcami	Kuebli, Butler, Fivush (1995)
Kontrola nad emocjami	Chłopcy są bardziej zachęcani do kontrolowania ekspresji emocji niż dziewczynki	Fagot, Leinbach (1987)

które z istotnych wyników badawczych. Istnieje już wiele dowodów wskazujących na to, że dorośli mają określone związane z płcią oczekiwania co do zachowania dziecka, stanowiące zdecydowany czynnik nacisku na dzieci, by podporządkowały się uznanym normom. Naciski te dotyczą głównie specyficznych, związanych z płcią czynności i zainteresowań i największe ich nasilenie można zauważyć w 2. r. ż. dziecka, czyli wtedy, gdy najintensywniej toczy się rozwój w tym obszarze (Fagot, Hagan, 1991). Jednakże sprawą sporną i nie rozwiązaną pozostaje to, czy to naciski socjalizacyjne przynoszą zamierzone efekty, czy też może rodzice po prostu reagują na istniejące już wcześniej różnice pomiędzy ich synami i córkami (próby rozstrzygnięcia tych kwestii zob. ramka 10.2).

RAMKA 10.2

Eksperymenty z Dzieckiem X

Od samego początku sposób obchodzenia się dorosłych z dzieckiem zależy od jego płci. Na przykład, w badaniu nad początkowymi reakcjami rodziców na noworodka (Rubin, Provenzano, Łuria, 1974), zarówno matki, jak i ojcowie określali synów jako silniejszych, większych, lepiej skoordynowanych i czujniejszych; córki zaś jako mniejsze, delikatniejsze, subtelniejsze i mniej uważne. Bez wątpienia dorośli włączają stereotypy płciowe do kontaktów z dziećmi. Innymi słowy, czy związane z nimi oczekiwana mogą odpowiadać za powodowanie różnic w zachowaniu dzieci, czy też może dorośli reagują na istniejące między dziećmi różnice? Jaki jest kierunek tego wpływu?

Na te pytania odpowiedzieć miała seria badań, która rozpoczęła się w latach 70. i określona została mianem eksperymentów z Dzieckiem X. Weźmy jeden z nich (za Condry, Condry, 1976) jako przykład. Grupie 200 dorosłych, kobiet i mężczyzn, przedstawiono nagranie wideo przedstawiające 9-miesięczne dziecko. Części badanych przedstawiono je jako chłopca („David"), a pozostałym jako dziewczynkę („Dana"). Ani wygląd, ani ubiór dziecka nie wskazywały wyraźnie na żadną z płci. Pokazano, jak dziecko zachowuje się względem różnych zabawek, takich jak miś lub lalka, jak reaguje na takie bodźce, jak pajacyk wyskakujący na sprężynie z pudełka, lub nagły dźwięk głośnego dzwonka i w każdej z sytuacji dorośli mieli opisać wyrażane przez dziecko emocje. Wyniki wyraźnie wskazywały na wpływ domniemanej płci dziecka. Na przykład, gdy „David" reagował na pajaca płaczem, większość dorosłych spostrzegała to jako gniew; ale kiedy „Dana" prezentowała tę samą reakcję, była ona postrzegana jako lęk. Te same reakcje dziecka były oceniane różnie, w zależności od określenia jego płci. Autorzy doszli do wniosku, że różnice pomiędzy niemowlętami płci męskiej i żeńskiej zdają się tkwić w umysłach obserwatorów.

Przeprowadzono wiele różnych badań zajmujących się reakcjami względem Dziecka X (zob. przeglądy: Golombok, Fivush, 1994; Stern, Karraker, 1989). Mimo, że zasadniczo reprezentowały to samo podejście, to różniły się od siebie pewnymi szczegółami natury proceduralnej i grupami osób badanych. Różniły się na przykład tym, czy prezentowano dziecko bezpośrednio, czy film wideo z jego udziałem, czy proszono dorosłych o interakcję z tym dzieckiem, czy też nie; różniły się też poziomem doświadczenia dorosłych w kontaktach z dziećmi, rodzajem sądów, jakich oczekiwano itd. Niektóre z badań jednoznaczne potwierdziły wyniki, jakie uzyskali Condry i Condry w powyższym przykładzie, i wskazywały na to, że znajomość płci dziecka zdecydowanie wpływa na zachowania dorosłych wobec niego. Mając dostęp do zabawek, na przykład, chłopięcych, takich jak samochodziki czy gumowy młotek, i dziewczęcych, jak lalka lub serwis do herbaty, dorośli częściej przynosili męskie zabawki dziecku, które określone zostało jako chłopiec, a dziewczęce dziecku określonemu jako dziewczynka. Podobnie też częściej zachęcali „chłopca" do zabaw dynamicznych i aktywnego eksplorowania zabawek, podczas gdy „dziewczynkę" traktowali delikatniej i jako bardziej zależną od pomocy dorosłego. Jednakże w innych badaniach nie udało się uzyskać równie jednoznacznych wyników, wykazując, na przykład, znaczną różnicę zgodną z rodzajem zastosowanego wskaźnika. Zatem, gdy dorośli mieli oszacować właściwości osobowości dziecka (stopień życzliwości, kooperatywności itd.) nie zauważono zbyt wielu różnic wynikających z domniemania takiej lub innej płci. Większą rolę w spostrzeganiu dziecka odgrywały wtedy jego prawdziwe cechy. Z drugiej jednak strony, określenie płci bardziej wpływało na sposób, w jaki dorośli zachowywali się w danej sytuacji względem dziecka. Ich style interakcji, rodzaj oferowanej stymulacji i zabawki wybrane dla dziecka odzwierciedlały wiedzę, jaką przekazano im na temat jego płci. I jeszcze jedno ciekawe spostrzeżenie. Kiedy poproszono dzieci o zabawę z Dzieckiem X, wpływ wiedzy dotyczącej płci dziecka był jeszcze większy niż w przypadku dorosłych. Działo się tak prawdopodobnie dlatego, że dzieci te same jeszcze były w fazie formowania się własnej tożsamości płciowej i dlatego prezentowały bardziej radykalny i mniej elastyczny sposób spostrzegania i kontaktowania się z osobami płci męskiej i żeńskiej (Stern, Karraker, 1989).

Wygląda, więc na to, że efekt przypisania do określonej płci nie jest tak silny, jak wcześniej przypuszczano. To, czy dziecko jest chłopcem, czy dziewczynką to zaledwie jeden z czynników wpływających na sposób, w jaki inni obchodzą się z nim. Ma on większy wpływ wtedy, kiedy niewiele wiadomo o prawdziwych cechach dziecka lub gdy informacje posiadane na jego temat nie są jednoznaczne. Kiedy jednak stwierdzano istnienie owego efektu, wówczas niemal zawsze był on zgodny z kulturowymi stereotypami płci, co może odgrywać znaczącą rolę w rozwoju tożsamości płci u dziecka.

● *Dobór towarzysza zabawy.* Zdecydowanie najwyraźniejsze różnice związane z płcią dostrzec można w doborze towarzyszy zabawy. Chłopcy bawią się z chłopcami, dziewczynki z dziewczynkami, a ponadto preferencje te widać już w 3. r. ż. (zob. ryc. 10.3). Eleanor Maccoby (1990, 1998) wskazała na to, że segregacja ze względu na płeć to bardzo ważne zjawisko o charakterze uniwersalnym, dostrzegane wszędzie tam, skąd mamy dane. Można je zauważyć nawet w zabawie innych naczelnych na tym samym poziomie rozwojowym, co

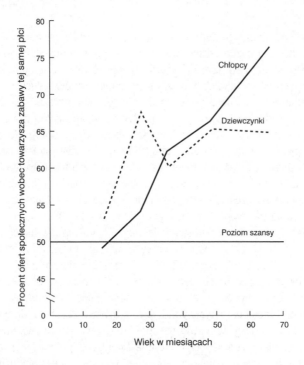

RYCINA 10.3

Preferencje chłopców i dziewczynek w wieku od 1 do 6 lat względem towarzysza zabawy tej samej płci (za: LaFreniere, Strayer, Gaulthier, 1984)

u dzieci. Pojawia się spontanicznie, bez nacisków ze strony dorosłych i jest bardzo odporne na wymuszaną zmianę. W toku rozwoju nasila się, szczególnie widoczne staje się w okresie szkolnym i utrzymuje się na wysokim poziomie aż do okresu dorastania, kiedy to pomimo oczekiwań dotyczących przejawów seksualności segregacja ze względu na płeć wcale nie zanika. Ma to ogromne znaczenie psychologiczne, gdyż, zdaniem Maccoby, rówieśnicy mają najważniejszy wkład w socjalizację dzieci. Odrębne style interakcji, jakie chłopcy i dziewczynki odpowiednio manifestują i rozwijają w swoich grupach płciowych, mają ogromne znaczenie dla funkcjonowania społecznego po okresie dorastania – w dorosłości. W przypadku płci męskiej styl ten został określony jako *ograniczający*: chłopcy rozkazują, grożą, przerywają i przechwalają się częściej niż dziewczynki; częściej pojawia się problem dominacji; więcej jest zabaw brutalnych i ryzykownych; mowa pełni głównie funkcję egoistyczną, gdyż każdy dokonuje w jakimś sensie autoprezentacji i usiłuje określić oraz ochronić swoje terytorium. Dziewczynki natomiast przyjmują styl *umożliwiający*: sprawą pierwszorzędnej wagi jest utrzymanie relacji, a nie upominanie się o swoje prawa, dlatego częściej niż w grupach chłopców dochodzi między dziewczynkami do ugody, udzielania głosu innym, uznawania wniosków wysuniętych przez innych i korzystania z języka w celu budowania więzi społecznych. Oczywiście, niektóre z cech obu tych stylów się pokrywają: dziewczynki też potrafią być asertywne, tak samo jak chłopcy potrafią pracować dla dobra wspólnego. Niemniej jednak, grupy płciowe funkcjonują w sposób odmienny, a charakterystyczne dla nich style interakcji zostają przyswojone na długo i tworzą zasadniczy zrąb tożsamości płciowej człowieka.

Ciągłość i zmiana

Większość z nas jest przekonana, że jesteśmy zasadniczo takimi samymi ludźmi, jak wtedy, gdy byliśmy młodsi. Być może teraz wiemy więcej, zdobyliśmy nowe kompetencje społeczne i poznawcze, poszerzyliśmy swoje horyzonty w społeczeństwie i staliśmy się częścią rozmaitych sieci kontaktów interpersonalnych, ale zasadniczo pozostajemy tą samą osobą, którą pamiętamy z okresów wcześniejszych. Takie poczucie rozciągnięcia Ja w czasie, w którym łączy się to, czym jesteśmy teraz z tym, czym byliśmy w przeszłości, jest niezwykle doniosłe psychologicznie z wielu punktów widzenia (Moore, Lemmon, 2001), ale w jakim stopniu tak naprawdę stale jesteśmy tą samą osobą? Obserwowanie rozwoju dzieci, tzn. patrzenie w przyszłość zamiast w przeszłość, pozwala uzyskać bardziej złożony obraz, w którym można dostrzec zarówno pewną ciągłość, jak i zmienność. W obrazie tym idea rozwoju, jako procesu zmian o charakterze kumulatywnym musi zostać zastąpiona przez koncepcję, która uwzględniać będzie także okresowe zmiany jakościowe. Zmiany takie mogą być wynikiem wewnętrznej reorganizacji, jak przewidywał to Piaget opisując postęp w rozwoju poznawczym w kolejnych stadiach. Mogą również wynikać z wpływu ekstremalnie trudnych doświadczeń, takich jak śmierć jednego z rodziców, przedłużająca się hospitalizacja lub bycie ofiarą nadużycia. Bez względu na charakter takich doświadczeń, dziecko przed nimi i po nich, to nie jest jedna i ta sama osoba.

Kwestia ciągłości w rozwoju lub jej braku to nie tylko wyzwanie dla koncepcji teoretycznych. Ma to również swe zastosowanie w potencjalnie pożytecznym procesie prognozowania. Możliwość dużo wcześniejszego przewidzenia, że niektóre osoby wykazywać będą zachowania antyspołeczne, dawałaby szansę odpowiedniego zapobiegania. Jeśli jakiś szczególny profil psychologiczny w okresie dzieciństwa pozwalałby na przewidzenie zachowań przestępczych lub wręcz kryminalnych w okresie dojrzewania czy dorosłości, byłyby przynajmniej szanse na wcześniejsze podjęcie działań zapobiegawczych. Stałość kierunku rozwoju gwarantowałaby pomyślne prognozowanie. Natomiast, jeśli wczesne cechy dziecka mają niewiele wspólnego z dorosłą osobowością, przewidywanie nie byłoby możliwe. Nie ma się więc co dziwić, że wiele wysiłków poświęcono zbadaniu związków pomiędzy wczesnym a późniejszym statusem jednostki.

Badanie ciągłości

Ocena zakresu, w jakim jednostki pozostają niezmienne lub wraz z rozwojem zmieniają się nie jest wcale łatwa. Jednym z głównych problemów jest to, że *ciągłość* ma wiele różnych znaczeń, a każde z nich wymaga innej oceny (szersza dyskusja zob. Caspi, 1998). Należałoby wyróżnić jej dwa szczególne rodzaje:

- *Ciągłość względna*. Odnosi się do zachowania przez jednostkę swej pozycji w grupie. Jeśli klasa zostanie oceniona przez nauczyciela pod względem poziomu lęku w wieku 6 lat, a następnie w wieku 10 lat, można skorelować te dwa wyniki i ocenić, czy w okresie tym nastąpiła jakaś zmiana. Jednak współczynnik korelacji wyraża jedynie zakres, w jakim dzieci zachowały ten sam status w porównaniu z innymi dziećmi. Na przykład, czy ci, którzy za pierwszym razem uzyskali wysokie wyniki, nadal utrzymują swoją wysoką pozycję. Nie mówi nam to jednak nic o rzeczywistym poziomie lęku w tych dwóch momentach. Dlatego współczynnik korelacji może zaciemniać fakt, że grupa jako całość w okresie pomiędzy pomiarami stała się dużo mniej lękowa.
- *Ciągłość absolutna*. Odnosi się do zakresu, w jakim konkretny atrybut pozostaje w danym okresie niezmienny. Czy skrajnie agresywny 5-latek będzie nadal skrajnie agresywnym 15-latkiem? To samo pytanie można by zadać względem grup osób: czy grupa śródmiejskich, ubogich dzieci poddanych pomiarowi poziomu agresji na początku szkoły, dziesięć lat później nadal prezentuje ten sam poziom agresji? By odpowiedzieć na te pytania potrzebne jest porównanie wartości średnich, a nie współczynników korelacji.

Najlepiej by było, gdyby podczas badania ciągłości pomiędzy jednym wiekiem a drugim stosowano przez cały czas te same narzędzia, jednak w praktyce jest to bardzo trudne. To, co wydaje się właściwe dla oceny w jednym wieku, może nie być tak samo odpowiednie w innym wieku, gdyż sposób, w jaki konkretny atrybut przejawia się w jawnym zachowaniu może wraz z wiekiem ulec zmianie, mimo iż sam atrybut zmianie nie uległ. Na przykład, małe dzieci wyrażają swoją agresję bezpośrednio w formie fizycznej, dlatego kwestionariusze i arkusze obserwacji będą pytały o takie objawy, jak bicie, kopanie, gryzienie i przepychanie. Wraz z wiekiem tego rodzaju oznaki stają się coraz rzadsze, aż w końcu mogą zostać zastąpione przez mniej bezpośrednie środki werbalne, takie jak bolesne komentarze lub wykluczanie społeczne. Dlatego w kwestionariuszach i arkuszach obserwacyjnych należy umieścić inne punkty, które będą właściwe dla wieku, ale z tych samych powodów porównanie z wiekiem wcześniejszym będzie trudne. Ten sam problem dotyczy większości funkcji psychicznych. Ramka 10.3 opisuje szczegółowo, jak bardzo ograniczona jest nasza zdolność przewidywania inteligencji na podstawie testów wykonanych we wcześniejszym okresie, z tego powodu, że głównie werbalnych zadań zawartych w konwencjonalnych testach inteligencji dla starszych dzieci w żadnej mierze nie można zastosować w okresie niemowlęcym. Alternatywą dla szukania testów identycznych w formie dla całego spektrum wiekowego, jest szukanie wskaźników, które w sposób *konceptualny* wiązałyby się z inteligencją i mogłyby być zastosowane nawet wobec niemowląt. Jeśli uda się ustalić, że te same, leżące u podstaw danego zachowania, predyspozycje w różnym wieku wyrażają się w różny sposób, łatwiej będzie rozwiązać kwestię ciągłości rozwojowej.

RAMKA 10.3

Czy na podstawie zachowania dziecka w okresie niemowlęcym można przewidzieć jego późniejszy poziom inteligencji?

Rodzice, pedagodzy i opiekunowie dzieci – wszyscy chcieliby jak najszybciej dowiedzieć się, jaki poziom inteligencji osiągnie dziecko w przyszłości i zgodnie z tym snuć dalsze plany, co niego. Lecz jak wcześnie można to określić? Pogląd, że inteligencja jest raz na zawsze zdeterminowana wyposażeniem genetycznym został już dawno odrzucony, jednak w środowisku stabilnym inteligencja też powinna pozostawać w miarę stabilna. Czy więc w ogóle na podstawie początkowych lat lub miesięcy życia możliwe jest przewidywanie tego, co będzie w okresie późniejszego dzieciństwa?

Istnieje wiele testów rozwojowych dla 2- i 3-latków, które określają IR (iloraz rozwojowy) analogiczny do II (ilorazu inteligencji), co umożliwia porównanie postępu każdego dziecka z innymi dziećmi w tym samym wieku. Jednakże są to przede wszystkim testy percepcyjno-motoryczne, ponieważ mierzą takie umiejętności, jak wzrokowe śledzenie ruchomego obiektu, skupianie wzroku i chwytanie przedmiotu oraz układanie klocków jeden na drugim. Są to zadania zupełnie inne niż te, które zawierają testy inteligencji, opierające się głównie na zdolnościach językowych i rozumowaniu abstrakcyjnym. Kiedy porówna się wyniki IR z późniejszymi wynikami II, korelacje na ogół są bliskie zeru, co wskazuje na to, że testy dla niemowląt mogą służyć jedynie ocenie aktualnego statusu dziecka, a nie przewidywaniu jego dalszego rozwoju. Cokolwiek mierzą te testy, z pewnością nie jest to inteligencja.

Zamiast jednak zostawić tę sprawę tak jak jest, zaczęto mnożyć badania nad sposobami uchwycenia inteligencji w okresie niemowlęcym (szczegółowe opisy zob. w: McCall, Carriger, 1993; Slater i in., 1999). Skupiały się one głównie na rozmaitych aspektach zdolności przetwarzania informacji, widocznych już w początkowych miesiącach życia. Zakładano, że prędkość i skuteczność tych funkcji w zasadniczy sposób składają się na wynik działań intelektualnych. Przede wszystkim pomiarom poddawano przyzwyczajanie się do bodźców wzrokowych. Dotyczy to skracania czasu patrzenia na wielokrotnie przedstawiany ten sam bodziec, przy założeniu, że prędkość, z jaką dziecko się przyzwyczaja wskazuje na to, jak szybko przetwarza ono dany bodziec, zapamiętuje go i później rozpoznaje jako już znany, a w związku z tym przestaje na niego patrzeć.

Z niemowlętami i małymi dziećmi w różnym wieku przeprowadzono wiele takich eksperymentów. W późniejszym dzieciństwie po raz kolejny zbadano te same dzieci za pomocą konwencjonalnych testów inteligencji. Wyniki nie były zbyt zachęcające, chociaż rezultaty uzyskane w początkowych miesiącach życia dziecka były ściślej związane z późniejszym II niż wyniki IR. Z badań tych wyciągnięto kilka wniosków:

- Prognozy nigdy nie są wyższe od umiarkowanych: w kategoriach statystycznych korelacja pomiędzy wynikiem przyzwyczajania się a późniejszym II mieści się w przedziale od 0,3 do 0,5 i daleka jest od idealnej 1,0.
- Nic więc dziwnego, że im krótszy okres pomiędzy dwoma kolejnymi pomiarami, tym trafniejsza prognoza późniejszych wyników na podstawie poprzednich.
- Z pewnych nie znanych dotychczas powodów, prognozy oparte na pomiarze przyzwyczajania się przeprowadzonym pomiędzy 2. a 8. miesiącem życia są trafniejsze niż oparte na pomiarach wcześniejszych lub późniejszych.
- Prognozy dla dzieci z grupy „ryzyka" (np.: wcześniaków lub dzieci upośledzonych) są trafniejsze niż w przypadku innych dzieci.
- Dzieci szybciej przetwarzające dane na ogół przetwarzają je skuteczniej.
- Podobnie, jak w przypadku inteligencji w ogóle, tak i tu drastyczne zmiany stylu życia, jak znaczna deprywacja, mogą zakłócić możliwość prognozowania późniejszego stanu.

Musimy się zgodzić, że nawet przy wykorzystaniu najnowszych podejść do diagnozy wczesnych okresów życia, przewidywanie późniejszego poziomu inteligencji dziecka jest nadal niepewne. Próbowano również rozmaitych wskaźników, innych od pomiaru prędkości przyzwyczajania się, np.: rozpoznawania pamięciowego, antycypowania wzrokowego i czasu reakcji wzrokowej. Ich zaletą jest to, że wszystkie należą do repertuaru zachowań nawet najmłodszych dzieci i łatwo je uzyskać. Ponadto, wszystkie dotyczą przetwarzania informacji i dlatego pod względem konceptualnym są bardziej zbliżone do inteligencji niż zachowania percepcyjno-motoryczne, przez co są bardziej obiecujące. Jednakże, potrzeba jeszcze wiele pracy zanim dojdziemy do solidnych wniosków na temat wczesnego prognozowania przyszłej inteligencji.

Przewidywanie na podstawie wczesnych zachowań

Wiele wysiłków pochłonęły próby prześledzenia postępu w rozwoju konkretnych cech osobowości od wczesnego dzieciństwa do dorosłości. Dzięki temu udało się zgromadzić spory zakres wiedzy, jednakże opowieść, jaka z niej wynika, jest raczej skomplikowana i zagmatwana. Rozwój istot ludzkich nie biegnie jak prosta linia. Mamy do czynienia z ciągłością, ale też ze zmianą, i choć pod pewnymi względami przez całe życie nosimy te same cechy, pod innymi stajemy się raczej kimś innym niż byliśmy na początku. Przedstawmy to na przykładzie historii rozwoju dwóch zupełnie różnych cech osobowości, mianowicie nieśmiałości i agresywności.

1. Nieśmiałość

Nieśmiałość obejmuje spory zakres wzorców zachowań: wyciszenie w sytuacjach społecznych, lęk przed poznawaniem nowych ludzi, upodobanie do samotności, czerwienienie się, wahania i niezręczność wypowiedzi, zahamowanie, niechęć do włączania się do rozmowy i powstrzymywanie się od przyłączania się do grup społecznych. Pomiędzy ludźmi istnieje wiele różnic w sposobie okazywania nieśmiałości, począwszy od obcesowego i pewnego siebie zachowania, do niemal pełnego paraliżu. Kiedy objawia się to często, jest uważane za znaczne upośledzenie, choć jak już wiemy z rozdz. 2. (s. 52), istnieje szereg różnic kulturowych jeśli chodzi o wartości przypisywane tej właściwości.

Nieśmiałość jest widoczna już u całkiem małych dzieci i w dużym stopniu u osób dorosłych przybiera tę samą formę. Czy to oznacza, że różnice indywidualne w tym aspekcie są obecne od samego początku i pozostają z jednostką jako jej stała cecha? Poświęcono tej kwestii spory zakres prac badawczych (patrz Crozier, 2000) i istnieje obecnie wiele wskazań, by sądzić, że nieśmiałość ma (prawdopodobnie dość złożone) korzenie genetyczne. Dlatego w naszej dyskusji o temperamencie z początku tego rozdziału (s. 333–335), w każdym z nakreślonych tam schematów wspomniane zostały cechy związane z nieśmiałością: Thomas i Chess (1977) wymieniają grupę dzieci, które „trudno się rozgrzewają"; Buss i Plomin (1984) mówią o towarzyskości jako jednej z cech trwałych, której podstawy genetyczne zostały poparte dowodami, a nieśmiałość znajduje się na jednym z jej krańców; podobnie Rothbart i in. (2001) wspominają ekstrawersję jako cechę dziedziczną, podobną w swym wydźwięku do towarzyskości.

Jednakże fakt, że jakaś cecha osobowości ma podłoże genetyczne nie oznacza jeszcze, że jest ona sztywno określona i stała przez całe życie, tak jak, powiedzmy, kolor oczu. Jak, przynajmniej w pewnym stopniu, wynika z różnych podłużnych badań prowadzonych na dzieciach, stopień nieśmiałości wraz z wiekiem może się zmieniać. Zmiany najprawdopodobniej zachodzą w tzw. okresach przejściowych, gdy dzieci spotykają nowe środowisko lub ludzi, kiedy po raz pierwszy idą do szkoły lub zmieniają szkołę czy idą na studia (Asendorpf, 2000). Jeśli ów okres przejściowy wymaga od jednostki dużej towarzyskości i zdolności adaptacji względem nowych osób, a nie zostało to w należytym stopniu opanowane wcześniej, mogą nastąpić trwałe zmiany w kierunku większej nieśmiałości, lecz podobnie jak to się dzieje w przypadku niektórych dających pewność siebie doświadczeń, może także spowodować zmianę w przeciwnym kierunku.

Pełniejszy opis nieśmiałości i jej źródeł rozwojowych znaleźć można w serii raportów Jerome'a Kagana i jego zespołu (np.: Kagan, Reznick, Snidman, 1988; Kagan Snidman, Arcus, 1998), przedstawiających wyniki badań podłużnych nad grupą dzieci, począwszy od okresu niemowlęctwa, okresowo badanych w różnych sytuacjach. Badania te przekonały Kagana, że nieśmiałość to element szerszego zjawiska, określonego jako *zahamowanie* – termin ten opisuje początkową reakcję lękową, niepokój i ostrożność okazywaną we wszystkich nieznanych i stanowiących wyzwanie sytuacjach i spotkaniach z ludźmi. Dzieci nieśmiałe, w myśl tych wyników, nie tylko są zaniepokojone obecnością obcych, ale są także niechętne poznawaniu czegokolwiek nowego, reagując zahamowaniem, lękiem czy zaniepokojeniem, gdy nie mogą uniknąć nieznanego. Już w wieku 4 miesięcy rozróżnić można dzieci zahamowane i niezahamowane. Dzieci zahamowane (ok. 20%) są raczej ciche i przytłumione w pierwszej reakcji na nieznany bodziec i ulegają coraz większemu pobudzeniu, kiedy stymulacja się utrzymuje; natomiast dzieci niezahamowane (40%) zdradzają oznaki beztroski w tych samych sytuacjach i raczej angażują się w nie niż unikają nieznanych sytuacji. Badania fizjologiczne wskazują na to, że za tego typu różnice odpowiedzialne są różnice dotyczące progu pobudzenia mózgu i wygląda na to, że mają one charakter dziedziczny. Jak wynika z badań przeprowadzonych w późniejszym dzieciństwie (podsumowanych w tab. 10.5), we wszystkich momentach, w których Kagan badał dzieci, zauważyć można różnice w reakcji na wydarzenia nieznane. Dzieci zahamowane były ostrożniejsze, lękliwe i nietowarzyskie, natomiast niezahamowane były beztroskie i zainteresowane wszystkimi nowymi doświadczeniami. Jednakże przez cały okres obserwacji tylko niewielka grupa pozostała *trwale* zahamowana lub niezahamowana. Były to dzieci z grup krańcowych – skrajnie zahamowane lub bardzo odhamowane. W ich przypadku od razu możliwe było przewidzenie późniejszego statusu na podstawie wcześniejszych zachowań. Nieśmiałość, jako trwały i stały rys osobowości może występować tylko u dzieci sklasyfikowanych jako skrajnie nieśmiałe, ale nawet w tym przypadku Kagan przypuszcza, że by utrzymać taki styl zachowania, musi zadziałać jakiś czynnik stresowy w najbliższym środowisku, taki jak śmierć rodziców, konflikt małżeński czy choroba psy-

TABELA 10.5

Zachowania dzieci zahamowanych i niezahamowanych w różnym wieku

Wiek	Procedura	Reakcje dzieci
4 miesiące	Prezentowanie nieznanych bodźców, np. pękania balonu	*Dzieci zahamowane:* płacz, energiczna aktywność ruchowa *Dzieci niezahamowane:* brak zaniepokojenia, niewielki poziom aktywności ruchowej
2. rok	Kontakt z osobą obcą; obdarowywanie nowymi przedmiotami	*Dzieci zahamowane:* oznaki niepokoju i wycofania *Dzieci niezahamowane:* brak lęku, okazują zainteresowanie
4 lata	Spotkanie z nieznajomym dorosłym; zabawa z nieznanymi dziećmi	*Dzieci zahamowane:* stłumienie, unikanie *Dzieci niezahamowane:* otwartość, towarzyskość
7 lat	Kwestionariusz dla rodziców, rozmowa z nauczycielem; ocena laboratoryjna	*Dzieci zahamowane:* cały zakres objawów lęku *Dzieci niezahamowane:* względny brak objawów lęku

chiczna w rodzinie. W pozostałych przypadkach widać pewien brak ciągłości. Dzieci rozwijają się w jednym lub drugim kierunku zgodnie z tym, czego doświadczają w swoim środowisku społecznym.

Możemy dojść do wniosku, że w przypadku nieśmiałości zmiana w dzieciństwie zdaje się być raczej regułą niż wyjątkiem. Przewidywanie o określonym stopniu pewności można zastosować jedynie w grupach skrajnych. Najprawdopodobniej bardzo nieśmiały, cichy i powściągliwy maluch wyrośnie na cichego, ostrożnego nastolatka, niechętnie włączającego się w otoczenie społeczne. Tak samo, bardzo towarzyski i spontaniczny przedszkolak, prawdopodobnie wykaże te same cechy pod koniec dzieciństwa. Jednak nawet w przypadku tych dzieci, błędem byłoby założenie, że ktokolwiek może być odporny na wpływy środowiskowe. Nawet w takich przypadkach stabilność jest raczej prawdopodobna niż pewna.

2. Agresja

Czy agresywne dzieci wyrastają na agresywnych dorosłych? Lub na odwrót, czy agresywni dorośli byli agresywnymi dziećmi? Ta kwestia ma oczywiste znaczenie praktyczne. Wziąwszy pod uwagę ilość otaczającej nas przemocy warto móc przewidzieć na podstawie wczesnych zachowań, czy pewne dzieci mogą wyrosnąć na stosujących przemoc dorosłych. Wiele badań miało na celu rozwiązanie tej kwestii.

Jedno z najambitniejszych badań przeprowadzili Huesmann, Eron i Lefkowitz (1984). Miało ono formę 22-letnich obserwacji 600 osób, i obejmowało również dane dotyczące ich rodziców i dzieci. Po raz pierwszy agresję u dzieci oceniono na podstawie informacji od rówieśników w wieku 8 lat, i była to część oceny zachowań dziecka w różnych sytuacjach, dokonywana przez kolegów z klasy. Około 400 z tych dzieci obserwowano aż do 30. r. ż., kiedy to ich agresję oceniono na podstawie samooceny z wykorzystaniem powszechnie stosowanego inwentarza osobowości. Ponadto zebrano ocenę od współmałżonków, dotyczącą wszelkich agresywnych zachowań w domu, a także przeszukano oficjalne rejestry w celu znalezienia informacji na temat skazania za przestępstwo z wykorzystaniem przemocy. Wyniki świadczą o znacznej stabilności agresywności w ciągu tych 22 lat. Najagresywniejsze 8-latki były też najagresywniejszymi 30-latkami – dotyczyło to w większym stopniu mężczyzn niż kobiet, co wskazuje na duże prawdopodobieństwo tego, że wysoki poziom agresji u chłopców przerodzi się w poważną agresję antyspołeczną w okresie wczesnej dorosłości. Co więcej, były także pewne wskaźniki stabilności na przestrzeni pokoleń: dane zebrane o rodzicach tych osób i (gdzie było to możliwe) o ich dzieciach, pozwoliły na wyróżnienie wyraźnego trzypokoleniowego trendu polegającego na tym, że agresywni rodzice mają agresywne dzieci. Zgodnie z tymi wynikami agresja zdaje się być cechą o znacznej trwałości.

Wiele innych badań potwierdziło ogólny obraz ciągłości w tej kwestii (np. Cairns i in., 1989; Farrington, 1991; White i in., 1990), co prowadzić może do przekonania, że destrukcyjne i trudne zachowanie u chłopców w okresie dzieciństwa jest jednym z najlepszych wskaźników pozwalających przewidzieć zachowania przestępcze w okresie dorastania i dorosłości, zwłaszcza z wykorzystaniem przemocy. Jednakże nowsze badania wykazały, że sprawy nie są takie proste i zwróciły uwagę na szereg komplikacji:

- Agresja jest terminem szerokim, obejmującym wiele różnych form, i to, co dotyczy niektórych z nich, niekoniecznie musi dotyczyć innych. Tremblay (2002) w przeglądzie badań nad agresją z ostatniego wieku wskazuje, że jednego musimy się nauczyć – nie można zakładać, że jedna forma agresji w określonym czasie (np. brak posłuszeństwa w klasie) doprowadzi do innej formy agresji w czasie późniejszym (np. do aresztowania za przemoc fizyczną).
- Należy również koniecznie unikać uogólnień na temat płci. Chłopcy prezentują agresję fizyczną, dziewczynki agresję pośrednią, i według niektórych obserwacji (np. Cairns i in., 1989) ta druga forma zachowania charakteryzuje się mniejszą stabilnością w czasie.
- Należy rozróżnić prognostyczne i retrospekcyjne* metody gromadzenia danych na temat zmian występujących wraz z wiekiem, gdyż prowadzą one do innych wyników. Pierwsza metoda, polegająca na obserwowaniu dzieci aż do osiągnięcia dorosłości, mówi nam, że tylko część dzieci prezentujących zachowania antyspołeczne (w tym agresywne) stanie się antyspołecznymi dorosłymi. Druga metoda, polegająca na wstecznym zbieraniu danych na temat dzieciństwa dorosłych, wykazuje, że prawie wszyscy antyspołecznie nastawieni dorośli byli antyspołecznie nastawionymi dziećmi (Robins, 1966). Obydwa stwierdzenia są oczywiście wartościowe, ale mimo różnic muszą być rozpatrywane łącznie.
- Chociaż niejednokrotnie wykazywano stabilność określonego poziomu agresywności w czasie, to stopień tej stabilności był zaledwie umiarkowany. Zmiany zdarzają się; podczas gdy niektóre dzieci pozostają pod tym względem stałe, inne stają się mniej lub bardziej agresywne niż ich rówieśnicy. A zatem prognozy można snuć tylko w niektórych przypadkach, w innych rozwój agresji od dzieciństwa do dojrzałości obiera różne ścieżki.

Wiele niedawnych badań podjęło ten ostatni wniosek i próbowało określić grupy dzieci, dla których rozwój agresji przyjmował wyraźną formę. Powstało wiele sugestii, co do charakteru tych grup. Na przykład, według jednego ze stanowisk (Moffitt i in., 1996) należy rozróżnić grupy dzieci „stałe w ciągu całego życia" i „ograniczone do okresu dorastania". W pierwszym przypadku u dzieci od wczesnych lat życia obserwuje się stale podwyższony poziom agresji, nie nauczyły się one hamować swoich impulsów emocjonalnych. W drugim natomiast, agresja jest jedynie

---

* W oryginale: *forward-looking* i *backward-looking* (przyp. red. nauk.).

przemijającą fazą, objawiającą się w późnym dzieciństwie i okresie dorastania, zainicjowaną głównie przez doraźne wpływy środowiskowe, takie jak naciski rówieśnicze. Inna propozycja (Brame, Nagin, Tremblay, 2001) wymienia aż siedem podtypów, wyróżnionych na podstawie połączenia poziomu agresji z rodzajem zmian, jakie w tym obszarze zachodzą od dzieciństwa do okresu dorastania. I znów główny wniosek jest taki, że dziecko o wysokim poziomie agresji często staje się nastolatkiem o wysokim poziomie agresji. Jeszcze inna linia badań skupiła się na społecznych czynnikach towarzyszących agresji, jako czynnikach pozwalających różnicować dzieci (Rutter, Rutter, 1993). Te, które nie tylko są agresywne, ale jednocześnie pochodzą z rodzin dysfunkcyjnych, gdzie są świadkami konfliktów, i w których nie ma należytej dyscypliny ani nadzoru, częściej pozostają agresywne niż te, które nie cierpią z powodu takiego rodzaju upośledzenia społecznego.

Warto podsumować wyniki tych badań. Od razu widać, ze rozwój agresywności przybiera różne formy, co należy bezwzględnie brać pod uwagę podczas planowania pomocy dla konkretnych osób o różnych cechach charakteru i wymaganiach. Taka różnorodność sprawia, że przewidywanie przeszłości na podstawie wczesnych zachowań nie jest sprawą prostą. Do takiego wniosku prowadzą badania stabilności nieśmiałości i innych cech osobowości (np.: emocjonalności, samooceny, uczynności, impulsywności i rozmaitych form zaburzeń). We wszystkich tych przypadkach wszelkie zauważone na początku predyspozycje zazwyczaj ulegają pewnym modyfikacjom pod wpływem późniejszych doświadczeń. Stąd też tak często zauważany *brak* ciągłości. Tylko w skrajnych przypadkach, jak na przykład u dzieci bardzo nieśmiałych i bardzo agresywnych, przewidywania mogą się sprawdzić. U tych jednostek najważniejszą rolę nadal pełnią czynniki wrodzone. Natomiast jednostki o bardziej umiarkowanych predyspozycjach pozostają bardziej otwarte na wpływy środowiskowe, pochodzące z takich źródeł, jak dom, szkoła czy grupa rówieśnicza. Odnośnie takich osób (które stanowią znakomitą większość), ogólny wniosek jest taki, że charakter cech indywidualnych zauważonych w początkowych latach życia pozostaje w słabym związku z ich osobowością w życiu dojrzałym.

Pojawiły się również głosy, że przewidywalność przyszłych typów osobowości będzie bardziej trafna, jeśli będzie opierać się na *kombinacji* cech, a nie na pojedynczych cechach jednostki. W jednym z bardzo ambitnych projektów badawczych, polegających na obserwacji grupy pokoleniowej ponad 1000 dzieci nowozelandzkich w okresie od 3. do 21. r. ż. („badania Dunedin"), Caspi (2000) podsumowuje dowody świadczące o ciągłości cech, wtedy, gdy dzieci w wieku 3 lat podzielone zostały na trzy grupy na podstawie konstelacji cech temperamentu. Oceny przeprowadzane w następnych latach aż do osiągnięcia wczesnej dorosłości, świadczyły o tym, że grupy te przez cały ten czas prezentowały odmienne cechy charakteru (szczegóły zob. tab. 10.6). Być może, rozpatrywanie z osobna rysów osobowości, takich jak agresja lub nieśmiałość daje nam mylny obraz, a to, co nazywamy podejściem *typologicznym* jest bardziej trafne, gdyż uwzględnia organizację całej osobowości. Zauważmy jednak, że i w tym przypadku ciągłość nie była zu-

TABELA 10.6

Ciągłość typów osobowości od dzieciństwa do dorosłości

Styl	Oznaki w wieku 3 lat	Oznaki w wieku 18–21 lat
Niedostateczna kontrola	Impulsywny, emocjonalnie niestabilny, drażliwy, niecierpliwy, niespokojny, łatwo dekoncentrujący się	Impulsywny, agresywny, szukający mocnych wrażeń, niesolidny, aspołeczny, beztroski
Zahamowanie	Skrępowany, lękliwy, łatwo się denerwuje w obecności obcych, nieśmiały	Nadmiernie opanowany, ostrożny, nieasertywny, wyobcowany społecznie, przygnębiony
Dobre przystosowanie	Pewny siebie, po początkowej nieufności życzliwy, odporny na frustrację, samokontrolujący się	Normalny, przeciętny, zdrowy psychicznie

Źródło: Caspi (2000).

pełna. Zatem prognozy można snuć jedynie na zasadzie prawdopodobieństwa, a nie pewności. Przedstawiciele każdej z tych grup *przypuszczalnie* rozwijali się według konkretnego wzorca, który jednak dopuszczał pewne zmiany. Raz jeszcze potwierdza się, że mamy do czynienia zarówno z ciągłością, jak i z jej brakiem.

Przewidywanie na podstawie wczesnych doświadczeń

Innym sposobem prześledzenia ciągłości w rozwoju jest wyjście od wczesnych doświadczeń dziecka, a nie od wczesnych wzorców zachowań. Taki kierunek oparty jest na przypuszczeniu, że dzieci w początkowych stadiach rozwoju są bardzo podatne na wpływy, i że doświadczenia, jakich w tym czasie nabędą, mają kluczowe znaczenie, określające raz na zawsze kierunek ich rozwoju. Jeśli tak jest, to na podstawie tego, co wydarzyło się na początku życia, powinno udać się przewidzieć to, co będzie się działo po osiągnięciu dojrzałości.

Założenie, że wczesne doświadczenia mają wyjątkowe znaczenie, jest tak bardzo powszechne, że opowiadali się za nim tak różnorodni autorzy, jak J. B. Watson w podejściu behawioralnym i S. Freud w podejściu psychoanalitycznym. Watson (1925) tak to określa w często cytowanym fragmencie:

> Dajcie mi tuzin zdrowych, prawidłowo zbudowanych niemowląt i dostarczcie im wszystko, co składa się na mój własny świat, a zapewniam was, że wezmę na chybił trafił jedno z nich i uczynię z niego dowolnego typu specjalistę, czy to będzie lekarz, sędzia, artysta, kupiec, a nawet żebrak czy złodziej, bez względu na jego talenty, skłonności, zdolności, zadatki i rasę przodków*.

* Przetłumaczyła Ewa Klimas-Kuchtowa.

I podobnie Freud (1949):

> Doświadczenie analityczne przekonało nas o całkowitej słuszności często wy-
> powiadanego twierdzenia, że – psychologicznie rzecz biorąc – dziecko jest oj-
> cem człowieka dorosłego, a przeżycia z pierwszych lat mają niedościgłe zna-
> czenie dla całego jego późniejszego życia [...]*.

W myśl tych poglądów, bardzo małe dzieci uważane są za niezwykle łatwo ulega-
jące wpływom i bardziej chłonne niż kiedykolwiek później, dlatego bez względu
to, jakie zdobędą w tym czasie doświadczenia, wywrą one trwałe skutki. Uważa
się zatem, że wskazówek dotyczących późniejszego formowania się osobowości
należy szukać we wczesnych kontaktach dziecka ze środowiskiem.

Dla oceny tych poglądów mamy dziś ogromną liczbę badań (szczegółowe omówienie zob. Clarke, Clarke, 2000; Schaffer, 2002). Większość z nich dotyczy skutków „traumy niemowlęcej" – doświadczeń z początkowych lat życia odbiegają-
cych od normy i stresujących, takich jak wychowywanie się w warunkach deprywacji w instytucjach, w których występuje skrajny brak osobistej opieki i ogólnej
stymulacji. Wayne Dennis (1973) przeprowadził badania nad dziećmi wychowy-
wanymi przez kilka początkowych lat życia w sierocińcach (określanych mianem
ochronek) na Bliskim Wschodzie, gdzie doświadczały one znacznego zaniedbania,
polegającego na minimalnej opiece indywidualnej i ogólnym braku jakiejkolwiek
stymulacji. W wyniku tego zaobserwowano postępujące pogarszanie się stanu
rozwojowego dzieci – począwszy od średniego ilorazu rozwojowego równego
100 (wskazującego na przeciętne funkcjonowanie) na początku 1. r. ż. do ilorazu
równego zaledwie 53 na koniec 1. r. ż. (tzn. że dzieci 12-miesięczne funkcjonowały na poziomie dzieci 6-miesięcznych). Tak poważne opóźnienie utrzymywało
się przez cały pobyt w ochronce. Na przykład ponad połowa dzieci w wieku 21
miesięcy nie potrafiła siadać, a jedynie mniej niż 15% trzylatków potrafiło chodzić. W ten sposób dzieci o właściwym potencjale wyjściowym, w wyniku złego
traktowania we wczesnym dzieciństwie zostały skrajnie opóźnione w rozwoju.
Rzeczywiście opóźnienie było tak duże, że prawdopodobnie będzie miało trwały
charakter, bez względu na to, co się jeszcze wydarzy.

Jednakże później, kiedy dzieci miały po kilkanaście lat, Dennis zdołał je odszu-
kać i jeszcze raz ocenić. W wieku 6 lat większość z nich została przeniesiona
z ochronki do placówki bardziej odpowiedniej dla starszych dzieci – osobno
dziewczynki, osobno chłopcy. Pozostali zostali adoptowani wprost z ochronki.
Wszystkie dzieci poddano testom na inteligencję; ich II przedstawiono na ryc.
10.4. Widać, że dziewczynki nadal funkcjonowały na znacznie obniżonym poziomie; chłopcy natomiast, mimo że ich wyniki były poniżej przeciętnej, funkcjono-

* Przetłumaczył Jerzy Prokopiuk.

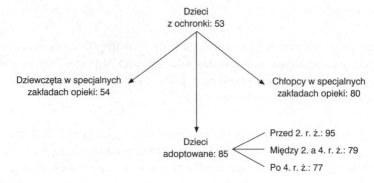

RYCINA 10.4

Wysokość ilorazu inteligencji w badaniach Dennisa

wali poprawnie, podobnie jak dzieci adoptowane, zwłaszcza te, które zostały adoptowane przed 2. r. ż. Skąd ta różnica pomiędzy dziewczynkami z placówek wychowawczych a pozostałymi dziećmi? Odpowiedź stanowi rodzaj otoczenia, w jakim dzieci rozwijały się po 6. r. ż. Placówka, do której trafiły dziewczynki była tak samo prymitywna, jak ochronka. Niski poziom ich funkcjonowania po prostu jeszcze się pogłębił. Placówka dla chłopców zapewniała o wiele lepszą stymulację, była lepiej wyposażona, oferowała o wiele więcej możliwości rekreacyjnych i edukacyjnych, a dzieci mogły liczyć na więcej uwagi ze strony personelu. To samo, a nawet w większym stopniu, dotyczyło oczywiście dzieci adoptowanych, wychowujących się w normalnych rodzinach. Okazuje się więc, że skutki szkodliwego doświadczenia, nawet trwającego 6 lat, nie są trwałe. Powstałe w tym czasie zaniedbania można nadrobić, a dzieciom można pomóc w osiągnięciu normalnego poziomu funkcjonowania intelektualnego.

Nowsze prace zarówno potwierdziły, jak i poszerzyły te stwierdzenia. Tak więc Rutter wraz z zespołem (1998) śledzili losy większej grupy sierot rumuńskich, które od urodzenia wychowywały się w sierocińcach w okropnych warunkach, lecz przed ukończeniem 2. r. ż. przyjechały do Zjednoczonego Królestwa i zostały umieszczone w rodzinach zastępczych. Rozwój tych dzieci w momencie przeprowadzki był poważnie upośledzony – co było widoczne w porównaniach z brytyjskimi dziećmi adoptowanymi – jeśli chodzi o takie cechy, jak fizyczny wzrost i poziom rozwoju poznawczego. Jednak, gdy powtórzono taką ocenę w wieku 4 lat, zauważono, że dzieci te w znacznym stopniu zaczęły doganiać rówieśników (zob. tab. 10.7). Gdy poddano je kolejnej ocenie w wieku 6 lat (O'Connor i in., 2000), zauważono, że nadal czynią postępy, choć nie dało się zauważyć dalszego nadrabiania strat. Szczególnie uderzające było odzyskiwanie normalnego poziomu u dzieci adoptowanych przed 6. miesiącem życia, chociaż dało się to też zauważyć u dzieci adoptowanych w późniejszym wieku. Dalsze badania dzieci rumuńskich wykazały także ich zdolność do nadrabiania opóźnień społecznych (Chisholm, 1998; Chisholm i in., 1995); nawet mimo kilku lat minimalnych kontaktów z opiekunami, dzieci te okazały się zdolne do utworzenia przywiązania do przybranych rodziców. Wieloletnie trzymanie dzieci w „lodowatych" warunkach emocjonalnych nie uniemożliwiało im późniejszego stworzenia więzi społecznych, jednakże za cenę większej niż się spodziewano częstotliwości występowania przywiązania pozabezpiecznego (zob. ramka 4.3 s. 126). Wiek przeniesienia z niekorzystnego środowiska w środowisko sprzyjające, jest bez wątpienia ważnym czynnikiem, gdyż determinuje zakres poprawy. Niemniej jednak, dowody te ogólnie podkreślają niebywałą odporność procesu rozwoju, który jest możliwy mimo wcześniejszych, wysoce niesprzyjających warunków.

Inne badania, dotyczące nie tylko wpływu wczesnej deprywacji, ale także przeżyć traumatycznych, dały podobne wyniki. Wykazały one, że skutki takich wydarzeń niekoniecznie muszą być trwałe, bez względu na ich drastyczność i na to, jak wcześnie miały miejsce. Niepożądane skutki można odwrócić poprzez diametralną zmianę doświadczeń życiowych dziecka, przynajmniej, jeśli zmiana ta nastąpi na czas. Nie możemy mieć pewności, co do tego, co oznacza „na czas"; jak wynika z tragicznej historii Genie (opisanej w ramce 9.2, s. 312), dziecko wychowywane przez 11 lat w warunkach skrajnej deprywacji ma niewielkie szanse na powrót do normalności. Wiadomo jednak, że rozwoju osobowości nie da się przewidzieć tylko na podstawie wczesnych doświadczeń. Związek między tym, co *wczesne*, a tym co *późne* jest o wiele bardziej złożony, ponieważ późniejsze doświadczenia, przynajmniej w pewnych warunkach, mogą odwrócić wczesne skutki i powinny być brane pod uwagę podczas analizowania efektu końcowego. Kreślimy więc o wiele bardziej optymistyczny obraz rozwoju niż ten, jaki zaprezentowali Watson i Freud: nie jesteśmy ofiarami naszej przeszłości. To, co się wydarzyło, nie pozostaje bez wpływu, ale także nie bez znaczenia jest to, co się wydarzy w późniejszym okresie dzieciństwa. Zatem, by zrozumieć efekt procesu dojrzewania, koniecznie trzeba przeanalizować cały przebieg rozwoju.

TABELA 10.7

Wyniki testów poznawczych uzyskane przez czterolatki adoptowane z rumuńskich sierocińców

| | Rumuńskie dzieci adoptowane | | Brytyjskie dzieci adoptowane |
	przed 6. miesiącem	po 6. miesiącu	
Badanie:			
W momencie przyjazdu do UK	76,5	46,1	–
W wieku 4 lat	115,7	96,7	117,7

Źródło: Rutter i in. (1998).

Śledzenie trajektorii rozwojowych

Zamiast więc przeskakiwać od tego, co *wczesne* do tego, co *późne*, od doświadczeń z początku życia do momentu, w którym następuje ocena, trzeba wczesne doświadczenia spostrzegać w kontekście indywidualnej ścieżki życiowej dziecka. Zamiast więc oczekiwać, że określony uraz doprowadzi do patologii, należy uznać łagodzącą rolę wydarzeń, które w tym czasie zaszły. Należy przyjąć, że **trajektorie rozwojowe** prowadzące od początkowych przeciwności losu do późniejszego takiego a nie innego funkcjonowania jednostki, u różnych osób mogą przyjąć różne formy. Zilustrujmy to.

Trajektorie rozwojowe to poszczególne ścieżki prowadzące przez życie, którymi kroczy jednostka, różniące się stopniem ciągłości /braku ciągłości charakteryzującym każdą z nich.

W serii badań Brown wraz z zespołem (np.: Brown, 1988; Brown, Harris, Bifulco, 1986) badali związek między stratą rodzica w dzieciństwie a rozwojem depresji u dorosłych kobiet. Taki związek wynikał z przyjętej wcześniej teorii, jednak badania empiryczne, mające na celu stwierdzenie bezpośredniego powiązania jednego z drugim nie przyniosły oczekiwanych rezultatów. Jednakże, wziąwszy pod uwagę inne doświadczenia pośredniczące, Brown wykazał, że związek taki rzeczywiście istnieje, tyle że w określonych warunkach, mianowicie wtedy, gdy śmierć rodzica oznaczała utratę należytej opieki rodzicielskiej (zob. tab. 10.8). Tak więc, gdy kobiety, które w wyniku śmierci lub separacji straciły matkę, lecz nadal były pod właściwą opieką, porównano z kobietami, które doświadczyły takiej samej straty, ale dalsza opieka nad nimi nie była właściwa, okazało się, że wskaźnik depresji w tej pierwszej grupie był o wiele niższy niż w drugiej. Właściwie był on tylko niewiele wyższy niż u kobiet, które nigdy takiej straty nie doznały. Oznacza to, że niezadowalające warunki opieki prowadziły z kolei do późniejszych niepomyślnych doświadczeń, takich jak ciąża przedmałżeńska i nieszczęśliwe małżeństwo, które przyczyniły się do wyniku końcowego, tj. rozwoju depresji klinicznej. Wygląda więc na to, że specyficzne zdarzenie pierwotnie doświadczone przez dziecko, jak utrata rodzica, ma znaczenie *długofalowe* tak naprawdę dzięki reakcji łańcuchowej, jaką uruchamia. Ścieżka od doświadczeń dziecięcych do ich rezultatów w okresie dorosłości może obejmować całe sekwencje etapów, przy czym każdy kolejny niejako wynika z tego, który go poprzedza, tak jakby niektóre dzieci wsiadły na pas transmisyjny, wiozący je ku coraz większym przeciwnościom losu.

Punkty zwrotne (znane również jako punkty przejściowe) są to okoliczności, kiedy jednostki stają w sytuacji kluczowego wyboru dotyczącego dalszego biegu swego życia.

Jednak w reakcji łańcuchowej nic nie jest nieuniknione, nawet jeśli następstwo zdarzeń zostało już uruchomione. Od czasu do czasu ludzie dochodzą do **punktów zwrotnych**, w których mogą dokonać wyboru spośród alternatywnych kierunków: czy kontynuować naukę, czy jej zaprzestać; czy szukać pracy nie wymagającej kwalifikacji, czy dalej się uczyć i szkolić; poślubić tego partnera, czy nie – to tylko niektóre z decyzji, jakie młodzi ludzie muszą podjąć. Od tego czy wybór ten jest wolny, czy nie, zależy czy kierunek, jaki obiorą wzmocni skutki wcześniejszych doświadczeń

TABELA 10.8

Poziom (w %) depresji u kobiet po stracie w okresie dzieciństwa a późniejsza opieka, jaką zostały otoczone

Typ straty	Odpowiednia opieka	Nieodpowiednia opieka
Śmierć matki	10	34
Oddzielenie od matki	4	36
Brak straty rodzica	3	13

Źródło: Harris, Brown, Bifulco, (1986).

czy, wręcz przeciwnie, pomoże je zminimalizować. Celem badań, jakie przeprowadzili Rutter, Quinton i Hill (1990) było określenie, czy dzieci pozbawione właściwej opieki rodzicielskiej, będą takie same wobec własnych dzieci. Badane dziewczęta większość wczesnego dzieciństwa spędziły w placówkach opieki i jako dorosłe kobiety były mniej czułe, oferowały mniej wsparcia i ciepła w związku ze swoim dzieckiem niż matki wychowane w typowych okolicznościach. Jednak nie oznacza to, że u wszystkich matek pozbawionych należytych warunków w dzieciństwie zaobserwowano takie braki; poza różnicami między wartościami średnich widać było bardzo duże zróżnicowanie wyników, które można było wyjaśnić tylko dzięki prześledzeniu trajektorii rozwojowej dziecka, od doświadczeń z dzieciństwa do zachowań w okresie dorosłości. Na przykład zauważono, że pozytywne doświadczenia szkolne niwelowały niekorzystny wpływ doświadczeń domowych dziecka, prowadząc do podwyższenia jego samooceny, a to z kolei zwiększało szanse na uzyskanie pod koniec okresu dorastania satysfakcjonującej i pozwalającej na samorealizację pracy. Przede wszystkim znalezienie partnera do małżeństwa, który był wspierający i poprawnie funkcjonujący społecznie, zapewniło kobietom właściwe funkcjonowanie, a w szczególności stworzenie dobrych relacji z własnymi dziećmi. Punkty zwrotne mogą przybierać różne formy (Caspi, 1998). Jak widzieliśmy w badaniach Wayne Dennisa (s. 365), przeniesienie do innej placówki może być jednym z nich, innym może być adopcja – każdy z nich daje możliwość (nie zawsze potwierdzoną) zmiany kierunku dalszej drogi życiowej. Zatem punkty zwrotne stanowią zasadniczy element w procesie wyjaśniania związku pomiędzy doświadczeniami z dzieciństwa a zachowaniem w okresie dorosłości i pozwalają na uzasadnienie znacznego zróżnicowania efektów końcowych mimo identycznych doświadczeń we wcześniejszych okresach życia.

Dochodzimy do wniosku, że powszechnie panujące przekonanie, iż klucz do teraźniejszości tkwi wyłącznie w dalekiej przeszłości, jest znacznym uproszczeniem. Pogląd, że wczesne doświadczenia są ważne tylko dlatego, że są wczesne, jest bezzasadny. Nie istnieje bezpośrednia korelacja pomiędzy wiekiem a wrażliwością na doświadczenie. Weźmy przykład wpływu rozwodu na dzieci w różnym wieku. Nie da się w tej kwestii utrzymać jakiegokolwiek daleko idącego uogólnienia (Hetherington, Stanley-Hagan, 1999). Bardziej uzasadniony jest wniosek, że reakcje młodszych i starszych dzieci różnią się jakością, a nie siłą. Trudno wyobrazić sobie obraz bardzo wrażliwego niemowlaka i przedszkolaka stopniowo wyrastającego na coraz bardziej odpornego psychicznie ucznia i nastolatka. Wpływ określonych doświadczeń zależy od organizacji umysłowej na danym etapie rozwoju. To charakter tej organizacji, a nie sam wiek określa to, jak dziecko zareaguje. Czas, w jakim się to dzieje – owszem, ma znaczenie, ale nie na zasadzie prostego uogólnienia „im wcześniej, tym gorzej". Wszystko zależy od rodzaju doświadczenia oraz dziecięcej zdolności jego interpretacji i akceptacji. Tam, gdzie mamy do czynienia z ciągłością rozwojową – na przykład, kiedy wczesne nieprzystosowanie prowadzi do późniejszego nieprzystosowania, wyjaśnić to można ciągłością oddziaływania środowiska. Zatem dzieci wychowujące się w niekorzystnych warunkach we wczesnym okresie życia, prawdopodobnie będą doświadczać tak samo niekorzystnych warunków w późniejszym dzieciństwie – albo dlatego, że pozostaną w tym samym, mało przychylnym środowisku, albo z powodu działania tendencji do pociągania jednego nieszczęścia przez drugie (zjawisko „pasa transmisyjnego"). Jest to raczej kumulatywny efekt działania wszystkich ogniw łańcucha, nie tylko pierwszego; nie należy więc traktować pierwszego ogniwa jako jedynego odpowiedzialnego za wszystkie skutki długofalowe.

Podsumowanie

Jedno z głównych zadań rozwojowych dzieciństwa dotyczy procesu *indywiduacji*, tj. tworzenia osobistej, unikatowej tożsamości. Już od momentu narodzin dzieci mają indywidualność, opartą na zbiorze cech ogólnie zwanych *temperamentem*. Cechy te są niemal w całości określone genetycznie i w sposób stały wpływają na zachowanie dziecka. Ponadto są zapowiedzią tego, co później określane jest mianem *osobowości*.

Centrum osobowości stanowi *poczucie Ja* i większość dzieciństwa poświęcona jest szukaniu odpowiedzi na pytanie: „Kim jestem?". Badając Ja, warto rozróżnić jego trzy elementy składowe: samoświadomość, pojęcie własnej osoby i samoocenę. Samoświadomość na ogół pojawia się w 2. r. ż.; następnie kształtuje się pojęcie własnej osoby, które ulega ciągłemu doskonaleniu – proces ten trwa aż do osiągnięcia dorosłości. Samo-

ocena ulega zmianom rozwojowym głównie w okresie szkolnym; stopniowo staje się coraz bardziej spójna i realistyczna.

W okresie dorastania, podążając za zmianami w wyglądzie fizycznym i za wzrostem introspekcyjności, sposób myślenia dzieci o sobie często ulega poważnym modyfikacjom, co zostało określone mianem *kryzysu tożsamości*. Zdaniem Erika Eriksona to przede wszystkim w tym okresie dzieci muszą rozwiązać kwestię swojej tożsamości. Dopiero jeśli poradzą sobie z tym szczególnym zadaniem rozwojowym, będą mogły z powodzeniem wejść w okres dorosłości i zniknie wreszcie ich zakłopotanie i niepewność, co do własnej roli w życiu.

To, w jaki sposób dzieci myślą o sobie, zależy zarówno od ich rozwoju poznawczego, jak i od ich doświadczenia społecznego, a zwłaszcza od oczekiwań i postaw innych ludzi. Najlepiej widać to na przykładzie maltretowania, które może mieć ogromny wpływ na kształtowanie się Ja u dziecka. Rodzina jest bez wątpienia kolebką dziecięcego poczucia Ja, jednak coraz bardziej do głosu dochodzi też grupa rówieśnicza, co widać we wpływie odrzucenia i tyranizowania na samoocenę ich ofiar.

Jeszcze jednym aspektem rozwoju poczucia Ja jest przyswojenie sobie poczucia płci. Jest to proces długotrwały, na który składa się rozwój tożsamości płciowej, stabilności płci oraz jej spójności. Jak się okazało, istnieje niewiele różnic psychologicznych pomiędzy obiema płciami. Jednakże, widoczne począwszy od 3. r. ż. i utrzymujące się przez okres dorastania i dorosłości zjawisko segregacji ze względu na płeć, może mieć ogromny wpływ na późniejsze style interakcji rozwinięte przez obie płcie.

Nadal aktualnym przedmiotem badań pozostaje zakres ciągłości cech osobowości od wczesnego dzieciństwa po dorosłość i to, czy możliwe jest prognozowanie dorosłej osobowości na podstawie zachowania w początkowych latach życia. Mamy tu do czynienia z dwoma podejściami. Pierwsze z nich śledzi cechy psychiczne przez cały okres rozwoju i określa ich stabilność. Na przykładzie nieśmiałości i agresji trzeba stwierdzić, że stabilność ogranicza się raczej do przypadków skrajnych, takich jak dzieci bardzo nieśmiałe lub bardzo agresywne, a dzieje się tak dlatego, że w tych sytuacjach nadal największą rolę odgrywają czynniki wrodzone. Jednakże wśród dzieci o bardziej umiarkowanym nasileniu tych predyspozycji, zmiana stanowi raczej regułę niż wyjątek. Jednostki te są bardziej otwarte na wpływy środowiska, co sprawia, że prawdopodobieństwo zmian cech ich osobowości jest większe.

Drugie podejście koncentruje się na przewidywaniu późniejszych wyników na podstawie wcześniejszych doświadczeń. Opiera się ono na założeniu, że dzieci na początku życia tak łatwo ulegają wpływom, że przeżycia traumatyczne, takie jak deprywacja, naznaczają je na całe życie, bez względu na późniejsze doświadczenia. Okazało się jednak, że tak nie jest: nawet dzieci poważnie krzywdzone w zaniedbujących je instytucjach, w odpowiednich warunkach są w stanie dojść do siebie. Należy zatem stwierdzić, że ścieżka rozwoju nie jest raz na zawsze wyznaczona przez określone doświadczenia, bez względu na to, jak wcześnie miały one miejsce i jak bardzo były szkodliwe. Trzeba brać pod uwagę także doświadczenia późniejsze, włączając w to punkty zwrotne, w których podążające swoimi ścieżkami rozwojowymi jednostki mają okazję do zmiany.

Literatura dodatkowa

Caspi A. (1998). Personality development across the life course. W: W. Damon (red.), N. Eisenberg (red. tomu). *Handbook of Child Psychology* (tom 3). New York: Wiley. Dotyczy przede wszystkim istoty różnic osobowościowych i ich początków w dzieciństwie, ale zawiera również naukowe podsumowanie badań nad ciągłością i zmianą cech osobowości.

Clarke A., Clarke A. (2000). *Early Experience and Life Path*. London: Jessica Kingsley. Uaktualnienie znamienitej, wydanej w 1976 roku książki (*Early Experience: Myth and Evidence*). Stanowi użyteczny opis ostatnich dowodów dotyczących wpływu wczesnych doświadczeń.

Golombok S., Fivush R. (1994). *Gender Development*. Cambridge: Cambridge University Press. Śledzi rozwój płciowy od momentu poczęcia do dorosłości, ukazując rolę płci w tak różnych obszarach, jak zabawa, relacje społeczne, rozwój moralności, szkoła i praca, oraz zawiera opis wpływu wielorakich czynników hormonalnych, poznawczych, rodzicielskich i rówieśniczych na przebieg rozwoju.

Harter S. (1999). *The Construction of Self: A Developmental Perspective*. New York: Guilford Press. Szczegółowy, naukowy opis aktualnego stanu wiedzy na temat Ja i jego rozwoju od okresu przedszkolnego do późnej adolescencji, w autorskim ujęciu jednej z najbardziej płodnych twórczyń w tej dziedzinie.

Maccoby, E. E. (1998). *The two sexes: Growing up Apart, Coming Together*. Cambridge, MA: Harvard University Press. Jedna z najważniejszych pozycji dotyczących płci, opublikowanych w ostatnich latach. Skupia się na roli, jaką segregacja płciowa odgrywa zarówno w dzieciństwie, jak i w dorosłości, ale obejmuje również wiele innych aspektów ważnych dla rozwoju płci.

Literatura uzupełniająca w języku polskim

Brzezińska, A., Hornowska E. (red.). (2004). *Dzieci i młodzież wobec agresji i przemocy*. Warszawa: Wydawnictwo Naukowe Scholar.

Erikson, E. H. (1997). *Dzieciństwo i społeczeństwo*. (tłum. P. Hejmej). Poznań: Dom Wydawniczy Rebis.

Erikson, E. H. (2004). *Tożsamość a cykl życia*. (tłum. M. Żywicki). Poznań: Zysk i S-ka Wydawnictwo.

Oleś, P. K. (2003). Co warunkuje odniesienie do świata? Odzwierciedlone relacje i struktura ja. W: P. K. Oleś, *Wprowadzenie do psychologii osobowości* (s. 60–76). Warszawa: Wydawnictwo Naukowe Scholar.

Słownik pojęć

Akomodacja termin używany w teorii Piageta do określenia modyfikacji struktur umysłowych w celu przyswojenia nowych informacji.

Amnezja dziecięca niezdolność przypomnienia sobie wydarzeń, jakie zaszły w początkowych latach życia.

Asymilacja termin Piageta, opisujący przyswajanie informacji przy użyciu już istniejących struktur umysłowych.

Autobiograficzny system pamięci zbiór wspomnień odnoszących się do przeszłości jednostki, którego funkcja polega na dawaniu jednostce poczucia ciągłości życia i dlatego ma on zasadnicze znaczenie dla powstawania u dziecka pojęcia samego siebie.

Badania podłużne te same grupy dzieci obserwowane są i badane w różnym wieku w celu prześledzenia zmian rozwojowych.

Badania przekrojowe różne grupy dzieci w różnym wieku są porównywane pod względem określonej cechy w celu ocenienia, jak dana funkcja zmieniła się w wyniku rozwoju.

Brak równowagi w teorii Piageta stan umysłowy, do jakiego dochodzi, gdy jednostka napotyka nową informację, dla której przyswojenia nie ma jeszcze odpowiednich struktur umysłowych.

Chromosomy maleńkie pręcikowate struktury mieszczące się w jądrze każdej komórki organizmu, zawierające DNA, z którego zbudowane są geny.

Chromosomy X i Y wiązka nitek DNA decydująca o płci.

Epizody wspólnej uwagi sytuacje, w których dorośli i dzieci równocześnie skupiają się na pewnym obiekcie i razem się nim zajmują.

Faza nie-REM cichy i najgłębszy okres snu, w którym czynności mózgu są najsłabsze.

Faza REM ta faza snu, w której mózg znajduje się w stanie czynnym; charakteryzuje się różnymi ruchami ciała, między innymi gwałtownymi ruchami gałek ocznych (ang. *rapid eye movement*, REM).

Fonologia bada systemy dźwięków tworzących języki.

Genetyka zachowania nauka zajmująca się dziedzicznymi podstawami zachowania ludzi i zwierząt.

Geny jednostki dziedziczenia. Zbudowane z DNA i mieszczące się w określonych miejscach chromosomów.

Gramatyka uniwersalna zasady tworzenia struktur językowych wspólne dla wszystkich możliwych języków człowieka.

Indywiduacja ogólny termin obejmujący wszystkie procesy służące nabywaniu przez dzieci tożsamości osobistej (zob. **tożsamość społeczna**).

Komórki płciowe (również znane jako gamety) komórki jajowe osobników żeńskich i plemniki osobników męskich, łączące się w momencie zapłodnienia. W przeciwieństwie do pozostałych komórek, zamiast 46 posiadają 23 chromosomy.

Kompetencje emocjonalne zdolność jednostki do radzenia sobie zarówno z własnymi, jak i z cudzymi emocjami. Jest to odpowiednik „kompetencji intelektualnych" w funkcjonowaniu poznawczym.

Konstruktywizm społeczny przyjęte przez Wygotskiego i innych badaczy stanowisko, że uczenie się dziecka oparte jest raczej na aktywnym dążeniu do zrozumienia świata, niż na biernym przyswajaniu wiedzy, oraz że najskuteczniejsze uczenie się ma miejsce we współpracy z innymi.

Kryzys tożsamości kojarzone głównie z pracami Erika Eriksona, pojęcie opisujące okres dezorientacji i niskiej samooceny, który (mimo kontrowersji) uznany został za typowy dla okresu dorastania.

Kultury indywidualistyczne takie wspólnoty, w których liczy się przede wszystkim niezależność od innych i dlatego dzieci wychowywane są tak, by były samowystarczalne i pewne siebie.

Kultury kolektywistyczne takie wspólnoty, które akcentują wzajemne zależności między swymi przedstawicielami, i które wychowują dzieci tak, by ceniły konformizm społeczny bardziej niż własne cele.

Kwestionariusz Przywiązania Dorosłych (*Adult Attachment Interview*, AAI). Częściowo ustrukturowany wywiad, mający na celu ujawnienie doświadczeń związanych z przywiązaniem względem osób znaczących. Umożliwia klasyfikację badanego do różnych kategorii obejmujących stan jego umysłu w odniesieniu do bliskich związków.

Metapoznanie świadomość i wiedza na temat własnych procesów poznawczych. Obejmuje np. metapamięć i metakomunikację.

Mowa udziecinniona szczególny sposób mówienia dorosłego do dziecka, polegający na tym, że dorosły modyfikuje swój zwykły sposób mówienia, tak by stał się bardziej zrozumiały i przyciągał uwagę dziecka, do którego się zwraca.

Narzędzia kulturowe wypracowane przez każde społeczeństwo i służące przekazywaniu tradycji przedmioty i umiejętności, które w tym celu muszą być przejmowane z pokolenia na pokolenie.

Niedotlenienie stan, w którym mózg pozbawiony jest niezbędnych ilości tlenu. W poważnych przypadkach powoduje upośledzenie, zarówno fizyczne, jak i umysłowe.

Okres krytyczny czas w trakcie rozwoju, w którym jednostka musi zostać poddana pewnemu doświadczeniu, by przyswoić sobie określone umiejętności.

Okres wrażliwości czas w trakcie rozwoju, w którym jednostka ma szanse łatwiej przyswoić sobie określone umiejętności niż w jakimś innym okresie.

Operacja w teorii Piageta każda procedura umysłowego działania na przedmiocie.

Pojęcia kategorie umysłowe służące klasyfikacji różnych przedmiotów podobnych ze względu na pewną wspólną cechę.

Pojęcie samego siebie obraz własnej osoby, jaki dzieci same tworzą. Obraz ten ma stanowić odpowiedź na pytanie: „Kim jestem?".

Poszukiwanie niszy proces, w którym jednostki aktywnie poszukują środowiska odpowiadającego ich predyspozycjom genetycznym.

Pragmatyka bada zasady określające, jak korzystać z języka w sposób praktyczny.

Punkty zwrotne (znane również jako punkty przejściowe) są to okoliczności, kiedy jednostki stają w sytuacji kluczowego wyboru dotyczącego dalszego biegu swego życia.

Reguły ekspresji emocji odnoszą się do norm kulturowych dotyczących wyrażania emocji – zarówno ich rodzaju, jak i okoliczności, w jakich można je okazać.

Równowaga w teorii Piageta stan uzyskiwany dzięki asymilacji i akomodacji, który oznacza, że jednostka przyswoiła sobie i zrozumiała nową informację.

Rusztowanie proces, dzięki któremu dorośli służą dziecku pomocą w rozwiązywaniu problemu i dopasowują zarówno rodzaj, jak i zakres pomocy do jego możliwości.

Rzetelność odnosi się do zaufania, jakie pokładamy w narzędziu pomiarowym. Zwykle oceniana poprzez porównanie wyników uzyskanych w różnym czasie lub przez różnych badających.

Samoocena dotyczy wartości, jakie dziecko przypisuje swoim osobistym cechom i stanowi odpowiedź na pytanie „Jak dobry jestem?". Jej zakres rozciąga się od wysoce pozytywnej do wysoce negatywnej.

Samoświadomość to pierwszy etap tworzenia własnego Ja, dotyczący uświadomienia sobie przez dzieci, że są one odrębnymi osobami, istniejącymi samodzielnie.

Semantyka dziedzina językoznawstwa badająca znaczenia słów i sposób ich przyswajania

Składnia opisuje gramatykę języka, tj. zasady, według których wyrazy łączą się w sensowne zdania.

Skrypt umysłowa reprezentacja określonych wydarzeń życia codziennego oraz właściwych im zachowań i emocji.

Socjalizacja ogólny termin dla wszystkich tych procesów, dzięki którym dzieci mogą przyswoić sobie wzorce zachowania i wartości wymagane do życia w określonym społeczeństwie.

Stałość przedmiotu termin Piageta opisujący uświadomienie sobie, że przedmioty są bytami niezależnymi, które nie przestają istnieć nawet, gdy jednostka nie jest świadoma tego istnienia.

Strefa najbliższego rozwoju zdaniem Wygotskiego jest to różnica pomiędzy tym, co dziecko już wie, a tym, czego może się nauczyć pod kierunkiem innych.

System wsparcia przyswajania języka Jerome Bruner zaproponował taki termin jako kontrpropozycję do ujęcia Chomsky'ego, który kładł nacisk na wiedzę wrodzoną. Zwraca on uwagę na zbiór strategii stosowanych przez dorosłych, by pomóc i wspierać nabywanie języka przez dzieci.

Sytuacja obcości jest procedurą pozwalającą ocenić jakość przywiązania małego dziecka. Składa się ona z kilku epizodów wywołujących u dziecka stres, umożliwiający uruchomienie zachowań przywiązania i jest używana do klasyfikowania dzieci pod względem jakości bezpieczeństwa ich przywiązania.

Techniki socjometryczne mogą przybierać rozmaite formy, lecz wszystkie przeznaczone są do wyznaczania ilościowego wskaźnika pozycji jednostki w grupie (np. popularności).

Temperament dotyczy takiego zbioru wrodzonych właściwości, który odróżnia jedną osobę od drugiej pod względem ujawnianego stylu zachowania.

Teoria systemowa to szczególny rodzaj opisu takich instytucji, jak rodzina. Są one ujmowane zarówno jako całość, jak również jako zbiór podsystemów, które w razie potrzeby można potraktować jako odrębne jednostki.

Teoria umysłu to nabyta w dzieciństwie wiedza o tym, że inni ludzie posiadają swój wewnętrzny świat myśli i uczuć, które pozostają niezależne od stanów umysłu innej osoby.

Teratogeny substancje, takie jak np. alkohol i kokaina, które przenikają przez łożysko i zakłócają rozwój płodu.

Tożsamość osobista odnosi się do tych aspektów osobowości jednostki, które wyróżniają ją spośród innych osób.

Tożsamość społeczna odnosi się do charakteryzującego jednostkę poczucia przynależności do konkretnych kategorii społecznych, np. wyróżnionych ze względu na płeć lub pochodzenie etniczne.

Trafność zakres, w jakim narzędzie pomiarowe rzeczywiście odzwierciedla to, co ma mierzyć. Zwykle oceniana przez porównanie różnych wskaźników.

Trajektorie rozwojowe poszczególne ścieżki prowadzące przez życie, którymi kroczy jednostka, różniące się stopniem ciągłości/braku ciągłości charakteryzującym każdą z nich.

Tworzenie się mowy pisanej odnosi się do samego początku nabywania umiejętności czytania i pisania, czyli uświadomienia sobie, że język pisany ma sens i jest to coś ciekawego.

Ukierunkowane uczestnictwo jest to procedura, dzięki której dorośli pomagają dzieciom w uzyskiwaniu wiedzy na drodze współpracy w sytuacji rozwiązywania problemów.

Warunkowanie instrumentalne odnosi się do procedury, podczas której jednostka nabywa określonych wzorców zachowania w wyniku nagradzania za ich przejawianie lub karania za nieprzejawianie.

Wewnętrzne modele operacyjne struktury umysłowe, których istnienie zakładał John Bowlby. Miały one przenosić w okres dorosłości doświadczenia związane z przywiązaniem nabyte we wczesnym dzieciństwie.

Wewnętrzny mechanizm przyswajania języka zdaniem Noama Chomsky'ego jest to wrodzona struktura umysłowa, która umożliwia dzieciom zaskakująco szybkie nabycie wiedzy dotyczącej gramatyki w całej swej złożoności.

Wiedza dotycząca roli związanej z płcią świadomość dzieci, że pewne rodzaje zachowania są uważane za „właściwe" dla chłopców, a inne za „właściwe" dla dziewczynek.

Wynik w skali Apgar miara kondycji noworodka; uzyskuje się ją ze skal szacunkowych do oceny różnych podstawowych funkcji życiowych.

Zaburzenia eksternalizacyjne termin ten odnosi się do ujawniania zaburzeń zachowania, takich jak agresja, przemoc i przestępczość.

Zaburzenia internalizacyjne to zaburzenia, które ujawniają się poprzez symptomy skierowane do wewnątrz, takie jak lęk i depresja.

Zaburzenie wywołane genem recesywnym występuje wtedy, gdy oboje rodzice przekazują gen recesywny i brak jest genu dominującego, który może złagodzić jego skutki.

Zadanie rozwojowe według niektórych autorów, takich jak Erik H. Erikson, dzieciństwo można podzielić na szereg etapów; każdy z nich stawia przed jednostką specyficzne wyzwanie (zadanie rozwojowe), któremu musi ona sprostać, by pomyślnie przejść do następnego stadium.

Zakres konkretny, zakres ogólny. Terminy używane do opisu tego, czy procesy rozwojowe dotyczą tylko określonych, czy wszystkich funkcji umysłowych.

Zasada zachowania stałości termin Piageta oznaczający zrozumienie, że pewne podstawowe cechy przedmiotu, takie jak np. waga i objętość, pozostają niezmienne nawet wtedy, gdy ich wygląd w aspekcie percepcyjnym uległ zmianie.

Związki ustanowione ze względu na cel termin użyty w teorii przywiązania przez Johna Bowlby'ego do określenia związków dojrzałych. Charakteryzują się one zdolnością obu partnerów do planowania swych działań pod kątem własnych celów przy jednoczesnym uwzględnieniu celów drugiej osoby.

Bibliografia

Adams, M. J. (1990). *Learning to Read: Thinking and Learning about Print.* Cambridge, MA: MIT Press.

Ainsworth, M. D. S., Blehar, M. C., Waters, E., Wahls, S. (1978). *Patterns of Attachment.* Hillsdale, NJ: Erlbaum.

Amato, P. R., Booth, A. (1996). A prospective study of divorce and parent-child relationships. *Journal of Marriage and the Family*, 58, s. 356–365.

Amato, P. R., Keith, B. (1991). Parental divorce and the well-being of children: A metaanalysis. *Psychological Bulletin*, 110, s. 26–46.

Ariès, P. (1962). *Centuries of Childhood.* Harmondsworth: Penguin [wyd. pol. (1995). *Historia dzieciństwa.* (tłum. M. Ochab). Gdańsk: Wydawnictwo Marabut].

Asendorpf, J. B. (2000). Shyness and adaptation to the social world of university. W: W. R. Crozier (red.), *Shyness: Development, Consolidation and Change.* London: Routledge.

Aslin, R. N., Jusczyk, P. W., Pisoni, D. B. (1998). Speech and auditory processing during infancy: Constraints on and precursors to language. W: W. Damon (red.), D. Ruhn, R. S. Siegler (red. tomu), *Handbook of Child Psychology* (t. 2). New York: Wiley.

Atkinson, R. C., Shiffrin, R. M. (1968). Human memory: A proposed system and its control processes. W: K. W. Spence, J. T. Spence (red.), *Advances in the Psychology of Learning and Motivation* (t. 2). New York: Academic Press.

Attie, I., Brooks-Gunn, J. (1989). Development of eating problems in adolescent girls: A longitudinal study. *Developmental Psychology*, 25, s. 70–79.

Banks, M. S., Aslin, R. N., Letson, R. D. (1975). Sensitive period for the development of binocular vision. *Science*, 190, s. 675–677.

Barnett, D., Ganiban, J., Cicchetti, D. (1999). Maltreatment, negative expressivity, and the development of type D attachments from 12 to 24 months of age. W: J. I. Yondra, D. Barnett (red.), Atypical attachment in infancy and early childhood among children at developmental risk. *Monographs of the Society for Research in Child Development*, 64 (3, Seria nr 258).

Baron-Cohen, S. (1995). *Mindblindness: An Essay on Autism and Theory of Mind.* Cambridge, MA: MIT Press.

Barrett, M. (1986). Early semantic representations and early semantic development. W: S. A. Kuczaj, M. Barrett (red.), *The Development of Word Meaning.* New York: Springer.

Bartsch, K., Wellman, H. M. (1995). *Children Talk About the Mind.* Oxford: Oxford University Press.

Bates, E. (1990). Language about me and you: Pronominal reference and the emerging concept of self. W: E. Cicchetti, M. Beeghly (red.), *Self in Transition: Infancy to Childhood.* Chicago: University of Chicago Press.

Bateson, G., Mead, M. (1940). *Balinese Character.* New York: Academy of Sciences.

Belsky, J. (1981). Early human experience: A family perspective. *Developmental Psychology*, 17, s. 3–23.

Belsky, J., Most, R. K. (1981). From exploration to play: A cross-sectional study of infant and free play behavior. *Developmental Psychology*, 17, s. 630–639.

Benoit, D., Parker, K. C. H. (1994). Stability and transmission of attachment among three generations. *Child Development*, 65, s. 1444–1456.

Bernstein-Ratner, N. B. (1996). From 'signal to syntax': But what is the nature of the signal? W: J. L. Morgan, K. Demuth (red.), *Signals to Syntax: Bootstrapping from Speech to Grammar in Early Acquisition.* Mahwah, NJ: Erlbaum.

Bettes, B. A. (1988). Maternal depression and motherese: Temporal and intonational features. *Child Development*, 59, s. 1089–1096.

Bishop, D., Mogford, K. (red.) (1993). *Language Development in Exceptional Circumstances.* Hove: Erlbaum.

Bivens, J. A., Berk, L. A. (1990). A longitudinal study of the development of elementary school children's private speech. *Merritt-Palmer Quarterly*, 36, s. 443–463.

Bjorklund, D. F. (2000). *Children's Thinking: Developmental Function and Individual Differences* (wyd. 3). Belmont, CA: Wadsworth.

Bloom, L. (1973). *One Word at a Time: The Use of Single-word Utterances before Syntax.* The Hague: Mouton.

Bloom, L., Tinker, E. (2001). The intentionality model and language acquisition: Engagement, effort and the essential tension in development. *Monographs of the Society for Research in Child Development*, 66 (4, Seria nr 267).

Boden, M. (1988). *Computer Models of Mind.* Cambridge: Cambridge University Press.

Bolger, K. E., Patterson, J., Kupersmidt, J. B. (1998). Peer relationships and self-esteem among children who have been maltreated. *Child Development*, 69, s. 1171–1197.

Borke, H. (1971). Interpersonal perception of young children: Egocentrism or empathy? *Developmental Psychology*, 5, s. 263–269.

Bornstein, M. H., Tal, J., Tamis-LeMonda, C. S. (1991). Parenting in cross-cultural perspective: The United States, France and Japan. W: M. H. Bornstein (red.), *Cultural Approaches to Parenting.* Hillsdale, NJ: Erlbaum.

Boulton, M. J., Smith, P. K. (1994). Bully/victim problems in middle-school children: Stability, self--perceived competence, peer perceptions and peer acceptance. *British Journal of Developmental Psychology*, 12, s. 315–329.

Bower, T. C. R. (1974). *Development in Infancy.* San Francisco: W. H. Freeman.

Bowlby, J. (1969/1982). *Attachment and Loss*, t. 1: *Attachment* (wyd. 1 i 2). London: Hogarth Press.

Bowlby, J. (1973). *Attachment and Loss*, t. 2: *Separation: Anxiety and Anger.* London: Hogarth Press.

Bowlby, J. (1980). *Attachment and Loss*, t. 3: *Loss, Sadness and Depression.* London: Hogarth Press.

Brame, B., Nagin, D. S., Tremblay, R. E. (2001). Developmental trajectories of physical aggression from school entry to late adolescence. *Journal of Child Psychology and Psychiatry*, 42, s. 503–512.

Bretherton, L., Beeghly, M. (1982). Talking about internal states: The acquisition of an explicit theory of mind. *Developmental Psychology*, 18, s. 906–921.

Briggs, J. L. (1970). *Never in Anger.* Cambridge, MA: Harvard University Press.

Bronfenbrenner, U. (1989). Ecological systems theory. W: R. Vastra (red.), *Annals of Child Development.* t. 6: *Six Theories of Child Development.* Greenwich, CT: JAI Press.

Brown, G. (1988). Causal paths, chains and strands. W: M. Rutter (red.), *Studies of Psychosocial Risk: The Power of Longitudinal Data.* Cambridge: Cambridge University Press.

Brown, G. W., Harris, T. O., Bifulco, A. (1986). The long-term effects of early loss of parent. W: M. Rutter, C. E. Izard, P. B. Read (red.), *Depression in Young People.* New York: Guilford Press.

Brown, R. (1965). *Social Psychology.* New York: Free Press.

Brown, R. (1973). *A First Language: The Early Stages.* Cambridge: Cambridge University Press.

Bruck, M., Ceci, S. J. (1999). The suggestibility of children's memory. *Annual Review of Psychology*, 50, s. 419–439.

Bruner, J. S. (1983). *Child's Talk.* Cambridge: Cambridge University Press.

Buchsbaum, H., Toth, S., Clyman, R., Cicchetti, D., Emde, R. (1992). The use of a narrative story stem technique with maltreated children: Implications for theory and practice. *Development and Psychopathology*, 4, s. 603–625.

Bullock, M., Lutkenhaus, P. (1990). Who am I? Self-understanding in toddlers. *Merrill-Palmer Quarterly*, 36, s. 217–238.

Buss, A. H., Plomin, R. (1984). *Temperament: Early Developing Personality Traits*. Hillsdale, NJ: Erlbaum.

Cairns, R. B., Cairns, B. D., Neckerman, H. J. i in. (1989). Growth and aggression: 1. Childhood to adolescence. *Developmental Psychology*, 25, s. 320–330.

Calkins, S. D. (1994). Origins and outcomes of individual differences in emotion regulation. W: N. A. Fox (red.), The development of emotion regulation: Biological and behavioural considerations. *Monographs of the Society for Research in Child Development*, 59 (2–3, Seria nr 240).

Calkins, S. D., Gill, K. L., Johnson, M. G., Smith, C. L. (1999). Emotional reactivity and emotion regulation strategies as predictors of social behavior with peers during toddler-hood. *Social Development*, 8, s. 310–334.

Carey, S. (1978). The child as word learner. W: M. Halle, J. Bresnan, G. A. Miller (red.), *Linguistic Theory and Psychological Reality*. Cambridge, MA: MIT Press.

Carpenter, M., Nagell, K., Tomasello, M. (1998). Social cognition, joint attention and communicative competence from 9 to 15 months of age. *Monographs of the Society for Research in Child Development* (4, Seria nr 255).

Caspi, A. (1998). Personality development across the life course. W: W. Damon (red.), N. Eisenberg (red. tomu), *Handbook of Child Psychology* (t. 3). New York: Wiley.

Caspi, A. (2000). The child is father of the man: Personality continuities from childhood to adulthood. *Journal of Personality and Social Psychology*, 78, s. 158–172.

Cassidy, J. (1994). Emotion regulation: Influences of attachment regulation. W: N. A. Fox (red.), The development of emotion regulation: Biological and behavioural considerations. *Monographs of the Society for Research in Child Development*, 59 (2–3, Seria nr 240).

Ceci, S. J., Bruck, M. (1995). *Jeopardy in the Courtroom: A Scientific Analysis of Chlidren's Testimony*. Washington, DC: American Psychological Association.

Chagnon, N. A. (1968). *Yanomamo: The Fierce People*. New York: Holt, Rinehart & Winston.

Chan, R. W., Raboy, B., Patterson, C. J. (1998). Psychosocial adjustment among children conceived via donor insemination among children by lesbian and heterosexual mothers. *Child Development*, 69, s. 443–457.

Chase-Lonsdale, P. L., Cherlin, A. J., Kiernan, K. E. (1995). The long-term effects of parental divorce on the mental health of young adults: A developmental perspective. *Child Development*, 66, s. 1614–1634.

Chen, X., Hastings, P., Rubin, K., Chen, H., Cen, G., Stewart, S. L. (1998), Child-rearing attitudes and behavioural inhibition in Chinese and Canadian toddlers: A cross-cultural study. *Developmental Psychology*, 34, s. 677–686.

Chi, M. T. H. (1978). Knowledge structures and memory development. W: R. S. Siegler (red.), *Children's Thinking: What Develops?* Hillsdale, NJ: Erlbaum.

Chisholm, K. (1998). A three-year follow-up of attachment and indiscriminate friendliness in children adopted from Romanian orphanages. *Child Development*, 69, s. 1092–1106.

Chisholm, K., Carter, M. C., Ames, E. W., Morison, S. J. (1995). Attachment security and indiscriminately friendly behavior in children adopted from Romanian orphanages. *Development and Psychopathology*, 7, s. 283–294.

Chomsky, N. (1986). *Knowledge of Language: Its Nature, Origins and Use*. New York: Praeger.

Cicchetti, D., Barnett, D. (1991). Attachment organization in maltreated preschoolers. *Development and Psychopathology*, 4, s. 397–411.

Cicchetti, D., Ganiban, J., Barnett, D. (1991). Contributions from the study of high-risk populations to understanding the development of emotion regulation. W: J. Garber, K. A. Dodge (red.), *The Development of Emotion Regulation and Dysregulation*. Cambridge: Cambridge University Press.

Clark, E. V. (1982). The young word-maker: A case study of innovation in the child's lexicon. W: E. Wanner, L. R. Gleitman (red.), *Language Acquisition: The State of the Art*. Cambridge: Cambridge University Press.

Clarke, A., Clarke, A. (2000). *Early Experience and the Life Path*. London: Jessica Kingsley.

Clarke-Stewart, K. A., Goossens, F. A., Allhusen, V. D. (2001). Measuring infant-mother attachment: Is the Strange Situation enough? *Social Development*, 10, s.143–169.

Cohn, J. F., Tronick, E. Z. (1983). Three-month-old infants' reactions to simulated maternal depression. *Child Development*, 54, s.183–193.

Cole, M., Cole, S. R. (2001). *The Development of Children* (wyd. 4). New York: W. H. Freeman.

Cole, P. M., Michel, M. K., O'donnell-Teti, L. O. (1994). The development of emotion regulation and dysregulation: A clinical perspective. W: N. A. Fox (red.), The development of emotion regulation: Biological and behavioural considerations. *Monographs of the Society for Research in Child Development*, 59 (2–3, Seria nr 240).

Condry, J., Condry, S. (1976). Sex differences: A study of the eye of the beholder. *Child Development*, 47, s. 812–819.

Cooley, C. H. (1902). *Human Nature and Social Order*. New York: Charles Scribner.

Coopersmith, S. (1967). *The Antecedents of Self-esteem*. San Francisco: W. H. Freeman.

Cox, M. (1992). *Children's Drawings*. London: Penguin.

Cox, M. (1997). *Drawings of People by the Under-5s*. London: Falmer Press.

Crain, W. (1999). *Theories of Development: Concepts and Applications* (wyd. 4). Englewood Cliffs, NJ: Prentice-Hall.

Crittenden, P. M. (1988). Relationships at risk. W: J. Belsky, T. Nesworski (red.), *Clinical Implications of Attachment*. Hillsdale, NJ: Erlbaum.

Crook, C. K. (1994). *Computers and the Collaborative Experience of Learning*. London: Routledge.

Crowell, J, A., Treboux, D. (1995). A review of adult attachment measures: Implications for theory and research. *Social Development*, 4, s. 294–327.

Crozier, W. R. (red.) (2000). *Shyness: Development, Consolidation and Change*. London: Routledge.

Cummings, E. M. (1994). Marital conflict and children's functioning. *Social Development*, 3, s. 16–36.

Cummings, E. M., Davies, P. (1994a). Maternal depression and child development. *Journal of Child Psychology and Psychiatry*, 35, s. 73–112.

Cummings, E. M., Davies, P. (1994b). *Children and Marital Conflict: The Impact of Family Disruption and Resolution*. New York: Guilford Press.

Curtiss, S. (1977). *Genie: A Psycholinguistic Study of a Modern-day 'Wild Child'*. London: Academic Press.

Damon, W. (1983). *Social and Personality Development*. London: W. W. Norton.

Darwin, C. (1872). *The Expression of the Emotions in Man and Animals*. London: Murray [wyd. pol. (1988). *O wyrazie uczuć u człowieka i zwierząt*. (tłum. Z. Majlert, K. Zaćwilichowska). Warszawa: PWN].

Dasen, P. R. (1974). The influence of culture and European contact on cognitive development in Australian Aborigines. W: J. W. Berry, P. R. Dasen (red.), *Culture and Cognition: Readings in Cross-cultural Psychology*. London: Methuen.

Dasen, P. R. (red.) (1977). *Piagetian Psychology: Cross-cultural Contributions*. New York: Gardner.

DeCasper, A. J., Fifer, W. P. (1980). Of human bonding: Newborns prefer their mothers' voices. *Science*, 208, s. 1174–1176.

DeCasper, A. J., Prescott, P. A. (1984). Human newborns' perception of male voices. *Developmental Psychobiology*, 17, s. 481–491.

DeCasper, A. J., Spence, M. J. (1986). Prenatal maternal speech influences newborns' perception of speech sounds. *Infant Behavior and Development*, 9, s. 133–150.

DeLoache, J. (1987). Rapid change in the symbolic functioning of very young children. *Science*, 238, s. 1556–1557.

de Mause, L. (red.) (1974). *The History of Childhood*. New York: Psychohistory Press.

Dempster, F. N. (1981). Memory span: Sources of individual and developmental differences. *Psychological Bulletin*, 89, s. 63–100.

Denham, S. (1998). *Emotional Development in Young Children*. New York: Guilford Press.

Dennis, W. (1973). *Children of the Creche*. New York: Appleton-Century-Crofts.

De Wolff, M. S., IJzendoorn, M. H. van (1997). Sensitivity and attachment: A meta-analysis on parental antecedents of infant attachment. *Child Development*, 68, s. 571–591.

Diamond, J. (1990). War babies. Przedruk w: S. J. Ceci, W. M. Williams (red.) (1999), *The Nature–Nurture Debate: The Essential Readings*. Oxford: Blackwell.

Diamond, M., Sigmundson, H. K. (1997). Sex reassignment at birth. *Pediatric and Adolescent Medicine*, 151, s. 298–304.

Donaldson, M. (1978). *Children's Minds*. London: Fontana [wyd. pol. (1986). *Myślenie dzieci*. (tłum. A. Hunca-Bednarska, E. M. Hunca). Warszawa: Wiedza Powszechna].

Dunn, J. (1988). *The Beginnings of Social Understanding*. Oxford: Blackwell.

Dunn, J., Bretherton, I., Munn, P. (1987). Conversations about feeling states between mothers and their young children, *Developmental Psychology*, 23, s. 132–139.

Dunn, J., Brown, J. R. (1994). Affect expression in the family: Children's understanding of emotions and their interactions with others. *Merrill-Palmer Quarterly*, 40, s. 120–137.

Dunn, J., Brown, J., Beardsall, L. (1991). Family talk about feeling states and children's later understanding of others' emotions. *Developmental Psychology*, 27, s. 448–455.

Dunn, J., Dealer-Deckard, K., Pickering, K., Golding, J., the ALSPAC Study Team (1999). Siblings, parents and partners: Family relationships within a longitudinal community study. *Journal of Child Psychology and Psychiatry*, 40, s. 1025–1037.

Dunn, J., Hughes, C. (1998). Young children's understanding of emotions within close relationships. *Cognition and Emotion*, 12, s. 171–190.

Durkin, K., Shire, B. Crowther, R. D., Rutter, D. (1986). The social and linguistic context of early number word use. *British Journal of Developmental Psychology*, 4, s. 269–288.

Eaton, W. O., Yu, A. P. (1989). Are sex differences in child motor activity level a function of sex differences in maturational status? *Child Development*, 60, s. 1005–1011.

Eckerman, C. O., Oehler, J. M. (1992). Very-low-birthweight newborns and parents as early social partners. W: S. L. Friedman, M. D. Sigman (red.), *The Psychological Development of Low Birthweight Children*. Norwood, NJ: Ablex.

Egan, S. K., Perry, D. G. (1998). Does low self-regard invite victimization? *Developmental Psychology*, 34, s. 299–309.

Eibl-Eibesfeldt, I. (1973). The expressive behavior of the deaf-and-blind-born. W: M. von Cranach, I. Vine (red.), *Social Communication and Movement*. New York: Academic Press.

Eimas, P. D., Siqueland, E. R., Jusczyk, P., Vigorito, J. (1971). Speech perception in infants. *Science*, 171, s. 303–306.

Eisenberg, A. R. (1992). Conflicts between mothers and their young children. *Merrill-Palmer Quarterly*, 38, s. 21–43.

Ekman, P. (1980). *The Face of Man*. New York: Garland.

Ekman, P., Friesen, W. (1978). *Facial Action Coding System*. Palo Alto, CA: Consulting Psychologists Press.

Ekman, P., Sorenson, E. R., Friesen, W. V. (1969). Pan-cultural elements in the facial display of emotions. *Science*, 164, s. 86–88.

Elder, G. H. (1974). *Children of the Great Depression*. Chicago: University of Chicago Press.

Elder, G. H., Caspi, A. (1988). Economic stress in lives: Developmental perspectives. *Journal of Social Issues*, 44, s. 25–45.

Ellis, S., Rogoff, B., Cromer, C. C. (1981). Age segregation in children's social interaction. *Developmental Psychology*, 17, s. 399–407.

Erel, O., Burman, B. (1995). Inter-relatedness of marital relations and parent-child relations: A meta-analytic review. *Psychological Bulletin*, 118, s. 108–132.

Erikson, E. (1965). *Childhood and Society.* Harmondsworth: Penguin [wyd. pol. (1997). *Dzieciń-stwo i społeczeństwo.* (tłum. P. Hejmej). Poznań: Rebis].

Erikson, E. (1968). *Identity: Youth and Crisis.* London: Faber [wyd. pol. (2004). *Tożsamość a cykl życia.* (tłum. M. Żywicki). Poznań: Zysk i S-ka].

Fabes, R. A., Eisenberg, N. (1992). Young children's coping with interpersonal anger. *Child Deve-lopment*, 63, s. 116–128.

Fabes, R. A., Eisenberg, N., Nyman, M., Michaelieu, Q. (1991). Young children's appraisal of others' spontaneous emotional reactions. *Developmental Psychology*, 27, s. 858–866.

Fagot, B. I. (1978). The influence of sex of child on parental reactions to toddler children. *Child Development*, 49, s. 459–465.

Fagot, B. L, Hagan, R. (1991). Observations of parent reactions to sex-stereotyped behaviors: Age and sex effects. *Child Development*, 62, s. 617–628.

Fagot, B. I., Leinbach, M. D. (1987). Socialization of sex roles within the family. W: D. B. Carter (red.), *Current Conceptions of Sex Roles and Sex Typing.* New York: Praeger.

Fantz, R. (1956). A method for studying early visual development. *Perceptual and Motor Skills*, 6, s. 13–15.

Farrington, D. P. (1991). Childhood aggression and adult violence: Early precursors and later-life outcomes. W: D. J. Pepler, K. H. Rubin (red.), *The Development and Treatment of Childhood Aggression.* Hillsdale, NJ: Erlbaum.

Farver, J. A. M., Howes, C. (1993). Cultural differences in American and Mexican mother-child pretend play. *Merrill-Palmer Quarterly*, 39, s. 344–358.

Fergusson, D. M., Horwood, L. J., Lynskey, M. T. (1992). Family change, parental discord and early offending. *Journal of Child Psychology and Psychiatry*, 33, s. 1059–1076.

Fernald, A., Morikawa, H. (1993). Common themes and cultural variations in Japanese and Ame-rican mothers' speech to infants. *Child Development*, 64, s. 637–656.

Field, T. (1994). The effects of mother's physical and emotional unavailability on emotion regulation. W: N. A. Fox (red.), The development of emotion regulation: Biological and behavioural regula-tion. *Monographs of the Society for Research in Child Development*, 59 (2–3, Seria nr 240).

Fivush, R. (1987). Scripts and categories: Interrelationships in development. W: U. Neisser (red.), *Concepts and Conceptual Development.* Cambridge: Cambridge University Press.

Flavell, J. H. (2002). Development of children's knowledge about the mental world. W: W. W. Hartup, R. K. Silbereisen (red.), *Crowing Points in Developmental Science.* Hove: Psychology Press.

Flavell, J. H., Green, F. L., Flavell, E. R. (1995). Young children's knowledge about thinking. *Mo-nographs of the Society for Research in Child Development*, 60 (1, Seria nr 243).

Flavell, J. H., Miller, P. H., Miller, S. A. (1993). *Cognitive Development* (wyd. 3). Englewood Cliffs, NJ: Prentice-Hall.

Fogel, A., Melson, G. F. (1988). *Child Development.* St. Paul, MN: West Publishing.

Foot, H., Howe, C. (1998). The psycho-educational basis of peer-assisted learning. W: K. Topping, S. Ehly (red.), *Peer-assisted Learning.* Mahwah, NJ: Erlbaum.

Foot, H., Morgan, M. J., Shute, R. H. (1990). *Children Helping Children.* Chichester: Wiley.

Freud, S. (1949). *An Outline of Psycho-Analysis.* London: Hogarth Press [wyd. pol. (2004). *Wstęp do psychoanalizy.* (tłum. S. Kempnerówna, W. Zaniewicki). Warszawa: Wydawnictwo Naukowe PWN].

Freund, L. S. (1990). Maternal regulation of children's problem-solving behavior and its impact on children's performance. *Child Development*, 61, s. 113–126.

Fridlund, A. J. (1994). *Human Facial Expression: An Evolutionary View.* San Diego, CA: Academic Press.

Frijda, N. H. (1986). *The Emotions.* Cambridge: Cambridge University Press.

Frith, U. (1989). *Autism: Explaining the Enigma.* Oxford: Blackwell.

Furrow, D. (1984). Social and private speech at two years. *Child Development*, 55, s. 355–362.

Furth, H., Kane, S. R. (1992). Children constructing society: A new perspective on children at play. W: H. McGurk (red.), *Childhood Social Development: Contemporary Perspectives.* Hove: Erlbaum.

Gallimore, R., Weisner, T., Kaufman, S., Bernheimer, L. (1989). The social construction of ecocultural niches: Family accommodation of developmentally delayed children. *American Journal of Mental Retardation*, 94, s. 216–230.

Gardner, B. T., Gardner, R. A. (1971). Two-way communication with an infant chimpanzee. W: A. M. Schrier, F. Stollnitz (red.), *Behavior of Non-human Primates* (t. 4). New York: Academic Press.

Garner, P. W., Jones, D. C., Miner, J. L. (1994). Social competence among low-income preschoolers: Emotion socialization practices and social cognitive correlates. *Child Development*, 65, s. 622–637.

Garner, P. W., Spears, F. M. (2000). Emotion regulation in low-income preschoolers. *Social Development*, 9, s. 246–264.

Garvey, C. (1990). *Play.* London: Fontana.

Gathercole, S. E. (1998). The development of memory. *Journal of Child Psychology and Psychiatry*, 39, s. 3–28.

Gelman, R., Gallistel, C. R. (1978). *The Child's Understanding of Number.* Cambridge, MA: Harvard University Press.

Goldberg, S. (2000). *Attachment and Development.* London: Arnold.

Goldfield, B. A., Reznick, J. S. (1990). Early lexical acquisition: Rate, content and the vocabulary spurt. *Journal of Child Language*, 17, s. 171–183.

Goldin-Meadow, S., Morford, M. (1985). Gesture in early child language: Studies of deaf and hearing children. *Merrill-Palmer Quarterly*, 31, s. 145–176.

Goleman, D. (1995). *Emotional Intelligence.* London: Bloomsbury [wyd. pol. (1997). *Inteligencja emocjonalna.* (tłum. A. Jankowski). Poznań: Media Rodzina of Poznań].

Golombok, S. (2000). *Parenting: What Really Counts?* London: Routledge.

Golombok, S., Cook, R., Bish, A., Murray, C. (1995). Families created by the new reproductive technologies: Quality of parenting and social and emotional development of the children. *Child Development*, 66, s. 285–289.

Golombok, S., Fivush, R. (1994). *Gender Development.* Cambridge: Cambridge University Press.

Golombok, S., MacCallum, F., Goodman, E. (2001). The 'test tube' generation: Parent-child relationships and the psychological well-being of in vitro fertilization children at adolescence. *Child Development*, 72, s. 599–608.

Golombok, S., Murray, C., Brinsden, P., Abdalla, H. (1999). Social versus biological parenting: Family functioning and socioemotional development of children conceived by egg or sperm donation. *Journal of Child Psychology and Psychiatry*, 40, s. 519–527.

Goodman, R. (1991). Developmental disorders and structural brain development. W: M. Rutter, P. Casaer (red.), *Biological Risk Factors for Psychosocial Disorders.* Cambridge: Cambridge University Press.

Gopnik, A., Sobel, D. (2000). Detecting blickets: How young children use information about novel causal powers in categorization and induction. *Child Development*, 71, s. 1205–1222.

Gottfried, A. E., Gottfried, A. W., Bathurst, K. (2002). Maternal and dual-earner employment status and parenting. W: M. H. Bornstein (red.), *Handbook of Parenting* (t. 2, wyd. 2). Mahwah, NJ: Erlbaum.

Graham, S., Juvonen, J. (1998). Self-blame and peer victimization in middle school: An attributional analysis. *Developmental Psychology*, 34, s. 587–599.

Greenfield, P. (red.) (1994). Effects of interactive entertainment technologies on development. *Developmental Psychology* (Special Issue), 15 (1).

Greenough, W. T., Black., J. E., Wallace, C. S. (1987). Experience and brain development. *Child Development*, 58, s. 539–559.

Grice, H. P. (1975). Logic and conversation. W: P. Cole, J. Morgan (red.), *Speech Acts: Syntax and Semantics* (t. 3). New York: Academic Press.

Haden, C. A., Ornstein, P. A., Eckerman, C. O., Didow, S. M. (2001). Mother-child conversational interactions as events unfold: Linkages to subsequent remembering. *Child Development*, 72, s. 1016–1031.

Hainline, L. (1998). The development of bias visual abilities. W: A. Slater (red.), *Perceptual Development: Visual, Auditory and Speech Perception in Infancy*. Hove: Psychology Press.

Haith, M. M. (1980). *Rules that Babies Look By*. Hillsdale, NJ: Erlbaum.

Halberstadt, A. G., Denham, S. A., Dunsmore, J. C. (2001). Affective social competence. *Social Development*, 10, s. 79–119.

Harkness, S., Super, C. M. (1992). Parental ethnotheories in action. W: I. E. Sigel, A. V. McGillicuddy-DeLisi, J. J. Goodnow (eds), *Parental Belief Systems: The Psychological Consequences for Children* (wyd. 2). Hillsdale, NJ: Erlbaum.

Harris, J. R. (1998). *The Nurture Assumption: Why Children Turn Out the Way They Do*. New York: Free Press [wyd. pol. (2000).*Geny czy wychowanie? Co wyrośnie z naszych dzieci i dlaczego*. (tłum. A. Polkowski). Warszawa: Jacek Santorski & CO]

Harris, M., Hatano, G. (red.) (1999). *Learning to Read and Write: A Cross-linguistic Perspective*. Cambridge: Cambridge University Press.

Harris, P. (1989). *Children and Emotion*. Oxford: Blackwell.

Harris, P. (2000). *The Work of the Imagination*. Oxford: Blackwell.

Harris, T., Brown, G., Bifulco, A. (1986). Loss of parent in childhood and adult psychiatric disorder: The role of lack of adequate parental care. *Psychological Medicine*, 16, s. 641–659.

Harter, S. (1987). The determinants and mediational role of global self-worth in children. W: N. Eisenberg (red.), *Contemporary Topics in Developmental Psychology*. New York: Wiley.

Harter, S. (1998). The development of self-representations. W: W. Damon (red.), N. Eisenberg (red. tomu), *Handbook of Child Psychology* (t. 3). New York: Wiley.

Harter, S. (1999). *The Construction of the Self: A Developmental Perspective*. New York: Guilford Press.

Hartup, W. W. (1989). Social relationships and their developmental significance. *American Psychologist*, 44, s. 120–126.

Hawker, D. S. J., Boulton, M. J. (2000). Twenty years' research on peer victimization and psychosocial maladjustment: A meta-analytic review of cross-sectional studies. *Journal of Child Psychology and Psychiatry*, 41, s. 441–55.

Heinicke, C. M. (2002). The transition to parenting. W: M. H. Bornstein (red.), *Handbook of Parenting* (t. 3, wyd. 2). Mahwah, NJ: Erlbaum.

Hetherington, E. M. (red.) (1999). *Coping with Divorce, Single Parenting and Remarriage: A Risk and Resiliency Perspective*. Mahwah, NJ: Erlbaum.

Hetherington, E. M., Stanley-Hagan, M. (1999). The adjustment of children with divorced parents: A risk and resiliency perspective. *Journal of Child Psychology and Psychiatry*, 40, s. 129–140.

Hinde, R. A. (1979). *Towards Understanding Relationships*. London: Academic Press.

Hinde, R. A. (1992). Human social development: An ethological/relationship perspective. W: H. McGurk (red.), *Childhood Social Development: Contemporary Perspectives*. Hillsdale, NJ: Erlbaum.

Hinde, R. A. (1997). *Relationships: A Dialectical Perspective*. Hove: Psychology Press.

Hoddap, R. M. (2002). Parenting children with mental retardation. W: M. H. Bornstein (red.), *Handbook of Parenting* (t. 1, wyd. 2). Mahwah, NJ: Erlbaum.

Hodges, J., Tizard, B. (1989). Social and family relationships of ex-institutional adolescents. *Journal of Child Psychology and Psychiatry*, 30, s. 77–98.

Holloway, S. D., Machida, S. (1992). Maternal child-rearing beliefs and coping strategies: Consequences for divorced mothers and their children. W: I. E. Sigel, A. V. McGillicuddy-DeLisi, J-J. Goodnow (red.), *Parental Belief Systems: The Psychological Consequences for Children* (wyd. 2). Hillsdale, NJ: Erlbaum.

Howe, C. (1993). Peer interaction and knowledge acquisition. *Social Development* (Special Issue), 2 (3).

Hudson, J. A. (1990). The emergence of autobiographical memory in mother-child conversations. W: R. Fivush, J. A. Hudson (red.), *Knowing and Remembering in Young Children*. New York: Cambridge University Press.

Huesmann, L. R., Eron, L. D., Lefkowitz, M. M. (1984). Stability of aggression over time and generations. *Developmental Psychology*, 20, s. 1120–1134.

Hughes, C., Leekam, S. (2004). What are the links between theory of mind and social relations? Review, reflections and new directions for studies of typical and atypical development. *Social Development*, 13 (4), s. 590–619.

Hytten, F. E. (1976). Metabolic adaptation of pregnancy in the prevention of handicap through antenatal care. W: A. C. Turnbull, E. P. Woodford (red.), *Review of Research Practice*, 18. Amsterdam: Elsevier.

Inagaki, K., Hatano, G. (1996). Young children's recognition of commonalities between animals and plants. *Child Development*, 67, s. 2823–2824.

Izard, C. E. (1979). *The Maximally Discriminative Facial Movement Coding System (MAX)*. Newark, DE: University of Delaware Press.

Johnson, J. S., Newport, E. L. (1989). Critical period effects in second language learning: The influence of instructional state on the acquisition of English as a second language. *Cognitive Psychology*, 21, s. 60–99.

Johnson, M. H., Morton, J. (1991). *Biology and Cognitive Development: The, Case of Face Recognition*. Oxford: Blackwell.

Kagan. J., Reznick, J. S., Snidman, N. (1988). Biological bases of childhood shyness. *Science*, 240, s. 167–171.

Kagan, J., Snidman, N., Arcus, D. (1998). Childhood derivatives of high and low reactivity in infancy. *Child Development*, 69, s. 1483–1493.

Kearins, J. M. (1981). Visual spatial memory in Australian Aboriginal children of desert regions. *Cognitive Psychology*, 13, s. 434–460.

Kearins, J. M. (1986). Visual spatial memory in Aboriginal and white Australian children. *Australian Journal of Psychology*, 38, s. 203–214.

Keenan, E. O. (1974). Conversational competence in children. *Journal of Child Language*, 1, s. 163–183.

Kessen, W. (1965). *The Child*. New York: Wiley.

Klahr, D., MacWhinney, B. (1998). Information processing. W: W. Damon (red.), D. Kuhn, R. S. Siegler (red. tomu), *Handbook of Child Psychology* (t. 2). New York: Wiley.

Kleinfeld, J. (1971). Visual memory in village Eskimos and urban Caucasian children. *Arctic*, 24, s. 132–137.

Klima, E., Bellugi, U. (1979). *The Signs of Language*. Cambridge, MA: Harvard University Press.

Kohlberg, L. (1966). A cognitive developmental analysis of children's sex-role concepts and attitudes. W: E. E. Maccoby (red.), *The Development of Sex Differences*. Stanford, CA: Stanford University Press.

Kontos, S., Nicholas, J. G. (1986). Independent problem solving in the development of metacognition. *Journal of Genetic Psychology*, 147, s. 481–495.

Kuczaj, S. A. (1978). Why do children fail to overregularize the progressive inflection? *Journal of Child Language*, 5, s. 167–171.

Kuebli, J., Butler, S., Fivush, R. (1995). Mother-child talk about past emotions: Relations of maternal language and child gender over time. *Cognition and Emotion*, 9, s. 265–283.

Kuhn, D. (2000). Does memory development belong to an endangered topic list? *Child Development*, 71, s. 21–25.

Ladd, G. W. (1992). Themes and theories: Perspectives on processes in family-peer relationships. W: R. D. Parke, G. W. Ladd (red.), *Family-Peer Relationships: Modes of Linkage*. Hillsdale, NJ: Erlbaum.

LaFreniere, P., Strayer, F. F., Gaulthier, R. (1984). The emergence of same-sex affiliative preferences among preschool peers: A developmental/etiological perspective. *Child Development*, 55, s. 1958–1965.

Landry, S. H., Chapieski, M. L. (1989). Joint attention and infant toy exploration: Effects of Down syndrome and prematurity. *Child Development*, 60, s. 103–118.

Landry, S. H., Smith, K. E., Swank, P. R., Miller-Loncar, C. L. (2000). Early maternal and child influences on children's later independent cognitive and social functioning. *Child Development*, 71, s. 358–375.

Lazar, A., Torney-Purta, J. (1991). The development of the subconcepts of death in young children. *Child Development*, 62, s. 1321–1333.

Leaper, C. (1994). Exploring the consequences of gender segregation on social relationships. W: C. Leaper (red.), *Childhood Gender Segregation: Causes and Consequences*. San Francisco: Jossey-Bass.

Lecanuet, J.-P. (1998). Foetal responses to auditory and speech stimuli. W: A. Slater (red.), *Perceptual Development: Visual, Auditory and Speech Perception in Infancy*. Hove: Psychology Press.

Lempers, J. D., Flavell, E. R., Flavell, J. H. (1977). The development in very young children of tacit knowledge concerning visual perception. *Genetic Psychology Monographs*, 95, s. 3–53.

Lenneberg, E. H. (1967). *Biological Foundations of Language*. New York: Wiley.

LeVine, R., Dixon, S., LeVine, S., Richman, A., Leiderman, P. H., Keefer, C. H., Brazelton, T. B. (1994). *Child Care and Culture: Lessons from Africa*. Cambridge: Cambridge University Press.

Lewis, M. (1992). *Shame: The Exposed Self*. New York: Free Press.

Lewis, M., Alessandri, S. M., Sullivan, M. W. (1990). Violations of expectancy, loss of control and anger expressions in young infants. *Developmental Psychology*, 26, s. 745–751.

Lewis, M., Alessandri, S. M., Sullivan, M. W. (1992). Differences in shame and pride as a function of children's gender and task difficulty. *Child Development*, 63, s. 630–638.

Lewis, M., Brooks-Gunn, J. (1979). *Social Cognition and the Acquisition of Self*. New York: Plenum.

Light, P. (1997). Computers for learning: Psychological perspectives. *Journal of Child Psychology and Psychiatry*, 38, s. 497–504.

Littleton, K., Light, P. (red.) (1998). *Learning with Computers: Analysing Productive Interaction*. London: Routledge.

Livesley, W. J., Bromley, D. B. (1973). *Person Perception in Childhood and Adolescence*. London: Wiley.

Locke, J. L. (1993). *The Child's Path to Spoken Language*. Cambridge, MA: Harvard University Press.

Loehlin, J. C. (1992). *Genes and Environment in Personality Development*. Newbury Park, CA: Sage.

Lukeman, D., Melvin, D. (1993). The preterm infant: Psychological issues in childhood. *Journal of Child Psychology and Psychiatry*, 34, s. 837–850.

Luquet, G. H. (1927). *Le Dessin Enfantin*. Paris: Alean.

Lutz, C. (1987). Goals, events and understanding in Ifaluk emotion theory. W: D. Holland, N. Quinn (red.), *Cultural Models in Language and Thought*. Cambridge: Cambridge University Press.

Łuria, A. R. (1961). *The Role of Speech in the Regulation of Normal and Abnormal Behavior*. New York: Liveright.

McCall, R. B., Carriger, M. S. (1993). A meta-analysis of infant habituation and recognition memory performance as predictors of later IQ. *Child Development*, 64, s. 57–79.

Maccoby, F. E. (1990). Gender and relationships. *American Psychologist*, 45, s. 513–520.

Maccoby, E. E. (1998). *The Two Sexes: Growing up Apart, Coming Together*. Cambridge, MA: Harvard University Press.

Maccoby, E. E., Jacklin, C. N. (1974). *The Psychology of Sex Differences*. Stanford, CA: Stanford University Press.

McFarlane, A. H., Bellissimo, A., Norman, G. R. (1995). Family structure, family functioning and adolescent well-being: The transcendent influence of parental style. *Journal of Child Psychology and Psychiatry*, 36, s, 847–864.

McGarrigle, J., Donaldson, M. (1974). Conservation accidents. *Cognition*, 3, s. 341–350.

McLane, J. B., McNamee, G. D. (1990). *Early Literacy*. London: Fontana; Cambridge, MA: Harvard University Press.

McLaughlin, M. M. (1974). Survivors and surrogates: Children and parents from the ninth to the thirteenth century. W: L. DeMause (red.), *The History of Childhood*. New York: Psychohistory Press.

McShane, J. (1991). *Cognitive Development*. Oxford: Blackwell.

Magnusson, D., Bergman, L. R. (1990). A pattern approach to the study of pathways from childhood to adulthood. W: L. N. Robins, M. Rutter (red.), *Straight and Devious Pathways from Childhood to Adulthood*. Cambridge: Cambridge University Press.

Main, M., Kaplan, N., Cassidy, J. (1985). Security in infancy, childhood and adulthood: A move to the level of representation. W: I. Bretherton, E. Waters (red.), Growing points of attachment theory and research. *Monographs of the Society for Research in Child Development*, 50 (1–2, Seria nr 209).

Malatesta, C. Z., Culver, C., Tesman, J. R., Shepard, B. (1989). The development of emotion expression during the first two years of life. *Monographs of the Society for Research in Child Development*, 54 (1–2, Seria nr 219).

Marfo, K. (1988). *Parent-Child Interaction and Developmental Disabilities*. New York: Praeger.

Markman, E. M. (1989). *Categorization and Naming in Children: Problems of Induction*. Cambridge: Cambridge University Press.

Marsh, H. W., Craven, R., Debus, R. (1998). Structure, stability and development of young children's self-concepts: A multicohort, multioccasion study. *Child Development*, 69, s. 1030–1053.

Martin, G. A., Johnson, J. E. (1992). Children's self-perceptions and mothers' beliefs about development and competences. W: I. E. Sigel, A. V. McGillicuddy-DeLisi, J. J. Goodnow (red.), *Parental Belief Systems: The Psychological Consequences for Children*. (wyd. 2). Hillsdale, NJ: Erlbaum.

Masataka, N. (1993). Motherese is a signed language. *Infant Behavior and Development*, 15, s. 453–460.

Mead, M. (1935). *Sex and Temperament in Three Primitive Societies*. New York: William Morrow [wyd. pol. (1986). *Płeć i charakter w trzech społecznościach pierwotnych*. (tłum. E. Życieńska). Warszawa: PIW].

Mead, M., Newton, N. (1967). Cultural patterning of perinatal behaviour. W: S. A. Richardson, A. F. Guttmacher (red.), *Childbearing: Its Social and Psychological Aspects*. New York: Williams & Wilkins.

Mesquita, B., Frijda, N. H. (1992). Cultural variations in emotions: A review. *Psychological Bulletin*, 112, s. 179–204.

Messer, D. J. (1994). *The Development of Communication: From Social Interaction to Language*. Chichester: Wiley.

Millar, S. (1975). Visual experience or translation rules? Drawing the human figure by blind and sighted children. *Perception*, 4, s. 363–371.

Miller, P. H. (2002). *Theories of Developmental Psychology* (wyd. 4). New York: W. H. Freeman.

Miller, P. H., Aloise, P. A. (1989). Young children's understanding of the psychological causes of behavior: A review. *Child Development*, 60, s. 257–285.

Miller, S. A. (1998). *Developmental Research Methods* (wyd. 2). Englewood Cliffs, NJ: Prentice-Hall.

Minushin, P. (1988). Relationships within the family: A systems perspective on development. W: R. A. Hinde, J. Stevenson-Hinde (red.), *Relationships Within Families*. Oxford: Clarendon Press.

Moffitt, T. E., Caspi, A., Dickson, N., Silva, P. S., Stanton, W. (1996). Childhood-onset versus adolescent-onset antisocial conduct problems in males: Natural history from ages 3 to 18 years. *Development and Psychopathology*, 8, s. 399–424.

Molfese, V. J., Molfese, D. L. (red.) (2000). *Temperament and Personality Development across the Life Span*. Mahwah, NJ: Erlbaum.

Money, J., Ehrhardt, A. A. (1972). *Man and Woman/Boy and Girl*. Baltimore: Johns Hopkins University Press.

Moon, C., Fifer, W. P. (1990). Newborns prefer a prenatal version of mother's voice. *Infant Behavior and Development*, 13, s. 530.

Moon, C., Panneton-Cooper, R. P., Fifer, W. P. (1993). Two-day-olds prefer their native language. *Infant Behavior and Development*. s. 495–500.

Moore, C., Dunham, P. (red.) (1995). *Joint Attention: Its Origins and Role in Development*. Mahwah, NJ: Erlbaum.

Moore, C., Lemmon, K. (red.) (2001). *The Self in Time: Developmental Perspectives*. Mahwah, NJ: Erlbaum.

Moss, E., Gosselin, C., Parent, S., Rousseau, D., Dumant, M. (1997). Attachment and joint problem-solving experiences during the preschool period. *Social Development*, 6, s. 1–17.

Murphy, B., Eisenberg, N. (1997). Young children's emotionality, regulation and social functioning and their responses when they are targets of a peer's anger. *Social Development*, 6, s. 18–36.

Murphy, C. M. (1978). Pointing in the context of a shared activity. *Child Development*, 49, s. 371–380.

Murray, L., Hipwell, A., Hooper, R., Stein, A., Cooper, P. J. (1996). The cognitive development of 5-year-old children of postnatally depressed mothers. *Journal of Child Psychology and Psychiatry*, 37, s. 927–935.

Murray, L., Sinclair, D., Cooper, P., Ducournau, P., Turner, P., Stein, A. (1999). The socio-emotional development of 5-year-old children of postnatally depressed mothers. *Journal of Child Psychology and Psychiatry*, 40, s. 1259–1272.

Nelson, C. A., Bloom, F. E. (1997). Child development and neuroscience. *Child Development*, 68, s. 970–987.

Nelson, K. (1978). How children represent knowledge of their world in and out of language. W: R. S. Siegler (red.), *Children's Thinking: What Develops?* Hillsdale, NJ: Erlbaum.

Nelson, K. (red.) (1986). *Event Knowledge: Structure, and Function in Development*. Hillsdale, NJ: Erlbaum.

Nelson, K. (1989). *Narratives from the Crib*. Cambridge, MA: Harvard University Press.

Nelson, K. (1993). The psychological and social origins of autobiographical memory. *Psychological Science*, 4, s. 7–14.

Nelson, K. (2000). Socialization of memory. W: E. Tulving, F. I. M. Craik (red.), *The Oxford Handbook of Memory*. Oxford: Oxford University Press.

Nelson, K., Gruendel, J. (1981). Generalized event representations: Basic building blocks of cognitive development. W: M. E. Lamb, A. L. Brown (red.), *Advances in Developmental Psychology* (t. 1). Hillsdale, NJ: Erlbaum.

Newport, E. L. (1990). Maturational constraints on language learning. *Cognitive Science*, 14, s. 11–28.

Newson, J., Newson, K. (1974). Cultural aspects of childrearing in the English-speaking world. W: M. P. M. Richards (red.), *The Integration of a Child into a Social World*. Cambridge: Cambridge University Press.

Newton, M. (2002). *Savage Girls and Wild Boys: A History of Feral Children*. London: Faber.

Nicolich, L. M. (1977). Beyond sensori-motor intelligence: Assessment of symbolic maturity through analysis of pretend play. *Merrill-Palmer Quarterly*, 23, s. 89–100.

Nunes, T., Bryant, P. (1996). *Children Doing Mathematics*. Oxford: Blackwell.

Oakhill, J. (1995). Development in reading. W: V. Lee, P. D. Gupta (red.), *Children's Cognitive and Language Development*. Milton Keynes: Open University Press.

Oates, J. (1994). *Foundations of Child Development*. Oxford: Blackwell.

Ochs, E. (1982). Talking to children in Western Samoa. *Language in Society*, 11, s. 77–104.

Ochs, E., Schieffelin, B. B. (1984). Language acquisition and socialization: Three developmental stories and their implications. W: R. Shweder, R. LeVine (red.), *Culture Theory*. Cambridge: Cambridge University Press. [por. wyd. pol. (1995). Socjalizacja języka. W: A. Brzezińska, I. Czub, G. Lutomski, B. Smykowski (red.), *Dziecko w zabawie i świecie języka* (s. 124–163). Poznań: Wydawnictwo Zysk i S-ka].

O'Connor, T. G., The English and Romanian Adoptees Study Team (2000). The effects of global and severe privation on cognitive competence: Extension and longitudinal follow-up. *Child Development*, 71, s. 376–390.

O'Connor, T. G., Thorpe, K., Dunn, J., the ALSPAC Study Team (1999). Parental divorce and adjustment in adulthood: Findings from a community sample. *Journal of Child Psychology and Psychiatry*, 40, s. 777–790.

Olson, H. C., Streissguth, A. P., Sampson, P. D., Barr, H. M., Bookstein, F. L., Thiede, K. (1997). Association of prenatal alcohol exposure with behavioral and learning problems in early adolescence. *Journal of the American Academy of Child and Adolescent Psychiatry*, 36, s. 1187–1194.

Parke, R. D. (2002). Fathers and families. W: M. H. Bornstein (red.), *Handbook of Parenting* (t. 3, wyd. 2). Mahwah, NJ: Erlbaum.

Parke, R. D., Ladd, G. W. (red.) (1992). *Family-Peer Relationships: Modes of Linkage*. Hillsdale, NJ: Erlbaum.

Pederson, N. L., Plomin, R., Nesselroade, J. R., McClearn, G. E. (1992). A quantitative genetic analysis of cognitive ability during the second half of the life span. *Psychological Science*, 3, s. 346–353.

Perry, D. G., Perry, L. C., Kennedy, E. (1992). Conflict and the development of antisocial behavior. W: C.U. Shantz, W. W. Hartup (red.), *Conflict in Child and Adolescent Development*. Cambridge: Cambridge University Press.

Piaget, J. (1926). *Judgment and Reasoning in the Child*. New York: Harcourt Brace Jovanovich [wyd. pol. (1939). *Sąd i rozumowanie u dziecka*. (tłum. J. Pini-Suchodolska). Lwów: Warszawa: Książnica Atlas].

Piaget, J. (1929). *The Child's Conception of the World*. New York: Harcourt Brace Jovanovich [wyd. pol. (1969). *Jak sobie dziecko świat przedstawia* (tłum. D. Ziembińska). W: *Materiały do nauczania psychologii*, seria 2, t. 3, Warszawa: PWN].

Piaget, J. (1951). *Play, Dreams, and, Imitation in Childhood*. London: Routledge&Kegan Paul.

Piaget, J. (1953). *The Origins of Intelligence in the Child*. London: Routledge&Kegan Paul [wyd. pol. (1966). *Narodziny inteligencji dziecka*. (tłum. M. Przetacznikowa). Warszawa: PWN].

Piaget, J. (1954). *The Construction of Reality in the Child*. New York: Basic Books.

Pinker, S. (1994). *The Language Instinct: The New Science of Language and Mind*. London: Allen Lane.

Pinker, S. (2002). *The Blank State: The Modern Denial of Human Nature*. London: Allen Lane. [wyd. pol. (2005). *Tabula rasa: spory o naturę ludzką*. (tłum. A. Nowak). Gdańsk: Gdańskie Wydawnictwo Psychologiczne].

Plomin, R. (1990). *Nature and Nurture: An Introduction to Human Behavioral Genetics*. Pacific Grove, CA: Brooks/Cole.

Plomin, R., DeFries, J. C., McClearn, G. E., Rutter, M. (1997). *Behavioral Genetics* (wyd. 3). New York: W. H. Freeman [wyd. pol. (2001). *Genetyka zachowania*. (tłum. E. Czerniawska, K. Duniec). Warszawa: Wydawnictwo Naukowe PWN].

Price-Williams, D., Gordon, W., Ramirez, M. (1969). Skill and conservation: A study of pottery-making children. *Developmental Psychology*, 16, s. 769.

Putnam, S. P., Sanson, A. V., Rothbart, M. K. (2002). W: M. H. Bornstein (red.), *Handbook of Parenting* (t. 1, wyd.2). Mahwah, NJ: Erlbaum.

Pye, C. (1986). Quiche Mayan speech to children. *Journal of Child Language*, 13, s. 85–100.

Quinn, P. C., Eimas, P. D. (1996). Perceptual organization and categorization in young infants. W: C. Rovee-Collier, L. P. Lipsitt (red.), *Advances in Infancy Research* (t. 10). Norwood, NJ: Ablex.

Quinn, P. C., Slater, A. M., Brown, E., Hayes, R. A. (2001). Developmental change in form categorization in early infancy. *British Journal of Developmental Psychology*, 19, s. 207–218.

Radke-Yarrow, M. (1998). *Children of Depressed Mothers: From Early Childhood to Maturity.* Cambridge: Cambridge University Press.

Rank, O. (1929). *The Trauma of Birth.* New York: Harcourt Brace.

Reese, E. (2002). Autobiographical memory development: The state of the art. *Social Development*, 11, s. 124–142.

Robins, L. N. (1966). *Deviant Children Grown Up.* Baltimore: Williams & Wilkins.

Rodgers, B., Power, C., Hope, S. (1997).Parental divorce and adult psychological distress: Evidence from a national birth cohort. *Journal of Child Psychology and Psychiatry*, 38, s. 867–872.

Rogoff, B. (1990). *Apprenticeship in Thinking: Cognitive Development in Social Context.* New York: Oxford University Press.

Rogoff, B., Mistry, J., Goncu, A., Mosier, C. (1993). Guided participation in cultural activity by toddlers and caregivers. *Monographs of the Society for Research in Child Development*, 58 (8, Seria nr 236).

Rollins, P., Snow, C. (1999). Shared attention and grammatical development in typical children and children with autism. *Journal of Child Language*, 25, s. 653–674.

Rosch, E., Mervis, C. B., Gray, W. D., Johnson, D. M., Boyes-Braem, P. (1976). Basic objects in natural categories. *Cognitive Psychology*, 8, s. 382–439.

Rosengren, K. S., Gelman, S. A., Kalish, C. W., McCormick, M. (1991). As lime goes by: Children's early understanding of growth in animals. *Child Development*, 62, s. 1302–1320.

Rothbart, M. K., Ahadi, S. A., Hershey, K. L., Fisher, P. (2001). Investigations of temperament at three to seven years: The children's behavior questionnaire. *Child Development*, 72, s. 1394–1408.

Rothbart, M. K., Bates, J. E. (1998). Temperament. W: W. Damon (red.), N. Eisenberg (red. tomu), *Handbook of Child Psychology* (t. 3). New York: Wiley.

Rowe, D. C. (1993). Genetic perspectives on personality. W: R. Plomin, G. E. McClearn (red.), *Nature, Nurture and Psychology.* Washington, DC: American Psychological Association.

Rubin, J. S., Provenzano, F. J., Łuria, Z. (1974). The eye of the beholder: Parents' views on sex of newborns. *American Journal of Orthopsychiatry*, 5, s. 353–363.

Rubin, K. H. (guest ed.) (1994). From family to peer group: Relations between relationship systems. *Social Development* (Special Issue), 3 (3).

Rubin, K. H. (1998). Social and emotional development from a cultural perspective. *Developmental Psychology*, 34, 611–15.

Rubin, K. H., Bukowski, W. M., Parker, J. G. (1998). Peer interactions, relationships, and groups. W: W. Damon (red.), N. Eisenberg (red. tomu), *Handbook of Child Psychology* (t. 3). New York: Wiley.

Rubin, K. H., Fein, G. G., Vandenberg, B. (1983). Play. W: E. M. Hetherington (red.), *Child Psychology* (t. 4). New York: Wiley.

Ruble, D. N., Martin, C. L. (1998). Gender development. W: W. Damon (red.), N. Eisenberg (red. tomu), *Handbook of Child Psychology* (t. 3). New York: Wiley.

Russell, J. A. (1994). Is there universal recognition of emotion from facial expression? A review of methods and studies. *Psychological Bulletin*, 115, s. 102–141.

Rutter, M. (1999). Autism: A two-way interplay between research and clinical work. *Journal of Child Psychology and Psychiatry*, 40, s. 169–188.

Rutter, M. (2002). Nature, nurture and development: From evangelism through science toward policy and practice. *Child Development*, 73, s. 1–21.

Rutter, M., the English and Romanian Adoptees Study Team (1998). Developmental catch-up and deficit following adoption after severe global early privation. *Journal of Child Psychology and Psychiatry*, 39, s. 465–476.

Rutter, M., Giller, H., Hagel, A. (1999). *Antisocial Behaviour by Young People*. Cambridge: Cambridge University Press.

Rutter, M., Quinton, D., Hill, J. (1990). Adult outcome of institution-reared children: Males and females compared. W: L. N. Rohins, M. Rutter (red.), *Straight and Devious Pathways from Childhood to Adulthood*. Cambridge: Cambridge University Press.

Rutter, M., Rutter, M. (1993). *Developing Minds*. London: Penguin.

Rutter, M., Silberg, J., O'Connor, T., Simonoff, E. (1999). Genetics and child psychiatry: I. Advances in quantitative and molecular genetics. *Journal of Child Psychology and Psychiatry*, 40, s. 3–18.

Rymer, R. (1994). *Genie: A Scientific Tragedy*. London: Penguin.

Saarni, C. (1984). An observational study of children's attempts to monitor their expressive behavior. *Child Development*, 55, s. 1504–1531.

Saarni, C. (1999). *The Development of Emotional Competence*. New York: Guilford Press.

Sameroff, A. J., Chandler, M. J. (1975). Reproductive risk and the continuum of care-taking casualty. W: F. D. Horowitz (red.), *Review of Child Development Research* (t. 4). Chicago: University of Chicago Press.

Sander, L. W., Stechler, G., Burns, P., Lee, A. (1979). Change in infant and caregiver variables over the first two months of life. W: E. B. Thomas (red.), *Origins of the Infant's Social Responsiveness*. Hillsdale, NJ: Erlbaum.

Savage-Rumbaugh, E. S., Murphy, J., Sevcik, R. A., Brakke, K. E., Williams, S. L., Rumbaugh, D. M. (1993). Language comprehension in ape and child. *Monographs of the Society for Research in Child Development*, 58 (3–4, Seria nr 233).

Saxe, G. B., Guberman, S. R., Gearhart, M. (1987). Social processes in early number development. *Monographs of the Society for Research in Child Development*, 52 (2, Seria nr 216).

Schaffer, H. R. (1974). Cognitive components of the infant's response to strangers. W: M. Lewis, L. A. Rosenblum (red.), *The Origins of Fear*. New York: Wiley.

Schaffer, H. R. (1984). *The Child's Entry into a Social World*. London: Academic Press.

Schaffer, H. R. (1998). *Making Decisions about Children: Psychological Questions and Answers* (wyd. 2). Oxford: Blackwell.

Schaffer, H. R. (2002). The early experience assumption: Past, present and future. W: W. Hartup, R. Silbereisen (red.), *Growing Points in Developmental Science: An Introduction*. Hove: Psychology Press.

Schieffelin, B. B., Ochs, E. (1983). A cultural perspective on the transition from prelinguistic to linguistic communication. W: R. M. Golinkoff (red.), *The Transition from Prelinguistic to Linguistic Communication*. Hillsdale, NJ: Erlbaum.

Scollon, R. (1976). *Conversations with a One-year-old*. Honolulu: University Press of Hawaii.

Searle, J. R. (1984). *Minds, Brains and Science*. London: Penguin [wyd. pol. (1995). *Umysł, mózg i nauka*. (tłum. J. Bobryk). Warszawa: Wydawnictwo Naukowe PWN].

Selman, R. (1980). *The Growth of Interpersonal Understanding*. New York: Academic Press. Senechal, M., LeFevre, J.-A. (2002). Parental involvement in the development of children's reading skills: A five-year longitudinal study. *Child Development*, 73, s. 445–460.

Shatz, M., Gelman, R. (1973). The development of communication skills: Modifications in the speech of young children as a function of listener. *Monographs of the Society for Research in Child Development*, 38 (5, Seria nr 152).

Shimizu, H., LeVine, R. A. (red.) (2001). *Japanese Frames of Mind: Cultural Perspectives on Human Development*. Cambridge: Cambridge University Press.

Shirley, M. M. (1933). *The First Two Years: A Study of Twenty-five Babies*. t. 2: *Intellectual Development*. Minneapolis: University of Minnesota Press.

Shostak, M. (1981). *Nissa: The Life and Words of a!Kung Woman.* Cambridge, MA: Harvard University Press.

Siegler, R. S. (1998). *Children's Thinking* (wyd. 3). Upper Saddle River, NJ: Prentice-Hall.

Sigel, I. E., McGillicuddy-DeLisi, A. V. (2002). Parental beliefs and cognitions. W: M. H. Bornstein (red.), *Handbook of Parenting* (t. 3, wyd. 2). Mahwah, NJ: Erlbaum.

Sinclair, D., Murray, L. (1998). Effects of postnatal depression on children's adjustment to school: Teachers' reports. *British Journal of Psychiatry*, 172, s. 58–63.

Skinner, B. F. (1957). *Verbal Behavior.* New York: Appleton-Century-Crofts.

Slater, A., Carrick, R., Bell, C., Roberts, E. (1999). Can measures of infant information processing predict later intellectual ability? W: A. Slater, D. Muir (red.), *The Blackwell Reader in Developmental Psychology.* Oxford: Blackwell.

Slee, P. T., Rigby, K. (red.) (1998). *Children's Peer Relations.* London: Routledge.

Slobin, D. I. (1986). Cross-linguistic evidence for the language-making capacity. W: D. I. Slobin (red.). *The Cross-linguistic Study of Language Acquisition.* Hillsdale, NJ: Erlbaum.

Snow, C. (1977). The development of conversation between mothers and babies. *Journal of Child Language*, 4, s. 1–22.

Snow, C. (1989). Understanding social interaction and language acquisition: Sentences are not enough. W: M. H. Bornstein, J. S. Bruner (red.), *Interaction in Human Development.* Hillsdale, NJ: Erlbaum.

Snow, C., Ferguson, C. A. (1977). *Talking to Children: Language, Input and Acquisition.* Cambridge: Cambridge University Press.

Snow, C., Ninio, A. (1986). The contracts of literacy: What children learn from learning to read books. W: W. H. Teale, E. Sulzby (red.), *Emergent Literacy: Writing and Reading.* Norwood, NJ: Ablex.

Snow, M. E., Jacklin, C. N., Maccoby, E. E. (1983). Sex-of-child differences in father-child interaction at one year of age. *Child Development*, 54, s. 227–252.

Sollie, D., Miller, B. (1980). The transition to parenthood at a critical time for building family strengths. W: N. Stinnet, P. Knaub (red.), *Family Strengths: Positive Models of Family Life.* Lincoln: University of Nebraska Press.

Spock, B. (1948). *Baby and Child Care.* New York: Duell, Sloan & Pearce [wyd. pol. (2000). *Dziecko: pielęgnowanie i wychowanie.* (tłum. E. Piotrowska). Warszawa: Wydawnictwo Lekarskie PZWL].

Sroufe, A. (1979). The coherence of individual development. *American Psychologist*, 34, s. 834–841.

Sroufe, L. A. (1996). *Emotional Development.* Cambridge: Cambridge University Press.

Sroufe, L. A., Egeland, B., Carlson, E. A. (1999). One social world: The integrated development of parent-child and peer relationships. W: W. A. Collins, B. Laursen (red.), *Relationships as Developmental Contexts. Minnesota Symposia on Child Psychology* (t. 30). Mahwah, NJ: Erlbaum.

Stern, M., Karraker, K. H. (1989). Sex stereotyping of infants: A review of gender labelling studies. *Sex Roles*, 20, s. 501–522.

Stipek, D., Recchia, S., McClintic, S. (1992). Self-evaluation in young children. *Monographs of the Society for Research in Child Development*, 57 (l, Seria nr 226).

Streissguth, A. P., Barr, H. M., Sampson, P. D. (1990). Moderate prenatal alcohol exposure: Effects on child IQ and learning problems at age 7,5 years. *Alcoholism: Clinical and Experimental Research*, 14, s. 662–669.

Tamis-LeMonda, C. S., Bornstein, M. H., Baumwell, L. (2001). Maternal responsiveness and children's achievements of language milestones. *Child Development*, 72, s. 748–767.

Tanner, J. M. (1962). *Growth at Adolescence.* Oxford: Blackwell.

Tardiff, T. (1996). Nouns are not always learned before verbs: Evidence from Mandarin Speakers' early vocabulary. *Developmental Psychology*, 32, s. 492–504.

Tessler, M., Nelson, K. (1994). Making memories: The influence of joint encoding on later recall by young children. *Consciousness and Cognition*, 3, s. 307–326.

Tharp, R., Gallimore, R. (1988). *Rousing Minds to Life: Teaching, Learning and Schooling in Social Context.* Cambridge: Cambridge University Press.

Thomas, A., Chess, S. (1977). *Temperament and Development.* New York: Bremner/Mazel.

Thompson, R. A. (2000). The legacy of early attachments. *Child Development*, 71, s. 145–152.

Tizard, B. (1977). *Adoption: A Second Chance.* London: Open Books.

Tobin, J. J., Wu, Y. H., Davidson, D. H. (1989). *Preschool in Three Cultures: Japan, China, and the United States.* New Haven, CT: Yale University Press.

Tomasello, M., Mannle, S., Kruger, A. C. (1986). Linguistic environment of one- to two-year-old twins. *Developmental Psychology*, 22, s. 169–176.

Tomasello, M., Todd, J. (1983). Joint attention and lexical acquisition style. *First Language*, 4, s. 197–212.

Tremblay, R. E. (2002). The development of aggressive behaviour during childhood: What have we learned in the past century? W: W. W. Hartup, R. K. Silbereisen (red.), *Growing Points in Developmental Science.* Hove: Psychology Press.

Triandis, H. C. (1995). *Indivualism and Collectivism.* Boulder, CO: Westview Press.

Tronick, E. Z., Als, H., Adamson, L., Wise, S., Brazelton, T. B. (1978). The infant's response to entrapment between contradictory messages in face-to-face interaction. *Journal of the American Academy of Child Psychiatry*, 17, s. 1–13.

Truby King, F. (1924). *The Expectant Mother and Baby's First Month, for Parents and Nurses.* London: Macmillan.

Tudge, J., Winterhoff, P. (1993). Can young children benefit from collaborative problem solving? Tracing the effects of partner competence and feedback. *Social Development*, 2, s. 242–259.

Tulving, K., Craik, F. I. M. (red.) (2000). *The Oxford Handbook of Memory.* Oxford: Oxford University Press.

van der Molen, M. W., Ridderinkoff, K. R. (1998). The growing and aging brain: Life-span changes in brain and cognitive functioning. W: A. Demetriou, W. Doise, C. F. M. van Lieshout (red.), *Life-span Developmental Psychology.* Chichesler: Wiley.

van der Veer, R., van Ijzendoorn, M. H. (1988). Early childhood attachment and later problem solving: A Vygotskian perspective. W: J. Valsiner (red.), *Child Development within Culturally Structured Environments* (t. 1). Norwood, NJ: Ablex.

Waldinger, R. J., Toth, S. L., Gerber, A. (2001). Maltreatment and internal representations of relationships: Gore relationship themes in the narratives of abused and neglecled preschoolers. *Social Development*, 10, s. 41–58.

Warren, A. R., Tate, C. S. (1992). Egocentrism in children's telephone conversations. W: R. M. Diaz, L. E. Berk (red.), *Private Speech: From Social Interaction to Self-regulation.* Hillsdale, NJ: Erlbaum.

Waters, E., Merrick, S., Treboux, D., Crowell, J., Albersheim, L. (2000). Attachment security in infancy and early adulthood: A twenty-year longitudinal study. *Child Development*, 71, s. 684–689.

Watson, J. B. (1925). *Behaviorism.* New York: People's Institute Publishing Company [wyd. pol. (1990). *Behawioryzm oraz Psychologia, jak ją widzi behaviorysta.* (tłum. E. Klimas-Kuchtowa, J. Siuta). Warszawa: PWN].

Weinraub, M., Horvath, D. L., Gringlas, M. B. (2002). Single parenthood. W: M. H. Bornstein (red.), *Handbook of Parenting* (t. 3, wyd. 2). Mahwah, NJ: Erlbaum.

Wellman, H., Cross, D., Watson, J. (2001), Meta-analysis of theory-of-mind development: The truth about false belief. *Child Development*, 72, s. 655–684.

Wellman, H., Estes, D. (1986). Early understanding of mental entities: A re-examination of childhood realism. *Child Development*, 57, s. 910–923.

Wells, G. (1985). *Language. Development in the Preschool Years.* Cambridge: Cambridge University Press.

Wertsch, J. V. (1979). From social interaction to higher psychological processes: A clarification and application of Vygotsky's theory. *Human Development*, 22, s. 1–22.

White, J. L., Moffitt, T. E., Earls, F., Robins, L., Silva, P. A. (1990). How early can we tell? Predictors of childhood conduct disorder and adolescent delinquency. *Criminology*, 28, s. 507–533.

White, L., Brinkerhoff, D. (1981). The sexual division of labor: Evidence from childhood. *Social Forces*, 60, s. 170–181.

Whitehurst, G. J., Lonigan, C. J. (1998). Child development and emergent literacy. *Child Development*, 69, s. 848–872.

Wood, D. (1998). *How Children Think and Learn* (wyd. 2). Oxford: Blackwell.

Wood, D., Bruner, J. S., Ross, G. (1976). The role of tutoring in problem solving. *Journal of Child Psychology and Psychiatry*, 17, s. 89–100.

Wood, D., Wood, H. (1996). Vygotsky, tutoring and learning. *Oxford Review of Education*, 22, s. 5–16.

Woolley, J. D. (1997). Thinking about fantasy: Are children fundamentally different thinkers and believers from adults? *Child Development*, 68, s. 991–1011.

Wygotski, L. S. (1956). *Selected Psychological Investigations*. Moscow: Izdatel'stvo Academii Pedagogicheskikh Nauk.

Wygotski, L. S. (1962). *Thought and Language*. Cambridge, MA: MIT Press [wyd. pol. (1989). *Myślenie i mowa*. (tłum. E. Flesznerowa, J. Fleszner). Warszawa: PWN].

Wygotski, L. S. (1978). *Mind in Society: The Development of Higher Psychological Processes*. Cambridge, MA: Harvard University Press [wyd. pol. (1971). Problem rozwoju wyższych funkcji psychicznych. (tłum. E. Flesznerowa, J. Fleszner). W: *Wybrane prace psychologiczne* (s. 18–64). Warszawa: PWN].

Wygotski, L. S. (1981a). The genesis of higher mental functions. W: J. V. Wertsch (red.), *The Concept of Activity in Soviet Psychology*. Armonk, NY: Sharpe [wyd. pol. (1971). Geneza wyższych funkcji psychicznych. (tłum. E. Flesznerowa, J. Fleszner). W: *Wybrane prace psychologiczne* (s. 118–158). Warszawa: PWN].

Wygotski, L. S. (1981b). The instrumental method in psychology. W: J. V. Wertsch (red.), *The Concept of Activity in Soviet Psychology*. Armonk, NY: Sharpe [wyd. pol. (1971). Problem i metoda badania. (tłum. E. Flesznerowa, J. Fleszner). W: *Wybrane prace psychologiczne* (s. 163–177). Warszawa: PWN].

Wygotski, L. S. (1987). Thinking and speech. W: R. W. Rieber, A. S. Carton (red.), *The Collected Works of L. S. Vygotsky*. New York: Plenum [wyd. pol. (1971). Myśl i słowo. (tłum. E. Flesznerowa, J. Fleszner). W: *Wybrane prace psychologiczne* (s. 412–486). Warszawa: PWN].

Yuill, N. (1993). Understanding of personality and dispositions. W: M. Bennett (red.), *The Child as Psychologist*. Hemel Hempstead: Harvester Wheatsheaf.

Indeks osób

Opracowała *Anna Szymańska*

Numery stron oznaczone gwiazdką odnoszą się do przypisów, *Literatur dodatkowych* i *Literatur uzupełniających w języku polskim*

Adams Marilyn Jage 317
Ainsworth Mary D. Salter 13, 13*, 128, 130, 143
Alessandri Steven M. 151, 155
Allhusen Virginia D. 129
Aloise P. A. 288
Amato Paul R. 121
Anzieu Didier 144*
Arcus Doreen 359
Ariès Philippe 40, 41, 56*, 57*
Arterberry Martha E. 103*
Asendorpf Jens B. 359
Aslin Richard N. 91, 310
Atkinson Richard C. 248
Attie Ilana 342

Babska Zofia 331*
Banks M. S. 310
Barnett Douglas 131, 176
Baron-Cohen Simon 289
Barr Helen M 77
Barrett Martyn 303
Bartsch Karen 25, 288
Bates Elizabeth 337
Bates John E. 334
Bateson Gregory 164
Bateson Paul Patrick Gordon 103*
Bathurst Kay 116
Baumwell Lisa 328
Beardsall L. 159
Bee Helen 37*, 104*
Beeghly Marjorie 156
Bellissimo Anthony 118
Bellugi Ursula 308
Belsky Jay 111, 261
Bennett M. 292*
Benoit Diane 135
Bergman Lars R. 335
Berk Laure E. 296, 297

Bernstein Basil 331*
Bernstein-Ratner Nan B. 304
Bettes Barbara A. 324
Bifulco Antonia 368, 369
Binet Alfred 183
Birch Ann 37*
Bishop Dorothy 308
Bivens Jennifer A. 296, 297
Bjorklund David F. 292*, 299
Black James E. 97
Blehar Mary C. 13*
Bloom Floyd E. 99
Bloom Lois 306, 329
Boden Margaret 214*, 247, 250–252
Bolger Kerry E. 346
Booth Alan 121
Borke Helene 212
Bornstein Mark H. 48, 57*, 144*, 328
Boulton Michael J. 347
Bower T. G. R. 207, 208
Bowlby John 12, 13, 13*, 122–124, 126, 127, 132
Bradley Ben S. 57*
Brame Bobby 363
Brenda, pacjentka 259
Bretherton Inge 156–159
Briggs Jean L. 164, 165
Brinkerhoff David B. 351
Bromley Dennis Basil 285–287
Bronfenbrenner Urie 241
Brooks-Gunn Jeanne 337, 342
Brown Ann L. 244*
Brown George W. 368, 369
Brown J. 159
Brown Jane R. 157
Brown Roger 294, 306
Bruck Maggie 284
Bruner Jerome S. 12, 228, 228*, 322, 323, 323*
Bryant Peter E. 231

Brzezińska Anna Izabela 10*, 14*, 37*, 57*, 104, 144*, 145*, 180*, 224*, 244*, 245*, 292*, 331*, 372*
Brzeziński Jerzy 145*
Buchsbaum H. 256
Bukowski William M. 142
Bullock M. 337
Bullowa Margaret 13
Burman B. 121
Buss Arnold H. 334, 359
Butler Susan 351

Cairns Robert B. 361, 362
Calkins Susan D. 172, 176
Campbell John B. 37*
Carey Susan 304
Carlson Elizabeth A. 143
Carpenter Malinda 328
Carriger M. S. 357
Caspi Avshalom 114, 356, 363, 364, 369, 371*
Cassidy Jude A. 133, 167
Cattell Ray 330*
Cazden C. B. 14, 14*
Ceci Stephen J. 103*, 284
Chagnon Napoleón A. 164
Chan Raymond W. 118
Chandler Michael J. 84, 85
Chapieski M. Lynn 233
Chase-Lonsdale P. L. 120
Chen Xinyin 52
Cherlin A. J. 120
Chess Stella 15*, 334, 359
Chi Michelene T. H. 277, 278
Chisholm Kim 127, 367
Chomsky Noam 12, 320–323, 330
Cicchetti Dante 131, 176
Clark Eve V. 259
Clarke Alan 365, 371*
Clarke Ann 365, 371*
Clarke-Stewart K. Alison 128/129
Codol Jean-Paul 15*
Cohn Jeffrey F. 169
Cole Michael 14, 14*, 344
Cole Pamela M. 173
Cole Sheila R. 344
Condry John 352, 353
Condry Sandra 352, 353
Cooley Charles Horton 345
Cooper Peter 102
Coopersmith Stanley 338, 345
Cowan Nelson 292*

Cox Maureen 265
Craik Fergus I. M. 275
Crain William 35, 214*
Craven Rhonda G. 341
Crittenden Patricia M. 131
Cromer Cindy C. 135
Crook Charles K. 220
Cross David 289
Crowell Judith Ann 134
Crozier W. Ray 359
Cummings E. Mark 101, 112, 121
Curtiss Susan 312
Czerniawska Ewa 104*
Czub Magdalena 180*
Czub Tomasz 10*, 14*, 57*, 180*, 244*, 245*, 331*

Damon William 333, 371*
Darwin Dodd zob. Doddy, syn Karola Darwina
Darwin Karol (Charles) 150, 150*, 152
Dasen Pierre R. 209, 210
Davidson Dana H. 50
Davies Patrick T. 101, 112
Debus Raymond 341
DeCasper Anthony J. 92, 93
DeLoache Judy S. 56*, 256
Demetriou A. 104*
Dempster Frank N. 251
Denham Susanne 148, 177, 178, 178*
Denham S. A. 172, 173
Dennis Wayne 365, 366, 369
DeWolff Marianne S. 130
Diamond Milton 70, 80
Doddy, syn Karola Darwina 150
Doise W. 104*
Donaldson Margaret C. 208, 211, 212, 214*
Draheim Szymon Emilia 151*
Dunham Philip J. 327
Duniec Kamila 104*
Dunn Judith F. 25, 114, 120, 144*, 156–161, 254
Dunsmore J. C. 172, 173
Durkin Kevin 15, 15*, 231
Dziki Chłopiec z Aveyron 311

Eaton W. O. 350
Eckerman Carol O. 86
Egan Susan K. 348
Egeland Byron 143
Ehrhardt Anke A. 69
Eibl-Eibesfeldt Irenäus 154

Eimas Peter D. 269, 300
Eisenberg Arlene R. 253
Eisenberg Nancy 172, 371*
Ekman Paul 151–153
Elder Glen H. 114
Ellis Shari 135
Emily, pacjentka 254, 255
Erel O. 121
Erikson Erik Homburger 343, 344, 370, 372*
Eron Leonard D. 361
Estes David 287

Fabes Richard A. 160, 161, 172
Fagot Beverly I. 351, 353
Fantz Robert 87
Farrington D. P. 361
Farver Jo Ann M. 47
Fein Greta G. 261
Ferguson Charles A. 323
Ferguson David M. 122
Fernald Anne 48
Ferrara Robert A. 244*
Feuerstein Reuven 14, 14*
Feuerstein S. 14, 14*
Field Tim 169
Fifer William P. 92, 93
Fivush Robyn 70, 269, 351, 352, 371*
Flavell Eleanor R. 212, 287
Flavell John H. 210, 212, 287, 288
Fleszner Józef 223*, 224*
Flesznerowa Edda 223*, 224*
Fogel Alan 91
Foot Hugh 234
Forman E. A. 14, 14*
Foss Brian M. 13*
Fox Nathan A. 180*
Freud Sigmund 35, 82, 106, 281, 364, 365, 367
Freund L. S. 238, 239
Fridlund Alan J. 152
Friesen Wallace V. 151, 153
Frijda Nico H. 152, 173
Frith Uta 290
Furrow David 297
Furth Hans 262

Gallimore Ronald 113, 226
Gallistel Charles R. 231
Gałkowski Tadeusz 144*
Ganiban Jody 131, 176
Gardner Beatrice T. 298
Gardner R. Allen 298

Garner Pamela W. 176
Garvey Catherine 261, 262
Gathercole Susan E. 276
Gaulthier R. 354
Gauvain Mary 244*
Gearhart Maryl 231
Gelman Rochel 231, 315
Genie, pacjentka 311–313, 367
Gerber Andrew 256
Giller Henri 67
Ginsburg Herbert 214*
Gleason Jean Berko 331*
Goldberg Susan 129, 144*, 167, 252, 346
Goldfield Beverly A. 260
Goldin-Meadow Susan 309
Goleman Daniel 171, 180*
Golombok Susan 70, 116, 118, 119, 351, 352, 371*
Goodman Emma 119
Goodman R. 99
Goossens Fams A. 129
Gopnik Alison 270
Gordon William 210
Gottfried Adela Eskeles 116
Gottfried Allen W. 116
Gottlieb Alma 56*
Graham Sandra 347
Green Frances L. 287
Greenfield Patricia M. 220, 221
Greenough William T. 97
Grell Barbara 244*
Grice H. Paul 313
Gringlas Marcy B. 117
Gruendel Janice M. 273
Guberman Steven R. 231

Haden Catherine A. 283
Hagan Richard 351, 352
Hagel Ann 67
Hainline L. 89
Haith Marshall M. 89
Halberstadt Amy G. 172, 173
Hall Calvin Springer 37*
Halliday M. A. K. 331*
Hankins S. 57*
Harkness Sara 49, 50
Harris Judith Rich 135
Harris Margaret 317
Harris Paul 161, 162, 166, 179, 259
Harris Tirril O. 368, 369
Harter Susan 339–341, 346, 347, 371*

Hartup William W. 136
Hatano Giyoo 271, 317
Hawker David S. J. 347
Heinicke C. M. 100
Hejmej Przemysław 372*
Hetherington E. Mavis 120, 144*, 370
Hewstone Miles 15*
Hill Jonathan 369
Hinde Robert A. 107, 108, 144*, 145*
Hoddap R. M. 113
Hodges Jill 127
Hoff-Ginsberg Erika 331*
Holloway S. D. 54
Hołówka Jacek 57*
Hope Steven 122
Hornowska Elżbieta 372*
Horvath Danielle L. 117
Horwood L. John 122
Howe Christine 140, 234
Howes Carollee 47
Hudson Judith A. 274, 281, 282
Huesmann L. Rowell 361
Hughes Claire 25, 161, 290
Hughes Martin 211, 212
Hulme C. 292*
Hunca Ewa 214*
Hunca-Bednarska Anna 214*
Hytten Frank E. 74

Ijzendoorn Marinus H. van 130, 233
Inagaki Kayoko 271
Itard Jean Marie 311
Izard Carroll E. 151

Jabłoński Sławomir 180*
Jacklin C. N. 350, 351
Jacqueline, córka Jeana Piageta 186, 191, 195, 196
James William 87
Jankowski Andrzej 180*
Jenkins Jennifer M. 180*
Johnson James Ewald 53
Johnson Jacqueline S. 310
Johnson Mark H. 90
Jones D. C. 176
Jusczyk Peter W. 91
Juvonen Jaana 347

Kagan Jerome 359, 360
Kane Steven R. 262
Kaplan Nancy 133
Karpiński Maciej 180*

Karraker Katherine Hildebrandt 352, 353
Kearins Judith M. 280
Keenan Eleanor Ochs 315
Keith Bruce 121
Kellman Philip J. 103*
Kennedy E. 346
Kessen William 42
Kiernan K. E. 120
Klahr David 247
Klein Pnina S. 14, 14*
Kleinfeld Judith 280
Klima Edward 308
Klimas-Kuchtowa Ewa 364
Kohlberg Lawrence 349
Kołudzka J. 215*
Kontos Susan 239
Kossen W. 57
Kruger A. C. 328
Kryński Stanisław 39, 39*
Kuczaj Stan A. 307
Kuebli Janet 351
Kuhn Deanna 279
Kupersmidt Janis B. 346
Kurcz Ida 331*

Ladd Gary W. 136, 138
LaFreniere F. 354
Landry Susan H. 233
Lazar Aryew 272
Leaper Campbell 351
Lecanuet Jean-Pierre 93
Leekam Sue 290
LeFevre 318
Lefkowitz M. M. 361
Leinbach Mary D. 351
Lemmon Karen 355
Lempers J. D. 212
Lenneberg Eric H. 299, 300, 310, 312
Letson R. D. 310
LeVine Robert A. 47, 48
Lewis Michael 151, 154, 155, 337
Lieshout C. F. M. van 104*
Light Paul 220
Lindzey Gardner 37*
Littleton Karen 220
Livesley William John 285–287
Locke John L. 310
Lonigan Christopher J. 317
Lucienne, córka Jeana Piageta 199
Lukeman Diane 84
Luquet Georges Henri 264

Lutkenhaus P. 337
Lutomski Grzegorz 10*, 14*, 57*, 104*, 144*, 145*, 244*, 245*, 292*, 331*
Lutz Catherine 163
Lynskey Michael T. 122

Łuczyński Jan 37*
Łuria Aleksander Romanowicz 297
Łuria Zella 352

McCall R. B. 357
MacCallum Fiona 119
McClintic Susan 155
Maccoby Eleanor E. 138, 350, 351, 353, 354, 372*
Machida S. 54
McFarlane Allan H. 118
McGarrigle James 208
McGillicuddy-DeLisi Ann V. 53
McLane John Brooks 317, 331*
McLaughlin Mary Martin 41
McNamee Gillian Dowley 317, 331*
McShane John 259
MacWinney Brian 247
Magnusson David 335
Main Mary 133
Majlert Zofia 150*
Malatesta Carol Z. 168
Mannle S. 328
Marchow Marta 180*, 224*, 292*
Marfo Kofi 113
Markman Ellen M. 303
Marsh Herbert W. 341
Martin Carol Lynn 350
Martin G. A. 53
Martin Paul 103*
Maruszewski Tomasz 275*
Masataka Nobuo 323
de Mause Lloyd 42, 43, 57*
Mead Margaret 51, 57*, 81, 164
Melson Gail F. 91
Melvin Diane 84
Mesquita Batja 152
Messer David J. 303, 324, 331*
Michel M. K. 173
Millar Susan 267
Miller Patricia H. 35, 36*, 210, 214*, 244*, 247*, 288
Miller R. 100
Miller Scott A. 25, 36*, 210
Miner J. L. 176

Minushin P. 110
Mitchell Peter 292*
Moffitt Terrie E. 362
Mogford Kay 308
Molen Maurits W. van der 96, 104*
Molfese Dennis L. 334
Molfese Victoria J. 334
Money John 69
Moon Christine 93
Moore Chris 327, 355
Morford Marolyn 309
Morgan Michelle J. 234
Morikawa Hiromi 48
Morton John 90
Moss Ellen 233
Most Robert K. 261
Munn Penny 156–159
Murphy Bridget C. 172
Murphy Catherine M. 327
Murray E. 102
Murray Lynne 102
Musatti Tullia 145*

Nagell Katherine 328
Nagin Daniel S. 363
Nelson Charles A. 99
Nelson Katherine 254, 255, 273, 274, 281, 283
Newport Elissa L. 310
Newson Elizabeth 43
Newson John 43
Newton Michael 311
Newton Niles 81
Nicholas J. G. 239
Nicolich L. M. 261
Ninio Anat 317
Norman Geoffrey R. 118
Nunes Terezinha 231

Oakhill Jane 317
Oates John 62, 88
Oatley Keith 180*
Ochab Maryna 40*, 41*, 56*, 57*
Ochs Elinor 14, 14*, 46, 325, 326, 331*
O'Connor Thomas G. 120, 366
O'Donnell-Teti Lavreen O. 173
Oehler Jerri M. 86
Olejnik Marian 37*
Oleś Piotr K. 372*
Olson Heather Carmichael 77
Oniszczenko Włodzimierz 104*
Opper Sylvia 214*

Panneton-Cooper Robin P. 93
Parke Ross D. 117, 138
Parker Jeffrey G. 142
Parker Kevin C. H. 135
Patterson Charlotte J. 118
Patterson J. 346
Pawłow Iwan Pietrowicz 218
Pederson Nancy L. 66
Perry David G. 348
Perry Louise C. 348
Pettigrew Thomas F. 37*
Piaget Jacqueline zob. Jacqueline, córka Jeana Piageta
Piaget Jean 11, 12, 14, 14*, 35, 145*, 182–214, 214*, 215*, 217–219, 221, 223–225, 240, 242, 243, 249, 257, 260, 262, 270–272, 295, 296, 315, 355
Piaget Lucienne zob. Lucienne, córka Jeana Piageta
Piaget Wawrzyniec zob. Wawrzyniec, syn Jeana Piageta
Pinker Steven 135, 300, 304
Pisoni David B. 91
Plomin Robert 65, 67, 104*, 334, 359
Power Chris 122
Prescott Phillips A. 93
Price-Williams Douglas 210
Prokopiuk Jerzy 365*
Provenzano Frank J. 352
Przetacznik-Gierowska (Przetacznik) Maria 189*, 192*
Putnam Samuel P. 101
Pye Clifton 326

Quinn Paul C. 269
Quinton David 369

Raboy Barbara 118
Radke-Yarrow Marian 101
Radzicki Józef 180*
Ramirez Manuel 210
Rank Otto 82
Reben Arthur S. 64*
Recchia Susan 155
Reese Elaine 282
Reznick J. Steven 260, 359
Ridderinkoff K. Richard 96, 104*
Rigby Ken 142, 144*
Robins Lee N. 362
Robson Colin 37*
Rodgers Bryan 122

Rogoff Barbara 14, 14*, 135, 145*, 227, 230, 235–237, 241, 244*
Rollins Pamela Rosenthal 329
Rosch Eleanor 270
Rosengren K. S. 271
Ross Gail 228
Rothbart Mary Klevjord 101, 334, 359
Rowe David C. 66
Rubin Jeffrey Z. 352
Rubin Kenneth H. 52, 138, 142, 261
Ruble Diane N. 350
Russell James A. 153
Rutter Marjorie 100, 344, 363
Rutter Michael L. 67, 70, 100, 179, 344, 363, 366, 367, 369
Rymer Russ 312

Saarni Carolyn Ingrid 148, 165, 166, 171, 180*
Salovey Peter 180*
Sameroff Arnold J. 84, 85
Sampson Paul D. 77
Sander L. W. 95
Sanson Ann V. 101
Savage-Rumbaugh Emily Sue 298, 299
Saxe Geoffrey B. 231
Schaffer H. Rudolph 9, 9*, 10–14, 14*, 15–17, 104*, 118, 144*, 145*, 149, 292*, 310, 327, 331*, 365
Schieffelin Bambi B. 14, 14*, 46, 325, 326, 331*
Scollon Ron 259
Searle John 250, 251
Selman Robert 338
Senechal 318
Shatz Marilyn 315
Shiffrin Richard M. 248
Shimisu Hidetada 48
Shirley Mary M. 62
Shostak Marjorie 344
Shotter John 244*
Shugar Grace Wales 323*, 331*
Shute Rosalyn H. 234
Siegler Robert S. 225, 252, 292*, 302, 303
Sigel Irving E. 53
Sigmundson H. Keith 70
Sinclair Dana 102
Skinner Burrhus Frederic 319, 322, 330, 331*
Skwirczyńska-Masny Zenobia 9, 104*
Slater Alan 357
Slee Phillip T. 142, 144*
Slobin Dan I. 321

Sluyter David J. 180*
Smith Peter K. 347
Smoczyńska Magdalena 323*, 331*
Smykowski Błażej 10*, 14*, 57*, 144*, 145*, 244*, 245*
Snidman Nancy 359
Snow Catherine 317, 322, 323, 329
Snow M. E. 351
Sobel David M. 270
Sollie D. 100
Sorenson E. Richard 153
Spears Floyd M. 176
Spence Melanie J. 93
Spock Beniamin 29, 30
Sroufe L. Alan 106, 143, 148
Stachowski Ryszard 217*
Stanley-Hagan Margaret M. 370
Stanosz Barbara 320*
Stephenson Geoffrey M. 15*
Stern Marilyn 352, 353
Stevenson-Hinde Joan 144*, 145*
Stipek Deborah 155
Strayer F. F. 354
Streissguth Ann P. 77
Strelau Jan 140*, 275*
Stroebe Wolfgang 15*
Stroufe A. 106, 107
Suchecki Jacek 180*
Sullivan Margaret W. 151, 155
Super Charles M. 49, 50, 57*

Tal Joseph 48
Tamis-LeMonda Catherine S. 48, 328
Tannenbaum Abraham J. 14*
Tanner James Mourilyan 97
Tardiff T. 260
Tate Carol Satterfield 314
Tessler Minda 283
Tharp Roland 226
Thomas Alexander 15*, 334, 359
Thompson Ross A. 129
Thorpe K. 120
Tinker Erin 329
Tizard Barbara 127
Tobin Joseph J. 50
Todd J. 327
Tomasello Michael 327, 328
Torney-Purta Judith 272
Toth Sheree L. 256
Treboux Dominique 134
Tremblay Richard E. 362, 363

Triandis Harry C. 49
Tronick Edward Z. 169
Truby King Frederic 29, 30
Tudge Jonathan R. H. 14, 14*, 145*, 234
Tulving Endel 275

Valsiner Jaan 244*
Vandenberg B. 261
Veer René van der 233, 244*

Waldinger Robert J. 256
Wallace Christoper S. 97
Warchoł Katarzyna 10*
Warren Amye Richelle 314
Waters Everett 13*, 130
Watson Julanne 289
Watson John B. 364, 367
Wawrzyniec, syn Jeana Piageta 189, 191, 192
Weinraub Marsha 117
Wall Sally 13*
Wellman Henry M. 25, 287–289
Wells Gordon 327
Wertsch James V. 227
Wesley Zuzanna 43
White Jennifer L. 361
White Lynn K. 351
Whitehurst Grover J. 317
Williams Wendy M. 103*
Winterhoff Paul A. 234
Witting B. A. 13*
Wojciechowski Aleksander 37*, 104*
Wood David 145*, 228, 228*, 229, 230, 316
Wood Heather 228
Wordsworth 39
Woolley Jacqueline D. 261
Wu David Y. H. 50
Wygodska Gita L. 217*
Wygotski Lew Semionowicz 11, 12. 14, 14*, 145*, 182, 217, 217*, 218–224, 224*, 225, 227, 232, 233, 238, 240–243, 243*, 244, 244*, 245*, 283, 292*, 296, 297, 327

Yu A. P. 350
Yuill Nicola 287

Zaćwilichowska Krystyna 150*
Zagrodzki Michał 37*
Zakrzewska Zofia 215*

Żywicki Mateusz 372*

Indeks rzeczowy

Opracowała *Joanna Marek*

Agresja 19, 22, 34, 51, 67, 142, 165, 356, 361–364, 371
– a poczucie Ja 347, 348, 371
– rodziców 130, 131
Akomodacja 187, 188, 213, 373, 375 (zob. też Teoria rozwoju poznawczego Piageta)
Alkoholizm 67, 71, 131
– a płodowy syndrom alkoholowy 76, 77
Asymilacja 187, 188, 213, 291, 373, 375 (zob. też Teoria rozwoju poznawczego Piageta)

Badania 22, 24
– a teoria 35, 36
– eksperymentalne 9
– metody
– – eksperyment 24, 25, 36, 356–358
– – obserwacja 22, 24, 25, 33, 36, 356–358
– – wywiad 24, 25, 33, 36
– międzykulturowe 14
– mikrogenetyczne 13
– podłużne 26, 27, 36, 373
– porównawcze 14
– prenatalne 61
– procedury 31–35
– przekrojowe 26, 27, 36, 373

Cykl życia wg Eriksona (stadia) 344
Chromosomy 59, 60, 62, 63, 69, 373

Depresja
– dzieci 65, 101, 102, 120, 347
– matek 65, 101–103, 113, 169, 176, 324
– ojców 113, 176
– okresu dorastania 344, 368, 369
– poporodowa 101–103
– przekazywanie 64, 65, 101, 102, 176
Działania
– diagnostyczne 10, 11
– edukacyjne 11
– interwencyjne 10
– profilaktyczne 11
– terapeutyczne 11
– wspomagające rozwój 11

Dzieciństwo (zob. też Rozwój dziecka)
– perspektywa historyczna 40–45, 56
– perspektywa kulturowa 45–52, 56
Dziedziczenie cech 60, 61, 65–68

Emocje 147–179 (zob. też Kompetencje, Rozwój dziecka)
– a typ przywiązania 167, 168
– a różnice kulturowe 152–154, 163–165, 179
– funkcje 148–149, 179
– istota 148–149
– język 156, 157
– kontrola 147, 173–175, 179
– pierwotne (podstawowe) 149, 179
– podstawy biologiczne 150–154, 179
– pojmowanie przez dzieci 156–163, 179
– rozpoznawanie u innych ludzi 147, 179
– socjalizacja 11, 163–170, 179
– – nabywanie reguł ekspresji 165–167, 375
– – wpływ rodziców 167–170, 179
– świadomość 147
– zaburzenia 23
– – u dzieci autystycznych 177–179

Genetyka zachowania 65, 72, 102, 373
– metody badań
– – badania bliźniąt 65–67
– – badania dzieci adoptowanych 66, 67
Geny 59–73, 373

Indywiduacja 333, 370, 373 (zob. też Tożsamość)
Interakcje (relacje) społeczne 12–16 (zob. też Przywiązanie)
– w diadzie matka–niemowlę 9, 13, 15, 46
– w szerszych układach społecznych (poliadach) 9, 14, 15, 46

Język 294–330
– funkcje 294–298, 329
– natura 294, 295, 329
– rozwój 12
– – kontekst kulturowy 325, 326
– – mowa pisana 316–318, 376